Diego de Velázquez, "La Rendición de Breda"

Test on 17-18-19-20

Exam is in 106 Hinsdale
9:00 Wednesday

BEGINNING SPANISH

A Concept Approach

SECOND EDITION

ZENIA SACKS DA SILVA

Hofstra University

BEGINNING SPANISH: *A Concept Approach,* Second Edition

Library of Congress Catalog Card Number: 68–17747

To Gary and Russell,
always

CONTENTS

PREFACE

What a wonderful opportunity this has been! It's almost as if someone had asked: "Would you do the same if you could live your life again?," and I had said: "For the most part, yes, but I certainly would make some revisions!" Well, *Beginning Spanish: A Concept Approach* isn't really the story of my life (and if it were, I doubt that you would be reading this far). But it does speak of what I feel and believe. It does grow and change with me, hopefully, for the better. From this growth has come, then, the Second Edition, revised. Let me tell you what's new—and what's old about it.

What's new? For one thing, I have learned during the past few years that there are many *new* audio-lingual techniques that can be brought into play in the classroom as well as in the laboratory—techniques that still do not rely on automatic response, memorization, or repetition. And so I have redone almost all the exercises in this new edition, and the stress throughout falls on active, conversational usage rather than on mere sequence drills or English-Spanish translation. For another, with your help I have come to feel that a more flexible format might suit better the needs of diverse classes. Some have been able to cover all the materials; others have not. Some prefer a stress on the current, the everyday, while others enjoy the brief meanderings into history. And so, in order to make the numerous elements of the text more accessible, I have set up a parallel offering of *Horas de Conversación* and *Lecturas* (cultural readings) to supplement the regular grammar-reading-conversation lessons. Third, the *Lección de Conversación* has been entirely rewritten, shortened and redesigned, as experience has proven more effective. A new vocabulary expansion section has been added to each *Repaso.* Within each lesson, the active vocabulary listings have been regrouped, wherever possible, according to logical associations of ideas. Five new review and testing tapes have been added to the laboratory program. Grammar explanations have been tightened and polished, and the models remodeled. And for those who hold that a good picture can save a thousand words, we have saved ourselves some 75,000! Yes, most of the illustrations are new and, I believe, very exciting—from a caveman's "abstract" to a modern Apocalypse. They are bound to ease your passage through the centuries.

What's old, then? Old, above all, is my faith in the student as a thinking human being, and in language as his intimate expression. And so, as before, the concept approach attempts to discard the trappings of idle terminology and to pare usage down to essential meanings. For language is a communication art, and it is an idea that we send or receive, not a formula. Now, as ever, there are no dialogues to memorize, only readings to "act out" and then to comment upon, to create upon. There are pronunciation drills at the beginning of Lessons 1–10, drills that are repeated on tape and expanded in the record that accompanies the Student's Manual. There is a *Lección de Conversación* that allows for active conversation without need for grammar explanation during the entire first week, and perhaps longer. There are five review lessons that include charts, diagrams, and vocabulary associations, and there are two sets of tape recordings to accompany them. There are numerous appendixes containing aids to class discussion and eventually, to travel abroad. And there are end vocabularies especially designed to point out the subtle differences that can exist between translation and meaning.

In all, this first-year college program is based on a proportion of two-thirds conversation and reading to one-third structural analysis and exercise. The twenty-five lessons are intended for two class sessions each. However, because of their divisibility at any point, they may be extended or compressed according to your own needs. The eighteen cultural readings and *Horas de Conversación* are geared scrupulously to the structures previously studied, and can be used either in conjunction with the regular lessons, or as supplementary enrichment materials. As the course is planned, Lessons 1–13, plus *Lecturas* 1–8 (and/or *Horas de Conversación* 1–8) should be covered during the first semester, and the second semester can be devoted to Lessons 14–25, plus *Lecturas* 9–18 (and/or *Horas de Conversación* 9–18).

Of course, these suggestions are only guidelines, for you alone can truly determine the scope of your program. To you, then, as to the many friends who have helped to shape and reshape these materials, I am profoundly grateful. Although I mention by name here only a few—Professor Leonardo de Morelos of Columbia University, Professors Frederick J. Churchill and Lucrecia Ruisanchez López of Hofstra University, Professor Isabel Snyder of Loyola University of the South, and Professor Gabriel H. Lovett of New York University for his permission to reproduce certain diagrams that appear in our *A Concept Approach to Spanish*—my sincere thanks go out to you all for allowing me a "second chance." What a wonderful opportunity this has been!

Z. S. D.

List of

ILLUSTRATIONS

BEGINNING SPANISH

¿Cinco pesos, señor?

Vista típica, España.

Vendedor de lotería.

Mundo

Hispano

La eterna motocicleta.

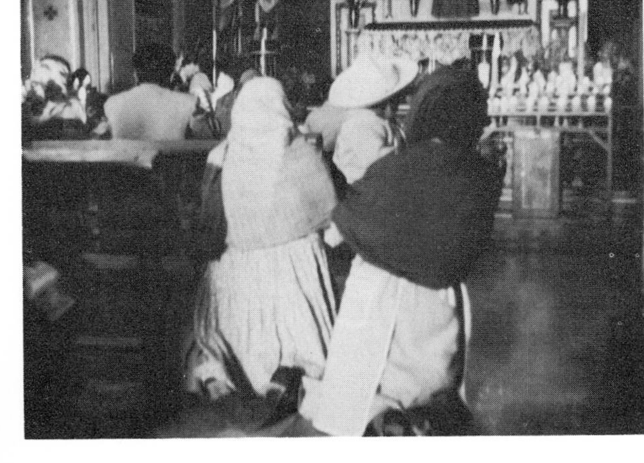

Ante
el altar.

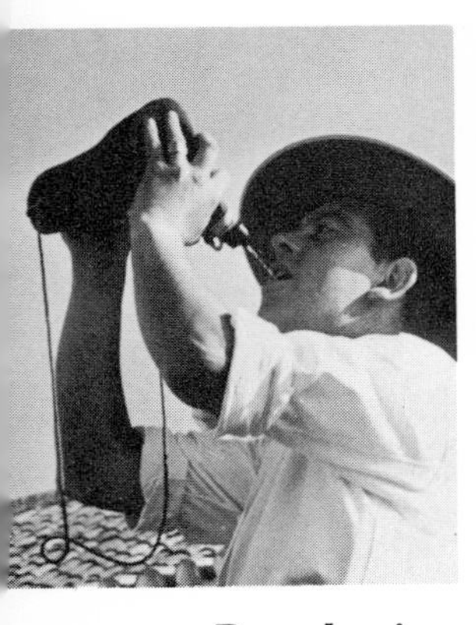

Bota de vino,
Andalucía

Un café
español.

Lección de

CONVERSACIÓN

Introducción

¿Cómo se llama usted?	What is your name?
Me llamo . . .	My name is . . .

Your instructor will now baptize you in Spanish. Remember to use your new name from now on. **¿Está bien?** (*All right?*)

I. EJERCICIO DE PRONUNCIACIÓN Y COMPRENSIÓN

Since both Spanish and English stem in great part from Latin, there will be thousands of Spanish words you already know once you learn to recognize their pronunciation. So tune your ear and repeat the words exactly as you hear them. Then get ready to make your own sentences in Spanish. **Vamos a comenzar.** (*Let's begin.*)

1. Repita (R*e*p*e*at):

famoso, moderno, importante, individual; inteligente, brillante, ridículo, normal; inferior, superior, extraordinario, intelectual; romántico, fantástico, sincero, sentimental; estudioso, religioso, generoso, liberal; diferente, imposible, terrible, natural

Ahora[1] conteste en español (*Now answer in Spanish*):

¿Es usted sentimental? (*Are you . . .*)	Sí, soy sentimental. (*Yes, I am . . .*)
	No, no soy . . . (*No, I am not . . .*)

[1] Notice that **h** is silent in Spanish. Until you get used to not pronouncing it, we'll remind you by writing: **h**

¿Es usted brillante?
¿Es usted inteligente?
¿Es usted romántico (romántica, *fem.*)?
¿Es usted estudioso (estudiosa)?
¿Es usted famoso (famosa)?
¿Es usted generoso (generosa)? ¿sincero (sincera)? ¿popular? ¿liberal?

2. Repita otra vez (*Repeat again*):

   profes*o*r, doct*o*r, m*é*dico, dent*i*sta, art*i*sta, act*o*r, actr*i*z, secret*a*rio, secret*a*ria, po*e*ta, presid*e*nte, senad*o*r, gener*a*l, capit*á*n, millon*a*rio, arquit*e*cto, ingeni*e*ro, carpint*e*ro

   Conteste otra vez:

¿Es médico su padre?	Sí, mi padre es médico.
(*Is your father a doctor?*)	No, mi padre no es médico.

   ¿Es dentista su padre?
   ¿Es millonario su padre?
   ¿Es actor su padre?
   ¿Es actriz su madre (*mother*)?
   ¿Es secretaria su madre?
   ¿Es arquitecto su padre?
   ¿Es ingeniero su padre?
   ¿Es artista su madre?
   ¿Es profesora su madre?

3. Repita una vez más (*Repeat once more*):

   r*a*dio, televisi*ó*n, progr*a*ma, dr*a*ma, com*e*dia; m*ú*sica, instrum*e*nto, pi*a*no, viol*í*n, saxof*ó*n, clarin*e*te, tromp*e*ta; f*ú*tbol, b*é*isbol, b*á*squetbol, v*ó*libol, t*e*nis

   Ahora conteste:

¿Le g*u*sta la televisión?	Sí, me gusta la televisión.
(*Do you like . . .*)	No, no me gusta la televisión.

   ¿Le gusta la radio?
   ¿Le gusta más (*more* or *better*) la radio o (*or*) la televisión?
   ¿Le gusta la música?
   ¿Le gusta el piano?
   ¿Le gusta el violín? ¿el saxofón? ¿la trompeta?
   ¿Le gusta el fútbol (*football* or *soccer*)?
   ¿Le gusta más el fútbol o el béisbol?
   ¿Le gusta más el béisbol o el básquetbol?
   ¿Le gusta el vólibol?
   ¿Le gusta el tenis?

¿Le gustan los programas musicales? — Sí, me gustan . . .
No, no me gustan . . .

¿Le gustan los programas dramáticos?
¿Le gustan las comedias?
¿Le gustan más los dramas o las comedias?

¿Qué (*What*) instrumentos musicales le gustan más (*most*)? — Me gustan . . .
¿Qué deportes (*sports*) le gustan más?

¿Toca usted (*Do you play*) un instrumento musical? — Sí, toco . . .
No, no toco . . .

¿Toca usted el piano? ¿el violín? ¿el saxofón? ¿el clarinete? ¿la trompeta? ¿el trombón?

4. Repita finalmente (-mente = *ly*):

geografía, historia, matemáticas, aritmética, geometría, psicología, biología, filosofía, literatura

Ahora conteste una vez más:

¿Estudia usted historia? — Sí, estudio . . .
No, no estudio . . .

¿Estudia usted matemáticas?
¿Estudia biología? ¿psicología? ¿filosofía? ¿literatura?

Tarea (Assignment)

A. Conteste en español:
1. ¿Cómo se llama su padre? (Mi padre se llama . . .)
2. ¿Cómo se llama su madre?
3. ¿Qué instrumento musical le gusta más?
4. ¿Qué deporte le gusta más ?
5. ¿Es americano su padre?
6. ¿Es italiana su familia?
7. ¿Qué estudia usted ahora?

B. Complete, usando adjetivos de la lista en la página 1. (*Complete, using adjectives from the list on page* 1.)

1. Yo soy . . .
2. Mi padre es . . .
3. Mi profesor(a) de español es . . .
4. El amor (*Love*) es . . .
5. La guerra (*War*) es . . .

C. Ahora estudie (*Now study*):

1. *¿Dónde Cae el Acento?* (Where Does the Accent Fall?)

a. Spanish words that end in a consonant, except **n** or **s**, are stressed on the *last* syllable:

es/pa/*ñol*, pro/fe/*sor*, li/be/*ral*, co/men/*zar*, nor/*mal*, a/*mor*

b. Words that end in a vowel or in **n** or **s** are stressed on the *next to the last* syllable:

pa/dre, a/*mi*/go, fa/*mo*/sa, es/pa/*ño*/la; re/*pi*/ta, re/*pi*/tan, con/*tes*/ten, es/*tu*/dien; mo/*der*/nos, sin/*ce*/ros, pro/fe/*so*/res, es/pa/*ño*/les

c. Words that bear a written accent are stressed on the syllable so marked:

com/pren/*sión*, pro/nun/cia/*ción*, ro/*mán*/ti/co, ri/*dí*/cu/lo

2. *División en Sílabas* (Division into Syllables)

a. A single consonant (including the combinations **ch, ll,** and **rr**) goes with the following vowel:

to/ma, ni/ño, mu/cho, pe/ro, ca/rro, mu/cha/cho, im/po/si/ble

b. Two consonants are separated, except if the second is **l** or **r**:

pal/ma, car/ta, pos/tal, tan/to, bar/ba, a/par/te
But: pue/blo, o/tro, a/pren/der

c. In groups of three consonants, only the last goes with the following vowel, except, of course, if there is an inseparable combination involving **l** or **r**:

ins/tan/te, trans/fe/rir
But: com/pren/der, im/pro/ba/ble

d. Diphthongs—any combination of two vowels involving **u** or **i** and pronounced together—form one syllable:

vein/te, rui/do, sois, ai/re, bue/no, sien/to, dia/rio

A written accent on **i** or **u** breaks the diphthong: Ma/rí/a, pú/a

Other vowels placed consecutively are separated: ca/os, re/al

Ejercicio

Divida y pronuncie (*Divide and pronounce*) ahora:

madre, cara, costa, fantástico, lección, llama, importante, superior, música, instrumento, piano, violín, natural, fútbol, españoles, América, Buenos Aires, California, doble, nombre

II. VOCABULARIOS (1)

Saludos y Despedidas (Greetings and Farewells)

Buenos días.	Good morning.
Buenas tardes.	Good afternoon.
Buenas noches.	Good evening. Good night.
Hola.	Hello. (Hi!)
Adiós.	Good-bye.
Hasta luego.	So long.
— Buenos días, señor Campos.	— Good morning, Mr. Campos.
— Muy buenos. ¿Cómo está usted?	— And to you. How are you?
— Bien, gracias. ¿Y usted?	— Fine, thanks. And you?
— Buenas tardes, señora Blanco.	— Good afternoon, Mrs. Blanco.
— Muy buenas. ¿Cómo está?[2]	— Good (afternoon). How are you?
— Muy bien, gracias.	— Very well, thanks.
— Pues adiós.	— Well, good-bye.
— Adiós.	— Good-bye.
— Buenas noches, señorita Molina.	— Good evening, Miss Molina.
— Muy buenas. ¿Cómo le va?	— Good evening. How are things?
— Excelente, gracias.	— Excellent, thank you.
— Pues hasta luego.	— Well, so long.
— Sí. Adiós.	— Yes. Good-bye.
— Hola, Juan. ¿Qué tal?	— Hi, John. How goes it?
— Así-así.	— So-so.
— Pues adiós.	— Well, good-bye.
— Hasta luego.	— So long.

Ejercicio

Practice these greetings and farewells with other students in your class, making up your own variations of the dialogues.

Expresiones de Cortesía (Expressions of Courtesy)

Por favor.	Please.
Gracias. Muchas gracias.	Thank you (very much).

[2] **Usted** (often abbreviated **Ud.**) may be omitted at the discretion of the speaker. The plural of **usted** is **ustedes** (**Uds.**) and its verb form usually adds **-n** to the singular:—**¿ Cómo está Ud.?**—**¿ Cómo están Uds.? Repita.—Repitan.**

De nada.	You're welcome.
Con permiso.	Excuse me. (I must leave. I'd like to pass, etc.)
Perdón. Perdóneme.	Excuse me (for interrupting, but . . .)
Con mucho gusto.	Gladly. I'd be glad to.

Ejercicio

Take each of the following commands and work it into a short, but very polite, dialogue. POR EJEMPLO (*For example*):

Siéntese usted. (*Sit down.*):
— Siéntese, por favor.
— Con mucho gusto.
— Gracias.

Abra la ventana. (*Open the window.*)
— Por favor, abra la ventana.
— Con mucho gusto.
— Muchas gracias.
— De nada.

Ahora vamos a continuar. (*Now let's continue.*):

1. Cierre la ventana. (*Close the window.*)
2. Abra la puerta. (*Open the door.*)
3. Cierre la puerta. (*Close the door.*)
4. Pase a la pizarra. (*Go to the blackboard.*)
5. Lea en voz alta. (*Read aloud.*)

Números Cardinales 1–12

1	uno (un, una)	7	siete
2	dos	8	ocho
3	tres	9	nueve
4	cuatro	10	diez
5	cinco	11	once
6	seis	12	doce

Uno is shortened to **un** before a masculine noun. It becomes **una** before a feminine noun:

Es un dólar.	It's one dollar.
Es una peseta.	It's one peseta.

Problemas de Aritmética

+	y (*or* más)	=	son
−	menos	×	por *or* veces

Diga ahora en español (*Now say in Spanish*):

$1+1=2$
$5-2=3$
$2\times3=6$
$4+5=9$

$10-6=4$
$12-7=5$
$9+2=11$
$2\times4=8$

La Hora del Día (Time of Day)

— ¿Qué hora es?
(*What time is it?*)

— Es la una . . . (*It's 1:00*)
Ah, no. Son las dos. (*It's 2:00*)

Son las tres.

Son las ______.

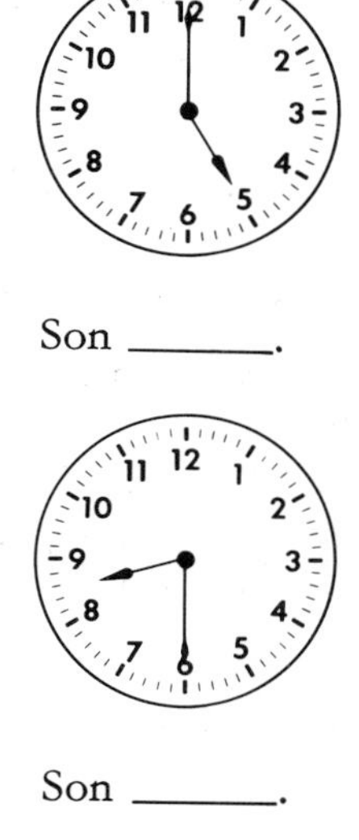

Son ______.

Son las seis y media.

Son las siete y ______.

Son ______.

Son las nueve y cuarto.

Son las nueve menos cuarto.

Son las diez y ______.

Son las once menos ______.

Son las once y ______.

Son las doce.

Tarea

A. ¿Qué hora es?

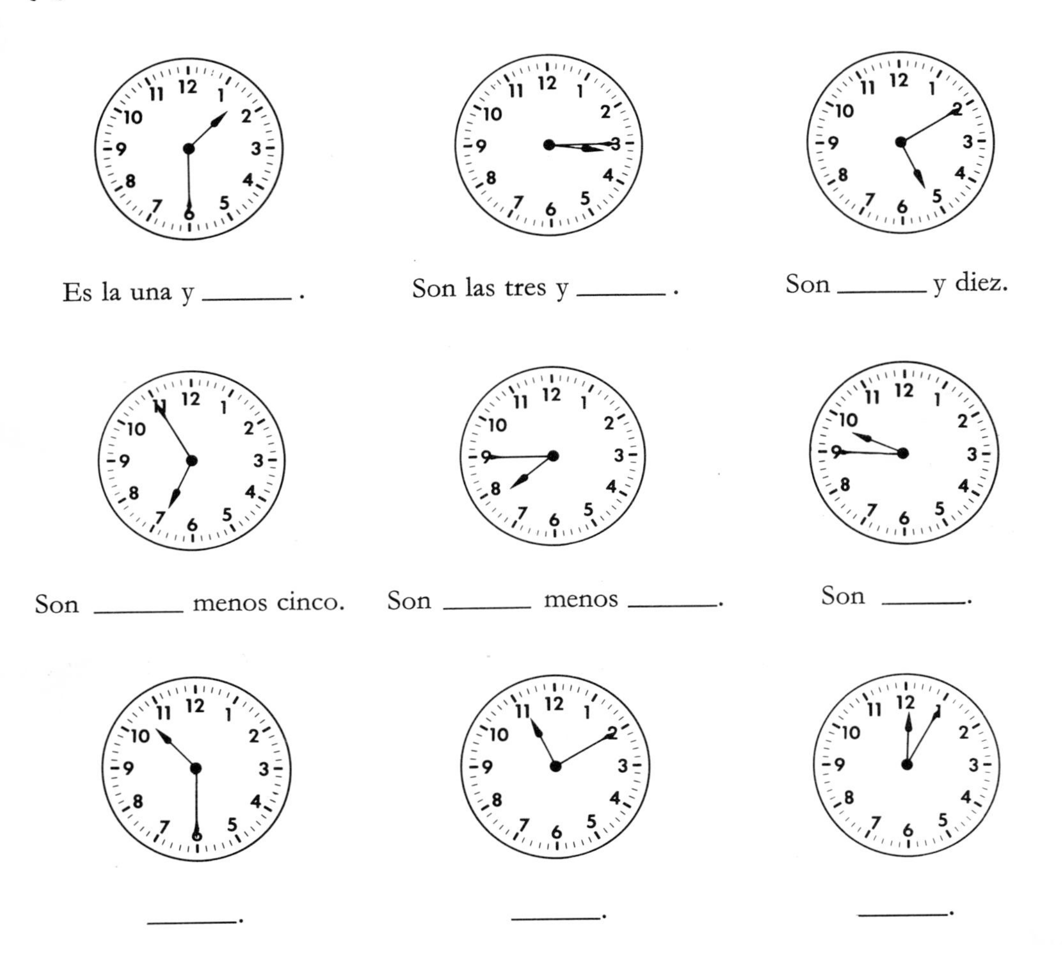

B. Make up the following conversations:

1. You meet your friend Pedro on the street. You greet each other, etc.
2. You meet one of your teachers in school.
3. You ask someone to open the window. The person is glad to do it and you thank him (or her).
4. You excuse yourself for interrupting, and you announce the time. The other person thanks you very much.
5. You are a new teacher. You introduce yourself to the students and ask several of them what their names are. They answer. You then ask what time it is. Someone replies, and you begin the class.

C. Ahora estudie bien:

1. El Alfabeto (The Alphabet)

a	*a*	j	*jota*	rr	*erre*
b	*be*	l	*ele*	s	*ese*
c	*ce*	ll	*elle*	t	*te*
ch	*che*	m	*eme*	u	*u*
d	*de*	n	*ene*	v	*(u)ve*
e	*e*	ñ	*eñe*	x	*equis*
f	*efe*	o	*o*	y	*i griega*
g	*ge*	p	*pe*	z	*zeta*
h	*hache*	q	*cu*		
i	*i*	r	*ere*		

W and **k** are not really letters of the Spanish alphabet and appear only in foreign words or names. All letters of the alphabet are feminine.

2. Accent Marks

Spanish has only one accent mark: . It is placed over a vowel to indicate an abnormal stress on that syllable:

fan/tás/ti/co, ca/rác/ter, ha/blé, lla/mó

In a few instances, it serves to distinguish between two words that otherwise are identical in spelling:

si	*if*	sí	*yes*
solo	*alone*	sólo	*only*

The accent mark never affects the pronunciation of the vowel above which it stands.[3]
A tilde (˜) over an **n** (**ñ**) gives that consonant the sound of *ny*, as in ca*ny*on.

III. VOCABULARIOS (2)

La Familia

Notice that the masculine plural forms may refer not only to male members but also to a group composed of both male and female. Thus, **padres** means *parents* as well as *fathers*; **hermanos,** *brother(s) and sister(s)* as well as *brothers;* **tíos,** *uncle(s) and aunt(s)* as well as *uncles.*

[3] The accent mark may be omitted over capital letters: LECCION DE CONVERSACION, Africa. The tilde always remains: **ESPAÑA.**

The feminine plural refers only to females: **hermanas,** means only *sisters;* **tías,** only *aunts,* etc.

el padre	*the father*	los padres
la madre	*the mother*	
el hermano	*the brother*	los hermanos
la hermana	*the sister*	
el hijo	*the son*	los hijos
la hija	*the daughter*	
mi tío	*my uncle*	mis tíos
mi tía	*my aunt*	
mi abuelo	*my grandfather*	mis abuelos
mi abuela	*my grandmother*	
su primo	*his (her, your) cousin (m.)*	sus primos
su prima	*his (her, your) cousin (f.)*	
el sobrino	*the nephew*	los sobrinos
la sobrina	*the niece*	
su esposo	*her (your) husband*	los esposos
su esposa	*his (your) wife*	

Conversación

1. ¿Cómo se llama su (*your*) padre? (Mi padre se llama . . .)
2. ¿Cómo se llama su madre? (Mi madre . . .)
3. ¿Tiene Ud. (*Do you have any*) hermanos? (Sí, tengo . . . No, no tengo . . .)
4. ¿Cuántos (*How many*) hermanos tiene Ud. y cuántas hermanas? (Tengo . . .)
5. ¿Tiene Ud. esposo? ¿Tiene Ud. esposa?
6. ¿Tiene Ud. sobrinos?
7. ¿Cuántos primos tiene Ud.?
8. ¿Qué es el padre de su padre? (*What is your father's father*)? (El padre de mi padre es mi . . .)
9. ¿La madre de su padre? (La madre de mi padre es mi . . .)
10. ¿El hermano de su madre? (El hermano de mi madre es mi . . .)
11. ¿El hijo de su tío? (El hijo de mi tío es mi . . .)
12. ¿La hija de su hermano? (La hija de mi hermano es mi . . .)
13. ¿La esposa de su padre? (La esposa de mi padre es mi . . .)
14. Si (*If*) el padre de mi esposo es mi suegro, la madre de mi esposo es mi . . . (La madre de mi esposo es mi . . .)
15. Si la hermana de mi esposo es mi cuñada, el hermano de mi esposo es mi . . . (El hermano de mi esposo es mi . . .)
16. Si yo soy el nieto de mis abuelos, mi hermana es la . . . de mis abuelos.

Los Días de la Semana (The Days of the Week)

hoy *today* mañana *tomorrow* ayer *yesterday*

Notice that days of the week
and months of the year
are *not* capitalized in Spanish:

lunes *Monday*
martes *Tuesday*
miércoles *Wednesday*
jueves *Thursday*
viernes *Friday*
sábado *Saturday*
domingo *Sunday*

MAYO					
lunes		6	13	20	27
martes		7	14	21	28
miércoles	1	8	15	22	29
jueves	2	9	16	23	30
viernes	3	10	17	24	31
sábado	4	11	18	25	
domingo	5	12	19	26	

Ejercicio

Conteste en español:

1. ¿Qué día es hoy? (Hoy es lunes, etc. . . .)
2. ¿Qué día es mañana?
3. ¿Qué día fue (*was*) ayer?
4. Si hoy es lunes, ¿qué día es mañana? (Si hoy es lunes, mañana es . . .)
5. Si hoy es miércoles, ¿qué día es mañana?
6. Si hoy es viernes, ¿qué día es mañana?
7. Si hoy es domingo, ¿qué día fue ayer? (Si hoy es domingo, ayer fue . . .)
8. Si hoy es jueves, ¿qué día fue ayer?
9. Si hoy es martes, ¿qué día fue ayer?
10. ¿Tiene Ud. sesión de laboratorio (*lab session*) hoy? ¿Y mañana?
11. ¿Qué días de la semana tiene Ud. la clase de español? (Tengo la clase de español los . . .)
12. ¿Qué días va Ud. a (*do you go to*) la universidad? (Voy . . .)
13. ¿Qué día va Ud. a la iglesia (*to church*)? (Voy a la iglesia el . . .)
14. ¿Que días va Ud. al gimnasio?
15. ¿Va Ud. al teatro el sábado?
16. ¿Va Ud. a un partido de fútbol (*football* or *soccer game*) el sábado?
17. ¿Va Ud. al cine (*to the movies*) hoy?
18. ¿Va Ud. al cine mañana? ¿O el domingo?
19. ¿Qué día de la semana le gusta más? (Me gusta más el . . .)
20. ¿Qué día le gusta menos (*least*)?

Las Estaciones y los Meses del Año (The Seasons and Months of the Year)

el invierno	*winter*	enero	*January*
		febrero	*February*
		marzo	*March*
la primavera	*spring*	abril	*April*
		mayo	*May*
		junio	*June*
el verano	*summer*	julio	*July*
		agosto	*August*
		septiembre	*September*
el otoño	*autumn*	octubre	*October*
		noviembre	*November*
		diciembre	*December*

Ejercicio

Conteste en español:

1. ¿Qué mes del año (*What month of the year*) le gusta más? (Me gusta . . .)
2. ¿Cuáles son (*Which are*) los meses del invierno? ¿de la primavera? ¿del verano? ¿del otoño?
3. ¿Le gusta más el invierno o el verano?
4. ¿Qué estación del año le gusta más? ¿Qué estación le gusta menos?
5. ¿En qué mes tiene Ud. su cumpleaños (*do you have your birthday*)? (Tengo mi cumpleaños en . . .)
6. ¿En qué mes tiene su padre su cumpleaños (*does your father have his . . .*)? (Mi padre tiene su . . .) ¿Y (*and*) su madre?
7. ¿En qué mes estamos (*are we*) ahora? (Estamos . . .)
8. ¿En qué mes comienza el año escolar (*does the school year begin*)? ¿En qué mes termina (*does it end*)?
9. ¿En qué meses tenemos las vacaciones (*do we have vacation*)?
10. ¿En qué mes celebramos la Navidad (*do we celebrate Christmas*)? ¿la independencia de los Estados Unidos (*of the United States*)? ¿el descubrimiento (*discovery*) de América? ¿el cumpleaños de Jorge Washington? ¿el día de San Patricio (*St. Patrick*)?

Lección
PRIMERA

I. PRONUNCIACIÓN

Vowels

All vowels in Spanish are short, pure sounds that do not lose their essential value even when placed in an unstressed position. Unlike English, each vowel has only one basic sound, with slight variations according to its placement within the phrase or word. That basic sound will be our only concern here.

Remember that the English equivalents are only approximations. Read the description of each sound, and then listen carefully to the words as they are pronounced by your instructor.

1. **A** In Spanish **a** is always pronounced like the *o* in *pop*:

   papá, mamá, casa, alma, arma, pasar

2. **E** The usual sound of Spanish **e** is halfway between the *e* in *let* and the *a* in *late*. Listen and repeat:

   mesa, pero, presidente, mete, tiene, teléfono, señor, lengua

3. **I** In Spanish **i** is always like the *ee* in *see*. Remember—smile when you say an **i** in Spanish:

   sí, día, mina, aquí, piso, sino, tinta, mismo

4. **O** The English *o*, as in *go*, is a diphthong formed by the rapid succession of *o* and *u*: *ou*. Spanish **o** corresponds to the first part of that diphthong—a short, pure *o*:

   gota, como, loco, sombrero, pollo, goma, hombre

5. **U** In Spanish **u** is very much like the *u* in *fluid.* It is slightly shorter in length than the English *u*:

cuna, luna, mula, puro, laguna, ruta, cucú

6. **Y** When **y** stands alone or is the final letter of a word, it is pronounced like the vowel **i**: *ee.*

y, rey, buey, ay, hoy

Diphthongs

Spanish vowels do not change their basic sound when they form part of a diphthong. They are merely pronounced more rapidly in succession and form *one* syllable:

ruido, veinte, aire, bueno, siento, Buenos Aires

II. MOMENTO DE VIDA: *EN UN RESTAURANTE*

La escena es un restaurante del centro a la una de la tarde. Hablan dos hombres.

A. = Sr. Armado; M. = Sr. Mera

A. Buenas tardes, Sr. Mera.
M. Muy buenas. ¿Cómo está?
A. Bien, gracias. ¿Y Ud.?
M. Muy bien. Siéntese. No le veo mucho.
A. No. Mi familia y yo pasamos el verano en el campo. No me gusta el calor de la ciudad.
M. Ni a mí tampoco.
A. Pues ¿por qué no va Ud. al campo con los niños?
M. Porque trabajo en el verano. Tengo mis vacaciones en el invierno.
A. Pues eso también está muy bien . . . A propósito, ¿quién es ese hombre?
M. ¿Cuál?
A. El que se marcha ahora.
M. No sé. ¿Por qué?
A. Porque tiene algo familiar, ¿no?

The scene is a downtown restaurant at 1 P.M. Two men are speaking.

A. Good afternoon, Mr. Mera.
M. Good afternoon. How are you?
A. Fine, thanks. And you?
M. Very well. Sit down. I don't see you very much.
A. No. My family and I spend the summer in the country. I don't like the heat of the city.
M. Neither do I.
A. Well, why don't you go to the country with the children?
M. Because I work in the summer. I have my vacation in the winter.
A. Well, that's all right too . . . By the way, who is that man?
M. Which one?
A. The one who is going out now.
M. I don't know. Why?
A. Because he has something familiar about him, doesn't he?

M. ¿Es cliente suyo?
A. No.
M. ¿Acaso viven Uds. en la misma casa de apartamentos?
A. No. Vivo en una casa particular.
M. ¿Es el maestro de uno de sus niños?
A. No.
M. ¿Viajan Uds. en el mismo tren?
A. No tomo el tren. Viajo siempre en coche. No sé . . . Pues no importa. Vamos a comer. ¿Qué toma Ud. hoy?

(*Habla al mozo.*) El menú, por favor.

(*Cinco minutos más tarde*)
A. ¡Ay! ¡Dios mío!
M. Qué le pasa?
A. ¡El hombre que acaba de marcharse. . . !
M. Pues, ¿qué?
A. Ahora sé por qué me parece familiar. ¡¡Porque lleva mi abrigo y mi sombrero!!

M. Is he a client of yours?
A. No.
M. Perhaps you live in the same apartment house?
A. No. I live in a private house.
M. Is he the teacher of one of your children?
A. No.
M. Do you travel on the same train?
A. I don't take the train. I always travel by car. I don't know . . . Well, it doesn't matter. Let's eat. What are you having (taking) today?

(*He speaks to the waiter.*) The menu, please.

(*Five minutes later*)
A. Oh! For heaven's sake!
M. What's the matter?
A. The man who has just gone out . . . !
M. Well, what about him?
A. Now I know why he looks familiar to me. Because he's wearing my coat and hat!

Vocabulario Activo

el campo *country*
la ciudad *city*
la casa *house*
el coche *car*
el tren *train*

el hombre *man*
el maestro, (la) maestra *teacher*
la niña (*little*) *girl*
el niño *boy, child*
los niños *children*

hablar *to speak*
llevar *to wear; to carry; to bring*
pasar *to pass; to spend* (*time*)

tomar *to take; to eat, take* (*food*)
trabajar *to work*
viajar *to travel*

a *to*
con *with*
de *of, from*
en *in, at* (*a place*)
¿Por qué? *Why?*

porque *because*
que *who, that*
¿Qué? *What?*
¿Quién?, ¿Quiénes? (*pl.*) *Who?*
y *and*

No sé. (*Or,* No lo sé.) *I don't know.*

Preguntas (Questions)

1. ¿Dónde (*Where*) es la escena?
2. ¿A qué hora ocurre (*At what time does it occur*)?
3. ¿Quiénes hablan?
4. ¿Dónde pasa el verano el[1] señor Armado? (El señor Armado . . .)
5. ¿Cuando (*When*) tiene sus vacaciones el señor Mera?
6. ¿Por qué pregunta el señor Armado (*Why does Mr. Armado ask*) quién es el hombre que se marcha?
7. ¿Vive en una casa de apartamentos el señor Armado? (*Does Mr. Armado live . . .?*)
8. ¿Toma frecuentemente (-mente = *ly*) el tren?
9. ¿Cómo viaja siempre el señor Armado?
10. ¿Qué dice al fin (*What does he say at the end*) de la escena?

III. ESTRUCTURA

1. The Articles

A. The definite article *the*

	MASCULINE	FEMININE
SINGULAR	**el** hombre *the man*	**la** mujer *the woman*
PLURAL	**los** hombres *the men*	**las** mujeres *the women*

El is also used before a feminine singular noun that begins with a stressed **a** or **ha.** The plural remains **las**:

el agua *the water* — el hambre *hunger*
But: las aguas *the waters*

B. The indefinite article *a, an*

un niño *a boy* — **una** niña *a girl*

Un may also be used before a feminine singular noun that begins with a stressed **a** or **ha**.

un alma *a soul* — un hambre *a hunger*

2. The Gender of Nouns

All nouns in Spanish are either masculine or feminine.

[1] Notice that the definite article is used before a person's title when one is speaking *about* (*not to*) him.

A. Nouns that refer to male beings and almost all that end in **-o** are masculine:

el padre *the father*	el hijo *the son*
un sombrero *a hat*	un abrigo *a coat*

An important exception: **la** mano *the hand*, **una** mano *a hand*

B. Nouns that refer to female beings and most nouns ending in **-a** are feminine:

la madre *the mother*	la hija *the daughter*
una pluma *a pen*	una carta *a letter*

An important exception: **el** día *the day*, **un** día *a day*. (Recall: **Buenos días.**)

3. The Plural of Nouns

A noun is made plural by adding **-s** if it ends in a vowel, **-es** if it ends in a consonant. A final **-z** becomes **-ces** in the plural:

el maestro *the teacher*	los maestros
la clase *the class, the classroom*	las clases
la mujer *the woman*	las mujeres
la lección *the lesson*	las lecciones[2]
el lápiz *the pencil*	los lápices

Ejercicio

A. Place the definite article before each of the following nouns and read aloud:
hombre, niños, casa, libro, señora, señoritas, muchacho, mesa, familia, padre, madres, tío, tía, amiga, amigos, mano, manos, agua, día, días, historia, música

B. Place the indefinite article before these:
lección, libro, idea, día, mano, madre, hermana, carta, padre, sombrero, abrigo

C. Now make the following nouns plural:
primo, lección, carta, padre, amigo, mujer, hijo, lápiz, pluma, ciudad, tren

4. Contractions

a + el = al	**de + el = del**

There are only two contractions in Spanish. The preposition **a** (*to, toward*) plus the masculine singular article **el** becomes **al**. **De** (*of, from*) plus **el** becomes **del**:

Voy al campo.	I am going to the country.
Hablan al profesor.	They are talking to the professor.

[2] Notice that the plural form of nouns ending in **-ción** does not need an accent mark: **lec/cio/nes.**

Cierre Ud. la puerta del coche.	Close the door of the car.

No other form is ever contracted:

Voy a la escuela.	I am going to school.
Hablan a los profesores.	They are talking to the professors.
Cierre Ud. la puerta de la casa.	Close the door of the house.

Ejercicio

Conteste en español:

1. ¿Adónde va Ud.? (*Where are you going?*)
   Voy ______ dentista, ______ escuela, ______ la ciudad, ______ campo, ______ restaurante, ______ clase, ______ teatro, ______ niños, ______ casas
2. ¿De quién habla Ud.? (*Whom are you talking about?*)
   Hablo ______ profesor, ______ profesora, ______ médico, ______ estudiantes ______ mi amigo, ______ niño

5. The First Conjugation of Regular Verbs: *-ar* Verbs

Spanish has three conjugations of regular verbs. The first includes those whose infinitive ends in **-ar**. The present tense of regular **-ar** verbs is formed by replacing the final **-ar** of the infinitive as follows: (Read aloud, stressing the syllable whose vowel is italicized.)

hablar (*to speak*)

	PERSON		
SINGULAR	1	I	h*a*bl -o
	2	you (familiar)	h*a*bl -as
	3	he, she, it, John, etc.; you (*Ud.*) (polite)	h*a*bl -a
PLURAL	1	we	habl -*a*mos
	2	you (familiar)	habl -*á*is
	3	they, John and Mary, etc.; you (*Uds.*) (polite)	h*a*bl -an

Since the verb ending generally indicates who the subject is, subject pronouns are usually *not* used in Spanish, except for clarification or emphasis. When *it* is the subject, a subject pronoun is almost never used. **Usted** and **ustedes** appear more frequently, at the discretion of the speaker. Get accustomed to using the verb form without the subject pronoun.

Ejercicios

A. Diga el presente de:
trabajar, viajar, estudiar, tocar, pasar

B. Escriba las formas correspondientes (*Write the corresponding forms*):

yo: llevar, hablar, pasar, tomar, llamar
María: tocar, escuchar, viajar, tomar, llevar
mis padres: llamar, pasar, trabajar, preparar, hablar
Ud.: tomar, tocar, llamar, escuchar, trabajar, estudiar
mi amigo y yo: estudiar, escuchar, preparar, viajar, hablar
you (fam. sing.): llevar, tomar, pasar, estudiar
you (fam. pl.): llevar, tomar, pasar, estudiar

C. Give original answers for the following questions.

POR EJEMPLO:
¿Quién toma café (*coffee*)?—Yo tomo café. *Or*—Mi hermano toma café. El maestro, El señor Armado, Miguel, etc. . . .
¿Quiénes trabajan hoy?—Pepe y Alberto trabajan hoy. *Or*—Mi primo y yo trabajamos hoy. Uds. trabajan hoy, etc.).

Try to use as many different subjects as possible, including people's names, and yourself. And be sure the verbs fit the subject! **Vamos a comenzar:**

1. ¿Quién toma el coche hoy? 2. ¿Quién pasa el verano en el campo? 3. ¿Quiénes hablan siempre (*always*) en la clase? 4. ¿Quién estudia mucho? 5. ¿Quiénes hablan español? 6. ¿Quién llama (*Who's calling*)? 7. ¿Quién lleva mi abrigo y mi sombrero? 8. ¿Quién toca el piano? 9. ¿Quién prepara las comidas (*meals*) en su casa?

6. Meaning of the Present Tense

In Spanish the simple present tense tells *what is happening now*, or *what happens as a general rule.* It has three translations in English:

Hablamos inglés.	We speak English (generally). We are speaking English (now). We do speak English.

Even in questions or in negative statements, where English must use an auxiliary verb (*Is* he coming? *Do* you speak? They *aren't* going. She *doesn't* know.), Spanish maintains the simple tense:

¿Habla inglés?	Does he speak English? Is he speaking English?
No habla inglés.	He doesn't speak English. He isn't speaking English.

7. Negative Sentences

A sentence is made negative by putting **no** before the verb.

No me gusta el calor.	I don't like the heat.
No trabajamos mucho.	We don't work very much.

8. Questions

A question is formed by placing the subject *after* the verb, and most frequently, at the end of the sentence:

¿Estudian los niños?	Are the children studying?
¿Vive su familia en Méjico? ¿Vive en Méjico su familia?	Does his family live in Mexico?
¿Es médico su padre?	Is his father a doctor?

If the subject is not expressed, the question is indicated by a rise in the speaker's voice:

¿Trabajas mañana?	Are you working tomorrow?
¿Estudian ahora?	Are they studying now?

Notice that every question is preceded by an inverted question mark as well as followed by the usual question mark.

Ejercicios

A. Haga negativas las frases siguientes (*Make the following sentences negative*):
1. Juan vive aquí. 2. Pasamos el verano en el campo. 3. Le gusta el calor de la ciudad. 4. Toma sus vacaciones en el invierno. 5. Trabajan en Madrid. 6. Los niños hablan bien. 7. Tomo el tren.

B. Change the above sentences to questions, first affirmative, then negative.

C. Conteste en español:
1. ¿Vive Ud. en el campo? 2. ¿Toma sus vacaciones en el verano? 3. Trabajan Uds. mucho en la clase de español? 4. ¿Habla Ud. español? ¿francés (*French*)? ¿portugués? ¿japonés? 5. ¿Hablan sus padres una lengua extranjera (*a foreign language*)? 6. ¿Tocan sus hermanos un instrumento musical? (Sí, mis hermanos . . . No, mis hermanos . . . 7. ¿Qué estudia Ud. este (*this*) año?

9. End Questions

The questions *don't you, isn't he, haven't they,* etc., placed at the end of a positive statement are usually translated in Spanish by **¿no?**

Ud. toma el tren, ¿no?	You take the train, don't you?
Son profesores, ¿no?	They're teachers, aren't they?
Está bien, ¿no?	It's all right, isn't it?

Do you?, is it?, etc., after a negative statement are usually translated by **¿verdad?**

No es él, ¿verdad?	It isn't he, is it?
Ud. no habla español, ¿verdad?	You don't speak Spanish, do you?
No vamos, ¿verdad?	We're not going, are we?

Ejercicio de Repaso

Traduzca al español (*Translate into Spanish*):

The scene is a downtown restaurant. It is one o'clock in the afternoon. Two men are speaking:

MR. ARMADO: Hello, Mr. Mera. How are you?
MR. MERA: Fine, thanks, Mr. Armado. And you?
MR. ARMADO: Very well. Please sit down, won't you?
MR. MERA: Thank you. How is your family?
MR. ARMADO: They're spending the summer in the country. They don't like (*No les gusta*) the heat of the city.
MR. MERA: Neither do I.
MR. ARMADO: You go to the country with the children, don't you?
MR. MERA: No. We take our vacation in the winter, or (*o*) in the spring.
MR. ARMADO: By the way, who is that man?
MR. MERA: Which one?
MR. ARMADO: The one who is going out now.
MR. MERA: I don't know. Why?
MR. ARMADO: He looks familiar, doesn't he?
MR. MERA: Does he live in your apartment house?
MR. ARMADO: No. I don't live in an apartment house.
MR. MERA: Do you work in the same office (*oficina*)?
MR. ARMADO: No. I work alone (*solo*).
MR. MERA: You don't take the same train, do you?
MR. ARMADO: No. I travel by car. Well, it doesn't matter. Let's eat now.
(*Ten minutes later*)
Oh my!
MR. MERA: What's the matter?
MR. ARMADO: Now I know why the man looks so familiar to me. He's wearing my hat and coat!

IV. TEATRO

Now you make up a short scene (perhaps 10–12 lines) and be ready to act it out in class. The subject: two people meet in a restaurant. They greet each other and sit down. Meanwhile they chat about various things—about themselves, their families, their vacations, people they like or don't like, school, sports, music, the heat, the city versus the country, and so forth. You may use whatever parts of the MOMENTO DE VIDA you choose, plus whatever vocabulary you may know from the LECCIÓN DE CONVERSACIÓN or from other sources. But try to be original, and see if you can give it a twist ending. **Buena suerte, mis actores.** *Good luck!*

Lección

SEGUNDA

I. PRONUNCIACIÓN

1. **H** is the only silent consonant in Spanish. It appears often at the beginning of a word, and sometimes, within a word. Listen and pronounce:

    hotel, hablar, hierro, hombre, hambre, hilo, hay, ahora, ahogar, hoy

2. **Z** is pronounced in most of Spain like the *th* in *think*. In Spanish America it is like the *s* in *sink*. Listen to the two pronunciations—first the Castilian Spanish, then the Spanish American—and decide which of them you prefer to use:

    zapato, zona, zarpa, cazar, lanzar, razón, mezclar

3. **C,** before an **e** or **i,** is pronounced just like the Spanish **z**: that is, in most of Spain like the *th* in *think*; in Spanish America like the *s* in *sink*. Here again, listen to the two pronunciations—first the Spanish, then the Spanish American—and repeat the one you prefer. However, remember that you must always be consistent. If you chose the *th* sound for **zapato**, you *must* choose the *th* sound for **cinco**, and so forth. If you chose the *s* sound for **zapato,** you must pronounce **cinco**, etc., with the sound of *s*.

    cinco, cero, celoso, nación, ciudad, hacer, decir, nacer, cocer, obligación, invitación

4. In all other positions, **c** is hard, like the *c* in *corn*:

    capa, copa, cuna, sacar, crédito, claro, acción, lección

5. **Qu** in Spanish is pronounced like *k*, and appears only before an **e** or an **i**:

    que, quitar, quien, quiero, quemar, toque

II. MOMENTO DE VIDA: *EN UN PUEBLO HISPANO-AMERICANO*

P. = Paco; D. = Diego; E. = Empleado

P. Hola, Diego.
D. Hola, Paco. ¿Qué tal?
P. Bien. ¿Y tú?
D. Así, así. Ocupado.
P. ¿Adónde vas ahora?
D. A la casa de correos. ¿Me acompañas?
P. Con mucho gusto. No tengo nada que hacer ahora.

(*Los amigos caminan hacia la casa de correos.*)

P. Diego, ¿sabes una cosa?
D. Depende.
P. Pues esta mañana a las siete y media hay dos indios en la plaza mayor. Los dos llevan idénticos ponchos azules. En la cabeza, llevan grandes sombreros de ala, y en los pies, nada. Se ponen a hablar:

—Buenos días, compadre.
—Muy buenos.
—Ud. no vive aquí, ¿verdad?
—No. Soy peruano.
—¿Peruano? No me diga. Yo también. ¡Qué chico es el mundo! ¿De qué parte del Perú es Ud.?
—Soy de Santa Cruz de los Andes. Es un pueblo muy pequeño.
—¿De Santa Cruz de los Andes, dice? ¡Pues yo también soy de allí! Somos compatriotas.
—¡Qué casualidad! ¿Cómo se llama Ud.?
—Me llamo Concepción Santos, a sus órdenes. ¿Y Ud.?

P. Hello, Jim.
D. Hi, Frank. How are things?
P. Fine. And you?
D. So-so. Busy.
P. Where are you going now?
D. To the post office. Do you (want to) go with me?
P. I'd be glad to. I don't have anything to do now.

(*The two friends walk toward the post office.*)

P. Jim, do you want to hear something?
D. It depends.
P. Well, this morning at half past seven there are two Indians in the main square. The two are wearing identical blue ponchos. On their heads, they wear big brimmed hats, and on their feet, nothing. They begin to speak:

—Good morning, friend.
—And the same to you.
—You don't live here, do you?
—No. I'm a Peruvian.
—Peruvian? You don't say! So am I. What a small world it is! What part of Peru are you from?
—I'm from Santa Cruz de los Andes. It's a very small town.
—From Santa Cruz de los Andes, you say? Why *I'm* from there too! We're compatriots.
—What a coincidence! What's your name?
—My name is Concepción Santos, at your service. And you?

—¿Yo? Yo soy Concepción Santos también.
—Pero esto es increíble. Dígame, ¿cómo se llama su madre?
—María de Santos. ¿Y la de Ud.?
—Lo mismo. María de Santos.
—¡Imposible! . . . Un momentito, por favor. Tengo una idea. ¿Me hace Ud. el favor de escribir su nombre aquí en este papelito?
—Muy bien.

(*El indio toma el lápiz y escribe en el papelito dos grandes equis.*)

Aquí lo tiene. XX. Concepción Santos. Ahora, ponga Ud. su nombre.
—Bueno. XXxxx.
—Pero, ¿qué son todas esas equis? ¿Por qué pone Ud. cinco?
—Pues, señor, las dos grandes, XX, son Concepción Santos. Las tres pequeñas, xxx, doctor de medicina.

—I? I'm Concepción Santos, too.

—But this is incredible. Tell me, what's your mother's name?
—María de Santos. And yours?
—The same. María de Santos.
—Impossible! . . . Just a moment, please. I have an idea. Would you please write your name here on this piece of paper?
—Very well.

(*The Indian takes the pencil and writes two large X's on the piece of paper.*)

Here it is. XX. Concepción Santos. Now you put down your name.
—All right. XXxxx.
—But what are all those X's? Why do you put five?
—Well, sir, the two big ones, XX, are Concepción Santos. The three little ones, xxx, Doctor of Medicine.

D. ¡Maravilloso! ¡Es médico y no sabe escribir! ¿Sabes, Paco?, creo que eres mejor comediante que estudiante.

P. Gracias.
D. De nada. Y gracias por acompañarme. Hasta mañana, ¿no?

P. Sí, mañana. Hasta luego.
D. Adiós. (*Diego entra en la casa de correos y habla con el empleado.*) Buenas tardes.

E. Muy buenas, señor.
D. Creo que hay una carta aquí para mí.
E. Muy bien. ¿Su nombre, por favor?
D. Cabrera.
E. Su nombre completo.
D. Diego Francisco Remigio Albuérniga Rumazo Cabrera y Ordóñez.
E. ¡No me diga! ¡Esto es increíble! ¡¡Así me llamo yo también!!

D. Wonderful! He's a doctor and doesn't know how to write! Do you know, Frank, I think you're a better comedian than student.
P. Thanks.
D. You're welcome. And thanks for coming with me. See you tomorrow, right?
P. Yes, tomorrow. So long.
D. Good-bye. (*Jim goes into the post office and speaks with the clerk.*) Good afternoon.
E. Good afternoon, sir.
D. I believe there is a letter here for me.
E. Very well. Your name, please?
D. Cabrera.
E. Your full name.
D. Diego Francisco Remigio Albuérniga Rumazo Cabrera y Ordóñez.
E. You don't say! This is incredible! That's my name too!!

Vocabulario Activo

amigo, amiga *friend*
estudiante (m. and f.) *student*

cabeza *head*
el pie *foot*

caminar *to walk*
creer *to think, believe*
entrar *to enter*
escribir *to write*

¿A dónde? *(To) Where?*
algo *something*
allí *there*
aquí *here*

bien *well, fine*
grande *big*

carta *letter*
el lápiz *pencil*

pueblo *town; (a) people*
mundo *world*

hay *there is, there are*
ser *to be (something); to be (from, for, made of)*
vivir *to live*

muy *very*
nada *nothing*
pero *but*
también *too, also*

mucho *much;* pl. *many*
pequeño *small*

Preguntas

1. ¿Dónde ocurre este episodio?
2. ¿Cómo se llaman los dos jóvenes (*young men*) que hablan?
3. ¿A dónde va Diego?
4. ¿Qué llevan los indios en la cabeza? ¿en los pies? ¿en los hombros (*shoulders*)?
5. ¿De qué país (*country*) son?
6. ¿Son de una ciudad grande?
7. ¿Cómo se llaman los dos indios?
8. ¿Cómo se llaman sus madres?
9. ¿Cómo escribe su nombre el primer (*first*) indio?
10. ¿Cómo escribe su nombre el segundo (*second*) indio?
11. ¿Qué representan las tres equis pequeñas?
12. ¿Con quién habla Diego en la casa de correos? ¿Qué descubre (*does he discover*)?

III. ESTRUCTURA

10. Subject Pronouns

	PERSON				PERSON		
	1	yo	*I*		1	nosotros (nosotras, *f.*)	*we*
	2	tú	*you* (familiar)		2	vosotros (vosotras, *f.*)	*you* (familiar)
SINGULAR	3	él	*he*	PLURAL	3	ellos	*they*
		ella	*she*			ellas	*they* (f.)
		(usted) (Ud.)	*you* (polite)			ustedes (Uds.)	*you* (polite)

A. Uses of the subject pronouns

Subject pronouns are normally omitted in Spanish. They are used with a verb only for *emphasis* or *clarification.* Their needless insertion or repetition is abnormal, therefore incorrect. Keep this rule in mind: use the subject pronoun in Spanish only when you stress it with your voice in English.

1. Emphasis:

¿Quién prepara la comida?	Who's preparing dinner?
—Yo la preparo hoy.	—*I'm* preparing it today.
—Ay, por favor. ¡Tú no!	—Oh, please. Not *you!*

2. Clarification:

Él come mucho; ella come poco.	*He* eats a lot; *she* eats little.
Uds. trabajan. Ellos sólo hablan.	*You* work. *They* only talk.

The subject pronoun may stand alone, or it may follow **ser** (*to be*).

¿Quién va?—Él.	Who is going?—He.
¿Quiénes me acompañan? —Nosotros.	Who is going with me? —We (are).
¿Quién es?—Soy yo.	Who is it?—It's I.
¿Quién es mi amor? Eres tú.	Who is my love? It's you.

B. All about "you"

Usted (abbreviated **Ud.** or **Vd.**) and **ustedes** (abbreviated **Uds.** or **Vds.**) are third person polite forms for *you.* **Usted** should be used when speaking to anyone with whom one is *not* on an intimate, first-name basis. The plural, **ustedes,** (*all of you* or *both of you*), is used in these same circumstances in Spain, but in Spanish America it is used for both polite and familiar forms:

Buenas tardes, señoras. ¿Cómo están Uds.?—Muy bien gracias. Y Ud., ¿señor Presidente?	Good afternoon, ladies. How are you?—Fine, thank you. And you, Mr. President?

The second person forms, **tú** and **vosotros**, are used only when speaking to a relative, a child, or anyone with whom a close relationship exists. (In Spanish America, **ustedes** generally replaces **vosotros**. The singular **tú** usually remains.)

Hola, chico. ¿Cómo estás? —Bien. ¿Y tú?	Hi there, boy. How are you? —Fine. And you?
¿A dónde vas?—Al cine. ¿Me acompañas?	Where are you going?—To the movies. Will you come with me?
¿No trabajáis hoy, hombres?	Aren't you working today, guys?

Ejercicio

Answer in Spanish, using subject pronouns in place of the given nouns.

POR EJEMPLO:

a. ¿Quién habla?: Juan . . .—**Él** . . .
b. ¿Quién va?: *I* . . .—**Yo** . . .
c. ¿Quiénes trabajan hoy?: Pepe y yo . . .—**Nosotros** . . .

Ahora conteste:

1. ¿Quién me acompaña?: *I* . . . 2. ¿Quién toma el coche?: *Miguel* . . . 3. ¿Quiénes caminan?: *Los niños* . . . 4. ¿Quiénes viajan a España?: *Mis padres* . . . 5. ¿Quién escribe la carta?: *Ana* . . . 6. ¿Quién es brillante?: *You,* señor. 7. ¿Quién es la muchacha más hermosa del mundo (*the prettiest girl in the world*)?: *You,* amor mío . . . 8. ¿Quién es el estudiante más inteligente de la clase?: *I* . . . 9. ¿Quién es la persona más difícil (*most difficult*) del mundo?: *Mi profesor(a) de español* . . . 10. ¿Quién va a ser el próximo (*is going to be the next*) presidente de los Estados Unidos?: *Mi tío Carlos* . . . 11. ¿Quiénes hablan español magníficamente?: *We* (*do*) . . . 12. ¿Qué estudiantes nunca (*never*) preparan la tarea?: *You-all, my pals* . . .

11. Second and Third Conjugation Regular Verbs: *-er, -ir*

Second conjugation verbs end in **-er** (**comer, beber**); third conjugation, in **-ir** (**escribir, vivir**). The present indicative of second and third conjugation regular verbs is formed by replacing the final **-er** or **-ir** of the infinitive as follows:

	comer (*to eat*)	**escribir** (*to write*)
(yo)	com -o	escr*i*b -o
(tú)	com -es	escr*i*b -es
(él, ella, Ud.)	com -e	escr*i*b -e
(nosotros, as)	com -*e*mos	escrib -*i*mos
(vosotros, as)	com -*é*is	escrib -*í*s
(ellos, ellas, Uds.)	com -en	escr*i*b -en

Ejercicios

A. Estudie el presente de:

beber *to drink,* comprender *to understand,* romper *to break,* creer *to think, to believe*; vivir *to live,* abrir *to open,* recibir *to receive*

B. Ahora escriba las formas correspondientes del presente:

yo: creer, comprender, vivir
tú, mi amigo: comer, beber, escribir
su padre: vivir, abrir, comer
Juana y yo: creer, romper; vivir, escribir
Paquito y tú: comprender, beber; abrir, recibir
los estudiantes: creer, comprender, recibir, vivir

C. Conteste ahora en español:

1. ¿Come Ud. mucho? 2. ¿Comprenden Uds. la lección? 3. ¿Bebes mucha Coca Cola? 4. ¿A qué hora come su familia? 5. ¿Escriben Uds. los ejercicios en español? 6. ¿Vivís cerca, amigos? 7. ¿Cree Ud. en la democracia? 8. ¿Reciben muchas cartas sus padres?

12. *Ser* (To Be)

ser

soy	I am
eres	you are (tú)
es	he, she, (Mary, etc.), it is; you are (Ud.)
somos	we are (John and I, etc.)
sois	you are (vosotros)
son	they (my parents, etc.) are; you are (Uds.)

Ejercicio

Diga la forma correspondiente de **ser**:

Paco ______, yo ______, mis padres ______, tú ______, Uds. ______, ¿Quién ______?, ellas ______, vosotros ______, mi amigo ______, Ud. ______, María ______, sus pies ______

13. General Meaning of *Ser*

Spanish has two verbs that mean *to be*. These verbs are **ser** and **estar**. (Recall: **¿Cómo está Ud.?**) Each has its own meaning and functions and one may never be substituted for the other without making a difference in the *idea* of the sentence.

In general, **ser** tells *who* or *what* the subject is essentially. It identifies. It states basic qualities or characteristics. These are some of its important uses:

A. Ser joins the subject with a noun or pronoun:

¿Qué es su hijo? — Es médico.[1]	What is your son?—He's a doctor.
¿Qué es Ud.?—Soy un gran genio.	What are you?—I am a great genius.
Los Esmiz son españoles.—¿Cómo?	The Smiths are Spaniards.—What?
¿Quiénes son esos hombres?—Son policías.	Who are those men?—They're police.
¡Dios mío! ¿Qué es eso?—Es tu cena, querido.	Good Lord! What's that?—It's your dinner, dear.
No somos niños.—¡Sí, cómo no!	We're not children.—Yes, of course not!

[1] After **ser**, the indefinite article (*a, an*) is omitted in Spanish when a noun of occupation, religion, or nationality is not modified by an adjective.

Ejercicio

Traduzca al español:

1. We are Americans. 2. My cousin Joe is a dentist. 3. His (*Sus*) brothers are doctors. 4. This (*Esto*) is a table. 5. Who are you?—I don't know. 6. I am John's sister (the sister of Juan). 7. Are you (fam.) good (*buenos*) students?—Yes. We're geniuses. 8. Who is Sylvia? What is she?

B. Ser is used when stating *origin* (where the subject is from), *material* (what it is made of), or *destination* (whom or what it is intended for):

¿De dónde es Ud.?—Soy de Madrid.	Where are you from?—I'm from Madrid.
La casa es de adobe.	The house is (made of) adobe.
La mesa es para la cocina.	The table is for the kitchen.
¿Para quién es? ¿Es para mí? Gracias, ¡un millón de gracias! Pero . . . ¿qué es?	Whom is it for? It's for me? Thank you, thanks a million! But . . . what is it?

Ejercicios

A. (ladrillos *brick,* madera *wood,* cemento *cement,* piedra *stone,* aluminio *aluminum,* vidrio *glass* metal)

Ahora conteste:

1. ¿De qué es su casa? (*What is your house made of?*) 2. ¿De qué es la escuela (*school*)? 3. ¿De qué son las puertas? 4. ¿De qué son las ventanas? 5. ¿De qué es su silla (*chair*)? ¿Y su mesa?

B. los Estados Unidos (*the United States*), Inglaterra (*England*), Alemania (*Germany*), Francia, Italia, España, Irlanda,[2] California, etc.

Ahora conteste:

1. ¿De dónde es Ud.? 2. ¿De dónde son sus padres? ¿Y sus abuelos?

C. When **ser** joins the subject to an *adjective* (*not* followed by a noun), it implies that the subject is *characterized* by the quality the adjective describes:

Juan es inteligente.	John is intelligent.
Eres muy malo, niño.	You're very bad, boy.
Somos jóvenes.	We are young.
Los sombreros son negros.	The hats are black.
¡Amor mío, eres maravilloso! —Sí, es verdad.	Darling, you're wonderful! —Yes, that's true.

[2] For the names of more countries, if you need them, see pages 32–33.

Ejercicio

Describe yourself and all the members of your family, using the following adjectives. (Change the ending **-o** to **-a** for a female person; add **-s** to the final vowel, **-es** to a final consonant for the plural.)

joven *young,* viejo *old,* de edad mediana *middle-aged,* alto *tall,* bajo *short,* gordo *fat,* delgado *slim,* rico *rich,* pobre *poor,* bonito *pretty,* hermoso *beautiful,* buen mozo *handsome,* bueno *good,* malo *bad,* inteligente

14. The Double Negative

In Spanish you "don't know nothing," "don't talk to nobody," etc. In other words, a double or even a triple negative still adds up to a negative:

No sé nada.	I don't know anything.
No habla con nadie.	He doesn't speak with anyone.
No estudiamos nunca.	We never study.

Ejercicio

Cambie según las indicaciones (*Change according to the indications*):

1. No *escribo* nada.
   (creer, preparar, estudiar, tomar, llevar)
2. No *viajamos* nunca.
   (caminar, trabajar, entrar, beber, comer)
3. Los Molina no *hablan* con nadie.
   (vivir, trabajar, comer, pasar el verano)

15. Other Groups of Feminine Nouns

All nouns that end in **-ción** (equivalent of English *-tion*) or **-tad, -dad** (equivalent of English *-ty*) are feminine. Almost all that end in **-ión** are also feminine.

la nación	la unión
la reacción	la libertad
la revolución	la fraternidad

Ejercicio de Repaso

Traduzca al español:

Today the scene is a Spanish American town. Frank is speaking to his friend Jim.

F. Hi, Jim. How are things?

J. Fine, but busy. I'm going to the post office now. Do you want to go with me?
F. I'd be glad to. Jim, do you want to hear something?
J. It depends.
F. Well, this morning there are two Indians in the square. They're wearing identical blue ponchos, and on their heads, big hats. They aren't wearing anything on their feet. They begin to speak:

—You don't live here, do you?
—No, I'm a Peruvian.
—So am I. Small world, isn't it? What part of Peru are you from?
—I'm from Santa Cruz. It's a very small town.
—You don't say! I'm from Santa Cruz, too. What's your name?
—Concepción Santos.
—My name is Concepción Santos, too.
—And what's your mother's name. It isn't María, is it?
—Yes, it's María.
—Impossible! Wait a minute. I have an idea. Will you please write your name here?
—All right. (*He writes.*) XX. Now, you put your name (down).
—All right. XXxxx.
—What are all those X's? Why are there five?
—Well, sir. The two big ones are Concepción Santos. The three little ones—Doctor of Medicine.

IV. TEATRO

Escriba un diálogo original basado en el MOMENTO DE VIDA de esta (*this*) lección, pero si es posible, con una terminación diferente. **Entonces, ¡a la escena!** (*Then, to the boards!*)

PAÍSES Y NACIONALIDADES (Countries and Nationalities)

Norteamérica (la América del Norte)	norteamericano
los Estados Unidos (E.E.U.U.) *the United States (U.S.A.)*	norteamericano, estadounidense
el Canadá	canadiense
Méjico, México	mejicano, mexicano
Centroamérica (la América Central)	centroamericano
el Salvador	salvadoreño
Honduras	hondureño
Costa Rica	costarricense
Guatemala	guatemalteco
Nicaragua	nicaragüense
Panamá	panameño
Las Antillas	
Cuba	cubano
Puerto Rico	puertorriqueño
la República Dominicana	dominicano
Haití	haitiano
Sudamérica (la América del Sur)	sudamericano
Colombia	colombiano
Venezuela	venezolano
el Ecuador	ecuatoriano
el Perú	peruano
Bolivia	boliviano
Chile	chileno
(la) Argentina	argentino
el Uruguay	uruguayo
el Paraguay	paraguayo
el Brasil	brasileño
Europa	europeo
Inglaterra *England*	inglés
Irlanda *Ireland*	irlandés
Escocia *Scotland*	escocés
Francia	francés
Italia	italiano
España *Spain*	español
Portugal	portugués
Alemania *Germany*	alemán
Austria	austríaco
Bélgica *Belgium*	belga
Holanda *Holland*	holandés

Suiza *Switzerland*	suizo
Dinamarca *Denmark*	danés
Noruega *Norway*	noruego
Suecia *Sweden*	sueco
Finlandia	finlandés
Rusia	ruso
Grecia *Greece*	griego
Polonia *Poland*	polaco
Rumania	rumano
Checoeslovaquia	checoeslovaco
Hungría *Hungary*	húngaro
Yugoslavia *Yugoslavia*	yugoslavo
África	africano
Egipto *Egypt*	egipcio
Marruecos *Morocco*	marroquí, marrueco
Asia	asiático
La China	chino
India	indio
el Japón	japonés
las Filipinas	filipino
el Medio Oriente *The Middle East*	
Arabia	árabe
Israel	israelí, israelita
Turquía	turco
Australia	australiano

Note: The names of languages are masculine nouns that are usually the same as the nationality: **el español, el portugués, el francés,** etc.

Discusión

1. ¿De dónde es Ud.? ¿De dónde es su padre? ¿Y su madre? ¿Y sus abuelos?
2. ¿Cómo llamamos a un hombre (*What do we call a man*) que es de la Argentina? ¿del Perú? ¿de Francia? ¿de Inglaterra? ¿del Japón? ¿del Ecuador? ¿de Alemania? ¿de Suiza?
3. ¿Cómo llamamos a una mujer que es de Italia? ¿de Guatemala? ¿de Bélgica? ¿de Dinamarca? ¿de Rusia? ¿de Polonia? ¿de Holanda? ¿de Escocia? ¿de España? ¿de Portugal?
4. ¿Cómo llamamos a los habitantes de Inglaterra? ¿de Puerto Rico? ¿África? ¿Irlanda? ¿Cuba? ¿el Brasil?
5. ¿De dónde es un rumano? ¿una sueca? ¿un húngaro? ¿un chino? ¿una portuguesa? ¿un chileno? ¿un austríaco? ¿una holandesa?
6. ¿Qué lengua hablan en el Japón? ¿en Colombia? ¿en Dinamarca? ¿en Alemania? ¿en Rusia? ¿en el Brasil? ¿en los Estados Unidos?
7. En su opinión, ¿qué país extranjero ha contribuido (*has contributed*) más al mundo?

Lectura I

PANORAMA

El español es la lengua oficial de España y de *toda* la América Latina, excepto el Brasil. *Lo hablan más de cien millones de personas,* y . . . Interesante, ¿pero *qué*? ¿*Por qué estudiar* el español? ¿Por que *aprender* una lengua extranjera? Porque una lengua es la expresión de un *pueblo,* de su psicología, de su historia, de sus ambiciones y frustraciones. Y el español es la *voz* de un pueblo *grande,* el instrumento de una geografía y de una conciencia moral. *Esto es lo que vamos* a estudiar.

Primero, la tierra . . .

Como Ud. ve en el mapa, España está situada en el *suroeste* dé Europa. Con Portugal, *ocupa* una península que llamamos la Península Ibérica. *Al norte* está Francia, separada de España *por* los Montes Pirineos; *al sur,* el continente de África, separado de España por el *Estrecho* de Gibraltar; *al oeste,* el Oceano Atlántico; *al este,* el Mediterráneo *e* Italia.

España *misma* está dividida en muchas regiones geográficas. Hay

all
More than 100 million people speak it
what of it? . . . Why study
learn
people
voice . . . great
This is what we are going
First, the land
As you see . . . southwest
it occupies
To the north . . . by
to the south
Strait . . . to the west . . . to the east
and
itself

cuatro *cordilleras que la cruzan* horizontalmente. Tiene cinco *ríos* importantes, pero *sólo* uno, el Guadalquivir (en el sur) es enteramente navegable. *Cada* región tiene sus *propias* características y su propio dialecto, y el español, siempre individualista, conserva *celosamente estas* diferencias. La parte central, que se llama Castilla, es una alta *meseta.* Es el *corazón* político y dinámico de España. Pero la tierra no es muy fértil y el *clima* no es siempre ideal. *Según el refrán popular*, en Madrid, la capital, "Hay nueve meses de invierno y tres meses de *infierno.*"

Cataluña, con su capital, Barcelona, es el centro industrial de España. Valencia, en el este, es una zona famosa por sus *naranjas y aceitunas,* por su excelente y viejo sistema de irrigación, y por su clima *templado.* Andalucía, en el sur, es la España semitropical de *sol y alegría,* de románticas guitarras y *vinos* deliciosos y arquitectura *morisca*—la España de "Granada", de "La Malagueña", del "Bolero", de *gitanos* y música flamenca.

Hispanoamérica es *otro* mundo, *geográfica* y culturalmente. Es una combinación de tres elementos principales: las civilizaciones indias, la cultura española, y la influencia de Francia, de Inglaterra, y *más recientemente,* de los Estados Unidos. El aspecto geográfico también

mountain ranges that cross it . . . rivers
only
each . . . own
zealously these
plateau . . . heart
climate . . . According to the popular refrain
inferno
oranges and olives
temperate
sun and gaiety . . . wines
Moorish
gypsies
another . . . geographically
more recently

MAR CARIBE
Caracas
VENEZUELA
Río Orinoco
LAS GUAYANAS
PANAMÁ
Bogotá
COLOMBIA
Quito
EL ECUADOR
Río Amazonas
LA CORDILLERA DE LOS ANDES
EL BRASIL
EL PERÚ
Lima
BOLIVIA
La Paz
Sucre
Brasilia
EL PARAGUAY
Asunción
Rio de Janeiro
OCEANO PACÍFICO
CHILE
ARGENTINA
EL URUGUAY
Santiago
Buenos Aires
Montevideo
OCEANO ATLÁNTICO
TIERRA DEL FUEGO
El Cabo de Hornos

es muy *variado*. El área que ocupa es enorme, *desde* Méjico, que limita con los Estados Unidos, *hasta el Cabo de Hornos, cerca del* Antártico. En Sudamérica, los Andes forman una gran columna vertebral de norte a sur. Hay *largas costas tropicales,* inmensas junglas y desiertos, y en la Argentina y el Uruguay, *vastas pampas.*

varied . . . from
to Cape Horn, near the
long tropical coastlands
vast plains

En general, *la mayor parte* de la *población* de Latinoamérica es *mestiza*. Pero hay países como Méjico, Venezuela, Colombia, el Ecuador, Bolivia, y el Perú, donde *todavía* hay muchos indios, y en *algunas* partes, *tribus* muy primitivas. Hay países como el Brasil y varias naciones de la región del *Caribe* donde *gran parte* de la población es de *raza* negra. Y hay países más industriales como la Argentina y Chile donde predominan los blancos, muchos *de ellos* de origen europeo.

the majority . . . population
mestizo (of mixed Indian and white blood)
still
some . . . tribes
Caribbean . . . a large part
race
of them

Y a toda *esta* diversidad geográfica y racial, la lengua española y la cultura de España *dan* unidad de carácter. Vamos a entrar ahora en *ese* mundo.

this
give
that

Preguntas

1. ¿Dónde se habla español? ¿Cuántas personas lo hablan?
2. ¿Qué lengua hablan en el Brasil?
3. ¿Por qué es importante estudiar una lengua?
4. ¿Dónde vamos a empezar nuestro estudio del carácter español?
5. ¿En qué parte de Europa está situada España?
6. ¿Qué ocupa con Portugal?
7. ¿Qué montañas separan a España y Francia?
8. ¿Qué hay entre (*between*) España y África?
9. ¿Qué hay al oeste de la Península Ibérica? ¿Y al este?
10. ¿En qué está dividida España?
11. ¿Cuántas cordilleras la cruzan horizontalmente?
12. ¿Cuántos ríos importantes tiene?
13. ¿Dónde está Castilla? ¿Cómo es su geografía? ¿Y la tierra?
14. Según el refrán popular, ¿cómo es el clima de Madrid, la capital?
15. ¿Dónde está Valencia? ¿Por qué productos es famosa? ¿Cómo es su clima?
16. ¿Dónde está Andalucía? ¿Cómo es?
17. ¿Por qué es importante Cataluña?
18. ¿Cuáles son los elementos principales en la formación cultural de Hispanoamérica?
19. ¿Cómo es el aspecto geográfico de Hispanoamérica?
20. ¿Cuál es el origen racial de la mayor parte de la población de Hispanoamérica?
21. ¿Qué hay todavía en países como Méjico, el Ecuador, el Perú, etc.?
22. ¿Cómo es en gran parte la población del Brasil, y de varios países del Caribe?
23. ¿En qué países predomina la población blanca?
24. ¿Qué da unidad de carácter a los elementos diversos?

Lección

TERCERA

I. PRONUNCIACIÓN

1. **Ll** is considered *one* consonant in Spanish. It is pronounced like the *lli* in million:

   caballo, millón, brillante, pollo, sello, gallina

   In Spanish America, it usually sounds like the *y* in *yule*.

2. **Ñ** is like the *ny* in *canyon,* the *ni* in *onion;*

   caña, otoño, niño, cariño, señor

3. **J** in Spanish is a soft guttural sound that does not exist in English. It is formed in the throat, and is somewhat similar to the *ch* in the German *ach!:*

   pájaro, cojo, jamón, lejos, jota, jabón

4. **G** before an **e** or an **i** is pronounced just like the Spanish **j**:

   general, gitano, giro, gente, coger, dirigir

   In all other cases, **g** is hard, like the *g* in *girls*:

   goma, gato, laguna, grupo, iglesia, legumbre, guerra, guitarra

   Notice that the **u** that precedes the **e** or **i** is not pronounced. It serves merely to keep the **g** hard, as in English *guest*, *guitar*.

II. MOMENTO DE VIDA: *EN CASA*

J. = Juan; Sra. = Sra. Salinas; P. = Pablo

Juan Salinas acaba de volver a su casa después de un largo día de trabajo en

John Salinas has just returned to his home after a long day of work at the

la oficina. Oye voces al entrar. Su mujer habla al niño.

Sra. Pablo, aquí viene tu padre. Él puede hablar contigo . . . ¿Juan?
J. Sí. ¿Cómo estás, querida?
Sra. Así, así.
J. ¿Y Pablo? ¿Dónde está?
Sra. En la sala. Te digo, Juan, tienes que pegarle.
J. ¿Por qué?
Sra. Porque es muy malo. No quiere comer nada. No sé qué hacer con él.
J. Dile sencillamente que tiene que comer. Nuestro Pablo es bueno.
Sra. Pablo, tu padre dice que tienes que comer.
P. No quiero. No tengo hambre. (*A su padre*) Hola, papacito. ¿Qué me traes?
J. Hoy nada.
P. El papá de Enrique le trae cosas todos los días.
J. Pues yo no soy el papá de Enrique. Pablo, me dice tu madre que no quieres comer. Si no comes, no vas a ser un hombre grande y fuerte.
P. No me importa.
J. ¿Por qué no tomas un poquitito de carne?
P. No me gusta.
J. Pues entonces, tienes que beber un vaso de leche.
P. No. Tengo frío, y no me gusta la leche fría.
Sra. En un momento tienes tu leche bien caliente, ¿está bien?
P. Sí, mamá.

(*La madre va a la cocina.*)

J. ¿Ves, Pablo, qué buena es tu mamá? Hace mucho por ti.

(*La madre vuelve con la leche caliente.*)

office. He hears voices upon entering. His wife is speaking to the child.

Sra. Paul, here comes your father. *He* can talk to you . . . John?
J. Yes. How are you, dear?
Sra. So-so.
J. And Paul? Where is he?
Sra. In the living room. I tell you, John, you have to hit him.
J. Why?
Sra. Because he's very bad. He doesn't want to eat anything. I don't know what to do with him.
J. Simply tell him that he has to eat. Our Paul is good.
Sra. Paul, your father says that you have to eat.
P. I don't want to. I'm not hungry. (*To his father*) Hi, Daddy. What do you have for me? (What are you bringing me?)
J. Nothing today.
P. Henry's daddy brings him things every day.
J. Well, I'm not Henry's daddy. Paul, your mother tells me that you don't want to eat. If you don't eat, you won't be a big strong man.
P. I don't care.
J. Why won't you take a little bit of meat?
P. I don't like it.
J. Well then, you have to drink a glass of milk.
P. No. I'm cold, and I don't like cold milk.
Sra. In just a moment you'll have your milk nice and warm, all right?
P. Yes, Mommy.

(*The mother goes into the kitchen.*)

J. Do you see, Paul, how good your Mommy is? She does a lot for you.

(*The mother returns with the warm milk.*)

Sra.	Aquí tienes tu leche, amorcito.	Sra.	Here is your milk, darling.
P.	No tengo sed ahora.	P.	I'm not thirsty now.
J.	Pablo, voy a meterte en la cama.	J.	Paul, I'm going to put you to bed.
P.	No. No tengo sueño. Quiero mirar la televisión.	P.	No. I'm not sleepy. I want to watch television.
J.	Pero es tarde. Son las ocho.	J.	But it's late. It's eight o'clock.
Sra.	¿Por qué hablar más con él, Juan? Si es un niño desobediente, no tengo la culpa *yo*. Es porque su padre no . . .	Sra.	Why talk to him any more, John? If he is a disobedient child, it's not *my* fault. It's because his father doesn't . . .
J.	Pablo, tu madre tiene razón ¿Qué tienes esta noche?	J.	Paul, your mother is right. What's the matter with you tonight? (What do you have . . . ?)
P.	¿Qué tengo? Tengo un beso muy grande para mi papacito, porque le quiero tanto.	P.	What do I have? I have a great big kiss for my daddy, because I love him so.
	(*Abraza a su padre y le besa.*)		(*He hugs his father and kisses him.*)
J.	Eres precioso, ¿lo sabes?	J.	You're precious, do you know it?
P.	Papacito, ¿por qué no miras la televisión conmigo? Hay muchos programas buenos esta noche. Mis favoritos.	P.	Daddy, why don't you watch television with me? There are many good programs on tonight. My favorites.
J.	No. Absolutamente no.	J.	No. Absolutely not.
P.	¿Sólo uno, nada más?	P.	Only one, that's all?
J.	Bueno . . . ¡Cómo no, hijo!	J.	Well . . . sure. Why not, son?
Sra.	(*Desde la cocina*) ¿Juan? Tengo lista la comida. ¿No vas a comer?	Sra.	(*From the kitchen*) John? I have dinner ready. Aren't you going to eat?
J.	Ahora no. No tengo hambre.	J.	Not now. I'm not hungry.
Sra.	¡Tú también! No voy a hablar más con los dos.	Sra.	You too! I'm not going to talk to either of you any more.
J.	(*A Pablo*) Vamos, hombre. La noche es nuestra. ¿Qué programa tenemos ahora?	J.	(*To Paul*) Come on, man. The night is ours. What program do we have on now?

Vocabulario Activo

cosa *thing*
todo *everything*
trabajo *work*

el hambre, *f.* *hunger*
la sed *thirst*
la razón *reason*

bueno *good*
caliente (adj.) *warm*
listo *ready*

malo *bad*
frío *cold*

beber *to drink*
comer *to eat*

más *(any) more, (any) longer*

aquí tiene(s) *here is (here you have)*
esta noche *tonight*
¡Vamos! *Come on! Let's go!*

meter *to put*
mirar *to look at*

si *if*
sólo *only*

en casa *at home*
todos los días *every day*
No me importa. *I don't care.*

Preguntas

1. ¿A dónde acaba de volver Juan Salinas?
2. ¿Dónde trabaja?
3. ¿Qué oye al entrar?
4. ¿Con quién habla su mujer?
5. ¿Dónde está Pablo? ¿Qué hace (*is he doing*) allí?
6. ¿Por qué dice la madre que Pablo es muy malo?
7. ¿Por qué no quiere comer el niño?
8. ¿Por qué no quiere beber la leche fría? ¿Y la leche caliente?
9. ¿Qué tiene Pablo para su papá?
10. ¿Cómo van a pasar la noche Pablo y Juan?

III. ESTRUCTURA

16. Three Important Irregular Verbs: *Tener, Venir, Decir*

tener (*to have*)	**venir** (*to come*)	**decir** (*to say, tell*)
tengo	vengo	digo
tienes	vienes	dices
tiene	viene	dice
tenemos	venimos	decimos
tenéis	venís	decís
tienen	vienen	dicen

Ejercicios

A. Diga la forma correspondiente de los verbos:

yo: tener, venir, decir; *tú*: tener, venir; *él*: venir, tener; *ella*: decir; *ellos*: decir; *Uds.*: venir, tener; *Ud. y yo*: tener, venir, decir; *vosotras*: venir, decir; *tú y Pepe*: tener

B. Ahora cambie según los sujetos nuevos (*change according to the new subjects*):

1. ¿Viene Ud. a la clase mañana?
   (Uds., los estudiantes, la maestra, tú, nosotros, tú y Paco)
2. No tengo tiempo ahora.
   (Ana y yo, mi amigo, Uds., tú, vosotros, la clase)
3. ¿Dicen la verdad (*truth*)?
   (Ud., nosotras, yo, el presidente, tú, vosotros)

17. Idioms with *Tener*

Many very common idioms are formed with **tener.** These are some:

tener (mucha) hambre	to be (very) hungry
tener (mucha) sed	to be (very) thirsty
tener (mucho) frío	to be (very) cold
tener (mucho) calor	to be (very) warm, hot (a person)
tener (mucho) sueño	to be (very) sleepy
tener miedo	to be afraid
tener la culpa	to be at fault
tener razón	to be right
no tener razón	to be wrong

¿Tienes hambre?—No, pero tengo sed.	Are you hungry?—No, but I'm thirsty.
¡Ay, qué frío tengo!—Y él tiene calor.	Oh, am I cold—And *he's* warm.
¿Tienen miedo?—Sí, y tienen mucha razón.	Are they afraid?—Yes, and they're so right.

Tener que plus an infinitive means *to have to*:

Tengo que trabajar.	I have to work.
Tenemos que comer ahora.	We have to eat now.

Ejercicio

Conteste en español:

1. ¿Tiene Ud. hambre ahora? ¿sed? ¿frío? ¿calor? ¿sueño? ¿miedo?
2. ¿Tiene Ud. razón siempre? ¿casi (*almost*) siempre? ¿Tienen razón siempre sus padres?
3. ¿Tiene Ud. que estudiar esta noche?
4. ¿A qué hora tiene que levantarse (*get up*) mañana su madre? ¿Y sus hermanos?
5. ¿Tenemos que terminar hoy esta (*this*) lección?
6. ¿Qué hace Ud. cuando (*do you do when*) tiene mucha hambre? ¿Y cuando tiene sed? ¿Y cuando tiene un examen?

18. Pronoun Objects of a Preposition

The pronouns that serve as object of a preposition are the same as the subject pronouns except in the first and second singular:

	SINGULAR		PLURAL	
1	(para) **mí**	(*for*) *me*	(para) nosotros(as)	(*for*) *us*
2	**ti**	*you*	vosotros(as)	*you*
3	él	*him, it* (*m.*)	ellos	*them*
	ella	*her, it* (*f.*)	ellas	*them* (*f.*)
	Ud.	*you*	Uds.	*you*

Exception: **conmigo** *with me* **contigo** *with you* (*fam.*)

All other forms remain regular after the preposition **con: con él, con ella, con Ud., con nosotros,** etc.

Ejercicio

Cambie según las indicaciones, y lea en voz alta. (*Read aloud*:)

1. La carta es para **ellos.** (*her, me, you*—polite pl., *us, him*)
2. Vienen con**migo.** (*you*—fam. sing., *us, you*—polite sing., *her*)
3. Vamos a **él.** (*her, them, you*—polite sing., *you*—fam. pl.)
4. Hace mucho por **ti.** (*us, me, them*—f.)
5. No hablan de **mí.** (*you*—fam. pl., *them, her, you*—polite pl., *us*—f.)

19. Possession with *De*

De plus a noun is used to express possession. Spanish does NOT use an apostrophe:

el sombrero de papá	Dad's hat
la hermana de Esteban	Steve's sister
los libros de la maestra	the teacher's books

Ejercicio

Diga en español:

1. my father's house 2. Henry's brother 3. the farmer's daughter 4. the child's hands 5. the kitchen door 6. the children's teacher 7. Paul's father 8. the doctor's car 9. my sister's friend (*f.*)

20. Possessive Adjectives

Possessives, like all adjectives, must agree in gender and number with the noun they describe.

These are the possessive adjectives that modify a *singular* noun. (These forms always precede the noun and are never stressed with the voice.)

mi padre, *mi* madre	my father, my mother
tu libro, *tu* carta	your book, your letter
su amigo, *su* amiga	his, her, your (*de Ud.* or *de Uds.*), their friend
nuestro coche, *nuestra* casa	our car, our house
vuestro pueblo, *vuestra* ciudad	your town, your city

When the possessive adjective describes a *plural* noun, **-s** is added to the singular ending:

mis padres	my parents	*nuestros* coches	our cars
tus libros	your books	*vuestras* casas	your houses
sus amigos	his, her, your (*de Ud.* or *de Uds.*), their friends		

When clarification is necessary, **su** or **sus** may be replaced as follows:

su padre: el padre de él, de ella, de Ud., de ellos, de ellas, de Uds.
sus padres: los padres de él, de ella, etc.

These forms also place emphasis on the possessive, as if it were being stressed with the voice in English: *his* father, *your* father, etc.[1]

Ejercicios

A. Cambie:

mi libro (libros), su casa (tierras), tu familia (primos), nuestro maestro (escuela), sus profesores (clase), mi pluma (lápices), vuestra tía (tíos), nuestra madre (abuelos), su hijo (hijos)

B. Diga en español:

our house, his parents, their mother, your (*fam. sing.*) friend, her family, her books, my pen, your (*polite sing.*) pens, her husband, your (*polite pl.*) sisters, their brothers

21. Adjectives

All adjectives must agree in gender and number with the noun they describe:

un niño alto, una niña bonita, muchos estudiantes, buenas noches

[1] Actually, when the language is used in context, there is much less need for clarification than in isolated sentences. And so, **su** or **sus** remains the normal form:

¿Cómo está Ud.? ¿Y su familia?	How are you? And your family?
No me gustan ni Ana ni su hermana.	I don't like either Ann or her sister.

A. The feminine of adjectives

Adjectives that end in **-o** change **-o** to **-a:**

bueno, buena *good* — malo, mala *bad*

Adjectives of nationality that end in a consonant and adjectives that end in **-dor, -ón, -án,** or **-ín** add **-a:**

inglés, inglesa *English* — alemán, alemana *German*
hablador, habladora *talkative* — burlón, burlona *mocking*

All other adjectives have the same form for both masculine and feminine:

un beso grande *a big kiss* — una casa grande *a big house*
un libro fácil *an easy book* — una lección fácil *an easy lesson*

B. The plural of adjectives

Adjectives are made plural exactly as nouns are. Those ending in a vowel add **-s;** those ending in a consonant, **-es.** A final **z** becomes **c** before **-es:**

mujeres bonitas *pretty women* — perfumes franceses *French perfumes*
buenos días *good day(s)* — momentos fugaces *fleeting moments*

C. Adjectives used as nouns

Very often, an adjective is used with the definite or indefinite article to form a noun, especially adjectives of nationality, age, and financial position:

un joven *a young man* — la pobre *the poor woman*
los ricos *the rich* — una inglesa *an Englishwoman*

Ejercicios

A. Diga la forma femenina singular de los adjetivos siguientes:
bonito, bueno, malo, difícil, inglés, francés, español, alemán, grande, joven

B. Ahora haga (*make*) plurales los adjetivos siguientes:
mucho, poco, fácil, francés, española, fría, caliente, querido, larga, mala, fugaz

C. Diga ahora lo opuesto (*the opposite*) de:
alta, difíciles, pequeñas, un joven, una rica, los viejos

22. The Position of Adjectives

Descriptive adjectives that serve to set off the noun from others of its kind usually follow the noun:

un sombrero blanco — a white hat

(The function of *white* is to *distinguish* this hat from hats of other colors.)

Important categories of distinguishing adjectives include those of color, shape, nationality, religion, or classification:

una mesa redonda	a round table
las mujeres españolas	Spanish women
una novela filosófica	a philosophical novel
una casa moderna	a modern house
una clase interesante	an interesting class
mi hermana casada	my married sister

Bueno and **malo** may be placed either before or after the noun. **Bueno** is shortened to **buen,** and **malo** is shortened to **mal,** before a masculine singular noun:

un buen muchacho	un muchacho bueno
una mala cosa	una cosa mala
buenas ideas	ideas buenas

Ejercicios

A. Conteste en español:

1. ¿Hay una mesa redonda en su casa? 2. ¿Tiene Ud. un sombrero negro? 3. ¿Le gustan más a Ud. las camisas (*shirts*) blancas o de colores? (Me gustan más . . .) 4. ¿Tiene Ud. muchos amigos hispanos? 5. ¿Le gustan a Ud. las comedias musicales? 6. ¿Tiene Ud. un hermano casado? 7. ¿Hay muchos profesores buenos en su escuela? 8. ¿Vive Ud. en una casa moderna o en una casa vieja? 9. ¿Hay muchos programas interesantes en la televisión? 10. ¿Estudia Ud. otra (*another*) lengua extranjera?

B. Colores: azul *blue*; blanco *white*; negro *black*; rojo *red*; verde *green*; amarillo *yellow*; pardo *brown*; violeta *violet*; gris *gray*

Ahora conteste una vez más:
¿De qué color es el oceano? ¿el cielo (*sky*)? ¿la sangre (*blood*)? ¿la hierba (*grass*)? ¿la cobardía (*cowardice*)? ¿su camisa (*shirt*)? ¿De qué color son sus zapatos (*shoes*)? ¿sus ojos (*eyes*)? ¿las flores (*flowers*)?

Ejercicio de Repaso

Traduzca al español:

John Salinas has just returned home. His wife is speaking to their little boy, Paul.

MRS. SALINAS: Here comes your Daddy . . . John, is it you?
JOHN: Yes, dear. How are you?
MRS. SALINAS: Not very well. Paul is very bad.
JOHN: Impossible. Our Paul is a good boy.

MRS. SALINAS: But he doesn't want to eat anything.

PAUL: Hello, Daddy. What do you have for me?

JOHN: Nothing today.

PAUL: Then you're a bad Daddy. My friend Henry's father brings him something every day.

JOHN: Paul, you have to eat. Don't you want to be a big strong man?

PAUL: I don't care. I'm not hungry.

JOHN: Then you have to drink a glass of milk.

PAUL: I'm not thirsty.

JOHN: All right. I'm putting you to bed.

PAUL: I'm not sleepy. I want to watch television.

MRS. SALINAS: John, you have to hit him, that's all. He's impossible.

JOHN: Your mother is right, Paul. What's the matter with you tonight? (What do you have . . .?)

PAUL: What do I have? A big kiss for my Daddy . . . Now, Daddy, why don't you watch television with me? Tonight they have my favorite programs.

JOHN: No. Absolutely not.

PAUL: Only one program?

JOHN: Well . . . all right.

MRS. SALINAS: John, your dinner is ready.

JOHN: I'm not hungry, dear. I'm watching television with Paul. Come on, man, the evening is ours.

IV. TEATRO

Escriba una escena original sobre el tema: *En Casa*. Por ejemplo, un hombre habla con su esposa, una señora habla con sus hijos, una madre tiene problemas con su niño, etc. Entonces prepárese para ponerla en escena (*Then get ready to act it out*) ¡y con mucha interpretación dramática!

Lección
CUARTA

I. PRONUNCIACIÓN: *b, v*

B and **v** are *absolutely identical* in pronunciation. There is no difference whatever in the sound of **las aves** and **la sabes,** of **a ver** and **haber**. However, the pronunciation of **b** or **v** depends on its position in the sentence, phrase, or word.

1. When **b** or **v** appears at the beginning of a sentence or of a group of words spoken together, its sound is much like that of the English **b**. Repeat now exactly what you hear:

   Váyase. Ven acá. Vámonos. Voy. Véalo. Bésame.

   The same **b** appears after **m** or **n**. The **n,** incidentally, is pronounced **m** before **b** or **v**:

   hombre, tumba, cumbre, hambre, un vaso, un barrio, un vapor

2. In all other positions within the word or within the phrase, **b** or **v** is formed as follows: *Start to say* **b**, *but at the last moment, do not close quite your lips.* In this way, the breath continues to escape through the slight opening between the lips, and the sound does not have the explosive quality of the initial **b**:

   la vida, las aves, la sabes, a ver, haber, hablaba, iba, la vuelta
   Quiero verle. Acabo de venir.

3. Notice the difference between the two pronunciations of **b** or **v** in the following phrases:

   Voy a verle. ¡Viva nuestra clase! Bébalo. Vuelva Ud. mañana.
   Vamos a visitarla. ¿Victor, ¿a dónde vas?

II. MOMENTO DE VIDA: *EN LA UNIVERSIDAD*

G. = Gloria; A. = Anita

Es la semana antes de empezar el nuevo semestre. Los estudiantes vienen a matricularse. Gloria y Anita están entre ellos.

G. Anita, ¡qué contenta estoy de verte! ¿Cómo estás?
A. Regular. ¿Y tú?
G. Lo mismo. No hay nada nuevo.
A. Si estás libre el sábado, ¿quieres ir al cine conmigo?
G. No puedo. Salgo con Diego. ¿Sabes, Anita?, estoy tan cansada de ese muchacho, pero ¿qué puedo hacer?
A. Pues, yo estoy en peor situación. No tengo nada para el sábado. Creo que me pongo vieja.
G. Dime, ¿qué cursos vas a tomar?
A. No sé todavia. Tengo que hablar con el consejero.
G. No está hoy. Está enfermo.
A. Pues, ¿qué tomas tú?
G. Yo tengo un programa maravilloso: Sociología 10—El Matrimonio y la Familia; Música 5—Música Popular de Hoy; Educación 3—Juegos y Canciones para el Niño de 4 a 6 Años; Cerámica 2; y Tenis.
A. ¿No vas a estudiar una lengua extranjera?
G. Si yo no sé hablar bien el español, ¿cómo voy a aprender otra lengua?
A. Pues este semestre yo quiero aprender a hablar francés, y después de graduarme . . .
G. ¿Francés? ¿Por qué? Dicen que en Francia todo el mundo habla inglés. Además, es muy difícil. Hay que estudiar día y noche. ¿Por qué no

It is the week before beginning the new semester. The students come to register. Gloria and Anita are among them.

G. Anita, how glad I am to see you! How are you?
A. All right. And you?
G. The same. There's nothing new.
A. If you're free on Saturday, do you want to go to the movies with me?
G. I can't. I'm going out with Jim. Do you know, Anita, I'm so tired of that boy, but what can I do?
A. Well, I'm in a worse situation. I don't have anything for Saturday. I think I'm getting old.
G. Tell me, what courses are you taking?
A. I don't know yet. I have to talk to the adviser.
G. He isn't in today. He's sick.
A. Well, what are *you* taking?
G. I have a marvelous program: Sociology 10—Marriage and the Family; Music 5—Popular Music of Today; Education 3—Games and Songs for the 4 to 6 Year Old Child; Ceramics 2; and Tennis.
A. Aren't you going to take a foreign language?
G. If I don't know how to speak Spanish well, how am I going to learn another language?
A. Well, this semester I want to learn to speak French, and after graduating . . .
G. French? Why? They say that in France everyone speaks English. Besides, it's very difficult. You have to study day and night. Why

tomas conmigo El Matrimonio y la Familia?

A. Porque estoy aquí para aprender. Además, estoy loca por el nuevo profesor de francés. Es de París. ¿Le conoces?

G. No sé. ¿Cómo es?

A. Es alto, tiene unos ojos azules como el cielo, pelo negro . . .

G. ¿Un hoyuelo en la mejilla derecha?

A. Sí.

G. Le conozco. Es magnífico. ¿Estás segura de que enseña el Francés 1?

A. Sí. A las ocho de la mañana.

G. Imposible. A las ocho de la mañana todos los franceses están dormidos.

A. Éste no.

G. Dicen que está casado y que su mujer es muy rica, y vieja.

A. ¿De veras? . . . Pues, en ese caso, estoy contigo en El Matrimonio y la Familia.

G. Conmigo no. Yo voy a estudiar el francés. Me gusta trabajar. Además, soy joven. Puedo esperar.

don't you take Marriage and the Family with me?

A. Because I'm here to learn. Besides, I'm crazy about the new French professor. He's from Paris. Do you know him?

G. I don't know. What is he like?

A. He's tall, he has eyes as blue as the sky, black hair . . .

G. A dimple in his right cheek?

A. Yes.

G. I know him. He's magnificent. Are you sure he's teaching French 1?

A. Yes. At 8 A.M.

G. Impossible. At 8 A.M. all Frenchmen are asleep.

A. Not this one.

G. They say he's married and that his wife is very rich, and old.

A. Really? . . . Well, in that case, I'm with you in Marriage and the Family.

G. Not with *me*. I'm going to take French. I like to work. Besides, I'm young. I can wait.

Vocabulario Activo

la canción *song*
el cine *movies*

aprender *to learn*
enseñar *to teach*

enfermo *sick*
cansado *tired*
casado *married*
libre *free*
seguro *sure*

además (*adv.*) *besides*
antes de (*prep.*) *before*
después de (*prep.*) *after*

¿Cómo es? *What is he like?*
¿De veras? *Really?*

ojo *eye*
pelo *hair*

esperar *to wait (for); to hope; to expect*
salir *to go out*

loco *crazy*
maravilloso *marvelous, wonderful*
nuevo *new*
viejo *old*
joven (jóvenes) *young*

entre *between; among*
para *in order to; for*
todavía *still, yet*

hay que + infin. *one must, it is necessary*
todo el mundo *everybody*

Preguntas

1. ¿Qué semana es? ¿Dónde estamos?
2. ¿Quiénes vienen a matricularse?
3. ¿Qué quiere hacer Anita el sábado?
4. ¿Con quién sale Gloria el sábado? ¿Le gusta?
5. ¿Por qué no puede hablar Anita hoy con su consejero?
6. ¿Qué cursos va a tomar Gloria?
7. ¿Por qué no puede aprender una lengua extranjera?
8. ¿Por qué dice Gloria que Anita no debe (*shouldn't*) estudiar el francés?
9. ¿Qué curso recomienda Gloria a su amiga?
10. ¿Por qué está interesada en estudiar el francés este semestre?
11. ¿Cómo es el nuevo profesor de francés?
12. ¿A qué hora enseña el francés uno?
13. ¿Por qué dice Gloria que es imposible?
14. ¿Qué sabe del profesor?
15. ¿Por qué decide Anita tomar El Matrimonio y la Familia?
16. ¿Por qué decide Gloria estudiar el francés?

III. ESTRUCTURA

23. The Present Indicative of *Estar* (To Be), *Ir* (To Go), and *Dar* (To Give)

Notice how very much alike these verbs are:

estar	ir	dar
estoy	voy	doy
estás	vas	das
está	va	da
estamos	vamos	damos
estáis	vais	dais
están	van	dan

Ejercicio

Cambie según el sujeto nuevo:

1. Estoy muy cansado.
   (El niño, Mis ojos, Marta y yo, Ud., Uds., Tú, Vosotros)
2. ¿Vamos a clase ahora?
   (Vosotros, Tú, Los estudiantes, Yo, Felipe, Ud.)
3. Siempre da dinero (*money*) a los pobres. (the poor)
   (Yo, Sus padres, La señora Gutiérrez, Uds., Tú, Vosotras)

24. General View of *Estar*

In general, **estar** tells *where* or in what *position* or *condition* the subject is. (Recall: **ser** tells *who* or *what* the subject is, what it is like in essence.)

A. Estar states location or position

Estamos en la clase.	We are in the classroom.
La biblioteca está en la Calle Colón.	The library is on Columbus Street.
¿Dónde está mi libro?	Where is my book?
Están sentados.	They are seated.

Ejercicio

Conteste en español:

1. ¿Dónde está Ud. ahora? 2. ¿Dónde están sus padres? ¿Y sus hermanos? 3. ¿Dónde está su casa? 4. ¿Está Ud. sentado o parado (*standing*) ahora? 5. ¿ Dónde está Madrid? ¿Y Buenos Aires? 6. ¿Cuál (*What*) es la capital de España? ¿Y de Francia? ¿Y de los Estados Unidos? 7. ¿Dónde está la Casa Blanca?

B. Estar with adjectives

When *to be* links the subject with an adjective, **estar** indicates a *state*, a *condition*, or a *semblance of being* (what the subject feels like, looks like, happens to be like at a certain time). Notice the difference from **ser**, which indicates essential qualities, basic characteristics:[1]

Está pálida.	She is (looks, has turned) pale.
Es pálida.	She is pale (characteristically).
Juan está malo.	John is sick (in bad condition).
Juan es malo.	John is bad.
¿Cómo está tu madre?	How is your mother (feeling)?
¿Cómo es tu madre?	What is your mother like?
La sopa está fría.	The soup is cold (its state).
La nieve es fría.	Snow is cold (its characteristic).
Las uvas están verdes.	The grapes are green (unripe).
Las uvas son verdes.	The grapes are green (color).

Age and financial position are considered characteristics, and so the adjectives **joven, viejo, rico,** and **pobre** normally take **ser**:

[1] Although conditions or states are often temporary, and characteristics are often permanent, temporary versus permanent is NOT the guiding factor in the use of **ser** and **estar**. A condition or state may be quite permanent: **Está muerto.** (*He is dead.*) **Siempre estoy cansado.** (*I am always tired.*) And a characteristic may change: **Era tan bueno, y ahora es tan malo.** (*He used to be so good, and now he's so bad.*)

Mi padre no es viejo, pero no es joven tampoco.	My father isn't old, but he isn't young either.
¿Es rica tu tía?	Is your aunt rich?

When **estar** is used with **viejo** or **joven,** it implies an appearance of being old or young, and not the age itself:

Estás muy joven con ese traje.	You look very young in that outfit.

Ejercicio

Diga en español:

1. Are you sick?—No, I'm tired. 2. We are very pleased. 3. John looks pale today. 4. She's very young, isn't she?—Yes, but she's married. 5. My coffee (*café*) is cold. 6. Elena looks very pretty tonight.—She *is* pretty. 7. Roses (*Las rosas*) are red. Violets (*Las . . .*) are blue. 8. What is Jim like?—He's tall, intelligent, rich . . . 9. How are you?—Fine, thanks.

25. The Preposition *a* After *Ir*, *Venir*, and Other Verbs

As we have seen, in Spanish as well as in English, certain verbs are followed directly by the infinitive: **¿Quieres ir? ¿Qué puedo hacer? No sé hablar español.** However, verbs of direction, such as **ir** and **venir,** and verbs of teaching, learning, and beginning are followed by **a** before an infinitive. The preposition **a** increases the feeling of motion ——→ toward a goal:

Vamos a estudiar esta noche.	We're going to study tonight.
Viene a visitarme.	He's coming to visit me.
Aprenden a hablar inglés.	They're learning to speak English.
Ahora comienzas a comprender.	Now you're beginning to understand.

Ejercicio

Cambie según las indicaciones:

1. Vienen a hablar con mi padre.
   ______ el Dr. Salas.
   ______ estudiar ______.
   Van ______.
   (Yo) ______.
2. Aprendemos a hablar español.
   ______ francés.
   Comienzan ______.
   ______ escribir ______.
   Enseñan ______.

26. The Infinitive After Prepositions

The infinitive is the only verb form regularly used after a preposition. Don't be misled by the *-ing* form in English:

antes de salir	before leaving (or going out)
después de terminar	after finishing
al entrar	upon entering
Estoy cansada de esperar.	I'm tired of waiting.

Ejercicio

Lea bien los diálogos siguientes, y después conteste las preguntas:

1. —¿Adónde vas esta noche, Pedro?
   —Después de comer, voy al cine con Carlos, Felipe, y Marta.

CONTESTE: a. ¿Adónde va Pedro esta noche?
b. ¿Va a ir antes o después de comer?
c. ¿Cuántas personas van con él?

2. —¿Qué tienes, María? ¿Estás enferma?
   —No. Es que mañana tengo tres exámenes y estoy cansada de estudiar.

CONTESTE: a. ¿Es maestra o estudiante María?
b. ¿De qué está cansada?
c. ¿Cuántos exámenes tiene mañana?

3. —Sra. Blanco, antes de salir, haga el favor de cerrar las ventanas.

CONTESTE: a. ¿Está dentro (*inside*) o fuera (*outside*) la señora Blanco?
b. ¿Qué debe hacer (*should she do*) antes de salir?

4. Al entrar en su casa, José Hierro llama a su mujer:
   —¿Cómo estás, querida?
   —Bien, Pepe. Pero el niño no está muy bien. No quiere comer.

CONTESTE: a. ¿Está casado o soltero (*unmarried*) José Hierro?
b. ¿Qué hace al entrar en su casa?
c. ¿Por qué dice la señora que no está muy bien el niño?

27. Irregular First Person Singular Verb Forms

In the present tense, most irregular verbs are irregular only in the first person singular. The other persons are regular. For example:

hacer (*to make; to do*): **hago**, haces, hace, hacemos, hacéis, hacen
salir (*to go out; to leave*): **salgo,** sales, sale, salimos, salís, salen
saber (*to know a fact; to know how to, etc.*): **sé,** sabes, sabe, sabemos, sabéis, saben
conocer (*to know a person; to be acquainted or familiar with*): **conozco,** conoces, conoce, conocemos, conocéis, conocen

Ejercicio

Ahora complete las conjugaciones siguientes:

valer (*to be worth*): **valgo,** vales, ______, ______, ______, ______
poner (*to put*): **pongo,** ______, ______, ______, ______, ______
caer (*to fall*): **caigo,** ______, ______, ______, ______, ______
traer (*to bring*): **traigo,** ______, ______, ______, ______, ______
ver (*to see*): **veo,** ves, ______, ______, ______, ______
producir (*to produce*): **produzco,** ______, ______, ______, ______, ______

28. *Saber* and *Conocer*

Saber and **conocer** both mean *to know*. However, their implications are very different. **Saber** means *to know a fact, to know* (something) *thoroughly or by heart,* or *to know how* (to do something):

¿Sabe Ud. que viene Alicia?	Do you know that Alice is coming?
No saben la lección.	They don't know the lesson.
Sabe tocar el piano.	He knows how to play the piano.

Conocer means *to be acquainted or familiar with* (a person, a place, or a thing). The English *recognize, cognizant,* and *incognito* are derived from the same source.

No conozco a su marido.	I don't know her husband.
¿Conoce Ud. este poema? —¿Si lo conozco? ¡Lo sé de memoria!	Do you know (are you familiar with) this poem? —Am I familiar with it? I know it by heart!

Ejercicio

Conteste en español:

1. ¿Sabe Ud. tocar el piano? 2. ¿Conoce Ud. la ciudad de San Francisco? 3. ¿Qué ciudad conoce Ud. mejor (*best*)? 4. ¿Saben Uds. de dónde es su profesor(a) de español? 5. ¿Conocen Uds. a la esposa (al esposo) de su profesor(a)? 6. ¿Sabe Ud. de memoria muchos poemas? 7. ¿Saben Uds. bien esta lección? 8. ¿Sabe Ud. hablar un poco ahora el español?

Ejercicio de Repaso

Traduzca al español:

The scene is the University. Two girls, Gloria and Anita, are among the students who are coming to register.

GLORIA: Hi, Anita. How are you? What's new?
ANITA: Nothing. If you're free Saturday, do you want to go to the movies with me?
GLORIA: I can't. I'm going out with Jim Saturday.
ANITA: Again?
GLORIA: Really, I'm so tired of him, but I don't like to stay (*quedarme*) home.
ANITA: You're right, Gloria. Tell me, what courses are you going to take this semester? My adviser isn't in today. He's sick.
GLORIA: I have a wonderful program. All the courses are easy. Why don't you take Marriage and the Family with me?
ANITA: I don't know. I want to learn to speak French this term.
GLORIA: They say it's hard. You have to work.
ANITA: I don't care. I like to work. Besides, I'm crazy about the new French professor. He's from Paris, and is he handsome (*¡qué guapo es!*)! He's tall and has blue eyes, black hair, a dimple . . .
GLORIA: Yes, I know him. He's magnificent. Are you sure he's teaching French 1?
ANITA: Yes, at 8 A.M.
GLORIA: You know, they say he's married, and that his wife is very rich, and old.
ANITA: Well, in that case, I'm with you in Marriage and the Family.
GLORIA: Not with *me*. I'm going to take French. I like to work. Besides, I'm young. I can wait.

IV. TEATRO

Escriba un diálogo original sobre: *La Universidad.* Dos estudiantes hablan de sus profesores, de sus cursos, de sus amigos, etc. O posiblemente, dos profesores hablan de sus clases, o de uno de sus colegas.

SOBRE LA EDUCACIÓN (About Education)

escuela elemental *grade school*
la universidad *college*
el semestre *semester, term*
el examen *examination*
el día de fiesta *holiday*

escuela superior *high school*
colegio *junior college; school*
año escolar *school year*
el examen trimestral *midterm exam*
las vacaciones *vacation*

leer *to read*
estudiar *to study*
escribir *to write*
salir aprobado *to pass*

aprender *to learn*
enseñar *to teach*
tomar un curso *to take a course*
ser suspendido *to fail*

libro (de texto) *(text)book*
periódico *newspaper*
revista *magazine*
novela *novel*
ensayo *essay*
cuento *story*
(sala de) clase *classroom*
cuaderno *notebook*
pluma *pen* (**bolígrafo** *ballpoint*)

biblioteca *library*
librería *bookstore*
mesa, escritorio *desk*
el drama *drama*
comedia *play*
pizarra *blackboard*
el papel *paper*
el lápiz *pencil*
tiza *chalk*

Facultades

Derecho *Law*
Educación, Enseñanza *Education*
Filosofía y Letras *Humanities*
Ciencias Naturales *Science*

Medicina *Medicine*
Ingeniería *Engineering*
Bellas Artes *Fine Arts*
Ciencias Económicas *or* Políticas *Social Sciences*

Cursos

(p)sicología *psychology*
filosofía *philosophy*
contaduría *accounting*
periodismo *journalism*

las bellas artes *fine arts*
arquitectura *architecture*
pintura *painting*
escultura *sculpture*

literatura *literature*
música *music*
el arte *art*
cursos comerciales (*or* de comercio) *business courses*

ciencias *sciences*
biología *biology*
física *physics*
geología *geology*

matemáticas *mathematics*
aritmética *arithmetic*
álgebra *algebra*
geometría *geometry*
trigonometría *trigonometry*
química *chemistry*
botánica *botany*
antropología *anthropology*
lenguas *languages*
inglés, español, etc.

Profesiones

médico *doctor*
dentista *dentist*
profesor, maestro *teacher*
arquitecto *architect*
científico, hombre de ciencia *scientist*
biólogo, químico, físico, zoólogo, botánico, etc.
abogado *lawyer*
músico *musician*
escritor *writer*
periodista *newspaperman*
contador *accountant*

Discusión

1. ¿Qué clases tiene Ud. este semestre? ¿Cuál le gusta más? ¿Y menos?
2. ¿Le gusta aprender lenguas extranjeras? ¿Por qué?
3. ¿Sabe Ud. otra lengua extranjera? ¿Cuál es?
4. ¿Para qué profesión se prepara Ud.?
5. ¿Qué ciencia considera Ud. la más importante de todas?
6. ¿Le gusta a Ud. el arte? ¿Prefiere Ud. el arte abstracto o el arte realista? ¿Quién es su pintor (*painter*) favorito?
7. ¿Le gusta la música? ¿Quién es su compositor (*composer*) favorito?
8. ¿Le gusta leer? ¿Qué tipo de libros prefiere Ud.? ¿Quién es su autor favorito?
9. ¿Qué usa Ud. para escribir? ¿En qué escribe Ud. sus lecciones?
10. ¿Qué tiene Ud. ahora en su escritorio?
11. ¿Lo pasa Ud. (*Do you do*) bien o mal en su curso de inglés? ¿de matemáticas? ¿de ciencia? ¿de historia? ¿de español?
12. ¿Cómo se llama su profesor (o profesora) de español? ¿de ciencia? ¿de inglés?
13. ¿Dónde hay una gran colección de libros, revistas, periódicos, etc.? ¿Va Ud. frecuentemente a la biblioteca? ¿Tiene Ud. muchos libros en casa? ¿Qué son?
14. ¿Cuándo empiezan las vacaciones de verano? ¿de Navidad (*Christmas*)? ¿de Pascuas (*Easter*)?

Lectura II

LA ESPAÑA PRIMITIVA

Es el *siglo doce* antes de Cristo. España, dividida geográficamente, está dividida también en *más de mil* tribus independientes. Sus habitantes principales son los *iberos, hombres bajos y morenos,* de tipo mediterráneo, probablemente de origen indoeuropeo. Los iberos viven en *pequeños pueblos fortificados en las cuestas* de las montañas. Poseen una civilización *bastante alta.* Tienen *escultura,* cerámica, y casas *de piedra,* y saben cultivar la tierra, *labrar* metales, y hacer *vestidos y objetos de adorno personal. Sus dioses* son generalmente animales fantásticos, pero hay un culto especial del *toro.*

Los *celtas,* de origen nórdico, *más altos y rubios,* vienen a España en *olas* de emigración *desde* el siglo once *hasta* el siglo seis antes de Cristo. En general, son más primitivos *que* los iberos, y muy *guerreros.*

twelfth century
more than a thousand
Iberians, short and swarthy men
small fortified towns on the slopes
quite high . . . sculpture
(of) stone . . . work
clothes and objects of personal adornment. Their gods . . . bull
Celts . . . taller and blond
waves . . . from . . . till
than . . . warlike

Figuras de hombres armados. Arte prehistórico en las Cuevas del Civil, Albocácer, Castellón.

Pintura prehistórica en las Cuevas de Altamira, Santander, España.

La Dama de Elche, obra maestra del arte ibero.

Al principio, ocupan gran parte de la península, pero después de un periodo de *lucha, son expulsados por* los iberos, y *se establecen* en la
15 región que es hoy Galicia y Portugal. En el este, y en partes del sur, *se mezclan* con los iberos, *formando así la raza celtíbera.*

At first

fighting, they are expelled by . . . they establish themselves

they mix . . . forming thus the Celtiberian race.

En el sur de la península, la ciudad de Tartesos, situada en la *boca* del río Guadalquivir, es famosa *por* sus metales—*oro, plata, cobre, y bronce,* y por sus excelentes *pesqueras. Los fenicios, grandes navegantes*
20 *y comerciantes* del norte de África, vienen a España a *comerciar con los tartesios. Fundan* la ciudad de Cádiz, y traen a España sus *conocimientos metalúrgicos y agrícolas.*

mouth . . . for . . . gold, silver, copper, and bronze . . . fisheries. The Phoenicians, great navigators and traders . . . do business with the Tartessians.
They found . . . metallurgical and agricultural knowledge

Los *griegos,* que representan en el mundo *antiguo* la *cima* de la cultura europea, también mandan *colonos* y comerciantes a España.
25 En el siglo siete *AC,* establecen ciudades en el este de la península. *Aunque son atacados muchas veces por* los primitivos habitantes, *les enseñan* nuevos métodos de agricultura (introducen *la vid y el olivo*), y fomentan el comercio y las artes—el teatro, la *poesía,* la filosofía. La Dama de Elche, *obra maestra* de la civilización ibera, *refleja claramente*
30 la influencia griega.

Greeks . . . ancient . . . height . . . colonists

B.C. (Antes de Cristo)

Although they are attacked many times by . . . they teach them . . . the grape vine and the olive . . . poetry

masterpiece . . . reflects clearly

Y pasa *el tiempo. . . .* Estamos ahora en el siglo seis AC. Los fenicios *piden ayuda militar a la gran ciudad de Cartago para sofocar* una rebelión de las tribus del sur. Y los *cartagineses* vienen a España. *Avanzan poco a poco por* la península, *viendo* en España no sólo una
35 oportunidad de expansión imperialista, *sino* una base futura *para*

time
ask the great city of Carthage for military aid to quell
Carthaginians

They advance bit by bit through . . . seeing but . . . for

atacar a sus enemigos, los romanos. *Y así sucede. A fines* del siglo tres AC, Cartago está *lista para* atacar. Manda una gran *fuerza* militar a España para ocupar todo el territorio y empezar después la invasión del *imperio* romano.

40 Las tropas cartaginesas marchan *hacia* el nordeste. *Llegan a* Sagunto, una ciudad celtíbera *bajo* la protección de los romanos. Pero Sagunto resiste. *Por fin, casi muertos de hambre,* los heroicos habitantes *ponen fuego* a la ciudad, y los victoriosos cartagineses preparan el ataque *contra* Roma.

45 En el año 219 (doscientos diez y nueve) AC, el general cartaginés Haníbal *cruza* los Alpes con sus hombres (*aun lleva consigo elefantes traídos* de África), *e* invade el imperio romano. La lucha es terrible. Al principio *parece* que los cartagineses van a *ganar,* pero por fin, los romanos triunfan, y en 218 (doscientos diez y ocho), mandan 50 sus primeras legiones a ocupar España y *destruir* las bases de sus enemigos.

Así comienza el primer periodo decisivo en la formación cultural de España, un periodo en que la península va a *encontrar* su primer momento de unificación, un periodo en que España va a *hacerse* 55 "más romana *que Roma misma*".

attacking their enemies . . . And so it happens. Toward the end
ready to . . . force
empire
toward . . . They reach
under
Finally, almost starved to death
set fire
against
crosses . . . he even has with him elephants brought . . . and
it seems . . . win
destroy
So begins the first
find
become
than Rome itself

Preguntas

1. ¿Cuántas tribus independientes hay en España en el siglo doce AC?
2. ¿Quiénes son sus habitantes principales en esa época?
3. ¿Cómo son los iberos? ¿De qué origen son? ¿Cómo viven? ¿Qué indicaciones tenemos de su cultura avanzada?
4. ¿Quiénes son los celtas? ¿Cuándo vienen a España? ¿Cómo son? ¿Dónde se establecen? ¿Qué ocurre en el este y en partes del sur?
5. ¿Qué es Tartesos? ¿Por qué es famosa esta ciudad?
6. ¿Quiénes son los fenicios? ¿Por qué vienen a España? ¿Qué ciudad fundan? ¿Qué traen a España?
7. ¿Qué representan los griegos en el mundo antiguo? ¿Qué mandan a España?
8. ¿Qué contribución hacen los griegos a los habitantes primitivos de España?
9. ¿Por qué vienen a España los cartagineses? ¿Qué ven en España? ¿Qué hacen en el siglo tres AC?
10. ¿Dónde está Sagunto? ¿Qué hacen sus habitantes cuando no pueden resistir más el ataque de los cartagineses?
11. ¿Qué preparan ahora los victoriosos cartagineses?
12. ¿Quién es el gran general cartaginés? ¿Qué hace en el año 219? ¿Qué trae consigo (*does he bring with him*)?
13. ¿Qué hacen los romanos después de triunfar sobre (*over*) los cartagineses?
14. ¿Qué periodo va a empezar ahora?

Lección
QUINTA

I. PRONUNCIACIÓN: *t*, *d*

1. In Spanish **t** is a heavily dentalized sound. It is *not* followed by the light breath that is heard after the English **t.** Instead, it is formed by placing the tip of the tongue directly behind the upper front teeth. Although the sound is not really voiced, it does not have the totally unvoiced, breathy quality of the English. Listen and repeat:

   te, tú, tanto, tonto, tinta, tetera, tintero, título,
   tener, tierra, tío, tía, total, torta, tortilla, tuerto

2. The pronunciation of **d** in Spanish depends largely on the position of the **d** within the word or phrase. At the beginning of a sentence or of any group of words, the **d** is a hard, strongly dentalized sound, formed in much the same manner as the **t**, but voiced:

   Dámelo. Diga. Duérmete. Doble. Durante el verano.

   The same sound appears after an **n** or **l**:

   cuando, hablando, diciendo, balde, dando, caldo, donde

3. Between vowels, and in most other positions *within* the word or phrase, the Spanish **d** is very similar to the voiced *th* in the English words *these*, *they*, or *rather*. It is pronounced more softly than the English, with the tongue protruding less between the teeth:

   nada, cada, todo, toda mi vida, hablado, vivido, tenido
   Voy a dárselo.

4. At the end of a word, the final **d** is formed like the *th*, but is barely sounded. It is so soft that in careless speech it often disappears completely:

   libertad, ciudad, unidad, voluntad, salud, hermandad, virtud, verdad

   In the word **usted**, it disappears completely, even in correct speech. Of course, in the plural, the *th* sound remains: usted, ustedes

II. MOMENTO DE VIDA: *EN EL AEROPUERTO*

El aeropuerto está lleno de gente. Una señorita se acerca a la boletería, y empieza a hablar con el boletero.

S. = Señorita; B. = Boletero; V. = Viajero

S. Perdone, señor. ¿Puede Ud. decirme a qué hora sale el avión de las dos?

B. ¿El avión de las dos? Pues a las dos.

S. ¡Dios mío! Estoy tan nerviosa que no sé lo que digo.

B. ¿Por qué está tan nerviosa?

S. Porque es la primera vez que hago un viaje en avión, y estoy medio muerta de susto.

B. No tenga cuidado, señorita. Hace quince años que volamos sin accidente. Nunca nos ocurre nada.

S. Bueno . . . ¿Es aquí donde venden los boletos?

B. Sí. ¿Tiene Ud. su reservación?

S. Seguramente, aquí mismo en mi bolsa. . . . A lo menos, debe estar en mi bolsa. Tengo tantas cosas en ella que no puedo hallar nada. ¿Me hace el favor de esperar un momentito? . . . Aquí está . . . No. Es una carta de mi novio. ¡Qué mala letra tiene!, ¿no?

(*Viene otro viajero, que parece tener mucha prisa.*)

V. Señorita, por favor . . . Tengo que tomar el avión de las dos y necesito boleto.

S. Un momentito, nada más. Busco mi reservación. Tiene que estar aquí.

The airport is full of people. A young lady goes over to the ticket window, and begins to speak to the ticket seller.

S. Pardon me, sir. Can you tell me what time the two o'clock plane leaves?

B. The two o'clock plane? Why, at two o'clock.

S. For heaven's sake! I'm so nervous that I don't know what I'm saying.

B. Why are you so nervous?

S. Because it's the first time I'm taking a trip by plane, and I'm scared half to death.

B. Don't worry, miss. We have been flying for fifteen years without an accident. Nothing ever happens to us.

S. Well . . . Is this where they sell the tickets?

B. Yes. Do you have your reservation?

S. Surely, right here in my purse. . . . At least, it should be in my purse. I have so many things in it that I can't find anything. Will you please wait just a minute? . . . Here it is . . . No. It's a letter from my boyfriend. What an awful handwriting he has, hasn't he?

(*Along comes another traveler, who seems to be very much in a hurry.*)

V. Miss, please . . . I have to catch the two o'clock plane and I need a ticket.

S. Just a moment, that's all. I'm looking for my reservation. It has to be here.

(*Abre la bolsa y vacía su contenido en la mesa del boletero.*)

A ver . . . cartera, carmín, polvos, perfume, llaves, pañuelos, peine, pluma, gafas, aguja, hilo, guantes, cigarrillos, encendedor, fósforos—¿sabe Ud.?, mi encendedor nunca funciona bien—aspirinas, laca para las uñas, horquillas, rolos—¿qué es esto? Ah, sí, el bozal del perro. ¡Qué suerte! ¡Hace días que lo busco!

V. Esto no va a acabar nunca. Por favor, señorita. . . .

S. Señor, es Ud. muy poco caballero . . . A ver . . . ¡ay de mí! Ahora recuerdo. ¡La reservación está en mi bolsa roja!

B. Voy a ver si encuentro otra copia aquí. Va a tomar tiempo, pero . . . ¿Cómo se llama Ud.?

S. Alicia Mendoza.

B. ¿Y su dirección?

S. Avenida 5 de Mayo, número 10.

V. Por favor, ¿no me deja Ud. comprar el boleto? Cierran las puertas en cinco minutos y . . .

B. Pero señor, esta señorita también quiere tomar el avión de las dos. A ver . . . Luria . . . Maldonado . . . Martínez . . . Mendoza, Alberto . . . Mendoza, Alicia. ¡Por fin! Pero señorita, lo siento mucho. Su reservación no es para hoy. Es para mañana.

V. Señorita, me quedan sólo dos minutos.

S. ¿Mañana? ¡Imposible! No es hoy el 5 de abril?

B. No, señorita, es el 4.

S. ¿El 4? ¿Está Ud. seguro?

V. (*Fuera de sí*) Sí, el 4, 4—1, 2, 3, 4.

(*She opens her purse and empties its contents on the ticket seller's desk.*)

Let's see . . . wallet, lipstick, powder, perfume, keys, handkerchiefs, comb, pen, eyeglasses, needle, thread, gloves, cigarettes, lighter, matches—you know? my lighter never works right—aspirin, nail polish, hairpins, curlers—What's this? Oh, yes, the dog's muzzle. What luck! I've been looking for it for days!

V. This is never going to end. Please, miss . . .

S. Sir, you're not very much of a gentleman. . . . Let's see . . . oh my! Now I remember. The reservation is in my red purse!

B. I'm going to see if I can find another copy here. It's going to take time, but . . . What is your name?

S. Alice Mendoza.

B. And your address?

S. 10, Fifth of May Avenue.

V. Please, won't you let me buy my ticket? They're closing the gates in five minutes and . . .

B. But sir, this young lady also wants to take the two o'clock plane. Let's see . . . Luria . . . Maldonado . . . Martinez . . . Mendoza, Albert . . . Mendoza, Alice. At last! But, miss, I'm very sorry. Your reservation isn't for today. It's for tomorrow.

V. Miss, I have only two minutes left.

S. Tomorrow? Impossible! Isn't today April 5?

B. No, Miss, it's the fourth.

S. The fourth? Are you sure?

V. (*Beside himself*) Yes, the fourth, fourth—1, 2, 3, 4.

S. Ud. cuenta muy bien. Pero ¿sabe Ud., señor? Es Ud. muy nervioso. Debe hablar con su médico.

V. ¿Con mi médico, dice Ud.? Mejor con mi abogado, porque si pierdo el avión . . . ¡Ay! ¡Ya son las dos! ¿Qué hago ahora? ¡Dios mío! ¡Qué mujer! ¿Nervioso, yo? (*Se vuelve al boletero.*) Dígame, señor, por favor, dígame . . . ¿a qué hora sale el avión de las cinco?

S. You count very well. But do you know, mister? You're very nervous. You should speak to your doctor.

V. To my doctor, you say? You mean to my lawyer, because if I miss the plane . . . Oh my! It's two o'clock already! What do I do now? Good Lord! What a woman! Nervous, me? (*He turns to the ticket seller.*) Tell me mister, please, tell me . . . what time does the five o'clock plane leave?

Vocabulario Activo

cartera *wallet*
bolsa *purse*
cigarrillo *cigarette*
fósforo *match*
el encendedor *lighter*
la llave *key*

acabar, *to end, finish*
buscar *to look for*

lleno de *full of, filled with*
medio *half* (+ *noun or adj.*)
muerto *dead*

sin *without*

a ver *let's see*
No tenga cuidado. *Don't worry.*

el peine *comb*
pañuelo *handkerchief*
novio *boyfriend, fiancé*
la gente *people*
tiempo (*period of*) *time*
una vez *a time, an instance*

comprar *to buy*
vender *to sell*

otro *another*
primero *first*

ya *already*

tener (mucha) prisa *to be in a hurry*
por fin *finally*

Preguntas

1. ¿Hay mucha o poca gente en el aeropuerto?
2. ¿Quién se acerca a la boletería?
3. ¿Qué pregunta al boletero?
4. ¿Por qué está nerviosa la señorita?
5. ¿Qué dice el boletero para asegurarla (*to reassure her*)?
6. ¿Ya tiene su boleto la señorita?
7. ¿Dónde busca su reservación?

8. ¿Qué artículos tiene en la bolsa?
9. ¿Qué otra persona se acerca a la boletería?
10. ¿Dónde está la reservación de la señorita?
11. ¿Dónde vive ella?
12. ¿Por qué está tan impaciente el otro viajero?
13. ¿Cuánto tiempo le queda para coger el avión?
14. ¿Para qué día es la reservación de la señorita?
15. ¿Y qué día es hoy (en el cuento—*story*)?
16. ¿Por qué dice la señorita que el otro viajero debe hablar con su médico?
17. ¿Qué dice el viajero a la señorita?
18. ¿Qué pregunta entonces el viajero al boletero?
19. ¿Por qué cree Ud. que tiene que coger el avión de las dos el otro viajero? ¿Qué profesión, oficio, o negocio cree Ud. que tiene?

III. ESTRUCTURA

29. Radical (or Stem) Changing Verbs

Radical changing verbs are those whose *root* vowel, **e** or **o**, becomes a diphthong when stressed. Although these verbs do not belong to what are normally considered regular conjugations, they are not really irregular because they all conform consistently to a pattern. Radical changing verbs are of two general types: **-ar** or **-er** verbs and **ir** verbs. The present indicative of *all* radical changing verbs conforms to the same pattern of changes. Generally, **e** becomes **ie**, **o** becomes **ue** when stressed. A few **-ir** verbs change **e** to **i**. This is the pattern:

		PERSON				
		1	⟶	e > ie	(e > i)	o > ue
SINGULAR		2	⟶	e > ie	(e > i)	o > ue
		3	⟶	e > ie	(e > i)	o > ue
	⟵	1				
PLURAL	⟵	2				
		3	⟶	e > ie	(e > i)	o > ue

Say the following conjugations in rhythm (1, 2, 3, →; ← 1, 2; and back →):

cerrar (*to close*)		**perder** (*to lose*)		**sentir** (*to feel, regret*)	
	c*ie*rro		p*ie*rdo		s*ie*nto
	c*ie*rras		p*ie*rdes		s*ie*ntes
	c*ie*rra		p*ie*rde		s*ie*nte
cerramos		perdemos		sentimos	
cerráis		perdéis		sentís	
	c*ie*rran		p*ie*rden		s*ie*nten

contar (*to count*)	**volver** (*to return*)	**dormir** (*to sleep*)
c*ue*nto	v*ue*lvo	d*ue*rmo
c*ue*ntas	v*ue*lves	d*ue*rmes
c*ue*nta	v*ue*lve	d*ue*rme
contamos	volvemos	dormimos
contáis	volvéis	dormís
c*ue*ntan	v*ue*lven	d*ue*rmen

Pedir (*to ask for, request*) and **servir** (*to serve*) are two **-ir** verbs that change the stressed **e** to **i**:

pedir	**servir**
p*i*do	s*i*rvo
p*i*des	s*i*rves
p*i*de	s*i*rve
pedimos	servimos
pedís	servís
p*i*den	s*i*rven

Some irregular verbs are radical changing in the present:

querer (*to want; to like someone*)	**poder** (*to be able*)
qu*ie*ro	p*ue*do
qu*ie*res	p*ue*des
qu*ie*re	p*ue*de
queremos	podemos
queréis	podéis
qu*ie*ren	p*ue*den

Ejercicios

A. Diga las formas correspondientes:

yo: cerrar, perder, dormir, sentir, encontrar (*to find, to meet*), mover, poder
tú: morir, pedir, contar, entender (*to understand*), querer, sentir
ella: perder, querer, dormir, encontrar, poder, volver, pedir, servir
nosotros: querer, perder, contar, sentir, mover
vosotros: cerrar, entender, dormir, poder, volver
ellos: perder, encontrar, querer, poder, servir, pedir

B. Ahora conteste en español:

1. ¿Hasta (*Until*) qué hora duerme Ud. los días de clase (*on school days*)? 2. ¿Hasta qué hora duerme Ud. los sábados y domingos? 3. ¿A qué hora se acuesta Ud. (*do you go to bed*) normalmente? (*Me . . .*) ¿Y los sábados? 4. ¿A qué hora vuelve Ud. a casa por (*in*) la tarde? 5. ¿Entiende Ud. (*Do you understand*) bien los verbos de cambios radicales? 6. ¿Entienden Uds. cuando habla en español su profesor(a)? 7. ¿Quiere Ud. ir a una fiesta conmigo mañana?

8. ¿Quién quiere un examen hoy? 9. ¿Puede Ud. hacer una comida? 10. ¿Cierra Ud. todas las ventanas cuando sale de su casa?

C. ¿Puede Ud. encontrar en el Grupo II la conclusión de cada (*each*) frase del Grupo I ?:

I	II
¿A qué hora	de 1 a 12 . . . mi sombrero . . . verte
Mi madre nunca pierde	enfermo . . . sirven la comida? . . .
Uds. siempre piden	paciencia con nosotros . . . muy
¿Vuelves	tarde esta noche? . . . mucho dinero
No encuentro	. . . las sillas?
El niño cuenta	
¿Por qué mueves	
Siento	

30. More About the Present

Remember: the present tense describes all actions that are still happening now, even if they began some time ago in the past.

A. Desde . . . *Since* (*a certain date or time*)

The present tense is used for an action that has been going on *since* a certain date or time and still *is*. (The English *has been* can be misleading.)

Estamos casados desde junio.	We have been married since June (and we still are).
Vivo aquí desde abril.	I have been living here since April.
¿Desde cuándo esperas?	Since when have you been waiting?

B. Hace . . . *for* (*a certain period of time*)

When an action *has been going on for a period of time,* and still *is,* **hace . . . que** (now it makes . . .) states the length of time, and the following verb is, of course, in the present.

Hace un mes que estudio el español.	I have been studying Spanish for a month (and still am).
Hace quince años que volamos.	We have been flying for fifteen years.
¿Cuánto tiempo hace que trabaja?	How long has he been working?
Hace días que lo busco.	I have been looking for it for days.

Ejercicio

Cambie según las indicaciones:

1. Hace seis meses que Ricardo *vive* en Chile. (viajar, trabajar, estar, estudiar)

2. Hace tres días que *mi marido* espera el cheque.
   (yo, mi marido y yo, los pobres, tú, vosotros)
3. Hace un año que *escribo* este libro.
   (buscar, leer, preparar, acabar)
4. *Están* aquí desde mayo.
   (vivir, venir, comprar, enseñar, comer)
5. La pobre está enferma desde el *domingo*.
   (Monday, Tuesday, Wednesday, Thursday, Friday, Saturday)

C. The present tense to express future

The present tense is often used to give a sense of immediacy to a future action:

Te veo mañana.	(I'll) see you tomorrow.
¿Me hace el favor de . . .?	Will you please . . .?
¿Qué hago ahora?	What shall I do now?

Ejercicio

Diga en español:

1. I'll call you tomorrow, Frank. 2. He says that he'll come tonight. 3. Will you pass the salt and pepper (*sal y pimienta*)? 4. They'll be here in ten minutes. 5. She'll arrive in ten minutes.

31. First and Second Person Object Pronouns

	DIRECT	INDIRECT	REFLEXIVE
me	me	to me	myself, to myself
te	you (fam.)	to you	yourself, to yourself
nos	us	to us	ourselves, to ourselves
os	you (fam. pl.)	to you	yourselves, to yourselves

Me ve. Me habla. Pero no me quiere. Me digo: Me mato.	He sees me. He talks to me. But he doesn't love me. I say to myself: I'll kill myself.
Te conozco bien.	I know you well.
No te conoces.	You don't know yourself.
Nunca nos ocurre nada.	Nothing ever happens to us.
Os digo, niños, . . .	I tell you, children, . . .

32. Position of Object Pronouns in Relation to the Verb

Object pronouns are placed immediately before a conjugated verb form, except with a direct affirmative command:

No me da nada.	He doesn't give me anything.

Nos hablan demasiado.	They talk to us too much.
Te prometo que . . .	I promise you that . . .

They MUST be attached to the end of a direct affirmative command:

Dígame . . .	Tell me . . .
Espérenos.	Wait for us.
Escríbame.	Write to me.

They usually are attached to the end of an infinitive:[1]

Vienen a vernos.	They're coming to see us.
Voy a visitarte.	I am going to visit you.

Ejercicios

A. Conteste afirmativamente las preguntas siguientes. (*Notice that we're going to be on friendly* **tú** and **vosotros** terms.)

1. ¿Me amas locamente? 2. ¿Te gusta nuestra clase? 3. ¿Os gusta el español? (Sí, nos . . .) 4. ¿Vienes a visitarnos mañana? 5. ¿Te veo el lunes? 6. ¿Os habla claramente (*clearly*)? 7. ¿Os traigo café? 8. ¿Me traes una Coca Cola? 9. ¿Os preparáis para el examen? 10. ¿Vas a llamarnos esta noche?

B. Ahora diga en español:

1. Tell me the truth. (*Diga . . .*) 2. Write to us. 3. Please pass me the salt. 4. Wait for me. 5. Answer me.

33. Cardinal Numbers 11–20

11	once	16	diez y seis (dieciséis)[2]
12	doce	17	diez y siete (diecisiete)
13	trece	18	diez y ocho (dieciocho)
14	catorce	19	diez y nueve (diecinueve)
15	quince	20	veinte

las cuatro y quince

las siete menos quince

las ocho y veinte

las once menos veinte

[1] Or a present participle.

[2] The one word forms for 16–19 are equally correct and occur frequently, especially in business letters. However, the three word forms involve no spelling changes or written accents, and so may be preferable for student use.

Ejercicio

Diga en español:

1. $2 \times 10 = 20$; $15 - 8 = 7$; $12 + 7 = 19$; $5 \times 3 = 15$; $19 - 9 = 10$; $13 + 4 = 17$; $11 + 3 = 14$; $6 \times 3 = 18$
2. 3:15, 4:20, 6:19, 7:40 (*eight minus . . .*), 9:42, 10:17.

Ejercicio de Repaso

Traduzca al español:

There are many people at (en) *the airport. A young lady is speaking to the ticket seller.*

YOUNG LADY: Mister, can you tell me at what time the two o'clock plane leaves?

TICKET SELLER: At two o'clock, of course.

YOUNG LADY: I'm so nervous. It's the first time that I'm taking a trip by plane.

TICKET SELLER: Don't worry, miss. We have been flying for many years. Nothing ever happens to us. Do you have your reservation?

YOUNG LADY: Yes, right here in my purse. Let's see . . . comb, eyeglasses, handkerchief, cigarettes, matches, my lighter that never works, needle, thread, hairpins, nail polish . . . What's this? Oh, good! I've been looking for it for a week! (*Another traveler comes along.*)

TRAVELER: Please, miss. I have to catch the two o'clock plane.

YOUNG LADY: Just a minute, sir. Let's see now . . . pen, pencil, wallet, gloves . . .

TRAVELER: If I miss (*perder*) the plane, I don't know what I'll do. Mister, won't you (*no quiere*) sell me my ticket?

YOUNG LADY: Oh, my! Now I remember. My reservation is in my red purse at home. (*She turns to the ticket seller.*) Do you have a copy here?

TICKET SELLER: I'll see, but it's going to take time. (*He begins to look for the reservation.*) Good. Here it is. But miss, I'm sorry. It's for tomorrow.

YOUNG LADY: Impossible. Isn't today the fifth?

TRAVELER: No, it's the fourth, 1, 2, 3, 4. Good Lord! My plane has just left.

YOUNG LADY: Mister, you're a very nervous man. You ought to speak to your doctor.

TRAVELER: Me? Nervous? (*He turns to the ticket seller.*) Please, mister, tell me, what time does the five twenty-five plane leave?

IV. TEATRO

Escriba una escena original en una estación del tren o en el aeropuerto. Ud. puede inventar caracteres nuevos, si quiere. Y después, Ud. puede escoger (*choose*) sus actores. ¡Manos a la obra! (*Let's get busy!*)

REPASO I

I. Tema: ¿Qué Es un Español? (*Tape 8*)
Vocabulario, p. 418

II. Dictado y Ejercicio de Comprensión (*Tape 8*)

III. Repaso de Gramática

A. Articles

DEFINITE: el, la; los, las *But:* el agua
INDEFINITE: un, una *But:* un alma

B. Contractions

a + el = al **de + el = del**

C. Present Indicative

1. Regular verbs

hablar	**comer**	**vivir**
hablo	como	vivo
hablas	comes	vives
habla	come	vive
hablamos	comemos	vivimos
habláis	coméis	vivís
hablan	comen	viven

2. Irregular verbs

ser: soy, eres, es, somos, sois, son
tener: tengo, tienes, tiene, tenemos, tenéis, tienen
venir: vengo, vienes, viene, venimos, venís, vienen
decir: digo, dices, dice, decimos, decís, dicen
estar: estoy, estás, está, estamos, estáis, están
ir: voy, vas, va, vamos, vais, van

3. Irregular first person singular

dar doy
hacer hago
salir salgo
valer valgo
traer traigo
conocer conozco
producir produzco
saber sé
poner pongo
caer caigo
ver veo

4. Radical changing verbs

ar, er		**ir**		
e > ie	**o > ue**	**e > ie**	**e > i**	**o > ue**
cerrar	contar	sentir	pedir	dormir
perder	mover			
		⟶		
		⟶		
		⟶		
	⟵			
	⟵			
		⟶		

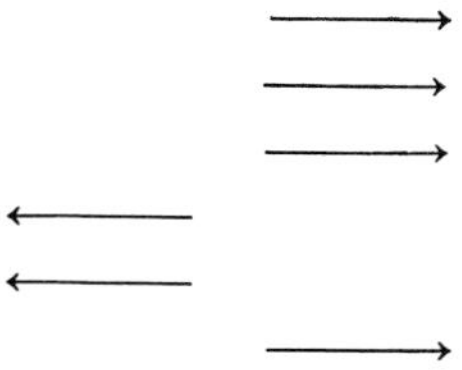

D. Pronouns

1. Subject and object of preposition

SUBJECT		OBJECT OF PREPOSITION
yo		(de) mí
tú		ti
	él	
	ella	
	Ud. (usted)	
	nosotros(as)	
	vosotros(as)	
	ellos	
	ellas	
	Uds. (ustedes)	

But: conmigo, contigo

2. First and second person objects of verb

	DIRECT	INDIRECT	REFLEXIVE
me	me	to me	myself, to myself
te	you	to you	yourself, to yourself
nos	us	to us	ourselves, to ourselves
os	you	to you	yourselves, to yourselves

3. Placement of object pronouns

a. Before a conjugated verb form (except a direct affirmative command):

Me conoce.	Nos hablan.
Te quiero.	Os ve.

b. Attached to the end of (1) a direct affirmative command, (2) an infinitive, (3) a present participle:

Dígame . . .	Va a llamarnos . . .

E. **Ser** and **Estar**

ser (*Who—What*)	**estar** (*Where—How*)
1. Joins subject with noun or pronoun	1. Location
2. Origin, material, destination, possession	2. Position
3. With adjectives: *characteristic, quality*	3. With adjectives: *state, condition, semblance of being*

F. Adjectives

1. All adjectives agree with the noun they describe.
2. Possessives are placed before the noun and agree with the noun in gender and number.

mi(s) my
tu(s) your
su(s) his, her, your **(de Ud., de Uds.),** their
nuestro(a), nuestros(as) our
vuestro(a), vuestros(as) your (belonging to all of you)
su(s) his, her, your **(de Ud., de Uds.),** their

3. Position of adjectives

Descriptive adjectives that set off the noun from others of its type *follow* the noun. **Bueno, malo, joven, viejo** may either precede or follow.

Estudio de Vocabulario

1. ¿Puede Ud. darnos diez *sustantivos* que se refieran (*nouns that refer*) a personas? (padre, amigo, etc.) Use cinco en oraciones originales.
2. ¿Sabe Ud. cuatro palabras (*words*) que se refieran a partes del cuerpo (*body*) humano?
3. ¿Sabe Ud. cinco términos (*terms*) geográficos? (ciudad, región, etc.)
4. ¿Puede Ud. decir lo opuesto de las palabras siguientes:
   a. comenzar, abrir, aprender, comprar, entrar, ir, tener razón
   b. frío, malo, alto, poco, bien, pequeño, algo, más
5. ¿Qué asocia Ud. (*do you associate*) con:
   la escuela . . . (maestro, estudiar, etc.) casa . . . viajar . . . amigos . . .

Composición

Escriba una composición de unas 75 palabras sobre:

1. Mi Familia
2. La Educación
3. Gentes y Países del Mundo
4. Yo

LA CASA (The House)

cocina *kitchen*
el comedor *dining room*
baño, cuarto de baño *bathroom*
sala *living room*

alcoba *bedroom* (dormitorio)
estudio *study*
cuarto *room*
habitación *room*

ventana *window*
puerta *door*
la pared *wall*
escalera *stairs*
piso *floor, story*
suelo *floor*

el corredor *corridor, hall*
sótano *basement*
el desván *attic*
armario *closet, cupboard*
el estante *shelf*
techo *roof*

los muebles *furniture*

silla *chair*
mesa *table, desk*
cama *bed*
el sillón *armchair*
el tocador *dresser*

el sofá *sofa*
alfombra *rug*
escritorio *desk*
lámpara *lamp*
cómoda *chest (of drawers)*

utensilios *utensils*

cuchillo *knife*
el tenedor *fork*
cuchara *spoon*
cucharita *teaspoon*
cubierto *place setting*

toalla *towel*
servilleta *napkin*
plato *plate*
taza *cup*
vaso *glass*

la sartén *frying pan*
olla *pot*
el tostador *toaster*
el batidor *mixer*
el refrigerador *refrigerator*

estufa *stove*; horno *oven*
cafetera *coffee pot*
máquina de lavar *washing machine*
el lavaplatos eléctrico *dishwasher*
el secador, la secadora *dryer*

Discusión

1. ¿Vive Ud. en un apartamento o en una casa? ¿Cuántas habitaciones tiene? ¿Cuántos baños?
2. ¿En qué cuarto duerme Ud. (*do you sleep*)? ¿En qué cuarto come la familia?
3. ¿Qué muebles tiene Ud. en su alcoba? ¿Cuántos armarios? ¿Qué muebles hay en la sala?
4. ¿Dónde prepara su madre las comidas? ¿Qué aparatos eléctricos tiene?
5. ¿Cuántas ventanas tiene su sala? ¿Cuántas puertas tiene? ¿Cuántas lámparas?
6. ¿Dónde estudia Ud. en su casa? ¿Dónde está la televisión? ¿Cuál es su cuarto favorito?
7. ¿En qué duerme Ud.? ¿En qué se sienta? ¿En qué come Ud.? ¿En qué escribe? ¿Qué usa Ud. para tomar sopa (*soup*)? ¿carne (*meat*)? ¿café? ¿leche?
8. ¿De qué color es su alcoba? ¿el comedor? ¿la cocina? ¿la sala? ¿el baño?

Lectura III

LA ROMANIZACIÓN DE ESPAÑA

La romanización de España no es inmediata. Aunque los romanos entran en España en el año 218 AC y *expulsan a* los cartagineses *hacia* 206 AC, todavía tienen que *pacificar a los naturales*. Los iberos y celtíberos del centro y del norte, determinados a conservar su independencia, resisten el *avance* de las legiones romanas, y los romanos responden *cada vez con mayor crueldad*. España es ahora una provincia romana, y tiene que aceptar el *dominio* de Roma. Las luchas continúan. *A mediados* del siglo dos AC, un *jefe* celtíbero, el *pastor* Viriato, *inicia una serie* de ataques contra los romanos, y *sale* victorioso. Sus ataques continúan *hasta que los altivos romanos firman una paz* ignominiosa con las fuerzas *guerrilleras* del jefe español.

expel
around. . . pacify the natives
advance
with more and more cruelty
rule
Around the middle . . . chief
shepherd . . . launches a series . . . comes out
until the haughty Romans sign an . . . peace . . . guerrilla

El acueducto de Segovia, maravilla de la ingeniería romana.

Teatro romano, en Mérida, provincia de Badajoz, España.

Pero una noche, *mientras* Viriato duerme, un *traidor pagado por los romanos le clava un puñal,* y la *muerte* del primer héroe español *resuena por* la península.

Los romanos *se dirigen* ahora a Numancia, una pequeña ciudad fortificada en el norte de Castilla. Es el año 134 AC. Hace más de veinte años que Numancia es el núcleo de la resistencia contra los romanos. Los *soldados* romanos empiezan a tener miedo y buscan *cualquier* pretexto para no tener que servir en España. Ahora Roma quiere *vengarse.* Manda un *ejército* de 60,000 (sesenta mil) hombres *para poner cerco* a la ciudad. *Por* ocho meses, los *numantinos* resisten. Mueren de hambre y de pestilencia, *pero no se rinden.* Por fin, *obligados* ya a comer *cuero cocido* y los cadáveres de sus *compañeros,* los numantinos (como sus *antecesores* saguntinos) prefieren el suicidio colectivo. Ponen fuego a sus casas y *se arrojan unos a las llamas, otros contra sus espadas.* Así cae la ciudad. Aunque continúan *las guerrillas por unos cien* años más, España es ahora parte del imperio romano.

Los seis siglos de la dominación romana *dejan su sello* en toda la historia de España. Los romanos *construyen* nuevas ciudades, cada una

while . . . traitor paid by the Romans stabs him . . . death . . . resounds through

turn

soldiers

any

to take revenge . . . army

to set siege . . . For . . . Numantians

they don't surrender. . . . obliged

cooked leather . . . companions

ancestors

some hurl themselves into the flames, others against their swords . . . the guerrilla warfare for about a hundred

leave their stamp

build

Toledo. Puente romano de San Martín, reconstruido en el siglo XIV.

30 con su plaza central. Construyen *edificios* públicos y *particulares*, y *puentes*, y templos y baños y acueductos y *caminos*. Y los soldados y colonos que pasan por esos caminos traen *consigo* su lengua—el latín vulgar[1]—que forma la base del español que hablamos hoy y de todas las lenguas romances. Los romanos introducen su arte, su sistema 35 de *leyes*, su concepto democrático del *municipio*, sus instituciones económicas y sociales. Y la tolerancia romana permite el *crecimiento* de la *fe* cristiana.

España también contribuye a la cultura romana. Nacen en España tres emperadores romanos, *Trajano, Adriano, y Teodosio,* y 40 muchos grandes escritores latinos, entre ellos Séneca, *Lucano*, y Marcial. Y España contribuye a Roma la *riqueza* de sus minas, su *ganadería*, su agricultura, y sus *recursos* naturales. España, la primera colonia romana, *llega a ser* la más importante, y la influencia de esa época *se siente* hasta hoy.

buildings . . . private
bridges . . . roads
with them
laws . . . municipality
growth
faith
Trajan, Hadrian, and Theodosius
Lucan
wealth
stock raising . . . resources
becomes
is felt

[1] La lengua hablada por el pueblo y un tanto (*somewhat*) diferente del latín clásico de los escritores y grandes oradores.

Preguntas

1. ¿Cuándo entran en España los romanos? ¿En qué año expulsan a los cartagineses?
2. ¿Qué hacen los iberos y celtíberos del centro y del norte?
3. ¿Quién es Viriato? ¿Qué hace? ¿Cómo muere?
4. ¿Qué es Numancia? ¿Por qué deciden los romanos atacar esta ciudad?
5. ¿Cuántos soldados romanos ponen cerco a Numancia? ¿Qué hacen los numantinos?
6. ¿Por cuánto tiempo continúan todavía las guerrillas?
7. ¿Qué construyen en España los romanos?
8. ¿Qué es el latín vulgar? ¿Qué importancia tiene para nosotros?
9. ¿Qué más (*What else*) introducen en España los romanos?
10. ¿Qué evidencia tenemos de la completa incorporación de España en el imperio romano?
11. ¿Qué grandes escritores latinos nacen en España?
12. ¿Qué más contribuye España a Roma?
13. ¿Cuántos siglos dura (*lasts*) la dominación romana de España?
14. ¿Que sabe Ud. de la ocupación romana en otras partes del continente europeo?
15. ¿Que influencia latina hay en el idioma inglés? ¿Sabe Ud. de dónde viene esa (*that*) influencia?

Lección

SEXTA

I. PRONUNCIACIÓN: *r*, *rr*

1. **R** in Spanish is formed by placing the tip of the tongue very gently on the hard palate. When the breath hits it forcibly, it causes the tongue to bounce against the hard palate. Important: Remember that the lips MUST NOT MOVE as they do in English. Listen and repeat:

    pero, para, cara, toro, cero, mero, moro, torero, coro, caro,
    muro, puro, comer, por, andar, hablar, decir, poner, ahora

2. **Rr** is formed exactly like **r**, but the tongue is made to bounce several times against the hard palate by the even more forcible expulsion of breath. **Rr** often affects the sound of the vowel preceding it: the **e** becomes more like the *e* in *met;* the **o**, shorter, less open.

    perro, parra, carro, torre, cerro, corro, ahorra,
    correr, cerrar, tierra, carrera, barrera, carretera

3. When **r** begins a word, it is pronounced **rr**, and an **s** that precedes it often disappears:

    rato, rata, rico, rey, rebelde, los reyes, los ricos

II. MOMENTO DE VIDA: *EN UN ALMACÉN*

Estamos en un *almacén* del centro. Una señora se acerca a la *Información*.

department store
information booth

SEÑORA: ¿Me hace el favor de decirme en qué piso venden *cortinas para la cocina*?

kitchen curtains

SR. DE LA INFORMACIÓN: En el *quinto*, señora.

fifth

SEÑORA: ¿Y dónde está el *ascensor?*

elevator

SR. DE LA INFORMACIÓN: *Ahí no más, a la derecha.* Pero no funciona hoy.

Right there, on the right.

SEÑORA: ¿Y la *escalera movediza?*

escalator

SR. DE LA INFORMACIÓN: *A la izquierda.* Pero *tampoco funciona.*

On the left . . . it's not working either.

SEÑORA: *Entonces, ¿cómo subo* al quinto piso?

Then how do I go up

SR. DE LA INFORMACIÓN: *Por la escalera. Ésa sí funciona.*

By the stairway. *That's* working.

SEÑORA: Gracias.

(*Al principio,* la pobre señora no sabe qué hacer. Por fin, decide subir por la escalera. Llega *cansadísima* al quinto piso. *Se dirige a una dependienta.*)

At first

very tired . . . She goes over to a saleslady . . .

SEÑORA: Señorita, ¿venden Uds. cortinas en *este* departamento?

this

DEPENDIENTA: Sí, señora. ¿Para qué *habitación las desea Ud.?*

room do you want them?

SEÑORA: Para la cocina.

DEPENDIENTA: *¡Cuánto lo siento!* Aquí las tenemos sólo para la sala. Las cortinas para la cocina *se hallan en la planta baja.*

I'm so sorry.

are (found) on the ground floor.

SEÑORA: ¡Dios mío! *Acabo de subir a pie* cinco pisos y ahora me dice Ud. que están en la planta baja. No puedo *dar un paso más.*

I've just walked up

take another step

DEPENDIENTA: *Es una gran lástima,* señora . . . *Aquí tiene Ud. una silla.* ¿Por qué no *descansa* un momentito? Bueno, *así es mucho mejor,* ¿no?

It's really a shame . . .
Here's a chair
rest . . . that's much better

SEÑORA: Gracias, pero sólo por un momento.

DEPENDIENTA: *¡Cómo no,* señora! Y *mientras tanto puedo mostrarle unas* elegantísimas cortinas para la sala, que *liquidamos hoy a un precio muy reducido, menos que al por mayor.*

Of course . . . in the meantime I can show you some . . . we're closing out today at a very reduced price, less than wholesale.

SEÑORA: Pero ya tengo cortinas nuevas en la sala. Las necesito sólo para la cocina.

DEPENDIENTA: Lo sé, señora. Pero son las cortinas *más finas* que tenemos, y si le digo el precio *a que* las vendemos hoy—sólo hoy—no va a *creerlo.*

finest

at which

believe it.

SEÑORA: ¿Sí? *¿Cuánto valen?*

How much are they?

DEPENDIENTA: Ayer, *cien* pesos. Hoy, *cincuenta.* Mañana, cien pesos otra vez.

100 . . . 50

SEÑORA: Pero . . .

DEPENDIENTA: ¿Me hace un favor? Sólo *permítame mostrárselas.* No tiene Ud. obligación de comprar. *Aquí las tiene Ud.* ¡Qué bonitas son! ¿No le gustan?

let me show them to you

Here they are

SEÑORA: Sí, me gustan. Pero son azules, y mi sala es verde. ¿No las tiene Ud. de otro color?

DEPENDIENTA: No, señora. Es el *último par*. Pero la verdad, *hoy día está de moda* mezclar los colores. Todo el mundo *lo hace*.

last pair . . . nowadays it's fashionable . . . is doing it.

SEÑORA: Sí, pero yo soy un poco *conservadora*.

conservative

DEPENDIENTA: ¿Conservadora, Ud.? *¿A su edad?* Una mujer *tan joven como Ud.* debe tener ideas jóvenes. *A mí no me dan miedo los colores.*

At your age? . . . as young as you . . . Colors don't scare *me*.

SEÑORA: Pero . . .

DEPENDIENTA: Una oportunidad *como ésta*, no la tiene Ud. todos los días.

like this one

SEÑORA: Bueno, *me quedo con ellas*.

I'll take them.

DEPENDIENTA: *Me alegro*. ¿Tiene Ud. una *cuenta de crédito* aquí?

I'm glad . . . charge account

SEÑORA: No. *Pago al contado*. Le doy *sesenta* pesos.

I pay cash . . . 60

DEPENDIENTA: Muy bien. *La vuelta*, diez pesos. Y aquí tiene Ud. sus cortinas. Adiós, señora, y gracias.

Your change

SEÑORA: Gracias a Ud.

(La señora se dirige a la escalera.)

DEPENDIENTA: Señora, Ud. puede tomar el ascensor. *Aquí mismo* está, a la derecha.

Right here

SEÑORA: ¿Funciona ya?

DEPENDIENTA: Sí, pero *sólo baja*. (La dependienta se vuelve a otra dependienta y *le susurra al oído*.) ¿Sabes, María?, tu idea *sale* estupenda. El señor de la Información es una *maravilla*. *Mira*, aquí viene *otra*.

it only goes down

whispers into her ear . . . is turning out wonder. Look

another one

(Se acerca otra señora, totalmente *agotada* después de subir a pie los cinco pisos.)

exhausted

SEGUNDA SRA: ¡Dios mío! No puedo dar un paso más. (Habla a la dependienta.) Señorita, me dice el señor de la Información que venden Uds. en este departamento *sábanas y fundas*.

sheets and pillowcases

DEPENDIENTA: ¡Cuánto lo siento, señora. *Ésas se venden* en el primer piso. Pero aquí tiene Ud. una silla. ¿Por qué no descansa un momentito? Y mientras tanto puedo mostrarle unas magníficas cortinas para la sala . . . el último par . . . una *ganga increíble* . . . hoy . . . sólo hoy a este precio . . . menos que al por mayor. . . .

Those are sold

incredible bargain

Vocabulario Activo

el ascensor *elevator*
piso *floor, story*

bajar *to go down*

la edad *age*
precio *price*

subir *to go up*

deber *ought, should*
descansar *to rest*
desear *to desire, wish*
funcionar *to work (a mechanism)*

azul *blue*
verde *green*

por *by; for (during a period of time)*

a la derecha *on the right*
a la izquierda *on the left*
al por mayor *wholesale*
al principio *at the beginning*

llegar *to arrive, reach*
mirar *to look at*
mostrar (muestro) *to show*
pagar *to pay*

poco *little (in amount)*
último *last*

tampoco *neither, not . . . either*

aquí las tiene Ud. *here they are*
aquí mismo *right here*
dar un paso *take a step*
hoy día *nowadays*

Preguntas

1. ¿Dónde tiene lugar (*takes place*) este episodio?
2. ¿A quién se acerca la señora? ¿Qué le pregunta (*does she ask him*)?
3. ¿En qué piso dice el señor de la Información que venden cortinas para la cocina?
4. ¿Dónde está el ascensor? ¿Y la escalera movediza?
5. ¿Por qué tiene que subir a pie la señora?
6. ¿Cómo llega al quinto piso?
7. ¿Qué clase de cortinas venden en el quinto piso? ¿Dónde las venden para la cocina?
8. ¿Qué ofrece (*offers*) la dependienta a la señora?
9. ¿Qué quiere mostrarle la dependienta mientras (*while*) descansa?
10. ¿Por qué no quiere la señora comprar cortinas para la sala?
11. ¿De qué color son las cortinas que le muestra la dependienta?
12. ¿De qué color es la sala de la señora?
13. ¿Qué dice la dependienta sobre las combinaciones de colores?
14. ¿Por qué decide comprarlas la señora?
15. ¿Cuánto cuestan hoy? ¿Y mañana? ¿Cómo paga la señora?
16. ¿Baja por la escalera la señora? ¿Por qué?
17. ¿Qué dice la dependienta a la otra dependienta?
18. ¿Quién llega muy cansada ahora al quinto piso?
19. ¿Qué quiere comprar la segunda señora?
20. ¿Qué va a venderle la dependienta?

III. ESTRUCTURA

34. The Personal *a*

Except after **tener, a** is used before a direct object that refers to a person. In this usage, **a** cannot be translated into English:

¿Conoce Ud. a María?	Do you know Mary?
Veo a mis padres todos los días.	I see my parents every day.
Llama a Juan, no a Ud.	He's calling John, not you.
But: Tengo dos hijos.	I have two sons.

The personal **a** is often very important in distinguishing between the subject and object of a verb:

¿Llama tu madre?	Is your mother calling?
¿Llama a tu madre?	Is he calling your mother?
¿Conoce Diego a la maestra?	Does Jim know the teacher?
¿Conoce a Diego la maestra?	Does the teacher know Jim?

Ejercicios

A. Cambie según las indicaciones:

1. ¿Conoce Ud. a Roberto?
   ¿Llama ____________ ?
   ¿____________ al Dr. López?
   ¿________ Uds. ____________ ?
   ¿Buscan ____________ ?
   ¿____________ los niños ?

2. Busco a mi marido.
   ____________ amigos.
   Invito ____________.
   Encuentro ________.
   ____________ nuestros ________.
   Tenemos ____________.

B. Diga en español:

1. I see Henry. 2. Do you know my uncle? 3. We have fifteen cousins. 4. They are going to visit his family. 5. He isn't bringing (*llevar*) Johnny this afternoon. 6. She loves her husband very much.

35. Third Person Object Pronouns

DIRECT		INDIRECT		REFLEXIVE	
lo	it, him, you (*Ud.*)	**le**	to him	SE	(to) himself
le	him, you (*Ud.*)		to her		(to) herself
la	her, it, you (*f.*)		to it		(to) itself
			to you		(to) yourself
los	them, you (*Uds.*)	**les**	to them,		(to) themselves
les[1]	them, you (*Uds.*)		to you (m. and f.)		(to) yourselves
las	them (f.), you				

Notice that only the direct object has masculine and feminine forms, that the indirect has only singular and plural, and the reflexive, only the one form, **se**, for the entire third

[1] **Le** and **les** are very frequent in Spain as direct objects referring only to male persons.

person. Note also that **lo** may refer to a masculine person or a thing, but that the direct object **le** refers only to a person:

¿Juan? Lo (le) vemos todos los días.	John? We see him every day.
¿María? La conozco bien.	Mary? I know her well.
¿Tienes los libros?—Sí, los tengo aquí.	Do you have the books?—Yes, I have them here.
Le hablan como a un niño.	They speak to him as to a child.
Les explica la lección.	He is explaining the lesson to them.
¿Se divierten Uds.?	Are you enjoying yourselves?
Nadie se conoce realmente.	No one really knows himself.

Ejercicios

A. Cambie a pronombres (*pronouns*) las palabras indicadas:

1. ¿Conoce Ud. *a María*? 2. Tienen que dar *la respuesta* (answer) hoy. 3. ¿Tiene Ud. *mi lápiz*? 4. ¿Sabes *el precio*? 5. Voy a ver *las fotos* mañana. 6. Juanita no lleva *zapatos* hoy. 7. Tomo *el ascensor*. 8. No sé *su edad*. 9. Hablo *al Sr. Masa* todos los días. 10. Manda (He sends) dinero *a sus padres*. 11. Escribe *a sus hijos*.

B. Ahora cambie a pronombres *reflexivos*:

1. *Le* compro una radio. (Me . . .) 2. *Te* llama Roque. 3. *Nos* habla. 4. *La* quiere mucho. 5. Voy a buscar*le* un abrigo. 6. ¿*Lo* preparan ahora? 7. Vamos a comprar*le* algo.

36. Which Object Pronoun Goes First?

When a verb has more than one object pronoun, this is their order:

INDIRECT BEFORE DIRECT; REFLEXIVE FIRST OF ALL[2]

Nos lo manda.	He's sending it to us.
No *me la* dan.	They're not giving it to me.
Va a comprár*selos*.	He's going to buy them for himself.

37. Special Use of *Se*

When both the direct and the indirect object pronouns are in the *third* person (when both begin with **l**), the indirect becomes **se**:

[2] On the less frequent occasions when the direct object is **me, te, nos,** or **os,** the indirect object isn't used at all. Instead, the phrase **a él, a ella, a Ud.,** etc. follows the verb:

Me llevan a ella.	They're taking me to her.
Nos presenta mañana a ellos.	He's introducing us to them tomorrow.

INDIRECT		DIRECT			
le		lo			lo
	+	la	=	SE	la
les		los			los
		las			las

Le mando el dinero hoy. — I'll send him the money today.
Se lo mando hoy. — I'll send *it to him* today.

Vamos a decirles la verdad. — We're going to tell them the truth.
Vamos a decír*sela*. — We're going to tell it to them.

Le muestra las cortinas. — She shows her the curtains.
Se las muestra. — She shows them to her.

Ejercicios

A. Cambie según el modelo:

> Manda el libro *a su hermano.*
> *Le* manda el libro.
> *Se* lo manda.

1. Dan el dinero *al empleado.* 2. Muestra las cortinas *a la señora.* 3. Lee los cuentos (stories) *a sus niños.* 4. Va a escribir una carta *a su novia.* 5. No quiere vender su casa *a los Pérez.* 6. Traigo café *a los hombres.*

B. Ahora conteste afirmativamente:

1. ¿Me lo da Ud.? (Sí, se lo . . .) 2. ¿Nos la presentan Uds.? (Sí, se . . .) 3. ¿Me los manda el Sr. Arias? 4. ¿Se las manda Ud. a Ricardo? 5. ¿Me lo compras? (Sí, te . . .) 6. ¿Se lo digo a Uds.? (Sí, nos . . .) 7. ¿Quiere Ud. vendérmela? 8. ¿Nos las escribe Ud.? 9. ¿Os lo pago? (Sí, nos . . .) 10. ¿Se los repito a Uds.? (Sí, nos . . .)

38. Adding an Extra *a mí, a ti, a él*

For emphasis or for clarification (in the case of the possibly ambiguous **le, les** or **se**), the phrases **a mí, a ti, a él, a ella, a Ud., a nosotros,** etc., are used *in addition to* (*not* in replacement of) the normal direct or indirect object pronoun. Adding the extra phrase is equivalent to stressing the object pronoun with the voice in English:

A mí no me engañas así. — You don't fool *me* that way.
La veo siempre a ella; a él nunca. — I always see *her; him* never.
No se lo dan a Ud. Se lo dan a ellos. — They're not giving it to *you.* They're giving it to *them.*
Te lo digo a ti. — I'm telling *you.*
Vamos a mandárselo a ellas. — Let's send it to *them.*

Ejercicio

Diga en español:

1. Are you giving it to *me* or to *him*?—I'm giving it to *you*. 2. Are they sending them to *us*?—No, they're sending them to *me*. 3. We're going to tell it to *her*, not to *him*. 4. Are you going to write to Mary, Paco?—No, only to *you*, my love. 5. You can't fool *us*.—Well, I can always fool *them*. 6. We always see *him*; we never see *her*.

39. *Gustar*

We have already used **gustar** many times. Let's look at it now a little more closely.

Gustar means *to be pleasing*. It does NOT mean "to like"! However, Spanish does use **gustar** in a special construction to translate the English *to like*. This is how it works:

The subject of **gustar** is the *thing* that *is pleasing*.
The PERSON *to whom* it is pleasing is the *indirect object*.

¿Le gusta este abrigo?—No, me gusta el otro.	Do you like this coat? (Is this coat pleasing to you?) No, I like the other one.
¿Te gusta bailar?—Sí, pero a mi marido no le gusta.	Do you like to dance?—Yes, but my husband doesn't like it. (To my husband it is not pleasing.)
¿Le gustan las cortinas?—Sí, me gustan mucho.	Do you like the curtains? (Are they pleasing to you?)—Yes, I like them very much.
¿Les gusta a Uds. el teatro?—Sí, pero nos gustan más los conciertos.	Do you all like the theatre?—Yes, but we like concerts better. (Concerts are more pleasing to us.)

Notice that when *what* you like is plural, you must use **gustan**:

Me gusta mucho.	I like it very much.
Me gustan mucho.	I like *them* very much.

Ejercicio

Conteste con oraciones (*sentences*) completas:

1. ¿Le gusta a Ud. viajar? ¿Les gusta a sus padres?
2. ¿Les gusta a sus amigos bailar? ¿leer? ¿estudiar? ¿Les gusta a Uds.?
3. ¿Le gustan a Ud. las películas (*films*) sentimentales? ¿Les gustan más a las mujeres o a los hombres esas películas?
4. ¿Te gusta ir al teatro? ¿Te gusta más la televisión o el cine?
5. ¿Le gustan a Ud. más las mujeres bonitas o inteligentes? ¿Le gustan más los hombres guapos (*handsome*) o ricos?

40. *Pedir* and *Preguntar*

Pedir means *to ask for, to request.* No preposition is used to translate *for* after **pedir** because the English *for* is included within the meaning of the verb.

Preguntar means *to inquire, to ask* (a question):

Pedimos pan, no tortas.	We're asking for bread, not cake.
¿Quién quiere preguntar algo?	Who wants to ask (about) something?
—Yo.	—I do.

With both these verbs, the person *to whom* the request is made or the question addressed is the *indirect object. What* the speaker is requesting or inquiring about is the *direct object:*

Pepe me lo pide siempre.	Joe always asks me for it.
Esta vez se lo pido a él.	This time I'm asking *him* for it.
Van a preguntarnos quién es.	They're going to ask us who he is.
Vamos a preguntárselo.	Let's ask them (about) it.

Ejercicio de Repaso

Traduzca al español:

A woman enters a department store. She goes over to the information booth and asks the gentleman, "Would you please tell me on what floor they sell kitchen curtains?" The man tells her that they are on the fifth floor, and that she has to go up by the stairs because the elevator isn't working.

The poor woman reaches the fifth floor completely exhausted. But when she asks the saleslady for kitchen curtains, the saleslady tells her that they are on the ground floor. She offers the woman a seat, and then shows her some elegant living room curtains that they are selling only today at a very reduced price. Really, the woman does not want living room curtains, but finally the saleslady sells them to her.

The poor woman goes toward the stairs, but the saleslady tells her that she can take the elevator. "It's working now, madam, but it only goes down." The saleslady then speaks to another saleslady. "You know, your idea is great! And the man in the information booth is a wonder! Look, here comes another woman."

Another lady approaches, completely exhausted after walking up five stories, and asks the saleslady for sheets. The saleslady tells that she doesn't have sheets, but she offers her a seat. "Here, madam, isn't this better?" she tells her. "And while you're resting, I can show you some magnificent living room curtains . . . an incredible bargain . . . only today at this price . . ."

IV. TEATRO

Use Ud. la imaginación para escribir un diálogo original titulado: En el Almacén. Después, puede representarlo (*perform it*) en la clase con sus amigos.

Lección
SÉPTIMA

I. PRONUNCIACIÓN: *s, p*

1. **S** between vowels is always unvoiced, like the *ess* in *dresser*. This is an important difference from the voiced *s* (the *z* sound) between vowels in most English words. Listen and pronounce:

   museo, casa, representa, presidente, presente, vaso, cosa, posición, causa

2. Before a voiced consonant, **s** is slightly voiced, like a softly uttered English *z*:

   mismo, entusiasmo, comunismo, los días, los botones

   Before an initial **r, s** often disappears completely.

3. **P** in Spanish, although not voiced, does not have the light, breathy quality of the English. This effect is gotten by keeping the lips closed until the next sound is enunciated, thus preventing the slight escape of air that follows the English *p*:

   padre, papa, patata, popa, para, por, importante, parte, pampa

   In a few words, the **p** that appears before an **s** at the beginning of a word is not pronounced. Some words of this type are also written without the initial **p**:

   psicología, psiquiatra, pseudo, psicoterapia

II. MOMENTO DE VIDA: *VISITA AL PSIQUIATRA*

Estamos en la oficina de un famoso *psiquiatra*. Entra un nuevo paciente y se dirige a la recepcionista.

psychiatrist

PACIENTE: ¿Está el Dr. Ocantos?

RECEPCIONISTA: Sí, señor. ¿Tiene Ud. una *cita* con él?
appointment

PACIENTE: Sí, para esta tarde a la una y media.

RECEPCIONISTA: Pero ahora son las diez de la mañana.

PACIENTE: Lo sé. Pero no puedo esperar más. Si no me ve *ahora mismo* . . .
right now

RECEPCIONISTA: Bueno, voy a ver si el doctor puede recibirle *antes*. Con permiso. (*Se va.* Vuelve en un momento.) Tiene Ud. mucha suerte, señor. El otro paciente *está para* salir. El doctor Ocantos puede verle *en seguida*.
sooner
She leaves.
is about to
right away

PACIENTE: Un millón de gracias, señorita.

(*Se abre la puerta del consultorio.* Sale el médico con otro paciente.)
The door of the consultation room opens.

MÉDICO: Pues, adiós. *Nos vemos* el viernes, ¿no?
We'll see each other

OTRO PACIENTE: Sí, doctor.

MÉDICO: Pues *dé mis recuerdos* a sus padres.
give my regards

OTRO PACIENTE: No. Los odio.

MÉDICO: Buen muchacho. Creo que está Ud. *casi curado* ya.
almost cured

OTRO PACIENTE: Gracias, doctor. Gracias por todo.

MÉDICO: De nada. (Se vuelve al nuevo paciente.) Buenos días, señor. Me dice la recepcionista que *el suyo es* un caso urgente.
yours is

PACIENTE: Sí, doctor. Sufro horriblemente.

MÉDICO: *¿Le duele algo?*
Does something hurt you?

PACIENTE: Me duele todo, desde la cabeza hasta los pies.

MÉDICO: Ajá. *Jaquecas* y . . .
headaches

PACIENTE: No es eso. Es que sufro de un terrible complejo de inferioridad. *Si no me quita Ud. este* complejo, no sé qué voy a hacer. No puedo vivir más *así*.
If you don't take away this
like this

MÉDICO: *Cálmese, se lo ruego*. Por favor, señor, *recuéstese en aquel sofá* . . . Ahora, quiero saber algo de Ud. ¿Su nombre?
Calm yourself, I beg you . . . lie down on that sofa over there

PACIENTE: ¿Mi nombre? A ver *si lo recuerdo* . . . Ah, sí . . . Víctor . . . no . . . Héctor Ortega. Siempre *me confundo*.
if I remember it . . .
I get mixed up

MÉDICO: Muy bien. ¿Y cuántos años tiene Ud.?

PACIENTE: *Unos* veinte o treinta.
About

MÉDICO: Ahora, ¿me hace el favor de decirme por qué cree que tiene un complejo de inferioridad?

PACIENTE: Pues no sé exactamente. *Tal vez porque no hablé hasta los once años de edad,* o porque *todavía me cuesta trabajo* recordar mi nombre. *Esto* me hace creer *a veces* que soy un poco inadecuado.
perhaps because I didn't speak until I was 11 . . . it still is hard for me
This . . . at times

MÉDICO: Sí, comprendo. Ahora, dígame, ¿*asistió* Ud. a la escuela?
did you attend

PACIENTE: Sí, *asistí* por muchos años. Por fin me *enseñaron* a leer. *Fui* muy mal estudiante, me dicen.
I attended . . . they taught
I was

MÉDICO: Y después de graduarse, ¿adónde *fue*? — where did you go?

PACIENTE: *No me gradué*. Nunca *aprendí* a escribir. *Me fui* a trabajar, pero *eso tampoco me gustó*. *Así que decidí* no trabajar más. — I didn't graduate . . . learned . . . I went; I didn't like that either. So I decided

MÉDICO: Entonces, *¿de que vivió Ud.?* — what did you live on?

PACIENTE: Pues, mis padres *me dejaron* una gran fortuna. — left me

MÉDICO: *Menos mal*. — Not so bad, then.

PACIENTE: Pero *la perdí toda* en una semana. — I lost it all

MÉDICO: ¿Cómo *la perdió Ud.* tan rápidamente? — did you lose it

PACIENTE: Pues se *la di* a mi novia. — I gave it

MÉDICO: ¿*Se la dio* a su novia? ¿Y . . .? — You gave it

PACIENTE: Y *se casó con otro*. Pero dice que me quiere todavía. — she married someone else

MÉDICO: Pues *así son las mujeres*. Pero dígame, Héctor . . . — that's how women are

PACIENTE: Víctor.

MÉDICO: Dígame, Héctor o Víctor, ¿no cree Ud. que debe buscar trabajo ahora?

PACIENTE: Sí, pero con este complejo de inferioridad que tengo . . . Doctor, ¿no puede Ud. hacer algo por mí?

MÉDICO: Amigo, no tiene Ud. que *preocuparse ni un momento más por ese* complejo. Le digo sinceramente que no lo tiene. — to worry one more minute about that

PACIENTE: ¡Doctor! ¡Qué me dice! ¿No tengo un complejo de inferioridad?

MÉDICO: No, señor. Es Ud. *verdaderamente* inferior. — really

PACIENTE: Gracias, gracias, doctor. *¿Cómo puedo pagarle?* — How can I ever repay you?

Vocabulario Activo

cita *appointment*

acercarse (a) *to approach*
irse (me voy) *to go away, leave*
asistir (a) *to attend (a function, etc.)*
doler (duelo) *to hurt, pain*
sufrir *to suffer*

antes (adv.) *before, sooner*
así *so, thus; this way, like this*

ahora *now*
ahora mismo *right now*

recuerdos *regards; memories*

dejar *to leave (behind), abandon; to allow, let*
quitar *to take away or off*
recibir *to receive*
recordar (recuerdo) *to remember*

bastante *enough; quite, rather*
verdaderamente *truly, really*

entonces *then*
en seguida *right away, immediately*

Preguntas

1. ¿Dónde ocurre esta escena?
2. ¿Quién entra en la oficina del psiquiatra?

3. ¿Cómo se llama el psiquiatra?
4. ¿Para qué hora tiene su cita el nuevo paciente? ¿Qué hora es ahora?
5. ¿Por qué dice el paciente que tiene que ver en seguida al médico?
6. ¿Qué síntomas tiene?
7. ¿Cómo se llama el joven?
8. ¿Cuántos años tiene?
9. ¿A qué edad aprendió a hablar?
10. ¿Qué otra dificultad tiene?
11. ¿Qué aprendió en la escuela?
12. ¿De qué vivió cuando decidió no trabajar más?
13. ¿Cómo perdió toda su fortuna? ¿En cuánto tiempo?
14. ¿Con quién se casó su novia?
15. ¿Por qué decide el psiquiatra que su nuevo paciente no tiene un complejo de inferioridad?

III. ESTRUCTURA

41. The Preterite (Past) Tense of Regular Verbs

comprar (*to buy*)	**comer**	**vivir**
compré (*I bought*)	comí (*I ate*)	viví (*I lived*)
compraste	comiste	viviste
compró	comió	vivió
compramos *	comimos	vivimos
comprasteis	comisteis	vivisteis
compraron	comieron	vivieron

Notice: (1) In **-ar** verbs, the first person plural of the preterite is the same as that of the present. The context clarifies the meaning; (2) **-er** and **-ir** verbs have identical preterite endings.

Ejercicios

A. Estudie el pretérito de:
hablar, amar, contar, tomar; beber, meter, asistir, abrir

B. Diga la forma correspondiente del pretérito:
yo: viajar, trabajar, comprar; vender, decidir, vivir
tú: acabar, estudiar, enseñar; aprender, comprender, escribir
Juan: hablar, preguntar, contestar; responder, suspender, permitir
nosotros: visitar, preparar, llegar; comer, beber, resistir
vosotros: buscar, esperar, bajar; subir, romper, asistir
Uds.: caminar, entrar, cerrar; abrir, deber, permitir

C. Ahora cambie al pretérito:

1. Habla bien. 2. Abro la puerta. 3. No beben. 4. ¿Viven Uds. aquí? 5. No canta. 6. ¿Le gusta la comida? 7. Lo llamamos. 8. Le dejo. 9. ¿Las compráis? 10. No comes mucho. 11. Trabajo poco. 12. ¿Comprende Ud.? 13. ¿Se lo mandan? 14. ¿Venden la casa? 15. ¿Viajan Uds. en el verano? 16. Tomas mucho café.

42. Meaning of the Preterite

Spanish has two simple past tenses: the preterite and the imperfect. Each of these tenses has its own meaning and functions, and the use of one or the other depends entirely on the *idea* that the speaker wishes to convey.

THE PRETERITE IS THE RECORDING PAST. It records, reports narrates. It views a past action as a completed unit, stating only that it took place at some point in time.

Me dejaron una fortuna.	They left me a fortune.
La perdí toda.	I lost it all.
Mi novia se casó con otro.	My fiancée married someone else.
Lo compramos ayer.	We bought it yesterday.
¿Dónde lo encontraste?	Where did you find it?

Ejercicio

Diga en español:

1. Mike spoke to me yesterday. 2. He earned (*ganar*) a great deal last year. 3. Mary's brother attended the University of Madrid. 4. He lived in Spain (for) five years. 5. Where did you buy that hat? 6. Who won (*ganar*)? 7. Did Johnny drink all his milk? 8. They took it. 9. Our uncle sent it to us. 10. Did you call him?

43. The Preterite of *Ser, Ir,* and *Dar*

ser	**ir**	**dar**
fui	fui	di
fuiste	fuiste	diste
fue	fue	dio
fuimos	fuimos	dimos
fuisteis	fuisteis	disteis
fueron	fueron	dieron

As you see, the preterite of **ser** and **ir** are identical. The context clarifies any possible ambiguity.

Ejercicios

A. Conteste en español:

1. ¿Adónde fue Ud. ayer? 2. ¿Fue a trabajar su padre? 3. ¿Adónde fue su madre? 4. ¿Fueron españoles sus bisabuelos (*great-grandparents*)? ¿Fueron ingleses? ¿Fueron franceses? 5. En su opinión, ¿quién fue el mejor (*best*) presidente de los Estados Unidos? 6. ¿Quiénes fueron los mejores escritores (*writers*)? 7. ¿Fueron Ud. y sus amigos al cine esta semana? ¿Fueron a un partido (*game*) de fútbol? 8. ¿Les di mucho trabajo ayer? 9. ¿Dio Ud. una fiesta (*party*) la semana pasada? 10. ¿Dieron Uds. muchas fiestas el año pasado?

B. Diga ahora en español:

1. Helen went to see him. 2. Did you (*Uds.*) give them the letter? 3. Yes, I gave it to them. 4. We went to the movies last night. 5. George Washington was the first (*primer*) president of the United States.—No, *I* was. (*Fui yo.*)—Yes, dear.

44. Demonstratives: *this, that, these, those*

MASCULINE	FEMININE		MASCULINE	FEMININE	
este	esta	*this*	estos	estas	*these*
ese	esa	*that* (*near you*)	esos	esas	*those* (*near you*)
aquel	aquella	*that* (*over there*)	aquellos	aquellas	*those* (*over there*)

Notice that in Spanish, *this* and *these* both have *t*'s:

Quiero este libro.	I want this book.
Viene esta tarde.	He's coming this afternoon.
¿Conoces a estos niños?	Do you know these children?
Compró ese coche.	He bought that car.
No me diga esas cosas.	Don't tell me those things.
En aquellos tiempos . . .	In those (bygone) days . . .
Deme este lápiz, esa pluma, y aquel libro.	Give me this pencil, that pen, and that book over there.

Demonstratives *point out* (demonstrate) which one(s) of a group the speaker is indicating. They agree in gender and number with the noun to which they refer and are usually repeated before each noun. A demonstrative adjective may be made into a pronoun (*this one, that one, these, those*) by adding an accent mark above the stressed vowel:

Quiero éste, no ése.	I want this one, not that one.
Aquéllas son las mejores.	Those (over there) are the best ones.

Ejercicios

A. Cambie según las indicaciones:

este muchacho (muchacha); ese abrigo (sombreros); aquella montaña (montañas); estos lápices (plumas); esa gente (personas); este ascensor (escalera); aquellos libros (novelas); esta vez (ocasiones); aquel tiempo (tiempos); ese almacén (precios)

B. Replace all the nouns in the above phrases with demonstrative pronouns.

POR EJEMPLO: *este muchacho*—**éste**; *esta muchacha*—**ésta.**

45. Neuter Demonstratives

esto *this* **eso** *that* **aquello** *that*

Esto, eso, and, more rarely, **aquello** are demonstratives that refer to a whole idea rather than to a specific noun. (Remember: demonstratives that end in a [zer]**o** refer to nothing specific.) Therefore, they are invariable and never need a written accent:

Esto me hace creer . . .	This makes me think . . .
No, no es eso.	No, its not that.
Eso no es verdad.	That's not true.

Ejercicio

Diga en español:

1. She bought this chair, that table, and those curtains. —All that? 2. I don't like that. That's not fair. 3. That's the man who took it. 4. This is why he wants it. 5. These children are impossible. —Those are worse.

46. More Uses of the Definite Article

The definite article is much more important in Spanish than in English. It is generally used before every noun, unless the meaning *some* or *any* is implied.

Just as in English, it refers to something specific:

Es la esposa del presidente.	She's the wife of the president.
El agua está muy fría.	The water is very cold.

It *differs from English* in the following ways:

A. It is used when the noun is given a general or abstract sense.

Las mujeres son así.	Women are like that.
Así es *la* vida.	That's life.
El agua refresca.—Sí, pero *el* vino nos gusta más.	Water is refreshing.—Yes, but we like wine better.

B. It precedes a person's title (except **don**[1] and **santo**) when speaking *about* him (not *to* him).

[1] **Don** is a title of respect used only before a person's *first name*: Don Juan, Don Quijote, Don Fernando. It is capitalized only at the beginning of a sentence.

¿Está el doctor Ocantos?	Is Dr. Ocantos in?
¿Conoce Ud. al señor Rojas?	Do you know Mr. Rojas?
Aquí viene el profesor Mera.	Here comes Professor Mera.
But: Buenos días, señor Mera.	

C. It is used to tell time and normally precedes days of the week and seasons of the year (except after **ser**).

Son las dos y media.	It's half past two.
Te veo el martes.	I'll see you on[2] Tuesday.
No tenemos clase los lunes.	We don't have class on Mondays.
Me gusta más el invierno que el verano.	I like winter better than summer.
But: Ahora es invierno.	Now it is winter.
Hoy es martes.	Today is Tuesday.

D. It is used instead of the possessive adjective with parts of the body or articles of clothing, unless the one to whom they belong is left unclear.

Deme la mano.	Give me your hand.
Me duele la cabeza.	My head hurts.
Cerró los ojos.	He closed his eyes.
Se quitó el sombrero.	He took off his hat.

Ejercicio

Complete las frases siguientes:

1. (*Money*) es la raíz de todo mal. 2. (*Bread*) sostiene (*life*). 3. Mamá, quiero (*bread*). 4. (*Wine*) refresca más. 5. (*Liberty*) vale más que (*wealth*). 6. (*The children*) no se lavaron bien (*their hands*). 7. Ese niño siempre se quita (*his gloves*). 8. Buenas noches, (*Mr. Rosado*). ¿Cómo está (*Mrs. Rosado*)? 9. (*Today is Friday.*) No tengo clases (*on Fridays*). 10. ¿Qué hora es?—(*It's half past four.*) 11. Nos visitó (*last Monday*). 12. ¿Quiénes son más crueles: (*men or animals*)?

Ejercicio de Repaso

Traduzca al español:

A young man enters a psychiatrist's office. He goes over to the receptionist.

PATIENT:	I must see Dr. Ocantos at once.
RECEPTIONIST:	He's busy now. Will you please be seated? Do you have an appointment?
PATIENT:	Yes, for three o'clock this afternoon.
RECEPTIONIST:	But it's only 10:30 now.
PATIENT:	I know, but my case is very urgent.

[2] Notice that "on" is not translated.

RECEPTIONIST: Very well. I'll see if the doctor can see you now . . . . You're in luck. The other patient is leaving right now. You may go in.

PATIENT: Thank you, miss. . . . Good morning, doctor.

DOCTOR: Good morning. My receptionist tells me that yours is a very urgent case. What's the matter?

PATIENT: Everything, from my head to my feet.

DOCTOR: Headaches and . . . ?

PATIENT: No, it's not that. I have a terrible inferiority complex.

DOCTOR: Why do you say that?

PATIENT: Well, I didn't learn to speak until I was 11, I never learned to read or write, and I still can't remember my name. I think it's Hector . . . or Victor. That's it (*Eso es*) . . . Victor.

DOCTOR: Did you go to school?

PATIENT: Yes, for many years, but I didn't graduate.

DOCTOR: Did you ever work (*alguna vez*)?

PATIENT: Yes, but I didn't like it, so I decided not to work any more.

DOCTOR: Then what did you live on?

PATIENT: My parents left me a fortune—but I spent it all in one week. I gave it to my girlfriend, and then she married someone else.

DOCTOR: Well, that's the way women are. But tell me, don't you think you ought to look for a job?

PATIENT: With this inferiority complex? Doctor, can't you help me? Can't you take away (*quitarme*) this terrible complex?

DOCTOR: Yes, of course. My friend, you don't have an inferiority complex.

PATIENT: Really? Then what's the matter with me?

DOCTOR: You're really inferior, that's all (*nada más*).

IV. TEATRO

Escriba una escena original describiendo (*describing*) una visita a un médico, a un dentista o a un psiquiatra. (Si Ud. necesita más vocabulario, puede encontrarlo en la página 98.)

If you like, your doctor may make some of these wise recommendations:

a. Ay, señor(ita), eso es grave. Haga (*Make*) inmediatamente su último testamento (*last will and testament*).
b. Ah, eso no es nada.
c. A mí me duele(n) también. (*Mine hurt*[*s*] *too.*)
d. Querido amigo, Ud. debe ver a un psiquiatra.
e. No se bañe (*Don't bathe*) por seis meses.
f. Ud. necesita unas vacaciones.

¿Tiene la idea?

Hora de Conversación IV

EL CUERPO HUMANO (The Human Body)

cabeza *head*
pelo *hair*
cara *face*
oreja *outer ear*
oído *inner ear*
la nariz *nose*
ojo *eye*
pestaña *eyelash*
ceja *eyebrow*
boca *mouth*
labio *lip*
el diente, la muela *tooth*
lengua *tongue*
garganta *throat*
la voz *voice*
el pulmón *lung*

brazo *arm*
pierna *leg*
la mano *hand*
el pie *foot*
dedo *finger; —* del pie *toe*
uña *fingernail*
muñeca *wrist*
la carne *flesh*
la sangre *blood*
la piel, el cutis *skin*
hueso *bone*
músculo *muscle*
pecho *chest*
el corazón *heart*
espalda *back; shoulder*
estómago *stomach*

la enfermedad *illness*
catarro, resfriado *cold*
un ataque al corazón *a heart attack*
la gripe *grippe*
pulmonía *pneumonia*
jaqueca *headache*
un dolor de cabeza, muela(s), etc. *headache, toothache, etc.*
respirar *to breathe*
digerir (digiero) *to digest*

medicina, medicamento *medicine*
píldora *pill*
tableta, pastilla *tablet*
ungüento *salve, ointment*
el jarabe *syrup*
pastillas para la tos *cough drops*
aspirina *aspirin*
venda *bandage*
toser *to cough*
estornudar *to sneeze*

Discusión

1. ¿En qué parte del cuerpo tenemos los ojos? ¿el corazón? ¿la boca? ¿las uñas? ¿la lengua? ¿los dedos? ¿los dientes? ¿las cuerdas vocales? ¿las pestañas? ¿los pulmones? ¿el pelo? ¿el cutis? ¿la voz? ¿las venas? ¿las arterias?
2. ¿Qué partes del cuerpo usamos para comer? ¿bailar (*dance*)? ¿cantar (*sing*)? ¿jugar al béisbol? ¿tocar el piano? ¿estudiar? ¿tocar el clarinete? ¿oír (*hear*)? ¿besar (*kiss*)?
3. Si le duelen las muelas, ¿a quién va Ud.? ¿Si sufre una indigestión? ¿Si tiene un complejo de inferioridad? ¿Conoce Ud. a un hipocondriaco? ¿Quién es?
4. ¿Qué toma Ud. si tiene jaqueca? ¿Y si tiene catarro?
5. ¿Quiere Ud. ser médico? ¿dentista? ¿psiquiatra? ¿enfermera (*nurse*)?
6. Hablando en serio (*seriously*), tiene Ud. confianza en la psiquiatría moderna? ¿Por qué?

Lectura IV

EL PERIODO GÓTICO Y LA INVASIÓN MUSULMANA

Al principio del siglo cinco *DC*, Roma está en decadencia. *Guerras* continuas, *tanto internas como* externas, *desangran* la nación, y el énfasis en *el lujo debilita* el espíritu del pueblo. *Godos, visigodos*, y otras tribus germánicas atacan sus *fronteras*, y los romanos, antes *amos* absolutos del mundo occidental, no pueden defenderse. Deciden *pactar* con los *invasores*, pero la paz *dura* muy poco tiempo. En 409 (cuatrocientos nueve), los *feroces hunos*, de origen asiático, invaden Europa, y los godos tienen que buscar refugio. Rompen las fronteras del imperio romano, cruzan los Alpes y los Pirineos, y toman posesión del vasto territorio de los Césares.

La invasión de los godos no es una conquista colonialista, sino la emigración en masa de un pueblo *entero*. Los godos *llegan a ser* la clase dominante de España. Establecen una economía y sociedad semifeudal y un sistema de *gobierno encabezado* por un *rey* electivo, con *poderes casi absolutos*, pero responsable a los nobles.

Al principio, los godos se mantienen separados social y legalmente de los hispanorromanos. Pero con el tiempo, los reyes ven la necesidad de *unificar* el país, *tarea dificilísima*, si no imposible en *vista* de la tendencia al separatismo inherente en el español. Poco a poco los godos se asimilan a la cultura hispanorromana. *Se sustituye* el latín por el lenguaje gótico como lengua *culta*. *Se suprime la ley* que prohibe el matrimonio entre godos e hispanos. *Se adopta* el catolicismo como religión oficial, y la *iglesia*, que tiene mucha influencia sobre la monarquía, se hace el instrumento más importante del *estado*, del *orden* social, y de la educación. Hacia fines del siglo seis, los numerosos *judíos*, que antes tuvieron *bastante* libertad y *aun* influencia, empiezan a sufrir persecución *en nombre* de la unidad peninsular. Pero todavía no hay unidad. La monarquía *sigue a merced* de facciones rivales, y el país está dividido todavía en grupos heterogéneos.

En general, el periodo de la dominación gótica es uno de *retroceso* cultural. Su arte, literatura, y arquitectura son imitativas más que *creadoras*. Su contribución principal es de tipo administrativo y militar, y *al empezar* el siglo ocho, una España decadente está lista para *el cambio*.

El cambio viene en la forma de una serie de invasiones *musul-*

A.D.
Wars . . . both internal and . . . bleed
luxury weakens . . . Goths, Visigoths
frontiers
masters
make a pact . . . invaders . . . last
fierce Huns
entire . . . become
government headed . . . king
almost absolute powers
unifying . . . an extremely difficult task . . . view
is substituted
cultured. The law is abolished
is adopted
church
state
order
Jews . . . a good deal of . . . even
in the name
remains at the mercy
retrogression
creative
at the beginning of
change
Moslem

El Patio de los Leones en la Alhambra, palacio de los reyes árabes en Granada.

La Mezquita de Córdoba, monumento supremo del arte árabe, hoy está convertida en catedral católica.

manas que empiezan en el año 711. *Según la leyenda, un conde español, enfurecido* porque Rodrigo, el rey godo, *había seducido* a su hija, invitó a los árabes a invadir España y los ayudó a *llevar a cabo* la
40 rápida conquista militar. No sabemos si es verdad o no esta versión de la historia, pero *sí sabemos* que en siete años los árabes se extienden por casi toda la península *hasta que son derrotados* en los Montes Cantábricos por el conde Pelayo y su pequeño bando de *guerreros*. Los árabes abandonan el norte, pero quedan en posesión de la mayor
45 parte de la península. Establecen en Córdoba un *emirato* independiente, y Al Andalus (hoy Andalucía) se hace el centro del estado musulmán y la *potencia marítima* más importante del Mediterráneo.

En el siglo diez, Córdoba, ya completamente independiente de África, llega a ser el *foco* de la cultura más brillante del mundo

According to legend, a Spanish count, infuriated ... had seduced
bring about
we do know
until they are defeated
warriors
emirate
sea power
focal point

occidental. Granada, Valencia, y Toledo también son centros de
50 lujo y esplendor. Los árabes,[1] en contacto con la civilización
oriental y *herederos* de la cultura bizantina, traducen las *obras* de los — inheritors . . . works
principales autores latinos, griegos, y asiáticos. Y su arte, su arquitectura, sus técnicas industriales y agrícolas, su sistema de irrigación,
sus conocimientos científicos y estudios filosóficos empiezan a
55 resucitar a una España casi *perdida* en la oscuridad. — lost

Preguntas

1. ¿Por qué está decadente Roma al principio del siglo cinco?
2. ¿Quiénes son los godos? ¿Por qué invaden España? ¿En qué año empieza la invasión de los godos?
3. ¿Qué clase de economía y gobierno establecen en España?
4. ¿Por qué encuentran dificilísima la tarea de unificar España?
5. ¿Qué lengua sustituye al lenguaje gótico?
6. ¿Qué ley se suprime?
7. ¿Qué papel hace la iglesia (*What role does the church play*) en este periodo?
8. ¿Cuál es la contribución principal de los godos?
9. ¿Cuándo invaden España los musulmanes?
10. Según la leyenda, ¿quién los ayudó a llevar a cabo la conquista? ¿Por qué lo hizo? (*Why did he do it?*)
11. ¿Cuándo son derrotados por primera vez los árabes? ¿Dónde? ¿Cómo se llama el conde que los derrotó?
12. ¿Dónde establecen los árabes el centro de su estado?
13. ¿Cómo es Córdoba en el siglo diez? ¿Qué otras grandes ciudades hay en la España musulmana?
14. ¿Qué cultura transmiten (*transmit*) a España los árabes? ¿Qué obras traducen?
15. ¿Cuál es la contribución de los árabes en España?

[1] Aunque hablamos de la invasión de los árabes en España, hay que recordar que la mayor parte de las fuerzas musulmanas en España *eran moros y bereberes* (were Moors and Berbers.) Los árabes eran la clase superior, y *tenían* (had) una cultura mucho más avanzada.

Lección OCTAVA

I. PRONUNCIACIÓN: *x*, *y*

1. **X** is pronounced two ways. Before a consonant, it is usually an *s*:

   explicar, extraordinario, extranjero, extraño, expresión, extremo

2. Between vowels, the Spanish **x** is a compromise between the English *egz* as in *exact*, and *eks* as in *excellent*. In Spanish, it sounds like a rather softly spoken hard *g*, followed by an *s*: *egs*.

   examen, examinar, hexámetro, exorbitante, exageración, exaltar, hexágono

   In Mexico, the words **México** and **mexicano** are written with an **x**, but pronounced with the Spanish **j**. In Spain, these words are written with a **j**:

   México (Méjico), mexicano (mejicano)

3. The consonant **y** is generally pronounced like the *j* in *judge* when it follows an **n**:

   inyectar, conyugal, inyección

II. MOMENTO DE VIDA: *EN UNA OFICINA COMERCIAL*

SR. FERNÁNDEZ: Señorita Olmedo, quiero dictarle una carta urgente. ¿Tiene Ud. tiempo ahora?

SECRETARIA: ¡Cómo no, señor! Aquí mismo tengo mi cuaderno. ¿A quién se la mando, señor?

SR. FERNÁNDEZ: Al Sr. Francisco Sótano Larrea, *Gerente,* Compañía *Distribuidora* General, *Avenida* 10 de Diciembre, 253 Quito, Ecuador. *Muy señor mío, Acabo de saber de parte de un cliente nuestro que el último envío de máquinas de escribir que le despachamos por medio de la firma de Uds.* llegó en muy malas condiciones y . . .

(*Suena el teléfono.* Lo toma la secretaria.)

SECRETARIA: Buenas tardes. Fernández y Compañía.

SR. MONTES: (*Al* teléfono) Muy buenas, señorita. ¿Me hace el favor de *comunicarme* con el Sr. Fernández?

SECRETARIA: ¿*De parte de quién,* por favor?

SR. MONTES: Del señor Montes, Alonso Montes.

SECRETARIA: Un momentito, señor, por favor. Voy a ver *si está el señor Fernández.*

SR. FERNÁNDEZ: ¿Quién es?

SECRETARIA: (*Cubre* el teléfono con la mano.) El señor Montes, dice. Alfonso Montes. Llamó tres veces la semana pasada. ¿Le conoce Ud.?

SR. FERNÁNDEZ: Sí, le conozco. Pero no sé por qué me llama ahora. Es el primo rico de mi mujer. Parece que no quiere *tratarnos mucho* porque tenemos menos dinero que él. Hace años que no le vemos.

SECRETARIA: Entonces, ¿*le digo* otra vez que no está?

SR. FERNÁNDEZ: No. Tengo una idea estupenda. Esta vez quiero hablar con él. Voy a decirle cosas que *le van a abrir los ojos, ¡ pero bien!* (Toma el teléfono.) ¿Sí?

SR. MONTES: ¿Sr. Fernández?

SR. FERNÁNDEZ: Sí, Montes. ¿Cómo está?

SR. MONTES: Bien, gracias, ¿y Ud.?

SR. FERNÁNDEZ: Muy bien, excelente.

SR. MONTES: Le llamé dos o tres veces la semana pasada, pero *me dijo* la secretaria . . .

SR. FERNÁNDEZ: Sí, lo sé. *Acabo de volver. Estuve fuera del país.*

SR. MONTES: ¿Por mucho tiempo?

SR. FERNÁNDEZ: Tres meses, *nada más. Hice un viaje* a Europa.

SR. MONTES: ¿*De negocios?*

SR. FERNÁNDEZ: No, de vacaciones. *Llevé* a toda la familia, *hasta a los criados. Fuimos todos en primera clase, por supuesto.*

SR. MONTES: ¿De veras? ¿Les gustó mucho Europa?

SR. FERNÁNDEZ: ¿Si nos gustó, pregunta Ud.? Nos gustó *tanto* que compramos allí una *casa de verano,* con *piscina* y todo, en la Riviera francesa.

Manager
Distributing . . . Avenue
Dear Sir, I have just learned from a client of ours that the last shipment of typewriters that we sent him through your firm
The telephone rings
on the
connect me
Who's calling . . . ?
if Mr. Fernandez is in
She covers
bother much with us
should I tell him
will open his eyes, and how!
told me
I have just gotten back. I was out of the country.
that's all. I took a trip
On business?
I brought . . . even the servants. We all went first class, of course
so much
summer house . . . pool

SR. MONTES: Entonces ¿piensan Uds. ir a Europa todos los años?

SR. FERNÁNDEZ: Seguramente. Y con el nuevo yate que compré, podemos hacer otros viajes también—al Oriente, al África . . .

SR. MONTES: ¿Un yate, dice, *para cruzar* el Oceano? Eso *debe* costar mucho. — to cross . . . must

SR. FERNÁNDEZ: Pues a mí, ¿qué me importa el precio? Si no compro para mi mujer *una pulsera de diamantes* este año, ya tengo los cien mil pesos para el yate. — a diamond bracelet

SR. MONTES: *¿Ah, sí?* Parece que le van muy bien los negocios. — Is that so?

SR. FERNÁNDEZ: *Mejor que nunca.* Muy pocos lo saben—*el gobierno,* Ud. comprende—pero el año pasado vendimos más máquinas de escribir que *todas las demás compañías juntas,* no menos de *cincuenta mil,* ¿sabe Ud.?, y de *sumadoras eléctricas,* más de veinte mil. Y eso sin contar los . . . — Better than ever . . . the government; all the other companies together; fifty thousand . . . electric adding machines

SR. MONTES: Pues todo esto es muy interesante. Quiero *discutirlo* más con Ud. ¿Puede Ud. venir a mi oficina esta tarde? — discuss it

SR. FERNÁNDEZ: No puedo. Estoy ocupadísimo.

SR. MONTES: Mañana entonces.

SR. FERNÁNDEZ: Pues no sé . . .

SR. MONTES: Mañana, digo yo, a las diez en punto. Y traiga sus *libros de cuentas* . . . — account books

SR. FERNÁNDEZ: *¿Los míos?* ¿Por qué? — Mine?

SR. MONTES: Sí, *los suyos,* porque quiero ver si *pagó Ud. todos los impuestos debidos.* — yours . . . if you paid all the taxes due

SR. FERNÁNDEZ: Pero Alfonso . . .

SR. MONTES: Soy Alonso Montes, *cobrador* de impuestos del gobierno federal. Adiós, señor Fernández. Hasta mañana a las diez. — collector

Vocabulario Activo

criado *servant*
dinero *money*
envío *shipment*

cubrir *to cover*
mandar *to send; to order*

rico *rich*

fuera (de) *outside (of)*
hasta *until; even*

la semana pasada *last week*
hacer un viaje *to take a trip*

máquina de escribir *typewriter*
negocio(s) *business*
oficina *office*

sonar (sueno) *to sound; to ring (telephone)*
tratar (de) *to treat (of); to deal (with); to try (to)*

ocupado *busy*

juntos *together*
tanto *so much*

por supuesto *of course*
de costumbre *as usual*

Preguntas

1. ¿Dónde tiene lugar este episodio?
2. ¿Cómo se llama la compañía?
3. ¿Cómo se llama la secretaria?
4. ¿Qué dice el señor Fernández en la carta que dicta a su secretaria?
5. ¿Quién llama por teléfono?
6. ¿Qué nombre repite la secretaria?
7. ¿Cuántas veces llamó la semana pasada el Sr. Montes?
8. ¿Con quién cree el Sr. Fernández que habla?
9. ¿Le gusta su primo Montes? ¿Por qué?
10. ¿Por qué quiere hablar con él esta vez?
11. ¿Dónde le dice que estuvo?
12. ¿Cuánto tiempo dice que estuvo en Europa? ¿Con quiénes fue?
13. ¿Qué compró en la Riviera? ¿Qué otra cosa compró para hacer más viajes?
14. ¿Cómo dice que le van los negocios?
15. ¿Cuántas máquinas de escribir dice que vendió el año pasado?
16. ¿Qué le dice el señor Montes?
17. ¿Quién es el Sr. Alonso Montes?

III. ESTRUCTURA

47. The Preterite of *-ir* Radical Changing Verbs

The **-ir** radical changing verbs change **e** to **i, o** to **u** in the third person of the preterite. The **-ar** and **-er** radical changing verbs have NO change in the preterite.

sentir (*to feel; to regret*)	**dormir** (*to sleep*)
sentí	dormí
sentiste	dormiste
⟶ s*i*ntió	⟶ d*u*rmió
sentimos	dormimos
sentisteis	dormisteis
⟶ s*i*ntieron	⟶ d*u*rmieron

Ejercicios

A. Complete las conjugaciones siguientes:

pedir: pedí, pediste, ______, ______, ______, ______

servir: serví, ______, ______, ______, ______, ______

morir: morí, ______, ______, ______, ______, ______

mentir (*to lie*): mentí ______, ______, ______, ______, ______

B. Diga en español:

1. I slept, I felt, I asked for it, I lied. 2. He died, he served, he slept, he felt. 3. They asked for it. 4. She slept all day. 5. We served them. 6. Mr. Ramos died last night. 7. You (*tú*) lied. —No. *He* lied. 8. I regretted it (*sentir*). —Well, *they* didn't regret it. 9. At what time did they serve dinner? —At eleven-thirty.—My goodness!

C. Conteste ahora:

1. ¿Durmió Ud. bien anoche? 2. ¿Cuántas horas durmió? 3. ¿Murieron muchas personas en accidentes de automóvil el año pasado? 4. ¿Quién le sirvió la comida (*dinner*) anoche? 5. ¿Se sintió Ud. (*Did you feel*) cansado ayer? ¿Y esta mañana? 6. ¿Cómo se sintieron sus padres ayer? 7. ¿Pidió Ud. dinero a su padre la semana pasada? 8. ¿Mintió Ud. alguna vez (*ever*) a su profesor? 9. ¿Mintió Ud. alguna vez a su mejor amigo? 10. ¿Se durmió Ud. alguna vez (*Did you ever fall asleep*) en la clase?

48. The Pattern of Irregular Preterites

Most irregular preterites fall into a very clear pattern:

1. The first person singular ends in an *un*stressed **e.**
2. The third person singular ends in an *un*stressed **o.**
3. The whole conjugation repeats the stem of the first person singular.

A. u stems

tener: tuve, tuviste, tuvo, tuvimos, tuvisteis, tuvieron
estar: estuve, estuviste, estuvo, estuvimos, estuvisteis, estuvieron

Ejercicio

Complete las conjugaciones siguientes:

andar (*to walk*): anduve, ______, ______, ______, ______, ______
saber (*to know*): supe, ______, ______, ______, ______, ______
poder (*to be able*): pude, ______, ______, ______, ______, ______
poner (*to put*): puse, ______, ______, ______, ______, ______
traducir[1] (*to translate*): traduje, ______, ______, ______, ______, ______

B. i stems

querer (*to want; to like, love*): quise, quisiste, quiso, quisimos, quisisteis, quisieron
decir (*to say, tell*): dije, dijiste, dijo, dijimos, dijisteis, dijeron[2]

[1] All verbs ending in **-ducir (producir, conducir, reducir,** etc.) are conjugated like **traducir**, and usually correspond to English verbs ending in —*duce* or —*duct*.
[2] The **i** of the diphthong **ie** disappears after **j**.

Ejercicio

Complete las conjugaciones siguientes:

hacer (*to do; to make*): hice, ______, hizo[3], ______, ______, ______

venir (*to come*): vine, ______, ______, ______, ______, ______,

C. a stems[4]

traer (*to bring*): traje, trajiste, trajo, trajimos, trajisteis, trajeron

Ejercicios

A. Diga las formas correspondientes del pretérito:

yo: estar, poder, poner; hacer, traer, decir
Ud.: tener, andar, traducir, saber; venir, querer
nosotros: estar, saber; hacer, venir, decir
María y Elena: poner, poder, tener, producir; traer, decir
tú: querer, decir, venir, estar, hacer, conducir
vosotros: querer, decir, venir, estar, hacer, conducir

B. Ahora cambie según las indicaciones:

1. Mis abuelos *estuvieron* aquí ayer. (venir) 2. *Tuvo* una comida excelente. (servir) 3. No *pude* ir. (querer) 4. *Estuvo* enfermo. (sentirse) 5. ¿Ya lo *hiciste*? (traducir) 6. ¿Lo *trajisteis* tú y Rodrigo? (decir) 7. *Hicieron* muchas cosas. (traer) 8. *Vinieron* a la escuela. (andar) 9. ¿Quién lo *trajo* aquí? (poner) 10. Lo *dijimos* anoche. (saber)

49. Unequal Comparison of Adjectives: *more, less . . . than*

A. Regular comparisons

Unequal comparisons are regularly formed in Spanish by placing **más** (*more*) or **menos** (*less*) before the adjective:

alto **más alto** — bonita **menos bonita**
grandes **más grandes** — cómodas **menos cómodas**

Than is normally translated by **que**:

Paco es más alto *que* yo. — Frank is taller than I.
Éstos son más grandes *que* ésos. — These are larger than those.

[3] **c** changes to **z** before **o** in order to keep the sound soft.
[4] A good many Spanish verbs are based on **traer,** and correspond to English verbs ending in *-tract:* **atraer, contraer, distraer,** etc.

Elena es menos bonita *que* María. — Helen is less pretty than Mary.

However, **de** is used for *than* before a number:

Escribió más *de* diez dramas. — He wrote more than ten dramas.
Me quedan menos *de* cinco minutos. — I have less than five minutes left.

B. Irregular comparisons

Only six adjectives form their comparatives irregularly in Spanish:

mucho(s)	**más**	*more*
bueno(s)	**mejor(es)**	*better*
grande(s)	**mayor(es)**	*larger, older*
poco(s)	**menos**	*less, fewer*
malo(s)	**peor(es)**	*worse*
pequeño(s)	**menor(es)**	*smaller, younger*

Más grande refers only to size or greatness, **más pequeño,** to size alone:

Raúl es más grande, pero Esteban es mayor. — Ralph is bigger, but Steven is older.
Anita es más pequeña que su hermana menor. — Anita is smaller than her younger sister.
Un hombre bueno es más grande que un hombre ambicioso. — A good man is greater than an ambitious man.

50. Superlatives: *the most, the least, the best*

Superlatives use the same form as the comparatives, generally preceded by the definite article. Notice that after a superlative, *in* is translated as **de**:

Pablo es el mejor atleta de todos. — Paul is the best athlete of all.
Es el más alto de la familia. — He is the tallest in the family.
Elsa es la mayor. — Elsa is the oldest.
Los mellizos son los menores. — The twins are the youngest.
Soy la muchacha más feliz del mundo. — I am the happiest girl in the world.

Ejercicios

A. Lea bien, y después conteste las preguntas:

1. Luis tiene veinte y dos años y su hermano Ramón tiene diez y nueve . . . ¿Quién es mayor? 2. Mi tío tiene tres millones de dólares. Mi padre tiene sólo dos.—¡Ay, pobre! . . . ¿Quién es más rico? 3. Gary sacó (*got*) "A" en matemáticas. Felipe sacó D . . . ¿Quién es mejor estudiante de matemáticas? 4. Paco tiene seis pies de alto (*is six feet tall*). Alberto tiene cinco pies con nueve pulgadas (*inches*) . . . ¿Quién es menos alto? 5. Ayer compré un vestido por 20 pesos y una blusa por 4 . . . ¿Gasté más de veinte y cinco pesos o menos? ¿Gasté más de diez o menos? 6. Londres tiene unos nueve millones de habitantes. Nueva York tiene ocho. Y Tokio tiene unos diez millones . . . ¿Cuál de las tres ciudades tiene

la mayor población (*population*)? 7. Carlos es mayor que Miguel. Ricardo es mayor que Miguel, pero menor que Carlos . . . ¿Quién es el más joven del grupo? ¿Quién es el mayor?

B. Diga en español:

1. I know that Richard is handsomer and more intelligent than I. Why do you love me (*a mí*)? —Because you're richer. —Darling, you have just made me the happiest man in the world. 2. Who is the best student in this class? 3. That was the worst day of my life. 4. His younger brother is much taller than he.

51. *-ísimo*

-ísimo is an ending that adds *very, extremely, exceptionally,* and the like, to the meaning of an adjective or adverb:

Es un libro malísimo.	It's a very bad book.
Marta es hermosísima.	Martha is very beautiful.
Habló rapidísimamente.	He spoke very rapidly.
Es un hombre rarísimo.	He's a most (highly) unusual man.

Ejercicio

Diga más enfáticamente.

POR EJEMPLO: Habla en voz *baja*.—Habla en voz *bajísima*.

1. Esta lección es *difícil*. 2. Ese muchacho es *inteligente*. 3. Estamos *cansados*. 4. Trabajamos *mucho* ayer. 5. Habló *rápidamente*. 6. Marta fue una muchacha *hermosa*. 7. Caminan *lentamente*. 8. Los precios están *altos*. 9. La clase es *interesante*. 10. La familia es *pobre*.

52. Stressed Forms of the Possessive

English *mine* or *of mine,* etc. is translated in Spanish by a stressed possessive that either follows the noun or stands alone after **ser.** Notice that all these forms have both feminine and plural endings that agree with the *noun* to which they refer (*not* with the possessor):

mío (a, os, as)	*mine, of mine*	nuestro (a, os, as)	*ours, of ours*
tuyo (a, os, as)	*yours, of yours*	vuestro (a, os, as)	*yours, of yours*
suyo (a, os, as)	*his, of his; hers, of hers, yours* (de Ud., de Uds.), *of yours; theirs, of theirs*		

Es muy amigo mío.—Es amigo nuestro también.	He's a very good friend of mine.—He's a friend of ours, too.
Estos lápices son suyos.	These pencils are his (or hers, yours, theirs).

Just as with the unstressed **su,** the third person **suyo** may be replaced for reasons of emphasis or clarification by: **de él, de ella, de Ud., de ellos, de ellas, de Uds.**

Estos lápices son de él (de ella). These pencils are his (hers).

Ejercicio

Conteste según (*according to*) los modelos:

¿Es tuyo el libro?—*No. No es mío. Es de (Juan, mi profesor, etc.)*
¿Es de María este sombrero?—*No, no es suyo. Es (mío, de Juanita, etc.)*

Trate de dar respuestas originales y variadas:

1. ¿Es de Uds. la casa? 2. ¿Fue amiga tuya Dolores? 3. ¿Son de Ud. estas ropas? 4. ¿Son nuestros los boletos? 5. ¿Fue suyo el envío? 6. ¿Fue de tu padre ese negocio? 7. ¿Es nuestro el dinero? 8. ¿Es suya la máquina de escribir? 9. ¿Son vuestras las carteras? 10. ¿Son míos estos cigarrillos?

53. Cardinal Numbers 20–100

20 **veinte**
- 21 veinte y un(o), veinte y una (veintiún, veintiuno, veintiuna)
- 22 veinte y dos (veintidós)
- 23 veinte y tres (veintitrés)
- 24 veinte y cuatro (veinticuatro)
- 25 veinte y cinco (veinticinco)
- 26 veinte y seis (veintiséis)
- 27 veinte y siete (veinti___)
- 28 veinte y ocho (______)
- 29 ________ (______)

30 **treinta**
- 31 treinta y un(o), treinta y una
- 32 treinta y dos

40 **cuarenta**
50 **cincuenta**
60 **sesenta**
70 **setenta**
80 **ochenta**
90 **noventa**

100 **ciento, cien**
- 101 ciento uno
- 116 ciento diez y seis

A. Cardinal numbers ending in *one* (21, 31, 41, etc.) change **uno** to **un** before a masculine noun, **uno** to **una** before a feminine noun:

cuarenta y un años *41 years* veinte y una (veintiuna) horas *21 hours*

B. After 29, **veintinueve,** there are no one-word forms:

treinta y cinco días *35 days* setenta y ocho trombones *78 trombones*

C. Ciento becomes **cien** when it immediately precedes *any* noun, including **millón** (*million*):

cien dólares *100 dollars* cien millones de habitantes *100,000,000 inhabitants*
But: ciento diez dólares *110 dollars*
ciento cincuenta millones *150,000,000*

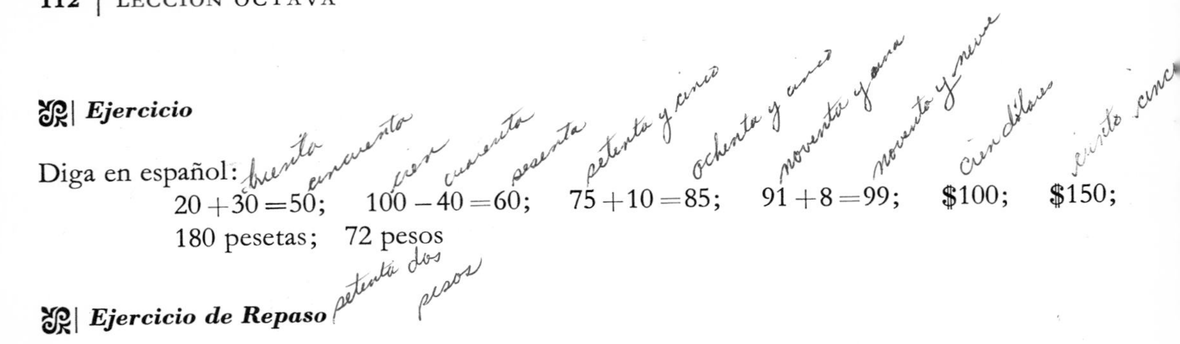

Ejercicio

Diga en español:
20 + 30 = 50; 100 − 40 = 60; 75 + 10 = 85; 91 + 8 = 99; $100; $150; 180 pesetas; 72 pesos

Ejercicio de Repaso

Traduzca al español:

MR. SUÁREZ: Hello, Fernandez. What's the matter? You look pale. Where are you going?

MR. FERNÁNDEZ: To jail.

MR. SUÁREZ: What are you saying? Are you mad? Tell me, what happened?

MR. FERNÁNDEZ: Well, yesterday, March 21, at two o'clock in the afternoon, the phone rang. That pretty secretary of mine picked it up and said to me, "Mr. Fernandez, it's for you. It's a Mr. Alfonso Montes. He called several times last week. Do you know him?" Well, I took the phone and spoke to him. You see, I know an Alfonso Montes, a relative of mine, or rather (*mejor dicho*) of my wife. He is richer than Rockefeller and Patiño together, and he doesn't bother much with us because we have less money than he. Well, I decided to tell him a few things to (*para*) open his eyes. I told him that I took a trip to Europe, that I brought my family, even the servants, and that we were all there for three months, that I bought a yacht and a house on the Riviera, that last year we sold more than fifty thousand typewriters, and, in short (*en fin*), I made such an (*tal*) impression that he invited me to his office.

MR. SUÁREZ: Well, that's not so bad.

MR. FERNÁNDEZ: Oh no? He also asked for my account books to (*para*) see if I paid (*pagué*) all my taxes. You see, he isn't Alfonso Montes, that rich cousin of ours. He is Alonso Montes, tax collector. Now what am I going to do?

MR. SUÁREZ: My friend (*Amigo mío*), shall I bring you soup (*sopa*) every day?

IV. TEATRO

Prepare Ud. una escena original en una oficina. El jefe puede dictar una carta a su secretaria. Otras personas pueden venir a la oficina. Un representante comercial (*traveling salesman*) puede tratar de venderles algo. El cobrador de impuestos puede venir para examinar sus cuentas, etc. Hay infinitas posibilidades.

Lección

NOVENA

I. PRONUNCIACIÓN: LINKING

One of the most important aspects of Spanish pronunciation is linking. A word that ends in a vowel must be joined with a following word that begins with a vowel, unless of course, the words are separated by a comma or by any logical pause. Listen and pronounce:

> Le he visto. Me es imposible ir con Uds. Se ha vuelto loco. Empiezo a hacerlo ahora. ¿Habla Ud. español? Nuestro profesor de español. . . . La voz de ese niño . . . Va a cantar. Va a hacer un viaje. No es ella. Fue él. La amo mucho. No se entienden.

II. MOMENTO DE VIDA: *UN PROGRAMA DE RADIO*

María Gómez *acaba de poner* la radio. El programa está *a medio terminar*. *Se oye* la voz de un hombre:

has just turned on
half over . . . is heard

ÉL: Ud., señorita Lagos, mi *fiel* secretaria, que me *ayuda* siempre con todos mis problemas, tiene Ud. que ayudarme una vez más. *Se lo ruego*. Es la decisión más importante de mi vida.

faithful . . . helps
I beg you

ELLA: Siempre estoy aquí para ayudarle, señor Hurtado, si puedo.

ÉL: Tengo que hacerle una confesión. Por primera vez en mi vida, estoy *enamorado*, locamente enamorado. Y no sé si debo decírselo a ella inmediatamente o *guardar* el secreto en este pobre corazón mío. ¿Qué me dice Ud., señorita Lagos?

in love
keep

ELLA: No sé. ¿Cuánto tiempo hace que la conoce Ud.?

ÉL: Parece que toda mi vida, aunque en realidad, *la conocí sólo hace tres días*, en un almacén del centro.

I met her only three days ago

ELLA: *¿Y cómo fue eso?*

how did that happen?

ÉL: Pues *yo salía y ella entraba* por la misma puerta. La miré . . . Ella me miró . . . *Chocamos en el portal*, y sin saber cómo, *quedamos atrapados* en esa puerta *giratoria* que tienen. Por cinco minutos *dimos vueltas* en esa puerta . . . ella y yo . . . yo y ella . . . *solos* en un mundo lleno de gente. Nadie *podía* salir. Nadie podía entrar. El mundo *era* nuestro . . . . Cuando *nos sacaron* de la puerta, no hablamos. No dijimos *ni una palabra*. Pero *sabíamos* . . . sí, sabíamos . . . Pero, señorita Lagos, ¿por qué *llora* Ud.? Porque es tan romántico el caso, ¿no?

I was going out and she was entering. . . . We collided in the doorway . . .
we were trapped . . . revolving
we went round and round
alone . . . could
was . . . they got us out
a single word
we knew
are you crying?

ELLA: No sé qué decir, señor. ¿Es bonita ella?

ÉL: Sí, muy bonita.

ELLA: ¿Más bonita que yo?

SRA. GÓMEZ: (*Adentro*) María, *apaga* la radio.

(From inside) . . . turn off

MARÍA: No puedo, mamá. Es el momento más hermoso del cuento.

ÉL: ¿Más bonita que Ud.? *No lo creo.*

I don't think so.

ELLA: ¿Y es joven?

ÉL: Muy joven.

ELLA: ¿Más joven que yo?

ÉL: No, no lo creo.

ELLA: ¿Y le quiere a Ud.?

ÉL: Mucho.

ELLA: Pero no más que yo. ¡Ay, señor Hurtado! No puedo *soportarlo* más. *Ya no* puedo vivir así . . . Ud. es mío, mío, mío. No puede ser de ella.

stand it
No longer

ÉL: ¡Silvia!

ELLA: ¡Jorge!

ÉL: Pero *no tenía* la menor idea. No sabía . . . ¿Por qué no me lo dijo Ud. antes?

I didn't have

ELLA: *Hacía meses que quería decírselo*, pero no podía. Pero hoy, se *me escapó de la boca*.

For months I had been wanting to tell you . . .
it slipped out of my mouth.

ÉL: Silvia. Soy tuyo, tuyo, tuyo. *Para siempre*.

Forever

ELLA: Y yo soy tuya. Pero, *¿y* la otra?

what about

(Música. Se oye *la voz del locutor*.)

the announcer's voice

LOCUTOR: Silvia y Jorge acaban de encontrar la *felicidad* donde menos la *esperaban*, en su propia oficina. Pero, ¿va a durar este nuevo amor? ¿O *piensa* volver *Jorge* al almacén del centro? ¿Qué va a pasar si queda atrapado otra vez en esa puerta giratoria y encuentra . . . a "Ella"? *Escuchen* Uds. mañana a la

happiness
they expected
does George intend to
Listen

misma hora el próximo *capítulo* de nuestro drama de amor y *peligro*. Y hasta entonces, *no olviden* comprar "Adiós," el *único jabón* que dice "adiós" a todo *olor desagradable* y "hola" al amor. Hasta mañana, señoras. Adiós, Adiós, Adiós.

chapter
danger . . . don't forget . . . the only soap
disagreeable odor

Vocabulario Activo

el amor *love*
palabra *word*

peligro *danger*
vida *life*

ayudar *to help*
durar *to last*
escuchar *to listen (to)*
llorar *to cry*
olvidar *to forget*

pensar (pienso) *to think; intend to*
parecer (parezco) *to seem, appear, look*
rogar (ruego) *to beg*
sacar *to take out*
soportar *to stand, endure*

adentro *(from) within, inside*

poner (la radio, etc.) *to turn on*
para siempre *forever*

apagar (la radio, etc.) *to turn off*
ya . . . no *no longer, not . . . any more*

Preguntas

1. ¿Qué acaba de hacer María Gómez?
2. ¿Qué oye (*does she hear*)?
3. ¿Qué problema tiene el Sr. Hurtado?
4. ¿Por qué necesita la ayuda de su secretaria? ¿Cómo se llama ella?
5. ¿Cuánto tiempo hace que conoce el Sr. Hurtado a su amor?
6. ¿Dónde la conoció?
7. ¿Qué les pasó en el portal del gran almacén?
8. Cuando los sacaron de la puerta giratoria, ¿qué dijeron?
9. ¿Qué hace la secretaria cuando oye este cuento de amor?
10. ¿Qué quiere saber de la otra mujer?
11. Por fin, ¿qué confiesa (*does she confess*) a su jefe (*boss*)?
12. ¿Lo sabía el Sr. Hurtado?
13. ¿Cuánto tiempo hacía que ella quería decírselo?
14. ¿Qué dice el Sr. Hurtado cuando sabe (*finds out*) que su secretaria está enamorada de él?
15. ¿Qué producto quiere vendernos el locutor del programa de radio?

II. ESTRUCTURA

54. The Imperfect

Spanish has two simple past tenses: the preterite and the imperfect. We have already discussed the preterite. Now here are the forms of the imperfect. They are usually translated as *was doing, used to do, would do,* and so forth (for example, *I was buying, I used to buy, I would buy*):

comprar	**comer**	**vivir**
compraba	comía	vivía
comprabas	comías	vivías
compraba	comía	vivía
comprábamos	comíamos	vivíamos
comprabais	comíais	vivíais
compraban	comían	vivían

Only three verbs are irregular in the imperfect:

ser	**ir**	**ver**
era	iba	veía
eras	ibas	veías
era	iba	veía
éramos	íbamos	veíamos
erais	ibais	veíais
eran	iban	veían

Ejercicios

A. Estudie el imperfecto de:

hablar, dar, estar, caminar; beber, tener, poner, venir, sentir

B. Diga la forma correspondiente del imperfecto:

yo: tomar, dar empezar, meter, vivir, dormir, ser
tú: acabar, comprar, esperar, valer, tener, cerrar, ir
Ud.: jugar, tocar, amar, conocer, saber, mentir
ella y yo: estudiar, vender, hacer, ser, ver, ir
tú y Mariano: dar, ir, estar, poner, poder, ser
todos: morir, recordar, sacar, ser, ir, tener, hacer, salir

C. Ahora conteste:

1. ¿Dónde vivía Ud. cuando era niño? 2. ¿Tenía Ud. muchos amigos? 3. ¿Quiénes eran sus mejores amigos? 4. ¿Dormían juntos Ud. y sus hermanos? 5. ¿Vivían Uds. en una casa o en un apartamento? 6. ¿Veían Uds. frecuentemente a sus abuelos? 7. ¿Era Ud. un muchacho (muchacha) obediente o desobediente? 8. ¿Jugaba Ud. mucho al béisbol? 9. ¿Le gustaba más la televisión o el cine? 10. ¿Adónde iba su familia de (*on*) vacaciones?

55. The Preterite and Imperfect Contrasted

Although the preterite and the imperfect are both simple past tenses, they imply totally different meanings. Their use depends on the *idea* that the speaker wishes to communicate, and they can never be interchanged without changing the meaning of the sentence. The difference between the preterite and the imperfect can best be seen in the following diagram:

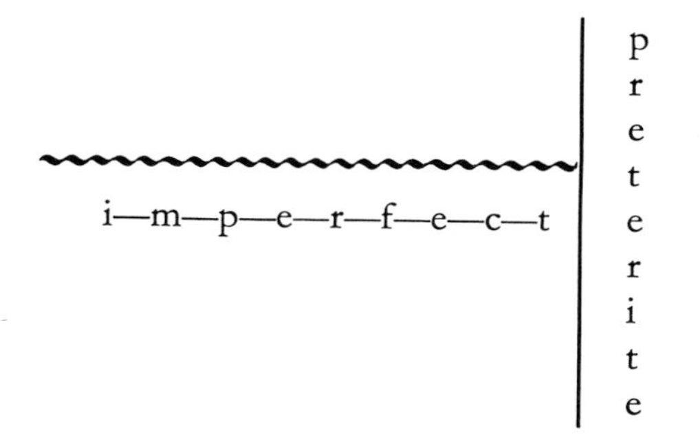

THE IMPERFECT IS THE PICTORIAL PAST. Its continuous, moving line describes a past action in progress. (We *were leaving* the building when . . .) It relives what *used to be*. (They *used to* or *would play* every day.) It paints the background of an event, sets the stage upon which another act was performed. (It was midnight. It was hot out. There was nobody in the street.)

THE PRETERITE IS THE RECORDING PAST. It cuts into the past|, recording its events as units completed at a certain time, reporting merely the fact that they took place. (I came|, I saw|, I conquered|.)

56. Uses of the Imperfect

A. It tells what *was happening* at a certain time:

Yo entraba y ella salía.	I was going in and she was coming out.
¿Qué hacían?—Cantaban y bailaban.	What were they doing?—They were singing and dancing.

B. It recalls what *used to be or happen* over a period of time. (In English, *would* sometimes means *used to.*)

Cuando éramos niños, jugábamos en el parque.	When we were children, we used to (or would) play in the park.
Nos levantábamos a las seis.	We used to (would) get up at six.

C. It describes a state of mind, a situation, or an emotional or physical condition in the past:

La casa no era muy grande.	The house wasn't very large.
La amaba mucho.	He loved her very much.
Estaban tan cansados.	They were so tired.
Yo no sabía . . . no tenía la menor idea.	I didn't know . . . I didn't have the slightest idea.

D. It sets the stage upon which another action was laid. It tells time in the past:

Era la medianoche.	It was midnight.
La casa estaba a oscuras.	The house was dark.
Hacía mucho calor.	It was very hot out.
No había nadie en la calle.	There was no one in the street.
But: De repente, oí un grito.	Suddenly, I heard a shout.

Ejercicio

Lea bien los pequeños diálogos, y después conteste las preguntas:

1. —Hace mucho tiempo que conoces a Emilia, ¿verdad?
—Sí. ¿Y sabes? No lo vas a creer. Pesaba (*She weighed*) 180 libras (*pounds*) cuando era joven.

CONTESTE: a. ¿Era gorda (*fat*) o delgada Emilia cuando era joven?
b. Como es ahora?
c. ¿Quién piensa Ud. (*Who do you think*) que habla de ella?

2. —¿Comieron ya los niños?
—No. Estaban tan cansados que los acosté (*I put them to bed*) en seguida. Tenían sueño, no hambre.

CONTESTE: a. ¿Por qué no comieron los niños?
b. ¿Cuántos años piensa Ud. que tienen?
c. ¿Dónde piensa Ud. que estuvieron?

3. —¿Era muy pequeña la casa?
—No, realmente. Es que vivían en ella muchas personas—los padres, seis hijos, dos abuelos, y un tío viejo.

CONTESTE: a. ¿Cuántas personas vivían en la casa?
b. ¿Cree Ud. que era pobre o rica la familia?

4. —Parece que todas las muchachas querían estar en la clase del Sr. Rosas.
—Ah, sí. Porque era alto y guapo y ellas estaban locas por él.

CONTESTE: a. ¿Por qué les gustaba a las muchachas el Sr. Rosas?
b. ¿Había (*Was there*) un maestro como él en la escuela de Ud.?

5. —Volví a casa anoche y bebí cinco vasos de agua.
—¡Qué sed tenías! (*Boy, were you thirsty!*), ¿eh, Manuel? ¿Dónde estuviste?

CONTESTE: a. ¿Qué hizo Manuel al volver (*upon returning*) a casa?
b. ¿Qué tenía?
c. ¿Qué cree Ud. que hacía antes de volver a casa?

6. —Se levantaban temprano (*They used to get up early*) todas las mañanas.
—Pero no cuando tenían que ir a la escuela.

CONTESTE: a. ¿Les gustaba mucho o poco la escuela?
b. ¿Era Ud. así (*like that*) cuando era niño (niña)?

7. —¿Quiénes ganaron? ¿Ellos o nosotros?
—Ellos. ¡Como siempre!

CONTESTE: a. ¿Qué equipo (*team*) era mejor: el suyo o el nuestro?
b. ¿Jugaba Ud. mucho a los deportes (*sports*)? ¿Juega ahora?

57. Changes of Translation with Imperfect and Preterite

As we have noted, the use of imperfect or preterite always implies a difference in meaning:

Estuvo enfermo ayer.	He was sick yesterday. (He took sick and has recovered.)
Estaba enfermo ayer.	He was sick yesterday. (Such was his condition at the time. When he took sick and whether or not he has recovered is not indicated.)

With some verbs, this change in meaning actually produces a change in translation:

¿Lo sabia Ud.?	Did you know it? (This describes the mental state of knowing.)
Sí, lo supe anoche.	Yes. I found it out (learned it) last night. (Here the moment of finding out is recorded.)
No quería ir.	He didn't want to go.
No quiso ir.	He refused to go. (At some point he put his unwillingness into action.)
Le conocíamos bien.	We knew (used to know) him well.
Le conocimos en Lima.	We met him in Lima. (That is where we made his acquaintance.)

Ejercicio

1. ¿Estuvo Ud. enfermo recientemente? 2. ¿Estuvo enfermo un pariente (*relative*) o un amigo suyo? 3. ¿Tenía Ud. un maestro favorito cuando estaba en la escuela elemental? 4. ¿Sabían Uds. que vamos a tener un examen el lunes? 5. ¿Cuándo supo Ud. que iba a asistir a esta escuela? 6. ¿Quería Ud. ir a otra universidad? 7. ¿Conocía Ud. bien a sus maestros en la escuela superior?

58. Time Expressions with *Hacer*

A. Hacía . . . que

As you recall, the present tense describes an action that began some time ago and is still going on now. **Hace . . . que** states the length of time and the following verb is in the *present*.

The imperfect, then, describes an action that *had begun* previously and *was still going on* at a later time in the past. **Hacía . . . que** states the length of time and the following verb is in the *imperfect*.

Hace dos meses que vivo aquí.	I have been living here for two months (and still am).
Hacía dos meses que *vivía* aquí.	I had been living here for two months (and still was when . . .).
Hace tres semanas que trabaja.	He has been working for three weeks.
Hacía tres semanas que *trabajaba*.	He had been working for three weeks.

B. Hace

After a verb in the preterite or imperfect **hace** (+ period of time) means *ago*:

La conocí hace tres días.	I met her three days ago.
Vinieron hace una hora.	They came an hour ago.
Ana cantaba bien hace unos años.	Ann used to sing well some years ago.

Ejercicio

Diga en español:

1. We have been waiting for an hour. 2. We *had* been waiting for an hour. 3. He has been singing for many years. 4. He *had* been singing for many years. 5. He sang ten days *ago* in Chile. 6. I saw them two weeks ago. 7. When did Mike come?—A month ago.

59. *Acabar de* + Infinitive

In the present tense, **acabar de** means *to have just* (done, gone, etc.). In the imperfect, it means *had just*:

Acabo de volver.	I have just returned.
Acababa de volver.	I *had* just returned.
María acaba de llamar.	Mary has just called.
María acababa de llamar.	Mary *had* just called.

Ejercicios

A. Conteste, usando siempre **acabar de.** (POR EJEMPLO: ¿Quieres tomar algo?—**No, gracias. Acabo de comer.**) Trate de variar sus respuestas:

1. ¿Ya mandó Ud. la carta? 2. ¿Cuándo volvieron sus padres? 3. ¿Ya vino esta mañana el cartero (*mailman*)? 4. ¿Quieres una Coca Cola? 5. ¿Hace mucho tiempo que conocen Uds. a José Acuña? 6. ¿Llegó a la una el tren?

B. Ahora diga en español:

1. They have just come. They *had* just come. 2. I have just eaten. I *had* just eaten. 3. We have just done it. We *had* just done it. 4. She has just sent it to him. She *had* just sent it to him.

Ejercicio de Repaso

Traduzca al español:

Mary Gomez has just turned on the radio. A man's voice is heard.

HE: Miss Lagos, my faithful secretary, you have to help me. I lost my heart three days ago.
SHE: You lost your heart? To whom? How did it happen?
HE: Well, I went to a department store, and had just bought myself a new hat when—I met her. As I was going out, a young lady was coming in. We collided in the doorway. I looked at her . . . she looked at me . . . and without knowing how, we were caught in the revolving door. It was wonderful. Nobody could get in or go out as (*mientras*) we turned round and round in the door. The whole world was ours. Finally, when they got us out, we knew, although we didn't say a word, we knew that this was love. But now I don't know whether to wait or to tell her (it) at once.
SHE: Oh, Mr. Hurtado. How can I answer when my heart is crying? Tell me, is she pretty?
HE: Yes, very pretty.
SHE: Prettier than I?
HE: No, I don't think so.
SHE: Is she younger than I?
HE: No, I don't think so.
SHE: Ah, but she can't love you more than I.
HE: Sylvia!
SHE: George!
HE: Why didn't you tell me before?
SHE: I had been wanting to for months, but I couldn't, I couldn't . . .
HE: Sylvia, I am yours.
SHE: And I am yours, yours, yours.

(The ANNOUNCER speaks):
George and Sylvia have just found happiness where least they expected it. But how long is this new love going to last? Is George going to return to the store, to the revolving door, and . . . to "Her"? Listen again tomorrow, and until then, ladies, Good-bye, Good-bye, Good-bye, from Adiós, the world's most romantic soap.

IV. TEATRO

Ahora escriba Ud. su propio programa de radio. No tengo que decirle nada. Seguramente (*Surely*) Ud. tiene muchas ideas. ¿Quién sabe? Algún (*Some*) día, Ud. puede presentarlo en la radio . . . o en la televisión . . . ¡o en el cine!

Hora de Conversación V

VESTIDOS Y COLORES

vestidos, ropa(s) *clothes*
vestido *dress*
falda *skirt*
blusa *blouse*
el **traje** *suit*
camisa *shirt*
corbata *tie*
saco *(suit) jacket*
chaqueta *(sport) jacket*
los pantalones *trousers*
los calzones *trousers*
calzoncillos *underdrawers*
camiseta *undershirt*
refajo *slip*
el suéter *sweater*

blanco *white*
negro *black*
rojo *red*
verde *green*
azul *blue*
amarillo *yellow*

abrigo, sobretodo *overcoat*
sombrero *hat*
el **guante** *glove*
zapato *shoe*
media *stocking*
el calcetín *sock*
el impermeable *raincoat*
zapatos de goma *rubbers*
chanclos *galoshes*
bufanda *scarf*
bata *robe*
zapatillas *slippers*
pijama (m. and f.) *pajamas*
camisa de noche *nightgown*
ropa interior *underwear*

gris *grey*
pardo *brown*
rosado *pink*
anaranjado *orange*
violeta *violet*
morado *purple*

Discusión

1. ¿Qué llevamos en la cabeza? ¿en los pies? ¿en las piernas? ¿en las manos? ¿sobre el pecho?
2. ¿Cuánto cuesta (*costs*) un buen abrigo? ¿un par de guantes? ¿un par de zapatos? ¿zapatillas? ¿zapatos de goma? ¿un vestido? ¿un buen traje de hombre? ¿una camisa? ¿un par de medias? ¿un par de calcetines? ¿un par de pantalones?
3. ¿De qué color es su camisa (o blusa, o vestido)? ¿De qué color es su traje favorito? ¿De qué color son los zapatos que lleva Ud. ahora? ¿De qué colores son los otros zapatos que tiene Ud. en casa? ¿De qué color es su vestido favorito? ¿Qué colores usa Ud. más? ¿De qué colores son sus sombreros? ¿Y sus guantes?
4. ¿Qué vestidos compró Ud. recientemente? ¿Cuánto gastó (*did you spend*)? ¿Cuántos trajes tiene Ud.? ¿Y cuántos suéteres? ¿Cuántos pares de zapatos? ¿Cuántos sombreros? ¿Cuántos abrigos?
5. ¿Qué lleva Ud. en el invierno? ¿Qué lleva Ud. cuando llueve (*it rains*)? ¿Y cuando nieva (*it snows*)? ¿Qué lleva Ud. cuando quiere acostarse (*go to bed*)? ¿Y después de bañarse (*bathe*)?

Lectura V

LA ESPAÑA MEDIEVAL

La España de la *Edad Media* era un mosaico multicolor. Por más de tres siglos, cristianos, musulmanes, y judíos vivieron juntos con bastante tolerancia *mutua*. De vez en cuando, los pequeños *reinos* cristianos del norte, ocupados con sus propios problemas internos y 5 *metidos* en constantes luchas y rivalidades, hacían *incursiones* en territorio árabe. Pero no existía entre ellos una verdadera *conciencia* de la unidad cristiana *frente a los infieles*. Muchos cristianos vivían bajo el dominio de los árabes y conservaban sus costumbres, su religión, sus leyes, y su lengua. *El Califa hasta nombraba a los obispos y* 10 *convocaba los concilios* de la iglesia católica. Estos cristianos arabizados (llamados mozárabes) y los musulmanes que vivían en territorio cristiano (llamados mudéjares) eran el *eslabón* principal entre la cultura oriental y la occidental.

Middle Ages
mutual . . . kingdoms
involved . . . forays
consciousness
against the infidels
The Caliph even appointed the bishops and convoked the councils
link

En los siglos once y doce, con la llegada de nuevos elementos 15 fanáticos del norte de África, la tolerancia musulmana *se convirtió en* persecución. La paz se hizo guerra y la España cristiana se preparó para defender la fe.

turned into

El primer héroe de la Reconquista fue El Cid, Rodrigo Díaz de Vivar, que luchó contra los nuevos invasores musulmanes y tomó 20 de sus manos la ciudad de Valencia. El Cid, que murió en 1099 (mil noventa y nueve), queda *inmortalizado* en el primer poema épico de lengua castellana y en infinitos *romances* de épocas posteriores. Poco a poco, los reinos cristianos empezaron a extenderse por tierras

immortalized
ballads

Fortificaciones medievales de la ciudad de Toledo.

La Sinagoga del Tránsito en el antiguo barrio judío de Toledo.

musulmanas. En 1085 (mil ochenta y cinco) tomaron Toledo; en 1236 (mil doscientos treinta y seis) tomaron Córdoba, y en 1248, llegaron a Sevilla. Aragón y Castilla eran ya los reinos principales del norte, y el *único fuerte que les quedaba a los musulmanes* era Granada. Pero durante los dos siglos siguientes las fuerzas cristianas, divididas entre sí, *no prosiguieron* la Reconquista. España todavía no era una.

only stronghold the Moslems had left

didn't pursue

La característica distintiva de la Edad Media en España es la fusión de tres culturas: la hispanorromana, la islámica (*transmisora* del pensamiento griego y oriental), y la judía. La corte de Alfonso X de Castilla, llamado el *Sabio* (que *reinó* de 1252 a 1284), es el mejor ejemplo de este *intercambio* cultural. Alfonso, escritor

transmitter

Wise . . . reigned

interchange

La Iglesia de San Tirso en Sahagún, León, ejemplo excelente del arte mudéjar.

Burgos. Monumento al Cid.

Alfonso el Sabio, rey de Castilla, y patrón de ciencias y artes.

él mismo, *reunió alrededor de sí* un grupo distinguido de *historiadores*, filósofos, y *eruditos* de las tres razas e hizo con ellos *la labor* enciclopédica más importante de la época. *Cuentos y fábulas* de la India, de la antigua Persia, de todo el mundo oriental, fueron incorporados
40 a la tradición española. Los encontramos aun en *El Conde Lucanor*, obra maestra del gran *prosista* del siglo catorce don Juan Manuel, *príncipe* de Castilla y sobrino del rey Alfonso. Y *se escribió* una rica poesía en español, pero con letras *arábigas o hebreas*. Esta literatura, que llamamos "aljamiada," es *anterior al desarrollo* de la poesía lírica
45 castellana.

gathered about himself
historians . . . scholars . . . work
stories and fables
Count Lucanor
prose writer
prince . . . there was written
Arabic or Hebrew
prior to the development

El pensamiento del hombre medieval estaba dominado mayormente por la religión. El cristiano de esa época se sentía pequeño y *anónimo* dentro de la gran colectividad. Consideraba su vida en este mundo como una preparación para la vida eterna después de la
50 muerte. La educación estaba en manos de la iglesia, y la clase baja recibía muy poca. Así, gran parte de la literatura medieval (como el arte y la escultura) era de tipo religioso y era *escrita o por clérigos o* por miembros de la clase alta. Pero aun un clérigo medie-

anonymous
written either by clergy or

val puede *sonreír ante la vida*. Y así lo hizo Juan Ruiz, el *Arcipreste* de Hita, un *humilde cura* del siglo catorce. En su gran obra, El Libro de Buen Amor, nos da, entre sermones sobre la vida buena, una sátira humana *tan llena de comprensión y humorismo* que todavía podemos leerla con *deleite*.

smile at life . . . archpriest
humble priest
so full of understanding and humor
delight

La Edad Media era una edad de lucha—lucha por el poder, lucha por la autonomía, lucha contra los infieles. Así nace la poesía épica, *cantada por juglares* que iban de pueblo *en pueblo recitando las hazañas* de sus héroes. La Edad Media era una edad de reyes—de la corte, de la *caballería* y de la idealización de la mujer. Y por eso hay poesía *cortesana* y canciones de amor.

sung by minstrels . . . to town reciting the deeds
chivalry
courtly

El mosaico multicolor produce nuevos *matices, y a medida que* pasa el tiempo, una nueva España, parte europea, parte semita, parte oriental, empieza a buscar su identidad nacional.

hues, and as

Preguntas

1. ¿Cómo vivieron por más de tres siglos cristianos, musulmanes, y judíos?
2. ¿Qué hacían de vez en cuando los reinos cristianos del norte? ¿Qué les hacía falta (*were they lacking*)?
3. ¿Quiénes eran los mozárabes? ¿Cómo vivían bajo el dominio de los árabes?
4. ¿Quiénes eran los mudéjares? ¿Cuál es la contribución cultural de los mozárabes y los mudéjares?
5. ¿Qué ocurrió en los siglos once y doce? ¿Qué tuvieron que hacer los cristianos?
6. ¿Quién fue el primer héroe de la Reconquista? ¿Qué hizo? ¿Cuándo murió? ¿En qué forma queda inmortalizado?
7. ¿Qué empezaron a hacer entonces los reinos cristianos? ¿Cuáles eran los más importantes en el siglo trece?
8. ¿En qué año reconquistaron Toledo? ¿Cuándo llegaron a Sevilla? ¿Cuál era entonces el único fuerte que les quedaba a los musulmanes?
9. ¿Por qué no prosiguieron los reinos cristianos la reconquista de Granada?
10. ¿Cuál es la característica distintiva de la Edad Media en España?
11. ¿Quién fue Alfonso el Sabio? ¿Qué gran labor hizo?
12. ¿Quién fue don Juan Manuel? ¿Cuál es su obra maestra? ¿De qué origen son muchos de sus cuentos?
13. ¿Cómo se llama la literatura española escrita con letras arábigas o hebreas?
14. ¿Qué dominaba en el pensamiento del hombre medieval?
15. ¿Cómo consideraba su vida en este mundo?
16. ¿En manos de quiénes estaba la educación? ¿Por quiénes era escrita la mayor parte de la literatura medieval? ¿De qué tipo era gran parte de esa literatura?
17. ¿Quién fue Juan Ruiz? ¿Qué contiene su *Libro de Buen Amor*?
18. ¿Quiénes eran los juglares? ¿Qué poesía encontramos en la Edad Media?
19. ¿Cómo era España a fines de la Edad Media? ¿Qué empezaba a buscar?

Lección

DÉCIMA

I. PRONUNCIACIÓN: INTONATION

Although studies have been made concerning correct or usual intonation among cultured speakers, sufficient variety exists among individuals and area groups to make an exact chart of intonation patterns impossible. However, certain characteristics of normal Spanish intonation may be noted, and may best be practiced by aural observation and repetition rather than by visual representation. Therefore, no attempt will be made here to reproduce with diagrams the rise and fall of the speaker's voice in the enunciation of phrases or sentences. Listen and repeat as accurately as possible what you hear:

1. Juan acaba de llegar. Ha estado en Europa. Piensa venir a vernos mañana. No le gustó el viaje por avión. Parece muy cansado.
2. Hola, Enrique. ¿Cómo estás? Mucho tiempo que no te veo. ¿Y cómo está tu familia? Dime, ¿dónde está esa bonita hermana tuya? No la veo mucho. ¿Casada? ¿Está casada, dices? ¡No me digas! ¡Ay, Dios mío! ¡Qué vida!
3. Vamos a leer un poema.

¿Qué es poesía?, dices mientras clavas
  En mí tu pupila azul;
¿Qué es poesía? ¿Y tú me lo preguntas?
  Poesía . . . ¿ eres tú!

El poeta que escribió este hermoso poemita es Gustavo Adolfo Bécquer, un español que vivió en el siglo diez y nueve. Ahora vamos a leer un poemita por Ramón de Campoamor, otro español de fines del mismo siglo: Se titula "Cosas del tiempo".

Pasan veinte años; vuelve él,
Y al verse, exclaman él y ella:
(—¡Santo Dios! ¿y éste es aquél? . . .)
(—¡Dios mío! ¿ y ésta es aquélla? . . .)

II. MOMENTO DE VIDA: *LAS NOTICIAS (THE NEWS)*

MARÍA GÓMEZ: Mamá, ¿*apago* la radio ahora? — shall I turn off

SRA. GÓMEZ: ¿Qué hora es?

MARÍA GÓMEZ: Las tres.

SRA. GÓMEZ: *Espera.* Quiero oír las noticias. — Wait.

MARÍA GÓMEZ: Muy bien, mamá.

(Termina la música. Se oye la voz de otro locutor.)

LOCUTOR: Buenas tardes, damas y caballeros. La *Compañía Petrolífera Cero* tiene el gusto de presentarles un *resumen* de las *últimas* noticias. — Zero Oil Company; résumé . . . latest

Montarraz. La pequeña ciudad de Montarraz *se despertó* esta mañana *ante una nueva serie de temblores de tierra.* Los temblores *se siguen* a intervalos de quince minutos. Gran parte de la *afligida* ciudad colonial *está consumiéndose en llamas. No se sabe aún* el número exacto de las víctimas *ni hasta qué punto llega el daño a propiedades. Por todas partes, los bomberos, ayudados* por miles de voluntarios, *van combatiendo* los muchos *incendios.* La gente anda por las calles, *buscando a sus familiares, ayudándose unos a otros.* El gobierno acaba de declarar un *estado* de emergencia y la *Cruz Roja está estableciendo campamentos* para ayudar a las víctimas. . . . — awoke; faced with a new series of earthquakes; follow each other; stricken . . . is going up in flames. . . . isn't known yet nor the extent of damage to property. Everywhere the firemen, aided; go about combating . . . fires; looking for relatives, helping each other; . . . state; Red Cross is establishing camps

¡Boletín! *Interrumpimos* este programa para comunicarles un boletín especial . . . ¡Hombre a la *luna! Acaba de anunciarse el lanzamiento de un nuevo cohete* que puso en órbita esta mañana un satélite en que va el primer viajero interplanetario. En este momento el satélite está *girando alrededor de* la luna y el piloto *mismo,* que parece estar en perfecta *salud, está transmitiendo señales* que dan su posición y otros *datos* atmosféricos. *Según cálculos de los científicos,* el satélite va a empezar *su vuelta hacia tierra* dentro de 72 horas. *Más detalles despúes.* — We interrupt; to the moon! There has just been announced the launching of a new rocket; spinning around; himself . . . health, is transmitting signals . . . data . . . According to calculations of the scientists . . . its return toward earth; . . . More details later.

La Habana. Empezó esta mañana *ante* una multitud enorme el *proceso* criminal *instituido por* el gobierno revolucionario contra 127 *oficiales* del *antiguo régimen.* El gran *estadio* donde *se reúne* el tribunal militar *se llenó de* gente dos horas antes de *la llegada de los jueces,* todos *pidiendo* la ejecución de los "*traidores*". — before; trial . . . instituted by; officers . . . old regime . . . stadium . . . meets; filled up with . . . the arrival of the judges . . . demanding . . . "traitors"

Lima. Murió *súbitamente* anoche a la edad de 51 años el distinguido escritor, Dr. Don Armando Paredes Ortega, *fundador* de la *revista* "Moderación." Le *sobreviven* su inconsolable *viuda* Doña Eugenia Mercedes de Paredes y sus hijos — suddenly; founder . . . magazine . . . survive; widow

Antonio, Miguel, Rosario, Cintia, Carlos, Pedro, Ramón, Rosalinda, Alicia, Enrique, Dorotea, Armando, y Esteban.

Quito. Esta tarde a las tres y media *se celebra* el último *partido* de sóquer entre el *equipo* victorioso del Ecuador y los *campeones* nacionales del Perú. El *vencedor se queda* con el título de campeón internacional de sóquer.

Y ahora, *el tiempo de hoy*. Temperatura: 76 grados. *Humedad*: 35 por ciento. *Viento* del nordeste a 22 kilómetros por hora. Cielo *despejado*. Mañana: *nublado* por la mañana. *Aguaceros* esporádicos por la tarde, *cambiando* a despejado y *más fresco*. El jueves: *lluvia*.

Ahora, amigos, un *mensaje* de la Compañía Petrolífera Cero. *Se aproximan* las vacaciones de verano. Y cuando *hace calor*, ¿a quién no le gusta *hacer una excursión en coche a la playa*, a las montañas, al campo, *a cualquier parte*? Pero *¡qué pronto se arruinan estos días de placer si no anda bien su coche!* Y así, amigos, si quieren Uds. *garantizarse* el viaje más cómodo posible, usen Uds. exclusivamente la gasolina Cero, que hace funcionar su motor sin *ruido* y con la mayor economía. La gasolina Cero, C–E–R–O, para la felicidad de su motor.

Muchas gracias por su amable atención esta tarde. *Compren* Uds. la gasolina Cero, y *recuerden*, amigos, *ante todo*: *Manejen con cuidado*. La vida que *salven* puede ser la suya.

takes place
game . . . team
champions . . . winner gets
today's weather . . .
Humidity
Wind
clear . . . cloudy . . . Showers
changing . . . cooler
rain
message
are getting close . . . it is warm out
take a motor trip to the beach
anywhere at all? . . . how quickly these days of pleasure are spoiled if your car doesn't run well!
guarantee yourselves
noise
Buy
remember . . . above all:
Drive carefully
you may save

Vocabulario Activo

noticia *news item;* pl. *news*
bombero *fireman*
daño *damage; harm*
el cohete *rocket*
ruido *noise*
vuelta *return*

luna *moon*
montaña *mountain*
tierra *land; earth*
playa *beach*
la salud *health*
gusto *pleasure; taste*

andar *walk; work* (*a mechanism*)
arder *to burn, be on fire*
girar *to spin*

empezar (empiezo) *to begin*
terminar *to finish, end*
celebrarse *to take place*

antes de (prep.) *before*
alrededor de *around*
contra *against*

dentro de *within, inside of*
después *later, afterwards; then*
hacia *toward*

Preguntas

1. ¿Qué quiere oír la Sra. Gómez?
2. ¿Qué compañía presenta el programa de noticias? ¿Qué producto venden?

3. ¿Qué ocurrió esta mañana en la ciudad de Montarraz? ¿A qué intervalos se siguen los temblores? ¿Quiénes están combatiendo los incendios? ¿Qué acaba de declarar el gobierno? ¿Qué está haciendo la Cruz Roja?
4. ¿Por qué interrumpen el programa? ¿Qué acaba de anunciarse?
5. ¿Dónde está el nuevo satélite en este momento? ¿Quién va en él? ¿Cómo sabemos que el astronauta está en buena salud todavía?
6. ¿Qué pasó esta mañana en La Habana? ¿A qué hora se llenó de gente el estadio? ¿Qué piden los espectadores?
7. ¿Quién fue D. Armando Paredes Ortega? ¿Qué revista fundó? ¿Cuántos hijos le sobreviven?
8. ¿Qué partido se va a jugar esta tarde? ¿Con qué título va a quedarse el vencedor?
9. ¿Cómo es el tiempo de hoy? ¿Cómo va a ser mañana? ¿Qué estación del año es? ¿Cómo lo sabe Ud.?
10. ¿Qué necesita uno para disfrutar de (*enjoy*) sus vacaciones? Según el locutor, ¿qué producto garantiza la felicidad de su motor?

III. ESTRUCTURA

60. The Present Participle

The present participle (English *-ing*) is formed regularly by adding **-ando** to the stem of **-ar** verbs, **-iendo** to the stem of **-er** and **-ir** verbs:

hablando *speaking* comiendo *eating* viviendo *living*

Ejercicio

Escriba el gerundio (*present participle*) de:

llevar, dar, entrar, trabajar, poner, ser, dirigir, volver, estar, meter, saber

61. *Estar* + the Present Participle

Estar followed by the present participle gives a vivid description of an action *in progress* at a given moment. Unlike English, it is *not* used to describe a general condition or situation.

Notice that object pronouns are normally attached to the end of the present participle:

Está comiéndolo ahora.	He's eating it (right) now.
Están preparándolos.	They are (now in the process of) preparing them.
Estábamos jugando cuando llegó.	We were playing (at the very moment) when he arrived.

But remember: the *simple* present is used for an action that happens as a general rule:

Juan trabaja ya.	John is working already. (He has a job.)
¿Come más ahora?	Is he eating better (more) now?

Ejercicio

Cambie las oraciones siguientes para expresar una acción *en progreso.*

POR EJEMPLO: Estudian ahora—**Están estudiando.**
Comíamos—**Estábamos comiendo.**

1. Mi padre no trabaja. 2. María prepara la comida. 3. El satélite gira alrededor de la luna. 4. Los bomberos combatían el incendio. 5. Las casas ardían. 6. Andábamos y hablábamos. 7. Terminamos la lección ahora mismo. 8. Empezaban el partido.

62. The Reciprocal Reflexive: (*to*) *each other*

We have already seen that in Spanish, just as in English, reflexive pronouns (*myself, to myself*, and so forth) are used whenever the subject does the action to itself:

Me hice daño ayer.	I hurt myself yesterday.
Se divertía mucho.	He was enjoying himself greatly.

In Spanish, they may also be used to express the idea (*to*) *each other*:

Se quieren mucho.	They love each other.
No se conocían entonces.	They didn't know each other then.
Nos escribimos todos los días.	We write to each other every day.

For clarification or emphasis, **uno(s) a otro(s)** may be added after the verb. The reflexive remains:

Siempre se ayudaban uno(s) a otro(s).	They always used to help each other.

Ejercicio

Puede Ud. completar las frases del Grupo I usando frases del Grupo II?

I	II
Hace diez años que	. . . cien cartas . . . más frecuentemente? . . . nos conocemos . . . locamente . . . con el trabajo . . . pero no se encontraron . . . nos conocíamos
Hacía diez años que	
Se quieren	
Siempre nos ayudamos	
¿Por qué no nos vemos	
Se buscaron todo el día	
Creo que se escribieron	

63. The Impersonal *Se*

The third person singular **se** may be used impersonally with the meaning *one*. This construction is often translated by the passive voice in English:

¿Por dónde se sale de aquí?	How does one get out of here?
Aquí se habla español.	Spanish is spoken here. (One speaks Spanish here.)
Eso no se sabe.	That isn't known. (One doesn't know that.)
Se cree que . . .	It is believed that . . .

Ejercicio

Diga en español:

1. When one studies, one learns. 2. How does one talk so much (*tanto*)? 3. It is said that . . . 4. When one loves truly (*de veras*), as I love you . . . 5. It is believed that he is never going to return. 6. It is also believed that I can't learn Spanish. —Nonsense! (*¡Qué va!*)

64. Effects of the Reflexive on Verbs

A. The reflexive makes transitive verbs intransitive.

Many English verbs that cannot take an object (often because the subject is actually doing the action to itself) are expressed in Spanish by making a normal transitive verb reflexive:

levantar *to raise, lift up*	levantarse *to rise, get up*
acostar *to put to bed*	acostarse *to go to bed, lie down*
sentar *to seat*	sentarse *to sit down*
abrir *to open (something)*	abrirse *to open (itself), be opened*
detener *to stop (something)*	detenerse *to (come to a) stop*
despertar *to wake (somebody else)*	despertarse *to awaken (by yourself)*

Siéntese, por favor.	Sit down, please.
Se abren las puertas a las doce.	The doors open at twelve.
Se detuvo el tren.	The train stopped.
Entonces me levanté y . . .	Then I got up and . . .

B. It may change or intensify the meaning of a verb. Often it adds the idea *to become* or *get* to the action described by the verb:

ir *to go*	irse *to go away*
llevar *to bring, carry*	llevarse *to take away*
dormir *to sleep*	dormirse *to fall asleep*
perder *to lose*	perderse *to get lost*

enojar *to anger* — enojarse *to get angry*
sorprender *to surprise* — sorprenderse *to become (get) surprised*
cansar *to tire, bore* — cansarse *to get tired, bored*
llenar *to fill* — llenarse *to become filled*

C. A few verbs are always reflexive. For example:

quejarse (de) *to complain (about)*
atreverse (a) *to dare (to)*
arrepentirse (de) *to repent*
arrodillarse *to kneel*

Ejercicio

Lea los pequeños diálogos y después conteste las preguntas:

1. —Juanito siempre se queja de sus maestros.
—Pues muy bien. Ellos siempre se quejan de él también.

CONTESTE: a. ¿Es buen o mal estudiante Juanito?
b. ¿Se queja Ud. también de sus maestros?
c. ¿Se queja Ud. de sus hermanos?

2. —No me gusta levantarme temprano. Me acuesto a la medianoche y me despierto a las once de la mañana.
—Muy ambicioso eres, ¿eh, Antonio?

CONTESTE: a. ¿Qué no le gusta a Antonio?
b. ¿A qué hora se acuesta? ¿Y a qué hora se despierta?
c. ¿A qué hora se acuesta Ud.? ¿A qué hora se levanta?

3. —¿Dónde estuvisteis? Os buscamos todo el día.
—Nos perdimos en el parque, mamá.

CONTESTE: a. ¿Dónde se perdieron los niños?
b. ¿Se perdió Ud. alguna vez (*ever*)?

4. —Me dormí en el cine. Me estoy cansando de los vaqueros (*cowboys*), ¿sabes, Emilio?
—Nosotros también. Nos gustan más los detectives.

CONTESTE: a. ¿Por qué se durmió en el cine el amigo de Emilio?
b. ¿Le gustan a Emilio los vaqueros?
c. ¿Quiénes les gustan más a él y sus amigos?

5. —Tú te enfadas demasiado, Enrique.
—Sólo contigo, querida.

CONTESTE: a. ¿De qué se queja la esposa de Enrique?
b. ¿Cree Ud. que es un matrimonio feliz?

65. Reflexive Objects of a Preposition

In the third person, the reflexive object of a preposition is **sí**. All other persons are the same as the nonreflexive:

(para) mí *(for) myself* — (para) nosotros(as) *(for) ourselves*
(para) ti *(for) yourself* — (para) vosotros(as) *(for) yourselves*
(para) **sí** *(for) himself, herself, itself, yourself,* (Ud.), *themselves, yourselves* (Uds.)

Lo compró para sí.	He bought it for himself.
No debes pensar sólo en ti.	You shouldn't think only about yourself.

After the preposition **con** (*with*), **sí** becomes **-sigo**:

Se lo llevó consigo.	He took it away with him(self).

66. *Mismo*

Mismo, often translated *myself, yourself, himself,* etc., is an adjective that intensifies the meaning of the word it follows. It is NOT a reflexive pronoun, but does appear frequently after the reflexive object of a preposition and after subject pronouns:

Yo misma lo hago.	I my*self* do it.
Habló con el presidente mismo.	He spoke to the president him*self*.
Vamos hoy mismo.	We're going this *very* day.
Piensan sólo en sí mismos.	They think only of them*selves*.
Siempre hablas ti mismo.	You always talk about your*self*.

Ejercicio

Cambie las oraciones siguentes, usando **mismo** para intensificar las palabras indicadas:
1. Lo compré para *mí*. 2. El *jefe* lo dijo. 3. Ella piensa sólo en *sí*. 4. Vienen *ahora*. 5. *Yo* lo recuerdo. 6. Muchas personas están enamoradas de *sí*. 7. Los hicimos para *nosotros*.

67. Numbers by Hundreds

100	ciento (cien *before a noun*)	600	seiscientos(as)
200	doscientos(as)	700	**setecientos(as)**
300	trescientos(as)	800	ochocientos(as)
400	cuatrocientos(as)	900	**novecientos(as)**
500	**quinientos(as)**	1000	mil

Beyond 1000, Spanish does not count in hundreds: 1950 is **mil novecientos cincuenta** (*one thousand nine hundred fifty*):

1502	mil quinientos dos
93,716	noventa y tres mil setecientos diez y seis
May 2, 1961	el dos de mayo de mil novecientos sesenta y uno

Notice: y appears *only* between 16 and 99 **(diez y seis, dieciséis . . . noventa y nueve).**

Preguntas

1. ¿Cuándo declararon su independencia los Estados Unidos de América?
2. ¿Cuándo descubrió Cristóbal Colón las Américas?
3. ¿Cuándo nació Ud.? ¿Y su madre? ¿su padre? ¿sus hermanos?
4. ¿En qué año espera Ud. graduarse de la universidad?
5. ¿En qué año empezó la Guerra Civil? ¿En qué año terminó? ¿En qué año empezó la Primera Guerra Mundial? ¿la Segunda Guerra Mundial? ¿En qué años terminaron?

Ejercicio de Repaso

Taduzca al español:

Ladies and gentlemen, we are pleased to present to you now a summary of the latest news.

Montarraz. This city awakened this morning faced with a series of earthquakes that follow each other at intervals of fifteen minutes. Firemen, aided by thousands of volunteers, are combating the many fires. The government has just declared a state of emergency and the Red Cross is setting up camps to help the victims. It is not known yet to what extent there is damage to property and lives. It is hoped that . . .

Bulletin! We interrupt this program to bring you a special bulletin. Man to the moon! The launching of a new rocket has just been announced. The satellite is now circling around the moon and the pilot himself is transmitting signals that give his position and other data about atmospheric conditions. It is believed that the rocket is going to begin its return to earth within 72 hours. More details later.

Lima. The distinguished writer Don Armando Paredes Ortega died suddenly last night. He was the founder of the magazine "Moderation." His twenty-two children were with him when death (*la muerte*) came.

And now, the weather. Today, clear and warm. Tomorrow, showers. Thursday, wind(y) and cooler.

Until tomorrow, friends, remember: buy Zero Gasoline, the best for your car, and drive carefully. Good afternoon.

IV. TEATRO *(En la Televisión)*

Prepare Ud. un programa de las noticias del día. Hable de una o dos noticias, y si quiere, puede hacer un anuncio comercial. Termine con el tiempo de hoy y mañana.

REPASO II

I. Tema: La Navidad en España e Hispanoamérica (*Tape 14*)
Vocabulario p.419

II. Dictado y Ejercicio de Comprensión (*Tape 14*)

III. Repaso de Gramática

A. The Preterite

1. Regular

amar	**beber**	**abrir**
amé	bebí	abrí
amaste	bebiste	abriste
amó	bebió	abrió
amamos	bebimos	abrimos
amasteis	bebisteis	abristeis
amaron	bebieron	abrieron

Note: **-er** and **-ir** verbs are alike in the preterite.

2. **-ir** radical changing

pedir	**morir**
pedí	morí
pediste	moriste
p*i*dió	m*u*rió
pedimos	morimos
pedisteis	moristeis
p*i*dieron	m*u*rieron

Note: **-ar** and **-er** radical changing verbs are regular in the preterite.

3. Irregular

ser: fui, fuiste, fue, fuimos, fuisteis, fueron
ir: fui, fuiste, fue, fuimos, fuisteis, fueron
dar: di, diste, dio, dimos, disteis, dieron

4. Pattern of irregular preterites

First person singular ends in *un*stressed **e;** third person singular ends in *un*stressed **o;** entire conjugation repeats stem of first person singular.

a. **u** stems

tener	tuve	**poner**	puse
estar	estuve	**saber**	supe
andar	anduve	**haber**	hube
poder	pude	**traducir** (and all verbs ending in **-ducir**)	traduje (-jeron)

b. **i** stems

querer	quise	**decir**	dije (-jeron)
hacer	hice . . . hizo	**venir**	vine

c. **a** stem

traer traje

B. The Imperfect

1. Regular

amar	**beber**	**abrir**
amaba	bebía	abría
amabas	bebías	abrías
amaba	bebía	abría
amábamos	bebíamos	abríamos
amabais	bebíais	abríais
amaban	bebían	abrían

2. Irregular

ser	**ir**	**ver**
era	iba	veía
eras	ibas	veías
era	iba	veía
éramos	íbamos	veíamos
erais	ibais	veíais
eran	iban	veían

These are the only irregular imperfects in Spanish.

C. Preterite and Imperfect Contrasted

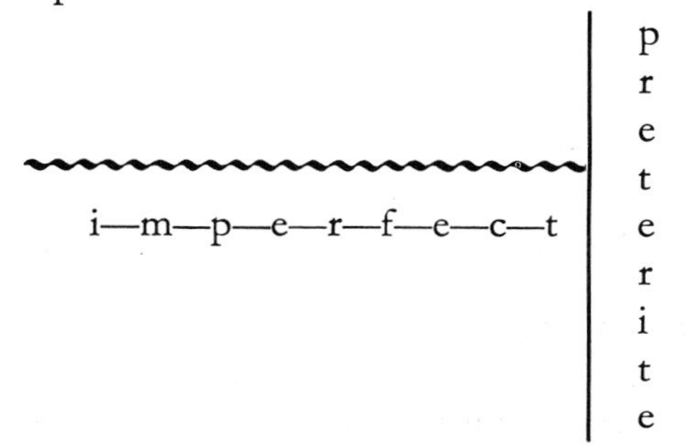

The preterite records, reports, narrates merely the fact that an action took place at some time in the past. The imperfect relives, describes what was happening at a certain time or what used to happen over a period of time. It sets the stage, paints the background of an event.

D. The Present Participle

The present participle is formed by changing the infinitive ending **-ar** to **-ando, -er** and **-ir** to **-iendo**:

amar amando   **beber** bebiendo   **vivir** viviendo

Estar + the present participle is the progressive tense. It describes an action in progress at a given moment. The object pronoun is usually attached to the end of the present participle: **Está escribiéndolo ahora** (*He is writing it now*).

E. Third Person Object Pronouns

DIRECT		INDIRECT		REFLEXIVE	
lo	it, him, you (Ud.)	**le**	to him	**se**	(to) himself
le	him, you (Ud.)		to her		(to) herself
la	her, it, you (f.)		to it		(to) itself
			to you		(to) yourself
los	them, you (Uds.)	**les**	to them		(to) themselves
(les)	them, you (Uds.)		to you (m. and f.)		(to) yourselves
las	them, you (f.)				

Special use of **se: Se** replaces a third person indirect object pronoun when the direct object is also in the third person.

INDIRECT		DIRECT			
le		lo			lo
		la			la
les	+	los	=	SE	los
		las			las

For clarification or emphasis, **a mí, a ti, a él, a ella, a Ud., a nosotros(as), a vosotros(as), a ellos, a ellas, a Uds.** may be used in *addition* to the object pronoun: **Se lo di a ella** (I gave it to *her*).

F. Placement of Object Pronouns in Relation to Each Other

INDIRECT BEFORE DIRECT, REFLEXIVE FIRST OF ALL

G. Demonstratives

1. Adjectives

este	esta	*this*	estos	estas	*these*
ese	esa	*that (near you)*	esos	esas	*those*
aquel	aquella	*that (over there)*	aquellos	aquellas	*those*

Note: In Spanish, *this* and *these* both have **t**'s.

2. Pronouns

NEUTER: esto *this* eso *that* aquello *that* (less frequent)

Other demonstrative pronouns (this one, that one, these, those) are formed by placing an accent over the stressed vowel of the adjective: éste, ésos, aquéllas, etc.

H. **Gustar** (*to be pleasing*)

When **gustar** is used in translating the English *to like, what is pleasing* is the *subject* of **gustar;** the person *to whom it is pleasing* is the *indirect object*:

Me gusta el español.	I like Spanish. (Spanish is pleasing to me.)
¿Le gustan a Ud. los animales?	Do you like animals? (Are animals pleasing to you?)
No nos gusta eso.	We don't like that. (That isn't pleasing to us.)

I. Comparison of Adjectives

1. Regular

rico	más rico
bonita	menos bonita
altos	más altos

2. Irregular

mucho	más
poco	menos
bueno	mejor
malo	peor
grande	mayor
pequeño	menor

3. Superlatives usually add the definite article before the comparative: **el más rico, la menos bonita, los más altos, las mejores.**

J. Stressed Possessives (After the Noun)

mío(a, os, as) *mine, of mine* nuestro(a, os, as) *ours, of ours*
tuyo(a, os, as) *yours, of yours* vuestro(a, os, as) *your, of yours*
suyo(a, os, as) *his, of his, hers, of hers, yours* (de Ud., de Uds.), *of yours, theirs, of theirs*

K. Uses of Reflexive Pronouns

1. When the subject does the action to itself
2. Reciprocal—*to each other*
3. Impersonal **se** (*one;* often translated as passive in English)
4. To make a transitive verb intransitive; to add the meaning *become* or *get*:

perder—perderse; cansar—cansarse; despertar—despertarse; levantar—levantarse

L. **Hace** in Time Expressions

1. **Hace . . . que,** followed by a verb in the present, states the length of time for which an action has been (and still is) going on: **Hace cuatro meses que le conocemos** (*We have known him for four months*).
2. **Hacía . . . que,** followed by a verb in the imperfect, states the length of time for which an action had been (and was still) going on when . . . : **Hacía cuatro meses que le conocíamos** (*We had known him for four months*).
3. **Hace** + period of time, after a verb in the preterite or imperfect, means *ago*: **Vino hace tres horas** (*He came three hours ago*).

M. More Uses of the Definite Article

1. General or abstract sense: **Las mujeres son así** (*Women are like that*).
2. Before a person's title (except **don** and **santo**) when speaking *about* (not to) him.
3. With days of the week, seasons of the year (except after **ser**), and to tell time.

N. Cardinal Numbers 20–100 (see page 111) and Numbers by Hundreds (page 134).

Estudio de Vocabulario

1. ¿Cuál es la primera idea que se le ocurre (*occurs to you*) cuando oye las palabras siguientes?:
   examen . . . incendio . . . playa . . . almacén . . . oficina . . . radio . . .
   noticias . . . cine . . . canción . . . cuaderno . . . médico . . .
2. En cada (*each*) uno de los grupos siguientes hay dos palabras que no corresponden a la idea fundamental. ¿Puede Ud. hallarlas?
   a. ir, venir, llegar, entrar, pensar, salir, rogar, bajar, subir
   b. almacén, dependienta, peligro, precio, vender, comprar, pagar, llorar
   c. luna, tierra, recuerdos, montaña, cita, playa, cielo
   d. mirar, ver, volver, arder, ojos, gafas
   e. tener sueño, dormir, descansar, cansado, noticia, cama, acostarse, cohete
3. ¿Puede Ud. decir lo contrario de las palabras y expresiones siguientes?:
   algo, primero, poco, tampoco, a la derecha, bajar, empezar, antes, olvidar, fuera, quitar, poner la radio

Composición

Escriba una composición corta sobre:

1. De Compras (*Shopping*)
2. Mi Ciudad o Pueblo
3. La Vida en los Estados Unidos
4. La Noticia Más Interesante de las Últimas Dos Semanas

CANCIONES NAVIDEÑAS (Christmas Songs)

En vez de conversar hoy, vamos a cantar. Ud. conoce ya las melodías. (*Be sure to link the words as shown, or you'll find yourself with more syllables than notes!*)

Noche de Paz (Silent Night)

Noche de paz, noche de amor;
Todo duerme en derredor
Entre los astros que esparcen su luz
Bella, anunciando al Niño Jesús,
Brilla la estrella de paz
Brilla la estrella de paz.

Noche de paz, noche de amor;
Oye humilde el fiel pastor
Coros celestes que anuncian salud,
Gracias y glorias en gran plenitud,
Por nuestro buen Redentor.
Por nuestro buen Redentor.

Venid, Fieles Todos (Come All Ye Faithful)

Venid, fieles todos
A Belén marchemos
De gozo triunfantes
Henchidos de amor;
Al rey de los cielos
Todos adoremos;

Vengamos, adoremos,
Vengamos, adoremos,
Vengamos, adoremos
A nuestro Señor.

Oíd un Son (Hark the Herald Angels Sing)

Oíd un son en alta esfera,
En los cielos gloria a Dios;
Y al mortal paz en la tierra
Canta la celeste voz.
Con los cielos alabemos,
Al eterno rey cantemos,
A Jesús que es nuestro bien,
Con el coro de Belén,
Canta la celeste voz,
En los cielos, gloria a Dios.

Príncipe de paz y tierra
Gloria a ti, señor Jesús,
Entregando el alma tierna
Tú nos traes vida y luz.
Has tu majestad dejado,
Y a buscarnos te has dignado,
Para darnos el vivir,
A la muerte quieres ir.
Canta la celeste voz,
En los cielos, gloria a Dios.

Lectura VI

LA ÉPOCA DE LOS REYES CATÓLICOS

A medida que avanzaba el siglo quince, Europa salía de la Edad Media. En Italia, *el aumento* del comercio y el contacto con la cultura *bizantina* de Constantinopla *habían producido* ya un gran *florecimiento* artístico y literario. En Francia, *se desarrollaba* el concepto del estado moderno. En España, la ocupación musulmana *había diseminado* las culturas griega y oriental. Y el hombre cristiano, *acostumbrado* a *despreciar los placeres* de este mundo y pensar sólo *en* la vida eterna, despertaba a la importancia de esta vida *terrenal.* Levantaba la cabeza y empezaba a ver las infinitas posibilidades del mundo humano que le *rodeaba.*

El siglo quince en España era una continuación de la disensión política tan característica de su historia anterior. Dividida todavía en varios reinos independientes, España sufría bajo reyes débiles, *incapaces de llevar a cabo* la unificación, *ni de imponer su voluntad sobre la* de los nobles feudales.

En 1469, España da el primer paso hacia la verdadera unidad política. Isabel, *reina* de Castilla, se casa con Fernando, rey de Aragón. Aunque los dos reinos se mantienen separados en su administración y aun en ciertos aspectos de su *política exterior*, la unión personal de los *Reyes Católicos* conduce poco a poco al *acercamiento*

As
increase
Byzantine . . . had produced
flourishing
was developing
had spread
accustomed
scorn the pleasures . . . about
earthly
surrounded
incapable of effecting . . . nor of imposing their will over that
queen
foreign policy
Catholic King and Queen . . . drawing together

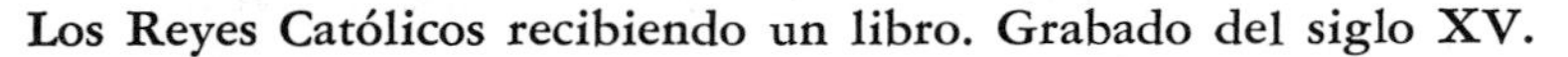
Los Reyes Católicos recibiendo un libro. Grabado del siglo XV.

El Cardenal Jiménez Cisneros, padre confesor de Isabel y regente de Castilla después de la muerte de la Reina Católica.

Edicto firmado por Fernando e Isabel en Granada, 6 de septiembre de 1501. A la izquierda: "Yo el Rey"; a la derecha: "Yo la Reyna".

político de los dos poderes principales de la península. Juntos Fernando e Isabel sofocan una rebelión de los nobles. Juntos formulan un plan para acabar con el antiguo sistema feudal y establecer el concepto de una monarquía absolutista. *Quitan* a la vieja *nobleza* sus privilegios tradicionales, destruyen sus *órdenes* militares y *asaltan sus castillos*. Y *favoreciendo a la alta burguesía*, crean una nueva nobleza *cortesana*.

Los Reyes Católicos *se aprovechan* de la religión como base de la unidad nacional. En 1478, reorganizan la Inquisición como arma del estado, responsable al *trono*, no al *Papa*. Y usan la Inquisición no sólo para combatir la *herejía* religiosa, sino contra *toda amenaza* al poder absoluto de la *corona*. El fervor religioso, siempre inherente en el español, se convierte en acción política. Los reyes se dirigen ahora contra el último *baluarte* de los musulmanes en España. En enero de 1492 toman Granada. Tres meses después, expulsan a los judíos, que les *habían prestado valiosa ayuda* en su lucha contra los nobles, y que representaban gran parte de la burguesía y de la clase profesional. El 12 de octubre del mismo año, *Cristóbal Colón, patrocinado por* Isabel, descubre el Nuevo Mundo, y los barcos españoles empiezan a salir para la conquista de América. España acababa de llegar a la luna.

They take from
nobility . . . orders
assault their castles . . . favoring the upper middle class
courtly
take advantage
throne . . . Pope
heresy . . . every threat
crown
bulwark
had lent them valuable aid
Christopher Columbus, sponsored by

Página ilustrada de *La Celestina* (1499), primera obra maestra del Siglo de Oro. Aquí vemos a la joven Melibea hablando con la vieja hechicera Celestina. Las otras figuras son criados de los trágicos amantes, Calisto y Melibea.

Pero *no disminuye* el ímpetu expansionista. Navarra cae bajo la *hegemonía* de Castilla, y España se hace una nación. Los Reyes Católicos se dirigen hacia Italia, hacia África, hacia todo un con-
45 cepto nuevo de la función del hombre y del estado.

no disminuye: doesn't diminish
hegemonía: rule

Se introduce la imprenta. En 1492 Antonio de Nebrija publica el primer libro de gramática en lengua castellana, "porque *la lengua es compañera del Imperio.*" Los reyes establecen universidades y escuelas para el estudio de *humanidades,* e *inician* la preparación de una
50 Biblia Poliglota. La corte sigue el ejemplo de los monarcas, y se extiende por toda España el entusiasmo por la cultura clásica y la erudición. España se va incorporando a la *corriente* del Renacimiento europeo. Su *estrella* está sudiendo en el cielo internacional. Pronto va a llegar a la *cumbre.*

Se introduce la imprenta.: Printing is introduced.
la lengua es: language is
compañera del Imperio: the companion of Empire
humanidades ... inician: humanities . . . initiate
corriente: current
estrella: star
cumbre: summit

Preguntas

1. ¿Qué ocurría en la Europa del siglo quince? ¿Que se desarrollaba en Francia?
2. ¿Qué factores contribuyeron al florecimiento artístico de Italia?
3. ¿A qué estaba acostumbrado el hombre cristiano? ¿Qué empezaba a ver ahora?
4. ¿Cómo era la historia política de España en el siglo quince?
5. ¿Quiénes son los Reyes Católicos? ¿Cuándo se casaron?
6. ¿Cómo establecieron en España el concepto de la monarquía absolutista?
7. ¿Por qué reorganizan la Inquisición? ¿Cómo la usan?
8. ¿Qué ocurre enenero de 1492? ¿Qué hacen los reyes tres meses después? ¿Qué ocurre en octubre del mismo año? ¿Adónde se dirigen entonces los Reyes Católicos?
9. ¿Cómo fomentan la educación? ¿A qué corriente se va incorporando España?

Lección

ONCE

I. TEMA: *¿VERDAD? ¿MENTIRA? (TRUTH? LIE?)*

Sentémonos por un momento, ¿está bien? Tengo un problema que quiero *discutir* con Ud. Pues, no es exclusivamente mío el problema. Lo tenemos todos. Pero como madre de familia . . . ¿no lo sabía Ud.? . . . Sí, de siete años el mayor, de cinco el menor . . . ¡y preciosos! *Bueno, como* le decía, yo como toda madre, *quiero que mis hijos sean buenos y que aprendan a ser honrados.* Pero a veces no sé si hago bien o mal en mi *manera de criarlos.*

Tomemos por ejemplo, ayer por la mañana *hubo un gran alboroto en el sótano* donde jugaban los niños. *Bajé a saltos* la escalera y vi al pequeño que lloraba *a más no poder.*

—¿Qué pasó, niño?, le pregunto. —*¿Te hiciste daño?*

—No, me contesta, *señalando* con el dedo a su hermano mayor. —*Él me pegó* . . . aquí en el *costado.*

Me vuelvo al mayor:

—La verdad, le digo. —¿Le pegaste? *No mientas.*

Y *éste* me mira derecho en los ojos y dice:

—Él me pegó primero a mí.

—Pero no te pregunto eso, contesto. —¿Le pegaste tú a él?

—No recuerdo.

Entonces hablo con los dos.

—*Vamos a pensarlo bien* y entonces quiero *que me digan* la verdad. ¿Quién le pegó primero a quién? Si me dicen la verdad, *no castigo a ninguno.*

Let's sit down
discuss
Well, as
I want my children to be good and to learn to be honest . . . way of raising them
Let's take . . . there was a big commotion in the basement . . . I leaped down
uncontrollably
Did you hurt yourself?
pointing
He hit me . . . side
Don't lie.
he
Let's think it over . . . you to tell me
I won't punish either.

Los dos me miran, llenos de *lágrimas* los ojos, y cada uno dice: — tears

25 —¡Él!

Pues bien, ¿qué hago yo? Les doy *un par de nalgadas y me pongo a sermonearles*: — a spanking and I begin to lecture them:

—*Si quieren que Dios les ame, no mientan, no roben,* no hablen mal de nadie, respeten a sus padres . . . — —If you want God to love you, don't lie, don't steal

30 Y entonces me dice el mayor:

—Pero mamá, *si* tú no dices siempre la verdad. ¿No recuerdas *lo que pasó* ayer? — (don't translate *si* . . .) — what happened

Eso me hizo pensar. El muchacho tenía razón, *perfecta razón.* ¡Cuántas veces miento!, a veces por necesidad, otras veces. . . . — perfectly right

35 Cuando era niña, si no tenía preparada la *tarea de la escuela*, decía que mi madre estaba enferma. Y cuando estaba *ausente* sin una buena excusa, decía que acababa de morirse mi abuela, o mi tía. . . . ¡Cuántos *parientes míos se me morían* cada año! — homework — absent — relatives of mine died on me

Y el jueves, por ejemplo . . . Eran las cinco de la tarde. Yo

40 estaba muy ocupada preparando la comida. Suena el teléfono. Mi hijo contesta: —Mamá, me dice. —La señora Molinos quiere hablar contigo. Y yo le digo: —*Dile, amor*, que no estoy. — Tell her, darling

Y recuerdo . . . la semana pasada, cuando perdí *un billete de diez dólares* y dije a los niños: —*Les ruego que no digan nada* a papá. No — a ten dollar bill — I beg you not to say anything . . .

45 quiero *que lo sepa*. ¿Entienden? — him to know

Y otra ocasión . . . cuando me mandó una amiga una gran *torta de frutas. La probé* y no me gustó. Pues se la di a la mujer que viene a *limpiar* la casa, y entonces escribí una carta a mi amiga diciéndole *qué deliciosa era*. Un día vino a visitarnos la amiga, y *hablando* con — fruit cake. — . . . I tasted it — clean — how delicious it was . . . — while speaking

50 los niños, les preguntó *si les gustó a ellos* la torta de frutas. Imagínese Ud. mi mortificación cuando *respondió* mi hijo menor: —No sé. Mamá se la dio a la *criada*. — if *they* liked — answered — maid

Ahora, como ve Ud., las mentiras que digo no son muy graves, *no hacen daño,* pero es muy difícil *explicar* esto a los niños. ¿Cómo van — they don't do harm . . . — explain

55 a comprender que a veces es mejor mentir que decir la verdad?

¿Sabe Ud.?, yo tengo una tía que *se alaba de su franqueza*, y parece que *se pasa toda la vida creándose* enemigos. Por ejemplo, si una amiga suya *estrena* un nuevo vestido, mi tía le dice: —Eso te hace parecer muy *gorda*.— O, —¿Cincuenta dólares por ese vestido? Lo — boasts about her frankness — she spends her whole life making — wears for the first time — fat

60 tienen ahora en todas las tiendas *baratas* por quince. — cheap

Mi tía dice la verdad, o *a lo menos* cree que la dice, pero *¡ay, cuánto descontento siembra por todas partes!* Y cuando yo le hablo de eso, me contesta *rotundamente*: —Hay que decir la verdad. — at least . . . oh! how much unhappiness she sows everywhere! — roundly

Ahora, ¿qué debo hacer para enseñar a mis hijos a hacer *bien*, si yo misma no sé a veces qué es bueno y qué es malo? — good

Vocabulario Activo

el billete *bill (money)*
pariente *relative*
criada *maid*

castigar *to punish*
pegar *to hit*
criar (crío) *to raise, rear*

ausente *absent*
cada *each*

a lo menos *at least*
a veces *at times*

la verdad *truth*
mentira *lie*
lágrima *tear (crying)*

jugar (juego) *to play (a game)*
contestar *to answer*
limpiar *to clean*

honrado *honest*
precioso *precious, adorable*

ponerse a *to begin to*
por ejemplo *for example*

Preguntas

1. ¿Cuántos hijos tiene la mujer que nos habla? ¿De qué edad son?
2. ¿Qué quiere la madre? ¿Por qué está insegura (*unsure*)?
3. ¿Qué pasó ayer por la mañana? ¿Qué vio la madre cuando bajó al sótano?
4. ¿Por qué lloraba el niño menor? ¿Qué dice el niño mayor?
5. Según los dos niños, ¿quién le pegó primero a quién?
6. ¿Qué hace la madre entonces? ¿Qué lección quiere enseñarles?
7. ¿Qué dice el niño mayor cuando la madre insiste en que siempre digan la verdad?
8. ¿Miente a veces la madre? ¿Por qué?
9. ¿Qué decía la madre cuando era niña y no hacía la tarea de la escuela?
10. ¿Qué decía cuando estaba ausente sin una buena excusa?
11. ¿Quién llamó el jueves a las cinco de la tarde? ¿Qué dijo la madre al hijo mayor?
12. ¿Qué perdió la semana pasada? ¿Qué dijo entonces a los niños?
13. ¿Qué regalo (*gift*) recibió un día? ¿Qué hizo con la torta? ¿Qué dijo entonces en la carta a su amiga?
14. ¿Qué pasó cuando la amiga vino a visitar?
15. ¿De qué se alaba la tía de la señora que nos habla?
16. ¿Qué problema tiene ahora la madre?

II. ESTRUCTURA

68. The Present Subjunctive

The regular forms of the present subjunctive are exactly like those of the indicative, except that **-ar** verbs change their ending vowel to **-e,** and **-er** and **-ir** verbs to **-a**:

hablar	comer	vivir
hable	coma	viva
hables	comas	vivas
hable	coma	viva
hablemos	comamos	vivamos
habléis	comáis	viváis
hablen	coman	vivan

Ejercicios

A. Estudie el presente del subjuntivo de:
estudiar, meter, trabajar, llevar, beber, tomar, escribir

B. Diga la forma correspondiente del presente del subjuntivo;
yo: mandar, llamar, limpiar; abrir, comprender, insistir
tú: contestar, andar, terminar; aprender, romper, cubrir
Juan: descansar, desear, bajar; subir, asistir, recibir
nosotras: trabajar, preparar, quitar; leer, permitir, vivir
tú y María: estudiar, llevar, comprar; vender, creer, escribir
Uds.: levantar, llenar, esperar; sorprender, deber, resistir

C. Cambie cada vez según el sujeto nuevo:
1. Quiero que *Juan* lo prepare. (Uds., tú, vosotros, Ud. y yo)
2. Insisten en que se la *vendamos*. (yo, mi hermano y yo, mis abuelos)
3. Esperamos que lo *permitan*. (Ud., los profesores, vosotros, tú)

69. Direct Commands

A direct command is an order given by one person speaking directly to another: *Go. Sit down. Give it to me. Don't say that.*

All polite commands (**Ud.** and **Uds.**) and all negative commands (both familiar and polite) take their form from the present subjunctive:

Pase Ud. la sal, por favor.	Please pass the salt.
Escríbalo en la pizarra.	Write it on the blackboard.
Para mañana, lean Uds. . . .	For tomorrow, read . . .
No abran los libros.	Don't open your books.
No hables, niño.	Don't speak, child.
No comáis tanto.	Don't eat so much.

70. The Position of Object Pronouns with Direct Commands

OBJECT PRONOUNS MUST BE ATTACHED TO THE END OF A DIRECT AFFIRMATIVE COMMAND:

Hágame el favor de . . .	Do me the favor of . . . (Please)

Ábranlos.	Open them.
Cómalo todo.	Eat it all.
Siéntese. (Siéntense.)	Sit down.
Pásemela.	Pass it to me.
Pregúnteselo a Juan.	Ask John (the question).

OBJECT PRONOUNS ARE PLACED BEFORE A NEGATIVE COMMAND:

No lo escriba.	Don't write it.
No los abran.	Don't open them.
No se siente(n).	Don't sit down.
No me la pase.	Don't pass it to me.
No lo comas, hijo.	Don't eat it, son.
No se lo preguntéis.	Don't ask him.

Ejercicios

A. Haga negativos los mandatos siguientes:

1. Escríbale. 2. Háblenme. 3. Páseme la sal. 4. Cómalo todo. 5. Lávense las manos. 6. Siéntese, por favor. 7. Ábranlas. 8. Quítelo de ahí. 9. Contéstenle. 10. Límpiela.

B. Ahora diga en español:

1. Buy it. (*Ud., Uds.*) 2. Don't drink it. (*Ud., Uds., tú, vosotros*) 3. Sell them to us. (*Ud.*) 4. Don't ask him. (*Ud., tú*) 5. Don't send it to them. (*tú, vosotros, Ud., Uds.*)

71. First Person Plural Commands

Let's or *Let us* (*go, do, sing*) is a direct command to *you* and *me*. It is expressed in Spanish in two ways:

A. The first person plural of the present subjunctive

Cantemos todos.	Let's all sing.
Tomemos por ejemplo . . .	Let's take for example . . .
Vendámosla.[1]	Let's sell it.
No le demos nada.	Let's not give him anything.

The only exception is **Vamos** (*Let's go*). (The negative remains **No vayamos.**)

Vamos con ellos.	Let's go with them.

When **se** or the reflexive **nos** is attached, the final **-s** of the verb ending disappears. Notice that the normally stressed syllable requires a written accent when another syllable is added:

[1] Notice again that object pronouns are attached to the end of an affirmative command, and that, as usual, they precede the verb in a negative command.

Mandémoselo.	Let's send it to him.
Sentémonos.	Let's sit down.
Vámonos.	Let's go (away).

B. Vamos a + infinitive

In the affirmative command *Let's . . .* , **Vamos a** + the infinitive may be used instead of the present subjunctive:

Vamos a comer.	Let's eat.
Vamos a leer ahora.	Let's read now.
Vamos a venderla.	Let's sell it.

Ejercicios

A. Cambie a *nosotros* los mandatos siguientes:
1. Bailen Uds. 2. Coma Ud. 3. No le hable. 4. Tómelo. 5. Siéntese. 6. Cante ahora. 7. Bébalo todo. 8. Limpie la cocina. 9. No le contesten. 10. Mándenselo.

B. Diga ahora de otra manera (*now say in another way*):
1. Bailemos. (Vamos . . .) 2. Visitémosle. 3. Llamémosla. 4. Démoselo. 5. Leamos juntos. 6. Tomémoslas. 7. Sentémonos. 8. Escribámosle.

72. General View of the Subjunctive in English and Spanish

The subjunctive is used in correct English much more frequently than most of us realize. Only in a few verbs does its form differ noticeably from the indicative, and in most others, it is distinguishable only in the third person singular. However, it appears very often through the use of the auxiliaries *may, might,* and even *should:*

A. It is often used after verbs that suggest, request, or state the speaker's will that something be done.

He demanded that she *come* at once.
They insist that you *be* there on time.
I suggest that he *do* it.

B. It appears also after expressions of emotion, usually when hope is implied.

May the holiday season bring you joy.
God *bless* you and *be* with you.
How I wish Jim *were* here!

C. It is found in situations that involve unreality, that is, the indefinite, uncertain, inconclusive, contrary to fact.

It is possible that he *may* know her.
Be it as it *may* . . .
If I *were* you (but I'm not). I wouldn't do it.

These are precisely the concepts of the subjunctive in Spanish as well. Spanish holds these concepts more consistently than English. The subjunctive appears in the *subordinate clause* whenever that clause bears the *implication of a command* or reflects the *color of an emotion*, whenever its positive reality is clouded by *doubt, indefiniteness, uncertainty, inconclusiveness, or an assumption that is contrary to fact.* These concepts, and not any particular verb, phrase, conjunction, or type of clause will call for subjunctive in the subordinate clause in Spanish.

These, then, are the concepts:

1. Indirect or implied command
2. Emotion
3. Unreality

73. The First Concept of the Subjunctive: Indirect or Implied Command

A. An indirect or implied command, as opposed to a direct order (*Do it!*), expresses one person's will or desire that someone else do[2] something (*I want you to do it*). When the sentence is broken up into its component parts, the hidden command becomes apparent:

Le ruego que me lo dé.	I beg you to give it to me. (I beg you: Give it to me.)
Les escribe que manden dinero.	He is writing to them to send money. (He is writing to them: Send money.)
Dígale que espere.	Tell him to wait. (Tell him: Wait.)

The force of the hidden command, no matter how mild or how emphatic it is, produces the subjunctive in the subordinate clause:

Quiero que me digan la verdad.	I want you to tell me the truth.
Insisten en que se disculpe.	They demand that he apologize
Nos ha pedido que la ayudemos.	She has asked us to help her.

But: Notice that if there is no change of subject, there can be no command:

Quiero abrirlo.	I want to open it.
¿Quieres venir?	Do you want to come?

B. *Let* . . .

Sometimes, *Let* . . . is used in English not to request permission, but to state the speaker's will. Although the main clause is omitted in Spanish, I *want* is understood, and the indirect command remains:

[2] Notice the subjunctive here in English, too.

(Quiero)	Que lo haga Jorge.	Let *George* do it.
	Que decidan ellos.	Let *them* decide.
	Que pague él, no yo.	Let *him* pay, not me.

Notice, of course, that object pronouns are placed *before* the verb in *indirect* commands.

C. After verbs of ordering, permitting, or forbidding, either the infinitive or the subjunctive may be used. These verbs include **mandar** (*to order*), **dejar** (*to allow, let*), **permitir** (*to permit*), **prohibir** (*to forbid*), **impedir** (*to prevent*):

Le mandan acabar en seguida. (Le) mandan que acabe en seguida.	They order him to finish at once.
No le deje hacerlo. No deje que lo haga.	Don't let him do it.

Ejercicios

A. Lea en voz alta, y después cambie según las indicaciones:

1. Quiero que mis hijos sean *buenos*.. (honrados.) 2. Le ruego que nos *pague* el dinero. (mandar) 3. Les pido que no *digan* nada a Papá. (escribir) 4. Insisten en que *contestemos* todas las preguntas. (vosotros) 5. Si quieren que Dios les *ame* . . . (salvar) 6. No quieren que digamos *la verdad*. (mentiras). 7. Te pido que *limpies la cocina*. (lavar los platos) 8. Dígale que *cierre* las ventanas. (abrir) 9. Quieren que *cantemos* todos. (bailar) 10. No quieres que la *invite*. (nosotros) 11. ¿Por qué no permiten que *ayudemos*? (llamar) 12. ¿Por qué no nos permiten *ayudar*? (llamar) 13. ¿Le mandaron *quedarse*? (irse) 14. No quiero *pagar*. (acabarlo) 15. Quiero que *paguen* ellos. (acabarlo)

B. Complete las frases siguientes:

1. Paco no quiere (*to speak*). 2. Quiere (*you to speak*) en su lugar. 3. (*Write it*) en la pizarra. 4. El profesor quiere (*you to write it*) en la pizarra. 5. Quiero (*to see him*). 6. No quiero (*her to see him*). 7. Dígale (*to finish*) lo antes posible. 8. Dígale (*that I am finishing*) ahora mismo. 9. Insiste en que (*you answer him*). 10. Le manda (*to leave*). 11. Déjele (*do it*). 12. Les pido (*to decide*) pronto.

C. Ahora conteste según los modelos:

POR EJEMPLO:

¿Quieres llamarla? . . .	**No, quiero que la llame Juan (que la llames tú, que la llamen los otros, etc.)**
¿Prefiere Ud. esperar? . . .	**No, prefiero que esperen ellos, etc.**

(Try to use a different subject in your answer each time.)

1. ¿Quiere Ud. comer ahora? 2. ¿Desean Uds. abrirlos? 3. ¿Quieres verla? 4. ¿Prefieren Uds. invitarlas? 5. ¿Insistes en pagar? 6. ¿Quieres acabar? 7. ¿Quieren Uds. cantar? 8. ¿Quiere Ud. cambiarlo? 9. ¿Insisten Uds. en hablar? 10. ¿Desea Ud. ayudar?

Ejercicio de Repaso

Traduzca al español:

I want you to help me with a problem that worries me a great deal. As you know, every mother wants her children to be honest and good. For example, I always tell my children: —Don't lie. Always tell the truth, if you want God to love you.— But I lied many times when I was a child, and I still lie today. If I don't want to talk to my neighbor when she telephones, I tell my children: —Tell her I'm not in.— And when I lost a ten dollar bill in the store last week, I said to the children: —I don't want Daddy to know (it.) I beg you not to speak to him about this.— Now I didn't have to lie. I only wanted to avoid the embarrassment (*mortificación*).

And speaking of embarrassment, let's take for example what happened with the big fruit cake that a friend of mine sent me a few weeks ago. I tasted it and didn't like it at all. So I gave it to the woman who cleans my house, and then I wrote a letter to my friend telling her how delicious it was. Well, she came to visit one day and asked the children if they liked the fruit cake too. Imagine (*Imagínese*) my embarrassment when my younger son answered: —I don't know. Mommy gave it to the maid.

Now what am I going to do? I tell my children to be honest. I insist that they tell the truth, and sometimes I'm not sure whether (*si*) I'm raising them as I ought to (*debo*).

III. CONVERSACIÓN: *¿VERDAD? ¿MENTIRA?*

1. ¿Miente Ud.? ¿Frecuentemente? ¿De vez en cuando (*once in a while*)? ¿Casi (*almost*) nunca? ¿Miente Ud. a su madre? ¿a su padre? ¿a sus amigos? ¿a sus profesores?
2. ¿Cree Ud. que hay mentiras "blancas" y mentiras "negras"? ¿Por ejemplo . . .?
3. ¿Cree Ud. que es mentira no decir nada cuando uno sabe la verdad?
4. ¿Qué piensa Ud. de la madre que nos habló de su problema? ¿La considera Ud. una madre buena, mala, o mediana (*average*)? ¿Qué cualidades considera Ud. necesarias para ser una buena madre o un buen padre?
5. ¿Hizo bien o mal la madre en el caso de la Sra. Molinos? ¿En el caso del billete de diez dólares que perdió? ¿En el caso de la torta de frutas?
6. ¿Recuerda Ud. una experiencia mortificante?
7. ¿Qué piensa Ud. de la tía de la señora que nos habló? ¿Conoce Ud. a alguien (*someone*) como ella? ¿Quién es?

IV. TEATRO Y COMPOSICIÓN

Escriba una escena original sobre una experiencia mortificante, o tal vez, un episodio relacionado con el tema: *¿Verdad? ¿Mentira?*. O si prefiere, escriba una composición sobre:

1. La Experiencia Más Mortificante de Mi Vida
2. Por Qué Digo (o No Digo) Siempre la Verdad

(Trate de usar a lo menos cinco veces el subjuntivo.)

Lección

DOCE

I. TEMA: *LA SUPERSTICIÓN*

Conozco a una mujer que no hace *ningún* acto ni toma ninguna decisión importante si el día no es martes. Dice que se casó un martes, que *nació* su hijo también en ese día (no el mismo en que se casó, *por supuesto*), que compró su casa un martes, y que si es posible, va a morir un buen martes, y así puede estar segura de tener buena suerte *hasta* en el otro mundo.

Conozco a otra que *insiste* siempre *en que* el número de su casa, o de su teléfono, *tenga los más sietes posibles*, porque encuentra en esa *cifra* las mismas *cualidades mágicas* que la primera señora encontraba en el día martes.

Ridículo, ¿no? La superstición es sólo para gente primitiva, ignorante, no para personas *tan* educadas y modernas como nosotros. ¿Sabe Ud.?, yo no creo en esas cosas y hasta ahora tengo una suerte maravillosa. (Perdóneme un momento. Tengo que *tocar un trozo de madera*.)

La verdad es que hay un gran número de supersticiones viejas que sobreviven todavía y que forman parte de nuestra vida *diaria*. Por ejemplo, una señora *deja caer* su bolsa:

—¡Ay, Dios mío!, dice. —*Espero que no esté roto mi espejo*. No quiero tener siete años de mala suerte.

Porque un espejo roto—todo el mundo lo sabe—trae mala fortuna. El *gato* negro también, y el número trece (éste es el peor de todos), o pasar por *debajo de una escalerilla de mano* o *derramar sal* en

any
was born
of course
even
insists that
contain the most seven's possible
number . . . magical qualities
as
touch a piece of wood
daily
drops
I hope my mirror isn't broken
cat
under a step ladder . . . spill salt

la mesa. *Una pata de conejo, al contrario,* trae excelente suerte. También
25 hay amuletos y *figurillas y monedas* que la traen. Aun hay ciertos billetes de uno o dos dólares que tienen una *virtud* estupenda. Y *eso* sin mencionar el famoso *trébol de cuatro hojas, las herraduras de caballo,* ni las infinitas *estrellas que se preocupan* constantemente *de* nuestro destino.

30 Es *todo un estudio* de psicología humana *tratar de* comprender el origen de estas supersticiones. ¿Por qué cree en esas cosas el hombre? ¿Por qué tiene más *confianza* en la pata de un conejo *muerto* que en sus propias *fuerzas*?

Hay muchas *explicaciones* posibles, pero a mí me gusta más
35 ésta: que el hombre quiere creer en ellas. Quiere creer porque tiene que poner su *fe* en algo fuera de sí. Quiere creer porque *se siente* pequeño *ante* la magnitud del universo, pequeño y *débil* ante las fuerzas exteriores que *le llevan* a su destino inevitable. Y *para luchar* contra el misterio, usa objetos que también le son misteriosos.

40 Se dice que la herradura, por ejemplo, es un símbolo de la fertilidad y que *se halla* este símbolo en todas partes del mundo porque la fertilidad representa la vida *continua* de la humanidad, la victoria de la creación *sobre* la destrucción. La pata de conejo y *los demás* amuletos y figurillas son principalmente mecanismos de
45 defensa contra los malos *espíritus*, o contra el *mal de ojo*. Y las *ofrendas* y *sacrificios* que hacía el hombre primitivo tenían exactamente el mismo *propósito que la botella de champaña* que rompemos tan elegantemente en la *proa* de nuestros barcos nuevos.

El espejo, o *cualquier superficie reluciente,* puede *captar temporal-*
50 *mente* el espíritu de la persona que se mira en él, y así el espejo roto puede representar la ruptura de una vida, y *por consecuencia*, la mala suerte.

El *estornudo*, esa exhalación de aire que sale *tan súbitamente* del cuerpo, representa para algunos *pueblos* la buena suerte. . la posesión
55 del hombre *por el alma de sus antepasados*. Pero, para otros, *incluso* nosotros, el hombre *corre* peligro de exhalar su alma con el estornudo, y *por eso* decimos "Salud," "Jesús," o en inglés, "*Que Dios le bendiga.*"

La sal tiene . . . ¡Ay! Le ruego *que me perdone*. Iba a decirle una
60 cosa interesantísima pero *temo que no haya* tiempo. Ud. comprende. Tengo que *darme prisa* porque si puedo terminar este manuscrito *para* las tres de la tarde del *martes que viene,* que es el *tercer* martes del tercer mes del tercer año en que escribo este libro, *seguramente ¡qué gran éxito va a tener!* Adiós.

A rabbit's foot, on the contrary
little figures and coins
virtue (power) . . . that's
four-leafed clover, the horseshoes
stars that worry . . . about
a whole study . . . to try to
confidence . . . dead
powers
explanations
faith . . . he feels (himself)
before . . . weak
carry him . . . (in order) to fight
is found
continuous
over
the other
spirits . . . evil eye
offerings . . . sacrifices
purpose as the bottle of champagne
prow
any shiny surface . . . capture temporarily
consequently
sneeze . . . so suddenly
peoples
by the soul of his ancestors . . . including
runs
therefore . . . God bless you
to excuse me
I'm afraid there's no
hurry . . . by
next Tuesday . . . third
surely, how successful it will be!

Vocabulario Activo

pueblo (*a*) *people*
la cualidad *quality* (*of character*)
fuerza *strength, force, power*
la fe *faith*
la suerte *luck*
estrella *star*

botella *bottle*
espejo *mirror*
gato *cat*
moneda *coin*
trozo *piece*
madera *wood*

nacer (nazco) *to be born*
casarse con *to marry*
insistir en *to insist* (*on*)

luchar *to fight*
correr *to run*
romper *to break*

débil *weak*
diario *daily*

fuerte *strong*
roto *broken*

darse prisa *to hurry*
dejar caer *to drop*

por supuesto *of course*
tener éxito *to be successful*

Preguntas

1. ¿Por qué le gusta el martes a la primera mujer que conocemos?
2. ¿Por qué quiere morir un buen martes?
3. ¿Cuál es el número favorito de la segunda mujer? ¿En qué insiste la señora?
4. ¿Para qué clase de persona debe ser la superstición?
5. ¿Es supersticiosa la persona que nos habla? ¿Cómo lo sabe Ud.?
6. Según la superstición popular, ¿qué consecuencias trae un espejo roto?
7. ¿Qué otras cosas traen la mala suerte?
8. ¿Qué cosas atraen (*attract*) la buena suerte?
9. ¿Por qué es supersticioso el hombre?
10. ¿Qué simboliza una herradura de caballo?
11. ¿Contra qué nos defienden la pata de conejo y otros amuletos?
12. ¿Qué hacía el hombre primitivo para aplacar (*placate*) a los malos espíritus?
13. ¿Qué hacemos nosotros cuando lanzamos (*launch*) un barco nuevo?
14. ¿Por qué se cree que es malo romper un espejo?
15. ¿Qué representa para algunos pueblos el estornudo?
16. ¿Por qué decimos "Salud" o "Que Dios le bendiga" cuando oímos un estornudo?
17. ¿Para cuándo quiere terminar este artículo su autora? ¿Por qué?

II. ESTRUCTURA

74. The Formation of Adverbs

Most adverbs are formed by adding **-mente** to the feminine singular of an adjective:

Lo hizo abiertamente.	He did it openly.
Habla lentamente.	He speaks slowly.
No lo haga inmediatamente.	Don't do it immediately.
La leí rápidamente.	I read it rapidly.
Escribe fácilmente.	He writes easily.

When two or more adverbs ending in **-mente** are used in succession, only the last retains **-mente:**

Lo explicó clara y francamente.	He explained it to us clearly and frankly.

Ejercicios

A. Cambie a adverbios los adjetivos siguientes:
rápido, sincero, repentino (*sudden*), claro, enfático, exacto, inesperado (*unexpected*), político, económico, trágico, lento

B. Ahora complete las oraciones siguientes usando adverbios del Ejercicio A:
1. El distinguido escritor murió . . . 2. Ese muchacho no trabaja . . . 3. Te hablo . . . 4. Les ruego que pronuncien las palabras . . . y . . . 5. No lo sé . . . 6. Dominan el país . . . y . . . 7. Empezó a nevar . . .

75. Unequal Comparison and Superlative of Adverbs

Adverbs are compared in the same way as adjectives. In regular comparisons, **más** or **menos** is placed before the adverb:

Hable Ud. más despacio.	Speak more slowly.
No puedo leer más rápidamente.	I can't read more rapidly.
Él se expresa menos claramente que ella.	He expresses himself less clearly than she.
Viven más cerca que yo.	They live closer than I (do).

There are only four irregularly compared adverbs in Spanish:

mucho *a great deal*	más *more, most*
poco *little* (*not much*)	menos *less, least*
bien *well*	mejor *better, best*
mal *badly*	peor *worse, worst*

Ejercicio

Lea bien los pequeños diálogos, y después conteste las preguntas:

1. —Srta. Ramos, ¿sabe Ud. escribir a máquina?
—Sí, señor. Escribo cuarenta palabras al (*a*) minuto.
—¿Y Ud., Srta. Molano?
—Yo escribo sesenta al minuto.

CONTESTE: a. ¿Cuál de las dos señoritas escribe más rápidament a máquina?
b. ¿Quién cree Ud. que habla con ellas?

2. —Alicia comete muchas faltas cuando habla español. Casi no la entiendo.
—Sí. Pero su hermana Linda habla muy bien. Es que Linda estudia más.

CONTESTE: a. ¿Cuál de las dos hermanas habla mejor el español?
b. ¿Por qué?

3. —Pablo, ¿no quieres jugar al tenis con nosotros?
—No, gracias. Francamente, es porque juego peor que vosotros.
—Entonces debes estudiar menos y dedicarte más a los deportes.
—Tal vez algún día. Pero primero tengo que graduarme.

CONTESTE: a. ¿Por qué no quiere Pablo jugar al tenis con sus amigos?
b. Qué le recomiendan sus amigos?
c. ¿Por qué no puede hacerlo ahora?

76. Phrases in Place of Adverbs

Frequently Spanish may use **con** + a noun instead of an adverb ending in **-mente:**

claramente	con claridad	*clearly*
sinceramente	con sinceridad	*sincerely*
tristemente	con tristeza	*sadly*
irónicamente	con ironía	*ironically, sarcastically*
cuidadosamente	con cuidado	*carefully*

Ejercicio

Exprese de otra manera:

1. La profesora siempre contestaba *pacientemente* todas nuestras preguntas. 2. Habló *nostálgicamente* de su patria. 3. Debes preparar *cuidadosamente* tus lecciones. 4. Le miró *con tristeza.* —¿Qué tienes?, preguntó. 5. Se lo digo *con sinceridad.* 6. ¿Por qué no hablas *más claramente*?

77. The Present Subjunctive of Radical Changing Verbs

A. -ar and **-er** radical changing verbs keep the basic pattern of the present indicative, and merely change the ending vowel **a** to **e, e** to **a:**

cerrar (*to close*)	**contar** (*to count*)	**perder** (*to lose*)	**mover** (*to move*)
cierre	cuente	pierda	mueva
cierres	cuentes	pierdas	muevas
cierre	cuente	pierda	mueva
cerremos	contemos	perdamos	movamos
cerréis	contéis	perdáis	mováis
cierren	cuenten	pierdan	muevan

Ejercicio

Ahora complete Ud. las conjugaciones siguientes:

recordar: recuerde, ______, ______, ______, ______, ______
sentar: siente, ______, ______, ______, ______, ______
entender: entienda, ______, ______, ______, ______, ______

B. The present subjunctive of **-ir** changing verbs adds a second change: the *un*stressed **e** of the *stem* becomes **i**, and **o** becomes **u** in the first and second persons plural:

sentir (*to feel; to regret*)	**dormir** (*to sleep*)
sienta	duerma
sientas	duermas
sienta	duerma
s*i*ntamos	d*u*rmamos
s*i*ntáis	d*u*rmáis
sientan	duerman

Ejercicio

Complete otra vez:

mentir: mienta, ______, ______, m*i*ntamos, ______, mientan
morir: muera, ______, ______, m*u*ramos, ______, mueran
pedir: pida, ______, ______, p*i*damos, ______, ______
servir: sirva, ______, ______, ______, ______, ______

78. The Present Subjunctive of Irregular Verbs

ser	**saber**	**ir**
sea	sepa	vaya
seas	sepas	vayas
sea	sepa	vaya
seamos	sepamos	vayamos
seáis	sepáis	vayáis
sean	sepan	vayan

All[1] other irregular verbs that we have studied merely add the usual subjunctive endings to the stem of the first person singular of the present indicative. For example:

hacer (*to do; to make*) **hago** (*I do; I make*)
Pres. Subj.: haga, hagas, haga, hagamos, hagáis, hagan

[1] **Dar** is regular, except that the first and third person singular carries an accent mark—**dé**—to distinguish it from the preposition **de.** However, the accent becomes unnecessary in a direct affirmative command when *one* object pronoun is attached: **Deme la mano** (*Give me your hand*).

Ejercicios

A. Give the first person singular of the present indicative and present subjunctive of the following verbs:

decir, poner, tener, venir, salir, conocer, traer, caer, producir, traducir

B. Cambie según las indicaciones:

1. Quiero que los niños me lo *digan.* (hacer, traer, poner, dar)
2. Insisten en que *vayamos.* (venir, salir, saberlo, conocerla)
3. Le ruego que *venga.* (tenerlo, traerlo, no hacerlo, decírmelo)
4. Te pedimos que *no te vayas.* (no caer, traducirlos, sentarte, dormirte)
5. Es necesario que *salga.* (venir, irse, decirlo, producirla)
6. Espero que no *lo sepan.* (conocerse, caerse, perderse, tenerlo)

79. The Second Concept of the Subjunctive: Emotion

The color, the warmth of an emotion—the fear, surprise, joy, pity, etc.—expressed in the main clause about the idea of the subordinate clause produces the subjunctive in the subordinate clause:

Me alegro de que vengas.	I'm glad that you're coming.
Sentimos que esté malo.	We're sorry that he is sick.
Es lástima que no lo sepa.	It's a pity he doesn't know.
¿No le sorprende que sea Juan?	Aren't you surprised it's John?
Temo que no lo reciban[2] a tiempo.	I'm afraid that they won't receive it on time.

If there is no change of subject, it is normal to use the infinitive instead of a subordinate clause:

Me alegro de estar aquí.	I am happy to be here (or that I am here).
Siente no poder venir.	He's sorry he can't come.

Ejercicios

A. Conteste en español:

1. ¿Teme Ud. que tengamos examen mañana? 2. ¿Le gusta que hablemos español siempre en la clase? 3. ¿Espera Ud. que nieve mucho este invierno? 4. ¿Le sorprende que aprendamos tan (*so*) rápidamente el español? 5. ¿Se alegra Ud. de que termine pronto el semestre? 6. ¿Siente Ud. que no tengamos más ejercicios en cada lección? 7. ¿Espera Ud. graduarse en junio? 8. ¿Esperan sus padres que Ud. reciba "A" en todos sus cursos? 9. ¿Le sorprende a Ud. que su profesor sea un gran millonario?

[2] Notice that the present subjunctive covers both present and future actions.

B. Diga en español:

1. We're sorry that you can't do it. 2. I hope he's well. 3. We hope to see you tomorrow. 4. She is afraid that it may rain. 5. I'm surprised that they're going. 6. It's a pity that Johnny isn't bringing it. 7. I'm glad they have it. 8. They are sorry that they (*same subject*) can't come.

80. *y* and *e* (and); *o* and *u* (or)

Y (*and*) becomes **e** before a word that begins with **i** or **hi**:[3]

Estudio economía e historia.	I am studying economics and history.
Pedro e Irene	Peter and Irene
González e Hijos	Gonzalez and Sons
But: González y Hermanos	Gonzalez and Brothers

O (*or*) becomes **u** before a word that begins with **o** or **ho**:

La vajilla es de plata u oro.	The flatware is (made of) silver or gold.
But: La vajilla es de oro o plata.	The flatware is (made of) gold or silver.

Ejercicio

Lea en voz alta, y después cambie:

1. Quiero estudiar geografía y *ciencia natural* este año. (historia) 2. Manuel y *Eloísa* son hermanos. (Inés) 3. Irene y *Pedro* son primos. (Germán) 4. Creo que va a venir Carlos o *Felipe*. (Oscar) 5. Romero e *Hijos* (Hermanos) 6. Viven en California o *Tejas*. (Oregón) 7. Tiene que ser uno o *más*. (otro) 8. Ninguna mujer o *chica* de inteligencia cree eso. (hombre) 8. Habrá seis o *siete*. (ocho) 9. Tiene mucho talento y *ambición*. (interés). 10. Es de plata o *bronce*. (oro)

Ejercicio de Repaso

Traduzca al español:

—You want me to give you an answer today? I can't. Really, I'm sorry that today isn't Monday, because I make all my decisions on Monday. Monday is my lucky day.

—Oh my! I hope my mirror isn't broken. You know, a broken mirror brings seven years of bad luck.

—You ought to (*debe*) walk more carefully. Yesterday you walked under a stepladder. That's living (*vivir*) dangerously.

—Remember, I don't want you to do anything tomorrow. I don't even (*ni siquiera*) want you to go out of the house. It's Friday the 13th.

[3] But *not* before the diphthong **hie: cobre y hierro**

Believe it or not, people today are almost as (*tan*) superstitious as (*como*) they were many years ago. They carry amulets and figurines to protect them against bad luck and they carry rabbit's feet to bring them good luck. I know a woman who believes sincerely that the stars control not only her personal life but (*sino*) also the economy and history of the world. Primitive men used to offer sacrifices to the spirits of the sea. Modern man offers them a bottle of champagne. It seems to me that any (*cualquier*) woman or man of intelligence knows how silly (*qué tonto*) it is. Now, I don't believe in all these superstitions, and I'm happy to say that I always have marvelous luck. (Excuse me for a minute. I have to touch a piece of wood.)

III. CONVERSACIÓN: *LA SUPERSTICIÓN*

1. ¿Es Ud. supersticioso? ¿En qué supersticiones cree Ud.?
2. ¿Conoce Ud. algunas supersticiones interesantes? ¿Conoce Ud. su origen?
3. ¿Cree Ud. que trae mala suerte el número 13? ¿Viviría Ud. (*Would you live*) en una casa o en un apartamento con ese número? (Sí, viviría . . . No, no viviría . . .)
4. ¿Tiene Ud. un número favorito? ¿Por qué lo considera Ud. afortunado (lucky)?
5. ¿Tiene Ud. un día favorito? ¿Cuál es? ¿Por qué le gusta ese día?
6. ¿Lleva Ud. consigo un amuleto, una moneda, una pata de conejo, o cualquier (*any*) otra cosa para traerle suerte? ¿Qué es?
7. ¿Cree Ud. que las estrellas tienen influencia en la vida del hombre?
8. ¿Lee Ud. los horóscopos que aparecen (*appear*) en los periódicos? ¿Por qué?
9. ¿Cree Ud. que ciertas personas tienen el poder (*power*) de pronosticar el futuro? ¿Cree Ud. que ciertas personas tienen poderes sobrenaturales?
10. ¿Le gustaría a Ud. conocer el futuro? (Sí, me gustaría . . . No, no me gustaría . . .) ¿Por qué?

IV. TEATRO Y COMPOSICIÓN

Escriba un diálogo o una escena original sobre el tema de las supersticiones, puede ser en tiempos antiguos o en tiempos modernos, entre personas que Ud. conozca o personas ficticias. Lo más importante siempre es usar la imaginación. O si prefiere, puede escribir una composición sobre uno de estos temas:

1. Supersticiones Interesantes que Conozco
2. Por Qué Soy (o No Soy) Supersticioso
3. Por Qué Quiero (o No Quiero) Conocer el Futuro

LA COMIDA (Food)

la carne *meat*

el bisté, el biftec *steak*
el jamón *ham*
tocino *bacon*
el rosbif *roast beef*
costilla de cordero *lamb chop (rib)*
coteleta de ternera *veal cutlet*
chuleta de lechón (o cerdo) *pork chop*
carne picada *chopped meat*

el pescado *fish*

sardina *sardine*
el salmón *salmon*
el atún *tuna*
bacalao *cod*
rodaballo *flounder*
langosta *lobster*
el camarón *shrimp*
ostra *oyster*
cangrejo *crab*
almeja *clam*

las legumbres y otros comestibles *vegetables and other foods*

cebolla *onion*
las espinacas *spinach*
el maíz *corn*
la coliflor *cauliflower*
el bróculi *broccoli*
judía *stringbean*
los fideos *spaghetti*
ensalada *salad*
huevo *egg*
el pan *bread*
mantequilla *butter*
sopa *soup*
queso *cheese*
el tomate *tomato*
lechuga *lettuce*
patata, papa *potato*
el guisante *pea*
zanahoria *carrot*
apio *celery*
los macarrones *macaroni*
la sal *salt*
pimienta *pepper*
pan tostado, tostadas *toast*
el cereal *cereal*
el azúcar *sugar*
crema *cream*

las frutas *fruits*

pera *pear*
naranja *orange*
toronja *grapefruit*
el limón *lemon*
manzana *apple*
piña *pineapple*
durazno *peach*
fresa *strawberry*
el melón *melon*
sandía *watermelon*

el postre *dessert*

helado *ice cream*
el pastel *pie*
torta (de chocolate, etc.) *cake (chocolate)*
galletica (dulce), pasta *cookie*

las bebidas *drinks*

una taza de té *a cup of tea*
el agua (f.) *water*
la leche *milk*
el café *coffee*; — solo *black coffee*
jugo *juice*
vino *wine*

Discusión

1. ¿Qué le gusta más—la carne o el pescado?
2. ¿Qué carnes le gustan más? ¿Qué pescados? ¿Qué legumbres? ¿Qué frutas? ¿Qué bebidas? ¿Qué postres?
3. ¿Qué toma Ud. para el desayuno (*for breakfast*)? ¿Para el almuerzo (*lunch*)? ¿Para la cena (*dinner*)?
4. ¿Sabe Ud. preparar una comida (*meal*)? ¿Qué sabe Ud. preparar?
5. ¿Cuál (*What*) es su idea de una comida perfecta?
6. ¿Le gusta más comer (*eat*) en casa o en restaurante? ¿Por qué?
7. ¿Puede Ud. recordar un incidente divertido (*humorous*) en un restaurante o relacionado con una comida?
8. ¿Le gusta la comida china? ¿Le gusta la italiana? ¿la francesa? ¿la india? ¿Cuál le gusta más?
9. ¿Es Ud. aventurero (*adventurous*) en sus gustos culinarios? ¿Le gustan las cosas exóticas? ¿Comería Ud. carne de culebra? (*Would you eat snake meat?*) (Sí, comería . . . No, no comería . . .) ¿Comería Ud. gusanos (*worms*)? ¿carne de cocodrilo (*crocodile*)? ¿sopa de tortuga (*turtle*)? ¿Ancas de rana (*frog's legs*)?
10. ¿Cómo le gusta la carne—bien asada (*well done*), a término medio (*medium*), o casi cruda (*very rare*)? ¿Le gusta la carne picada cruda (*raw chopped meat*)?
11. ¿Le gustan los huevos? ¿Le gustan más los huevos cocidos, fritos, o revueltos (*cooked, fried, or scrambled*)? ¿Le gustan escalfados (*poached*)? ¿Le gustan crudos?
12. ¿Sigue Ud. una dieta especial? ¿Conoce Ud. una dieta buena para adelgazar (*get slim*)? ¿Para engordar (*get fat*)?

Lectura VII

LAS CIVILIZACIONES INDÍGENAS DE AMÉRICA

"Y desde que vimos tantas *ciudades y villas pobladas* en el agua, y en tierra firme otras grandes *poblaciones,* y aquella *calzada tan derecha y por nivel como iba a México,* nos quedamos *admirados,* y decíamos que *parecía a las cosas de encantamiento* que cuentan en el libro de Amadís . . ."[1]

populated cities and villages

towns . . . road so straight and level that led to Mexico (City) . . . amazed

it looked like the things of enchantment

Así describió Bernal Díaz del Castillo, un soldado de Cortés, su entrada en tierra de los aztecas, la tribu dominante de Méjico al tiempo de la llegada de los españoles. Y bien podía parecerle cosa de encantamiento lo que veía en Méjico, porque los aztecas representaban una civilización muy avanzada, y su capital, Tenochtitlán,[2] construida *en medio de un lago,* era una ciudad grande, con magníficos

in the middle of a lake

[1] *Amadís de Gaula,* la primera novela caballeresca (*of chivalry*) española, una obra llena de aventuras y cosas maravillosas.

[2] Tenochtitlán, en lengua de los aztecas, "ciudad de los tenochas," es ahora la Ciudad de México. "Tenochas" es el nombre original de los aztecas.

La famosa piedra calendaria de los aztecas.

Indios de Papantla, Méj
ejecutando
un baile religioso
de tiempos precolombin

palacios, templos, y edificios públicos—una *Venecia* del Nuevo Mundo. — Venice

Ahora bien, ¿cuándo llegaron los aztecas al *valle* de Anáhuac? ¿Cómo pudieron desarrollar una civilización tan grande? Según el testimonio de su propio calendario y de su *escritura ideográfica*, los aztecas llegaron allí en 1168. Una tribu pobre, primitiva y muy guerrera, *lograron subyugar a las demás* tribus vecinas, y adaptaron la cultura más avanzada de los toltecas y mayas. Para 1325, ya *habían establecido* la ciudad de Tenochtitlán y un imperio que se extendía por gran parte de México. Su economía era agraria, y se basaba en el cultivo del *maíz*. Pero había poca tierra cultivable. Frecuentemente, los aztecas tenían que *crear* sus propias tierras en el agua. Hacían *cestas* enormes, que llenaban de tierra y *en las que* plantaban árboles. Cuando los árboles *crecían, sus raíces se arraigaban en el fondo* del lago, formando pequeñas *islas*. Entonces los aztecas construían *puentes levadizos* para unir las numerosas islas, y de esta manera creció su capital, una ciudad entera *hecha* en el agua.

valley — picture writing — they succeeded in subjecting the other — had established — corn — make — baskets . . . in which — grew, their roots took hold in the bottom . . . islands — drawbridges — built

Los aztecas practicaban el matrimonio y el divorcio, y eran expertos en hacer cerámica, y *tejidos* elegantes, y en labrar metales preciosos. Tenían restaurantes y peluquerías, y sus mercados estaban llenos de *mercancía hecha a mano*. Tenían escuelas, y el azteca de clase noble estudiaba matemáticas, ingeniería, poesía, y el arte de la guerra. Cada hombre *pertenecía* a un clan, y los jefes de los clanes *elegían* representantes al *concejo* tribal, que *a su vez*, nombraba

woven fabrics — handmade merchandise — belonged — elected . . . council . . . in its turn

Detalle del gran templo de Quetzalcoatl, dios azteca representado por la serpiente emplumada.

al rey. Como miembro de la comunidad, el azteca tenía que *prestar* sus servicios al estado, ayudando en la construcción de caminos, trabajando en las tierras del rey y de los *sacerdotes*, y luchando como soldado en la guerra.

contribute
priests

40 Y la guerra era casi constante, no sólo por razones de expansión territorial y tributo, sino porque su religión *exigía* un gran número de víctimas para ser sacrificadas a sus numerosos dioses. Según cálculos de historiadores de la época, los aztecas sacrificaban *hasta* cincuenta mil personas cada año. Mezclaban su sangre caliente con 45 el *barro* de los templos, ofrecían a sus ídolos los corazones *sacados* de sus víctimas *vivas*, comían sus *entrañas*, y bebían su sangre en ceremonias bárbaras, mientras los sacerdotes bailaban *en la piel de los muertos*. ¡*Extraña* combinación de civilización y *barbarie*!

demanded
as many as
clay . . . taken out
live . . . entrails
in the skin of the dead.
. . . Strange . . . barbarism

Los incas[3] del Perú, que *habían incorporado* dentro de su imperio 50 mucho de lo que es hoy el Ecuador y Bolivia, también tenían una

had incorporated

[3] En realidad, el nombre verdadero de los indios que llamamos "incas" era "quechuas." El término "inca" se aplicaba originalmente sólo a los reyes y a la clase noble.

Ruinas de Macchu Picchu en los altos Andes del Perú.
La gran ciudad pre-incaica no fue descubierta hasta el siglo XX.

cultura muy avanzada. Los largos caminos que construyeron en los altos Andes y *por los cuales corrían los mensajeros* del rey, están en uso todavía. Y se conservan también muchos de sus puentes y de sus inmensas estructuras *arquitectónicas.* Aunque tenían grandes depó- 55 sitos de metales preciosos, la base de su economía, como *la* de los aztecas, era agraria. Las tierras estaban divididas en tres partes: *las del Sol,* dios principal de los incas, las del Inca, rey absoluto y descendiente directo del sol, y las de la comunidad, y el indio común trabajaba en todas. *La pereza* era considerada un crimen, y 60 podía ser castigada hasta con la muerte.

over which ran the messengers
architectural
that
those of the Sun
Laziness

El indio común tenía pocos privilegios bajo el imperio *incaico;* el Inca los tenía todos. El indio común llevaba la misma ropa hasta que le quedaba completamente *inútil.* El Inca se ponía ropa nueva todos los días. El indio común tenía sólo una mujer, y 65 *le estaba prohibido* casarse con una *parienta.* El Inca tenía *centenares* de esposas, *siendo las principales* sus propias hermanas. El indio común no tenía otra educación que su propia experiencia. El Inca y los nobles asistían a escuelas especiales y tenían tutores individuales.

Incan
useless
he was forbidden . . . relative . . . hundreds
the principal ones being

70 Los incas eran excelentes *tejedores de algodón y de lana,* sabían mucho de medicina y del uso de *anestésicos,* y hasta hacían opera-

weavers of cotton and wool
anesthetics

ciones delicadas. Pero, *a diferencia de* los aztecas, no tenían escritura de ningún tipo, y sus eruditos aprendían de memoria la historia de su pueblo, para repetirla después a cada nueva generación. 75 Esta historia llegó a su fin en 1532 con la *venida* del *conquistador* español. La segunda *etapa* de la historia de Hispanoamérica *estaba para* empezar.

unlike

coming . . . conqueror

stage . . . was about to

Preguntas

1. ¿Quién fue Bernal Díaz del Castillo? ¿Por qué le pareció cosa de encantamiento lo que veía en Méjico?
2. ¿Cuál era la capital del imperio azteca? ¿Dónde estaba construida? ¿Cómo era la ciudad?
3. ¿Cuándo llegaron los aztecas al valle de Anáhuac? ¿Cómo eran los aztecas en aquellos tiempos? ¿Qué cultura adaptaron?
4. ¿Qué tipo de economía tenían? ¿Cómo creaban nuevas tierras?
5. ¿Cómo estaban unidas las varias partes de la capital?
6. ¿Cuáles eran los aspectos positivos de la civilización azteca?
7. ¿Qué servicios tenía que prestar el azteca al estado?
8. ¿Por qué era casi constante la guerra? ¿Cuántas personas eran sacrificadas por los aztecas todos los años? ¿Qué hacían con ellas?
9. ¿De dónde eran los incas?
10. ¿Qué evidencia tenemos todavía de su cultura avanzada?
11. ¿Cuál era la base de su vida económica? ¿Qué más tenían?
12. ¿Cómo estaban divididas sus tierras?
13. ¿Quién era su dios principal? ¿Quién era el Inca?
14. ¿Cómo era la vida del Inca en comparación con la del indio común?
15. ¿Qué otras habilidades tenían los incas?
16. ¿Cómo enseñaban la historia de una generación a otra?

Lección

TRECE

I. TEMA: *LA PERSONA MÁS INOLVIDABLE*

¿Me preguntas quién es la persona más *inolvidable* de todas *las que he conocido*? Es una pregunta muy difícil. He conocido—y conozco—a *tantas*. Recuerdo, por ejemplo, a la maestra que tuve en el cuarto año de la escuela elemental. Era una de esas mujeres altas, *enjutas*, de ojos azules y pelo *gris—de las que* nunca se casan y que *corrigen hasta* con cierta ofendida dignidad *al que* comete el error de llamarlas "señora": —¡Me llamo señorita . . . !

Vestía con suma sencillez. Recuerdo una blusa blanca con una *cintilla de terciopelo negro en el cuello* y una *falda* gris (me gustaba verla *vestida* así porque la hacía un poco más joven), y una *ropa azul oscuro* con *lunares* blancos, y otra *serie de ropas de tela estampada que me parecían todas iguales*.

Según las *normas* de hoy, no era una buena maestra. Nos hacía aprender de memoria poemas y proverbios *sin fin*, no nos permitía hablar en la clase *sino* para contestar las preguntas que nos hacía sobre gramática o *fechas* históricas—y llevaba casi siempre en la mano una larga y *delgada varilla de madera* que usaba para indicar las capitales *europeas* en el gran mapa del mundo que había en la pared, o *para golpear fuertemente en nuestros pupitres si sonreíamos* o hablábamos entre nosotros. Y aprendíamos, *no lo dudes*.

Decíamos que nunca *había sido niña*, *que había nacido así*, *ya hecha una vieja*, que no nos quería, que no era más que una *odiosa* máquina de enseñar verbos y números.

unforgettable
those whom I have known?
so many
skinny . . . gray—one of those who
correct even . . . anyone who
She dressed with great simplicity.
black velvet ribbon at the neck . . . skirt
dressed . . . dark blue dress
polka dots . . . series of print dresses that all looked alike to me.
standards
without end
except
dates
thin wooden pointer
European
to hit hard on our desks if we smiled
don't you doubt it.
she never had been a child, that she had been born that way, already an old woman . . . hateful

Y recuerdo un día—era en diciembre, creo. *Hacía mucho frío y viento, había llovido* toda la mañana y ahora empezaba a *nevar*. Acabábamos de volver a la sala de clase después del *almuerzo* cuando la maestra recibió el *mensaje de que* un niño de nuestra clase *no había vuelto a su casa a almorzar*. Su madre estaba muy *preocupada*. No sabía dónde estaba. *¡Había que ver* la cara de la maestra! Se levantó y nos dijo: —Niños, quiero que escriban Uds. una composición. Yo voy a buscar a Juanito. *Temo que se haya perdido en el camino.*— Y se fue.

Volvió más tarde, cansada, *helada*, pero *feliz*. Dicen que encontró a Juanito *parado delante del escaparate* de una tienda donde vendían *juguetes*, y que *en vez de reñirlo*, lo abrazó y besó, y le compró un juguete.

No llegué a conocerla hasta muchos años después, y ahora me doy cuenta de que era una de las mujeres más simpáticas que *haya conocido* en toda mi vida. Y era tan fría *por fuera* porque tenía miedo de mostrar esa gran *ternura que sentía por dentro.*

Y recuerdo a un viejo que *jugaba al fútbol* con nosotros en la calle hasta que un día. . . . Y hay otros, tantos otros.

Pero, ¿la persona más inolvidable, me preguntas? Sí, sé quién es. Tú lo conoces también. No es famoso. No *ha hecho* grandes descubrimientos. No sé si va a *conquistar* mundos. Sólo quiero que sea bueno, y feliz, nada más. Y aunque espero que algún día haga algo de importancia por la humanidad, no tiene que hacerlo. Si no hace nada más, ya *ha hecho* algo importantísimo en su vida. *Me ha dado una comprensión* de la vida y de la eternidad. A ver si sabes quién es. . . . ¿No? . . . Eres tú, hijo mío.

It was very cold and windy out, it had rained . . . to snow
lunch
message that . . had not returned home for lunch
. . . worried
You should have seen
I'm afraid he has gotten lost on the way.
frozen . . . happy
standing in front of a store window
toys . . . instead of scolding him
I didn't get to know her
I have never known
. . . on the outside
tenderness that she felt on the inside
used to play soccer
hasn't made
conquer
he has already done . . . He has given me an understanding

Vocabulario Activo

fecha *date*

golpear *to hit, strike*
conquistar *to conquer*
llover (llueve) *to rain*
nevar (nieva) *to snow*

delgado *slim*
feliz *happy*
simpático *nice (of a person)*

hacer frío *to be cold (out)*
hacer viento *to be windy*
por fuera *(on the) outside*

persona (*always f.*) *person;* pl. *people*
ropa *dress;* pl. *clothes*

dudar *to doubt*
temer *to fear*
sonreír (sonrío) *to smile*
vestir(se) (visto) *to dress*

igual *equal; identical*
largo *long* (NOT *large*)
oscuro *dark*

hacer una pregunta *to ask a question*
aprender de memoria *to learn by heart*
por dentro *(on the) inside*

Preguntas

1. ¿Por qué es difícil para el narrador decir quién es la persona más inolvidable de todas?
2. ¿Cómo era de aspecto físico (*physical appearance*) la maestra que describe?
3. ¿Cómo vestía la maestra?
4. ¿Qué traje de la maestra le gustaba más al narrador cuando era niño?
5. ¿Qué otras ropas tenía?
6. Según las normas de hoy, ¿qué clase (*kind*) de maestra era?
7. ¿Qué tenían que aprender de memoria los niños?
8. ¿Qué había en la pared de la sala de clase?
9. ¿Qué llevaba casi siempre en la mano la maestra? ¿Para qué la usaba?
10. ¿Qué hacía la maestra cuando los niños sonreían o hablaban entre sí?
11. ¿Qué decían de ella los niños?
12. ¿Qué día recuerda el narrador? ¿Qué tiempo hacía (*How was the weather*)?
13. ¿Qué acababan de hacer los niños?
14. ¿Qué mensaje recibió la maestra? ¿Qué hizo entonces?
15. ¿Cómo volvió la maestra? ¿Dónde encontró a Juanito? ¿Qué hizo la maestra cuando lo vio?
16. ¿Qué tipo de persona era en realidad la maestra? ¿Por qué era tan fría por fuera?
17. ¿A qué otra persona recuerda el narrador?
18. ¿Quién es para el narrador la persona más inolvidable de su vida?
19. ¿Con quién está hablando?

II. ESTRUCTURA

81. The Past Participle

The past participle (equivalent of English *been, seen, shown, spoken, begun,* and so forth) is regularly formed by replacing the infinitive ending **-ar** with **-ado**; **-er** or **-ir** with **-ido**:

hablar	hablado *spoken*	ir	ido *gone*
comer	comido *eaten*	ser	sido *been*

There are a few irregular past participles:

poner	puesto *put*	volver	vuelto *returned*
ver	visto *seen*	cubrir	cubierto *covered*
hacer	hecho *done*	abrir	abierto *open(ed)*
decir	dicho *said*	morir	muerto *died, dead*
escribir	escrito *written*	romper	roto *broken*

Ejercicio

Diga el participio pasivo (*past participle*) de los verbos siguientes:

dar, cerrar, saber, estar, ser, indicar, pensar, sentir, morir, volver, hacer, decir, enseñar, aprender, gustar, abrir, cubrir, venir, ir, andar, poner, poder, escribir

82. The Past Participle as an Adjective

One of the most important uses of the past participle in both English and Spanish is as an adjective. Of course, when the past participle is used as an adjective, it must agree with the noun it describes:

un niño consentido	a spoiled child
tres horas perdidas	three wasted hours
¡Qué cansados están!	How tired they are!

The past participle describes any *position that has already been assumed,* though English may use a present participle (*-ing*). Remember that in Spanish the present participle refers to an *action in progress,* taking place at a certain moment, and NOT to the resultant condition:

Está sentada cerca de la ventana.	She is sitting (seated) near the window.
Estaban dormidos.	They were sleeping (asleep).
Vimos una figura acostada.	We saw a reclining figure.
Estaba arrodillado ante el altar.	He was kneeling before the altar.

Ejercicios

A. Cambie según las indicaciones:

una *clase* interesada (grupo); un *gato* perdido (perros); tres niños *cansados* (chicas); las *lecciones* acabadas (capítulos)

B. Ahora diga en español:

a sleeping child; a sitting duck (*pato*); an open window; a broken promise (*promesa*); one enchanted evening; a boring class; the leaning tower (*torre, f.*) of Pisa

83. The Auxiliary Verb *Haber*

We have already used certain forms of **haber** in the impersonal expressions **hay** (*there is, there are*) and **hay que** (*one must*). Here are three important tenses of **haber**:

PRESENT INDICATIVE	PRESENT SUBJUNCTIVE
he	haya (*recall*: **ir**—vaya)
has	hayas
ha	haya
hemos	hayamos
habéis	hayáis
han	hayan

The PRETERITE follows the usual **u** pattern of irregular verbs. Complete this conjugation:

hube, hubiste, hubo, ______, ______, ______

The imperfect (**había,** etc.) is regular.

Important: **Haber** means *to have* ONLY as an auxiliary verb before a past participle. As a main verb, only **tener** means *to have*:

Ya hemos ido.	We have already gone.
No tenemos tiempo.	We don't have time.

84. Compound or Perfect Tenses

Compound (or perfect) tenses have two parts: the auxiliary verb **haber** and the past participle following it. *Perfect* (from the Latin *perfectum*) means *completed.* And so, compound or perfect tenses deal with completed actions. The purpose of the auxiliary verb **haber** is merely to tell *when.*

A. The Present Perfect

The present perfect (in English, *has gone, have done,* etc.) is formed by using the *present of* **haber,** followed by a past participle. It states that as of now (present), the action is completed:

¿Dónde está Pepe? —Ha salido.	Where is Joe? —He has gone out.
La han terminado ya.	They have already finished it.
Los hemos visto.	We have seen them.

Notice that object pronouns are placed before the *whole* verb form, and that the past participle does *not* change when used with *haber.*

B. The Pluperfect (Past Perfect)

The pluperfect (in English, *had gone, had done,* etc.) is formed by the *imperfect of* **haber,** followed by a past participle:

La habían terminado ya.	They had already finished it.
Los habíamos visto.	We had seen them.

C. The Present Perfect Subjunctive

The present perfect subjunctive is formed by the *present subjunctive of* **haber,** followed by a past participle:

Siento que no lo haya hecho.	I am sorry that he hasn't done it.
Esperan que haya llegado.	They hope he has arrived.

Ejercicios

A. Cambie al presente del perfecto y después al pluscuamperfecto (*pluperfect*):

1. María llega. 2. Termino el libro. 3. Volvemos en seguida. 4. Los muchachos cantan bien. 5. Comes mucho. 6. ¿Estudian Uds. la lección? 7. ¿Preparáis la comida? 8. No dice nada.

B. Cambie al presente del perfecto del subjuntivo:

1. Espero que venga pronto. 2. Es lástima que esté enferma. 3. Siento que no tengas tiempo. 4. Es la persona más interesante que conozca. 5. ¿Le sorprende que sea su hermano?

C. Diga en español:

1. Who has seen Jim?—I have seen him. He has gone out. 2. They had already left when we arrived. 3. He is afraid that they have died. 4. We had been there before. 5. I hope the letters have come. 6. Have you done it? —Yes. I have just (*acabo de*) finished. 7. We haven't had time. I hope we have time now.

D. Ahora conteste:

1. ¿Ha visto Ud. una película (*film*) interesante recientemente? 2. ¿Ha ido al teatro este mes? 3. ¿Ha asistido a un partido de fútbol o de básquetbol esta semana? 4. ¿Qué viajes (*trips*) ha hecho Ud.? 5. ¿Han hecho muchos viajes sus padres u otros miembros de su familia? 6. ¿Había preparado Ud. bien la lección antes de venir a la clase hoy? 7. ¿Había escrito todos los ejercicios? 8. ¿Había estudiado otra lengua extranjera antes de empezar el español?

85. Weather Expressions

A. Weather phenomena that are *felt* use **hacer**.

Hace mucho frío.	It is very cold (out).
Hace calor hoy.	It's warm today.
Hace poco viento.	It's slightly windy out (or not very windy).
Hace sol.	It is sunny. (I can feel it.)

Notice that **frío, calor, viento,** and **sol** are nouns and are modified by **mucho** and **poco**.

B. Weather phenomena that can be *seen* use **haber**.

Hay sol.	It is sunny. (The sun is out).
Hay luna.	The moon is out.
Hay lodo.	It's muddy out.

C. Llover (**o > ue**) means *to rain;* **nevar** (**e > ie**) means *to snow*.

Llueve toda la tarde.	It's raining all afternoon.
Nieva en el invierno.	It snows in the winter.

Preguntas

1. ¿Qué tiempo hace (*What is the weather like*) hoy?
2. ¿Qué tiempo hace en el invierno? ¿En el verano? ¿En el otoño? ¿En abril?
3. ¿Qué tiempo hace en las zonas tropicales? ¿En la zona ártica?
4. ¿En qué meses nieva más aquí? ¿En qué meses llueve más? ¿En qué estación del año hace mucho viento?
5. ¿Va a llover mañana? ¿Va a nevar?

Ejercicio de Repaso

Traduzca al español:

Who is the most unforgettable person of all? Well, it's a hard question. I have known so many people. For example, I remember a teacher I had in elementary school. At first, I didn't like her. All the children thought that she had never been young, that she had been born that way, a skinny old woman who made us memorize all the capitals of Europe. But one day she received a message that one of the children in our class hadn't returned home for lunch. It had rained all morning, and now it was beginning to snow. His mother was very worried. Well, our teacher got up and said:—Children, I want you to write a composition and to be very good. I am going out to look for Johnny. I'm afraid that he has gotten lost on the way.—And even though (*aunque*) it was very cold and windy, and it was very muddy too, she went out. And when she found him, instead of scolding him, she kissed him and bought him a toy. Really, she was a wonderful person, and I'm sorry that you haven't had the opportunity to (*de*) know her.

But the most unforgettable person, you ask me? Well, yes, I know who it is. He hasn't done anything important yet (*todavía*), but I know that he is going to be a good person, and I love him very much. I hope he'll be happy and I want him to have a good life, that's all. Who is he? He's you, my son.

III. CONVERSACIÓN: *LA PERSONA MÁS INOLVIDABLE*

1. ¿Quién es la persona más inolvidable de todas las que ha conocido Ud.? ¿Por qué?
2. ¿Qué persona ha tenido más influencia en la vida de Ud.? ¿En la vida de su familia?
3. ¿Qué cualidades busca Ud. en un amigo? ¿En un profesor? ¿En un Presidente?
4. ¿Ha tenido Ud. alguna vez un maestro (o maestra) como la maestra descrita aquí?
5. ¿A quién admira Ud. más? ¿Le gustaría a Ud. ser exactamente como él (o ella)? (Sí, me . . .)
6. En su opinión, ¿qué es una persona buena?
7. Según su propia experiencia, ¿quiénes han sido mejores maestros: los más estrictos o los más fáciles?
8. ¿Cree Ud. que un maestro de escuela superior o de escuela elemental tiene el derecho (*right*) de pegar a los alumnos (*pupils*)?

IV. TEATRO Y COMPOSICIÓN

¿Puede Ud. dramatizar en forma dialogada el tema: *La Persona Más Inolvidable*? O si prefiere, puede escribir una composición sobre uno de los temas siguientes:

1. La Persona Más Inolvidable
2. Mi Concepto de una Persona Buena
3. La Persona que Admiro Más

ENTRETENIMIENTOS (Entertainments)

el cine *the movies*
película *film; (a) movie*
noticiero *newsreel*
teatro *theater*
comedia *play; comedy*
el drama *drama*
obra (dramática) *play*
zarzuela *operetta*
comedia musical *musical*
ópera *opera*
la función de variedades *vaudeville*
concierto *concert*
orquesta *orchestra*
circo *circus*

escena *the scene; the stage*
estar en escena *to be on stage*
escenario *scenery*
el guión *script*
el telón *curtain*
fondo *backdrop*
actor, actriz *actor, actress*
artista *actress*
la estrella, el astro *star*
galán *leading man*
comediante *comedian; actor*
reparto *cast*
empresario, productor *producer*
payaso *clown*

radio (m. or f.) *radio set*
la radiodifusión *broadcasting*
la estación *station*
un programa *a program*
la televisión *television; television set*
el televisor *television set*
pantalla *screen*
el canal *channel*
tubo *tube*
arreglar *to fix (a set)*
disco *record*
el tocadiscos *record player*

locutor *announcer*
las noticias *the news*
anuncio (comercial) *advertisement*
un papel *a role*
interpretar (un papel o una canción) *to perform (a role or a song)*
actuar (actúo) *to act*
ensayar *to rehearse*
estrenar *to open, debut*
estreno *opening*
la función *performance (showing)*
la representación *performance (acting)*

Discusión

1. ¿Cuántas horas al día (*a day*) escucha Ud. la radio? ¿Cuántas horas la escucha su madre?
2. ¿Cuántas horas al día mira Ud. la televisión? ¿Cuántas horas la miran otros miembros de su familia?
3. ¿Qué tipo de programa le gusta más a Ud.? ¿Cuál es su programa favorito?
4. ¿Cree Ud. que la mayor parte de los programas de radio y televisión son buenos?
5. ¿Qué le parecen a Ud. (*What do you think of*) los anuncios comerciales que se oyen en la radio y la televisión? ¿Compra Ud. muchos artículos de los que venden en la radio o la televisión? ¿Y su madre? ¿Y sus hermanos?
6. ¿Prefiere Ud. la televisión o el cine? ¿Por qué?
7. ¿Prefiere Ud. el cine o el teatro? ¿Por qué?

8. ¿Le gustaría ser actor o actriz? (Sí, me gustaría... No,...) ¿Ha tomado Ud. parte alguna vez en una producción dramática? ¿Cuándo?
9. ¿Quién es su actor favorito? ¿Su actriz favorita? ¿Por qué le gusta?
10. ¿Le gustaría escribir para la televisión o para el cine? ¿Le gustaría ser director? ¿O productor?

Hora de Conversación IX

CORTESÍAS (Courtesies)

Por favor.	*Please.*
Con permiso. Con su permiso.	*Excuse me.* (I must leave. I'd like to pass, etc.)
Perdón. Perdóneme. (Perdónenme.)	*Excuse me.* (for interrupting, for bothering you, saying that, etc.)
Con mucho gusto. Con el mayor gusto. Será un honor.	*Gladly. I'd be glad to.*
Gracias. Muchas gracias. Mil gracias.	*Thank you (very much). Thanks a million.*
De nada. No hay de qué. A usted. A sus órdenes. Servidor.	*Not at all. You're welcome.*

Other Ways To Say Please

Tenga Ud. la bondad de (cerrar la puerta, pasarme la sal...)	Please (close the door, pass me the salt...)
Haga Ud. (or Hágame Ud.) el favor de (abrir la ventana, traerme un cuchillo...)	Please (open the window, bring me a knife...)
¿Me hace Ud. el favor de (pasar la pimienta, darme la minuta...)?	Will you please (pass the pepper, give me the bill of fare...)?
Sírvase (esperar un momento, escribir su nombre y su dirección...)	Please (wait a moment, write down your name and your address...)

Very often, the simple indicative is used to give a command:

Me trae Ud. un vaso de agua, ¿está bien?	Please bring me a glass of water, all right?

Of course, in all these ways of saying *Please* . . ., the plural may be used as well:

Tengan Uds. la bondad . . . Háganme Uds. el favor . . . Sírvanse Uds . . ., etc.

Presentaciones (Introductions)

Señorita Moreno, quiero presentarle a Ud. al señor Casal.	Miss Moreno, I should like to introduce to you Mr. Casal.
Mucho gusto en (*or* de) conocerla, señorita.	I'm delighted to meet you, Miss.
Tanto gusto, señorita. Encantado, señorita.	I'm delighted, Miss.
Servidor de Ud. Su servidor. A sus órdenes, señorita.	At your service.
Encantado, señor. Tanto gusto, señor.	I'm delighted, sir.
El gusto es mío. Igualmente.	The pleasure is mine.

More Hello's

Hola

Hola is a familiar, friendly way to say "Hello" when you bump into a friend on the street, in school, etc. It usually implies the beginning of a conversation, not just a passing acknowledgement.

¿Qué tal?

¿Qué tal? is a casual way of greeting an acquaintance and then going on your way: "Hi, there."

(Muy) Buenos. (Muy) Buenas

These, of course, stand for **Buenos días, Buenas tardes, Buenas noches,** and are used especially when greeting in passing a person with whom you are on less familiar terms.

Adiós

Surprisingly enough, **Adiós** is used for "Hello" when you pass someone on the street and have no intention of stopping to chat. You nod, smile, tip your hat (if you're a gentleman), say **"Adiós,"** and keep right on walking.

On the Telephone

In Spain, when the phone rings, you pick it up and say **"Dígame,"** or if you're the more concise type, simply **"Diga."** In Mexico, you say **"¿ Bueno?"** And in other parts of Spanish America, you will probably say either: **"¿ Sí?" "Dígame,"** or even **"¿ Aló?"** The person calling will then say to you something like: **"Buenos días. ¿ Hablo con la casa de . . .?"** or **"Buenas tardes. Me gustaría hablar con . . . , por favor."** Of course, on more familiar territory, you might say: **"¿ Sofía? Aquí habla . . ."** To go on then: "Who's calling, please?" is generally **"¿ De parte de quién, por favor?"** And "Speaking" is **"Al aparato," "Al habla,"** or simply **"Hablando."** *You* carry on from there!

TEATRO

Componga Ud. (*Compose*) diálogos originales sobre los temas siguientes:

1. Ud. está en un restaurante y pide varias cosas al mozo.
2. Ud. presenta a un amigo suyo a una señorita. Los dos se saludan (*greet each other*).
3. Ud. pide un favor a otra persona. La otra persona lo hace, y Ud. le da las gracias.
4. El teléfono suena. Ud. contesta y habla por un rato con alguien.

Lectura VIII

LA CONQUISTA DE AMÉRICA: REALIDAD Y MORALIDAD

Hernán Cortés desembarcó en tierra mejicana en la primavera de 1519. Iba acompañado *de* unos cuatrocientos soldados, *número escaso para emprender* la conquista de un imperio de millones de indios. Además, *se veía acosado* por otros problemas internos en su propio *real*. Sufrían hambre, y en más de una ocasión tuvieron que comer a sus propios perros. Algunos de sus soldados eran *partidarios* de su enemigo, el gobernador Velásquez de Cuba. Otros, *amedrentados* ante la enorme, si no imposible *tarea* de la conquista, querían volver a Cuba. Cortés tomó su decisión. A *los que* querían volver les permitió embarcarse en un solo barco, y luego *mandó hundir* los demás barcos que los habían llevado a Méjico. *De ahí, prosiguió adelante*. Había venido a conquistar aquella tierra en nombre de Dios y del rey Carlos I. Iba a conquistarla.

Al principio, las circunstancias le resultaban favorables. Los indios, impresionados por los caballos de los españoles, y *creyendo* que aquellos hombres blancos de *barba* larga tenían que ser dioses,

by . . . a scant number to undertake

he found himself beset

camp

partisans

fearful . . . task

those who

ordered sunk

. . . From there, he continued onward

believing

beard

Mapa del mundo (detalle). Juan Vespucci, Sevilla, 1526.

El gran templo de Tenochtitlán, según descripciones de los conquistadores españoles y monumentos aztecas todavía existentes.

ofrecieron poca resistencia. Pero *a poco se dieron cuenta de* que los españoles no eran más que seres humanos, y *con seres humanos se podía luchar*. Pero las *trampas y emboscadas* que prepararon para derrotar a los españoles *les valieron poco*. Ayudado por una joven india, doña Marina, su *amante y fiel intérprete*, Cortés pudo aprovecharse de la hostilidad de otras tribus de indios contra los aztecas y los convirtió en *aliados*. El 8 de noviembre de 1519, el capitán español y sus hombres entraron en Tenochtitlán.

Moctezuma, rey de los aztecas, los *hospedó* en su palacio, y el monarca, en *cuya* presencia *temblaban de miedo sus súbditos*, "... *alzó las vestiduras* y me[1] mostró el cuerpo, diciendo a mí: *Veisme* aquí, que soy de *carne y hueso como vos* y como cada uno; veis que soy mortal y palpable."

Los españoles, *temiendo* una nueva *conspiración*, tomaron prisionero a Moctezuma, encerrándole en su propio palacio. Poco después, Moctezuma murió accidentalmente, y los indios se rebelaron contra los conquistadores, obligándoles a abandonar la capital. Pero Cortés volvió, y para fines de 1522, el imperio azteca había caído *para siempre*.

soon they realized
with human beings one could fight ... traps and ambushes
were to no avail
mistress and faithful interpreter
allies
lodged
whose ... his subjects trembled with fear,
"... lifted his garments
... You see me
flesh and blood (bone) like you
fearing ... conspiracy
forever

[1] Cortés mismo dice esto en su Carta Segunda, dirigida al Emperador Carlos V (Carlos I de España) el 30 de octubre de 1520.

Traducción inglesa de *Las Lágrimas de los Indios,* de Bartolomé de las Casas. Los ingleses, rivales económicos y políticos de España, usaron las obras de las Casas para diseminar la "leyenda negra" de la crueldad española.

The Tears of the INDIANS:
BEING
An Hiſtorical and true Account
Of the Cruel
Maſſacres and Slaughters
of above Twenty Millions
of innocent People ;
Committed by the Spaniards
In the Iſlands of
Hiſpaniola, Cuba, Jamaica, &c.
As alſo, in the Continent of
Mexico, Peru, & other Places of the
Weſt-Indies,
To the total deſtruction of thoſe Countries.

Written in Spaniſh by *Caſaus,*
an Eye-witneſs of thoſe things ;
And made Engliſh by *J. P.*

DEUT. 29. 15.
Therefore thine eye ſhall have no compaſſion ; but life for life, tooth for tooth, hand for hand, foot for foot.

LONDON,
Printed by *J. C.* for *Nath. Brook,* at the Angel in Cornhil. 1656.

El fervor de la conquista *se había apoderado* de España y Portugal. Impulsados por el deseo de riqueza y de aventura, movidos también por el espíritu de la expansión nacionalista y la propagación de la fe católica, sus exploradores penetraron en las selvas tropicales y cruzaron desiertos, pampas y montañas . . . De Soto, Ponce de León, Núñez Cabeza de Vaca . . . Los españoles llegaron a la Florida y a la *Baja* California.[2] Balboa descubrió el Oceano Pacífico; Orellana descubrió el Amazonas, y *Magallanes* circumnavegó el mundo. En 1532, el imperio de los incas, dividido ya por guerras civiles, cayó ante el asalto brutal de Francisco Pizarro, y para mediados del siglo diez y seis, España y Portugal eran dueños de la mayor parte del Nuevo Mundo.

had taken possession
Lower
Magellan

La ocupación de América por los españoles era más que una conquista política. España transplantó a América sus instituciones y su cultura. Los españoles se mezclaron con los indígenas, y la primera generación que nació en América después de la conquista era una generación mestiza. Los españoles construyeron nuevas ciudades, y las llenaron de obras de arte. Establecieron escuelas y universidades, y el misionero que venía siempre *al lado* del conquistador era al mismo tiempo evangelista y educador.

at the side

[2] El nombre California viene de una novela caballeresca que era muy popular en la época de la conquista. En la novela, California representa una tierra ideal, de clima perfecto y gran hermosura natural.

Pero había abusos también. En muchos lugares, los indios eran explotados cruelmente, obligados a trabajar con poca *recompensa, y sometidos a tratamiento* casi inhumano. Es interesante notar que la protesta contra estos abusos vino de los españoles mismos. Un
60 *fraile dominico,* Bartolomé de las Casas, escribió un libro en que denunciaba las injusticias cometidas contra los indios. Y en las salas de la Universidad de Salamanca, el Padre Vitoria *alzó su voz* también en defensa de los derechos naturales del hombre. El indio era dueño legítimo de su tierra, decía Vitoria, y el Emperador, no
65 siendo *señor de todo el mundo,* no tenía el derecho de *quitársela.* Las conversiones a la religión católica debían ser voluntarias, y la única justificación de la presencia de los españoles en América era su derecho a la libre navegación y al comercio.

La discusión *repercutió* por toda España. Por fin, la corona
70 decidió intervenir, *promulgando* las Leyes de Indias para la protección de los indígenas. España, que había creado su propia "*leyenda negra*" de brutalidad, fue la única nación colonizadora de esa época que trató de *rectificarla.* Pero la cuestión básica del derecho a la conquista ha quedado *sin solución* hasta hoy.

compensation, and subjected to treatment
Dominican friar
raised his voice
master of the whole world . . . take it away from him
resounded
promulgating
black legend
rectify it
unresolved

Preguntas

1. ¿Cuándo llegó Hernán Cortés a Méjico? ¿Cuántos hombres llevaba consigo?
2. ¿Qué otros problemas tenía el Capitán? ¿Qué decisión tomó?
3. Al principio ¿qué pensaban de los españoles los indios? ¿Qué descubrieron después?
4. ¿Quién fue doña Marina?
5. ¿De qué se aprovechó Cortés para efectuar la conquista del imperio azteca?
6. ¿En qué año entraron los españoles por primera vez en Tenochtitlán? ¿Quién los recibió en su palacio? ¿Qué hicieron entonces los españoles?
7. ¿Qué hicieron los indios a la muerte de Moctezuma?
8. ¿Cuándo realizó Cortés la conquista final del imperio azteca?
9. ¿Qué espíritu se había apoderado de España y Portugal?
10. ¿Por qué vinieron tantos exploradores al Nuevo Mundo?
11. ¿Quiénes son algunos de los más famosos de ellos? ¿Hasta dónde llegaron?
12. ¿Qué descubrió Balboa? ¿Y Orellana? ¿Qué hizo Magallanes?
13. ¿En qué año cayó el imperio de los incas? ¿Quién llevó a cabo esa conquista?
14. ¿Por qué era más que una conquista política la ocupación española de América?
15. ¿Qué contribuyeron los españoles a sus colonias?
16. ¿Cuál era el papel (*What was the role*) del misionero?
17. ¿Qué defectos tenía el sistema colonial español?
18. ¿Quién fue Bartolomé de las Casas? ¿Qué hizo?
19. ¿Qué dijo el Padre Vitoria sobre los derechos de los indios?
20. ¿Qué acción tomó la corona española en defensa de los indígenas de América?
21. ¿Qué cuestión básica queda sin solución hasta hoy? ¿Qué piensa Ud. del colonialismo?

Lectura IX

ESPAÑA EN LA CUMBRE

Siglo diez y seis... España es la primera nación de Europa, el imperio más poderoso del mundo. Los barcos *cargados de* oro llenan sus cofres. Su monarca Carlos I (1515–1555), nieto de Fernando e Isabel y primer rey español de la familia Hapsburgo, es elegido emperador del *Sacro* Imperio Romano. *Asegurada su posición* como monarca absoluto se dirige *al exterior. Derrota* repetidamente a su rival, Francisco I de Francia, y la *bandera* del Emperador *se alza* en Italia, en *Argel*, en *Tánger*, en *Marruecos*, y en las *islas* más remotas del Atlántico y del Pacífico.

laden with

Holy . . . His position assured
to foreign matters. He defeats
banner . . . is raised

Algiers . . . Tangiers
Morocco . . . islands

Carlos I de España (Carlos V del Sacro Imperio Romano) y su esposa, Isabel de Portugal.

Pero la estrella de España no puede continuar su *ascenso ininterrumpido. Estallan guerras*—guerras políticas y guerras religiosas. La *Reforma* protestante *sacude* a Europa, y la España católica *reacciona* instituyendo la *Contrarreforma. Pero no le basta obrar desde adentro.* España *se resuelve* a defender la fe. Durante el reinado de Felipe II (1556–1598), hijo de Carlos, las guerras continúan desangrando a España. Piratas ingleses, holandeses y franceses atacan los barcos españoles, robando sus ricos *tesoros,* o *hundiéndolos* en el mar. Inglaterra se presenta como rival principal de las pretensiones españolas. En 1588, Felipe manda la Armada Invencible a destruir el poder marítimo inglés. Pero la armada invencible es *vencida, y desde ahí en adelante*, España, que ha estado en la cumbre, empieza su *lenta*, pero irremediable *caída. Quebrantada su economía* por las demandas de la guerra y por la expulsión de los judíos y de los moriscos (que antes formaban gran parte de la clase media profesional y artesana), *atacadas sus colonias* por fuerzas enemigas, e incapaz de *proteger el flujo* de oro de América, España no puede

uninterrupted ascent.
Wars break out

Reformation . . . shakes . . .
reacts . . . Counterreformation. But it isn't enough to work from within
. . . resolves

treasures . . . sinking them

vanquished, and from then on
slow. . . fall. Her economy weakened

her colonies attacked

protecting the flow

El Escorial,
palacio monasterio
construido
por Felipe II
cerca de Madrid.
Vista de noche.

recobrar su vigor. La lenta decadencia de la gran nación es inevitable.

Pero el florecimiento artístico y literario *no decae* por mucho tiempo. La cultura española ha llegado a su primer *Siglo de Oro.* El Renacimiento humanista había despertado interés en la antigua literatura clásica, pagana. El hombre, *gozando de una primavera de la conciencia,* evoca en su poesía ese idilio de la *naturaleza primaveral.* El mejor poeta lírico español del Renacimiento fue Garcilaso de

doesn't diminish

30

Golden Age (Century)

enjoying a spring of conscience

springtime of nature

Francisco de Zurbarán (1598–1664),
"San Jerónimo con Santa Paula
y San Eustaquio".
El arte religioso de pintores
como Zurbarán refleja
la influencia ascética
de la Contrarreforma en medio
de una época de opulencia material.

La Universidad
de Salamanca,
presidida por la estatua
de Fray Luis de León.
Por estas aulas
pasaron muchas
de las grandes figuras
de la historia española.

Diego de Velázquez (1599–1660),
"La Bordadora".
El otro lado de la moneda
—el aspecto popular y realista
del arte español.

Autorretrato de Velázquez.
Detalle de "Las Meninas".

35 la Vega, *grande* de España, *amante*, soldado y héroe, *muerto* a los treinta y cinco años asaltando los *muros* de un castillo en defensa de su rey y amigo, Carlos. Garcilaso perfeccionó las formas italianas de la poesía lírica y las puso en *boga* en España, *legándonos* un monumento de delicadeza y sensibilidad musical.

grandee . . . lover . . . killed
walls
vogue . . . bequeathing to us

40 La novela también se desarrolla rápidamente en los siglos diez y seis y diez y siete. Con el desarrollo de la imprenta, *se publican* muchas novelas sentimentales, *novelas de caballería* (el tipo más popular de la época), novelas *pastoriles*, novelas picarescas.[1] Se leen libros de historia, y libros de aventuras escritos por los explora-
45 dores de América. Nace un verdadero teatro español, *género* poco cultivado en épocas anteriores, y que llega ahora a su *apogeo*. Se escriben poemas épicos, y poesía y prosa satírica y filosófica y sentimental. *Se cantan romances que brotan* del alma popular de España. Y *por los escritos* de los grandes místicos— Santa Teresa
50 de Jesús, Fray Luis de León, San Juan de la Cruz, y otros— *llegamos a conocer* cómo funciona el alma española *respecto a* su Dios.

are published
chivalry novels
pastoral
a genre
height
Ballads are sung that spring
through the writings
we get to know . . . with respect to

La nueva *fluidez* social, los nuevos *horizontes* abiertos a su contemplación, dan al hombre una *razón de ser*, y se expresa por el arte.

fluidity . . . horizon
reason for being

Preguntas

1. ¿Cómo era España en el siglo diez y seis? ¿Quién era su monarca al principio de ese siglo?
2. ¿Dónde se alza la bandera de España?
3. ¿Qué ocurre en el reinado de Felipe II?
4. ¿Qué gran movimiento religioso sacude a Europa en esa época? ¿Cómo reacciona España?
5. ¿Qué hacen los piratas ingleses, franceses, y holandeses?
6. ¿Qué nación se presenta como rival principal de España? ¿Cómo piensa Felipe destruir el poder marítimo de ese enemigo? ¿ Qué resultado trae su acción?
7. ¿Cuáles son las causas principales de la caída de Espada?
8. ¿A qué periodo llega la literatura española?
9. ¿Quién es Garcilaso de la Vega? ¿ Qué importancia tiene?
10. ¿Qué tipos de novelas eran populares en el siglo diez y seis?
11. ¿Qué otros libros se leían ávidamente?
12. ¿Qué otra forma literaria, antes poco cultivada, se desarrolla en esa época?
13. ¿Qué poesía se escribe?
14. ¿De dónde brotan los romances populares?
15. ¿Qué revelan los escritos de los grandes místicos de la Contrarreforma?

[1] Novelas frecuentemente de tipo satírico y cuyo personaje principal representa lo contrario del héroe tradicional.

Lección

CATORCE

I. TEMA: *LA POLÍTICA* (*POLITICS*)

Damas y caballeros, queridos amigos y *paisanos* míos:

No puedo decirles *cuánto me alegro de* tener la oportunidad de hablar con Uds. esta noche, no sólo para pedirles *que me favorezcan* con su voto, *sino* porque me ha gustado siempre visitar esta *bella* ciudad donde nacieron mis *bisabuelos* (*en gloria descansen*), a esta bella ciudad, digo, centro de cultura, *fuente* de justicia, y *meca* de mujeres hermosas.

constituents
how happy I am to
to favor me
but . . . beautiful
ancestors (may they rest in peace)
fountain . . . mecca

(*Aplausos*)

Applause

No estoy aquí para hablar mal del otro *partido*. *No soy así*. Nunca digo nada contra nadie. *Lo único* que quiero, estimados amigos, es presentarles mi propia plataforma y discutir con Uds. los problemas inmediatos que *acosan* a nuestra gran república, una nación formada en la democracia y *nacida de la sangre* de nuestros *ilustres antecesores*.

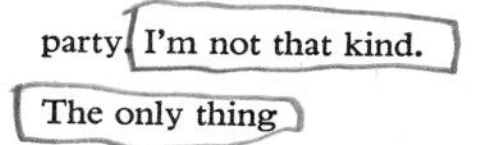

party I'm not that kind.
The only thing
beset
born of the blood
illustrious ancestors

(Más aplausos)

Y así, *sin más tardar*, les explico en tres palabras todo mi programa: prosperidad, justicia, ideal. Mi *lema* es, y siempre ha sido: progreso y tradición.

without further ado
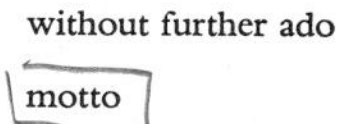
motto

(Grandes aplausos)

Ahora bien, el otro partido, *cuyo nombre ni siquiera quiero* mencionar, el otro partido, digo, está contra todo eso. Pero no voy a

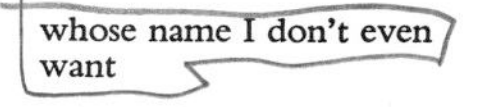
whose name I don't even want

hablar de ellos. *No* voy a decirles a Uds. *más que* esto: que si cometen Uds. el error—el tremendo, inexcusable error de *entregar en sus manos* el gobierno de nuestro gran país, *algún día van a darse cuenta de* que lo han *colocado* en manos de *ladrones experimentados, de blasfemos,* de *mentirosos*. Pero no voy a decirles nada de eso. No soy así.

¿Qué soy, me preguntan Uds.? Soy un hombre *sencillo*, de poca ambición personal. Soy *todo lo que Uds. quieran que sea. No me alabo* de ser intelectual. El intelectualismo es sólo para profesores de universidad que viven en su *torre de marfil*. No, *no saco de* libros mis ideas. *Ni siquiera* me gusta leer. Soy un hombre *llano y sencillo*, de pocas palabras, de poca *astucia*, pero de mucho corazón—eso sí—y mucha *humildad* y mucho *cariño* por todos Uds.

(Aplausos histéricos. *Gritos* de ¡Viva! ¡Hurra! ¡Arriba!)

Y así, en conclusión, amigos míos—porque me parece que los conozco personalmente ya—les *prometo* con toda la *franqueza* de un *alma* sincera y abierta que ... Un momento. Parece que *alguien* tiene una pregunta ... Sí ... Sí ... *¡Ajá!* ... *¡Cómo no,* señor! Me alegro mucho de que me haya hecho esa pregunta. Indica una gran inteligencia e interés en el gobierno de nuestra *amada patria*. *Le felicito*, señor. Y ahora, la *contestación*. Sí, es verdad que ayer en *mi charla ante* el Club Aristocrático de esta ciudad *propuse* una administración exclusivamente de los ricos, pero—recuerden Uds.—pero, digo, ¡en favor de los pobres!

(Los aplausos *se hacen ensordecedores*.)

¿Hay otra pregunta? ¿Alguna otra pregunta? ... Sí, señorita ... Con mucho gusto ... Sí, estoy casado y tengo cinco hijos, todos *varones*.

Bueno, si he contestado todas sus preguntas, les digo a Uds. en conclusión que ha sido un verdadero honor y *placer* estar con Uds. esta noche. Bien sé que según el proceso democrático, alguien tiene que ganar y alguien tiene que perder en *toda* elección. Pero esta vez *es más seria la cosa*. No quiero que pierdan Uds., el pueblo. Si gana el otro partido, va a ser el día más *infame* en los anales de nuestra amada patria. No lo permitan Uds. Necesito su ayuda, su confianza, su voto. La causa es buena. ¿Puedo *contar con* Uds.?

(*Frenéticos* aplausos y gritos: ¡Sí! ¡Siempre! ¡Hasta la muerte! ¡Arriba! ¡Victoria!)

Gracias, amigos. *Se me llenan de lágrimas los ojos*. Espero tener el gusto de *apretarles las manos* personalmente. Adiós, adiós a todos, y gracias.

only
delivering into their hands
some day you are going to realize
placed ... experienced thieves, blasphemers, liars
simple
whatever you want me to be, I don't boast
ivory tower ... I don't get from ... I don't even ...
... plain and simple
shrewdness
humility ... affection
Shouts
promise ... frankness
heart (soul) ... somebody
Aha! Of course
beloved homeland.
I congratulate you ... answer
my talk before
... I proposed
becomes deafening
boys
pleasure
every
the matter is more serious
infamous
count on
Frenzied
My eyes are filling with tears
shaking your hands

Vocabulario Activo

el alma (f.) *soul; heart (fig.)*
el placer *pleasure*

dama *lady*
caballero *gentleman*
cariño *affection*

alabar *to praise*
entregar *to hand over, deliver*

ganar *to win, earn*
prometer *to promise*
tardar *to delay*

abierto *open*
querido *dear*

sencillo *simple*
único *only; unique*

contar con *to count on*
ni . . . siquiera *not even*

darse cuenta de *to realize*
arriba *up;* ¡Arriba . . . ! *Hurrah for . . . !*

Preguntas

1. ¿Por qué se alegra el candidato de estar en esa ciudad?
2. ¿Cómo describe la ciudad?
3. ¿Por qué no va a hablar mal del otro partido?
4. ¿Qué es lo único que quiere hacer esta noche el canpidato?
5. ¿Cuál es su programa? ¿Cuál es su lema?
6. Según el candidato, ¿cómo es el otro partido? ¿Y cómo se describe a sí mismo?
7. ¿Para quién es el intelectualismo, según el candidato? ¿Lee muchos libros?
8. ¿De qué dice que tiene poco? ¿De qué tiene mucho?
9. ¿Qué tipo de administración propone?
10. ¿Es hombre de familia el candidato?
11. ¿Qué dice que va a ocurrir si el otro partido gana las elecciones?
12. ¿Qué pide a su público?
13. ¿Cuál es la reacción del auditorio (*audience*)?

II. ESTRUCTURA

86. Common Indefinites and Negatives

algo *something*
alguien *someone, somebody*
algún, alguno(a, os, as) *any, some (one or more of a group)*
algún día *some day*
alguna vez *ever, at some time*

nada *nothing*
nadie *no one, nobody*
ningún, ninguno(a, os, as) *no, none, not any (of a group)*
nunca *never*
jamás *never, (not) ever*

¿Tienes algo para mí? —No. Nada.	Do you have something for me? —No. Nothing.
Alguien me quiere. ¿Quién puede ser?	Somebody loves me. Who can it be?
¿Ha visto Ud. a[1] alguien?	Have you seen anyone?
Hoy no he visto a nadie.	Today I haven't seen anyone.

A. Alguno and **ninguno**

Notice that **alguno** and **ninguno** are shortened to **algún** and **ningún** before a masculine singular noun:

Algún día voy a ser rico.	Some day I'm going to be rich.
Ningún hombre me habla a mí así.	No man speaks to *me* that way.
But: alguna tarde	some afternoon
ninguna mujer	no woman

Both **alguno** and **ninguno** single out one or more from a group, thus differing from the wholly indefinite pronouns **alguien** (*somebody*) and **nadie** (*nobody at all*):

¿Conoce Ud. a algunos de sus amigos? —No, no conozco a ninguno.	Do you know any (some) of his friends? —No, I don't know any (of them).

B. Alguna vez and **jamás**

In questions, **jamás** (*never*; synonymous with **nunca**) may also mean *ever*, but only when a negative answer is expected:

¿Ha oído Ud. jamás tal cosa?	Have you ever heard such a thing? (I don't think you have.)

Alguna vez (*ever, at some time*) implies neither an affirmative nor a negative:

¿Le ha oído Ud. cantar alguna vez?	Have you ever heard him sing? (No negative implication.)
¿Han estado alguna vez en España?	Have they ever been to Spain?

C. Negatives after comparisons

A negative is used instead of an affirmative after a comparison:

Él sabe más que nadie.	*He* knows more than anyone.
Ahora te quiero más que nunca.	Now I love you more than ever.

Ejercicios

A. Haga negativas las oraciones siguientes:

1. ¿Ha visto Ud. a alguien? 2. Conozco a algunos de sus amigos. 3. Algún día vamos a Italia. 4. Siempre habla mal de alguien. 5. Va a comprarme algo. 6. Algún estudiante va a ganar el premio. 7. Hay una casa como la nuestra.

[1] Indefinites that refer to persons require the personal **a** when they are the object of a verb.

B. Diga en español:

1. Someone is in the kitchen with Dinah. 2. Nobody lives in that old house. 3. Now we want it more than ever. 4. Have you ever been to Mexico? —No. Never. 5. No one is going to believe *that*. 6. Do you want something? —Nothing, thanks.

87. Omission of *No* in Negatives Sentences

As we have seen, a negative sentence in Spanish is kept consistently negative. **No** is placed before the verb; Spanish then uses a double, even a triple or quadruple negative. However, when **nadie, nunca,** or another negative is placed *before* the verb, **no** is omitted:

No vino nadie. Nadie vino.	No one came.
No ha viajado nunca. Nunca ha viajado.	He has never traveled.
No decía nada nunca a nadie. Nunca decía nada a nadie.	He never would say anything to anyone.
No lo sabe ninguno de ellos. Ninguno de ellos lo sabe.	None of them knows it.

Ejercicio

Diga de otra manera:

1. No le he visto nunca. (Nunca . . .) 2. No me quiere nadie. 3. Ninguno de ellos quiere ir con nosotros. 4. No le interesa nada. 5. No está girando ningún satélite alrededor de la luna. 6. Aquí no nieva nunca. 7. Nada de eso nos importa. 8. No castigan nunca a esos niños. 9. Alfredo nunca me mintió. 10. No se va a presentar jamás ninguna oportunidad como ésta.

88. Shortening of Certain Adjectives

A few adjectives lose the final **-o** before a masculine singular noun. These adjectives include **bueno, malo, alguno, ninguno, primero, tercero:**

un buen muchacho	a good boy
el tercer hombre	the third man
el primer capítulo	the first chapter
But: su primera mujer	his first wife

Grande becomes **gran** before *any singular* noun:

un gran autor	a great author
una gran colección	a great collection
But: grandes obras	great works

Ejercicio

Lea en voz alta y después cambie según las indicaciones:

1. Ésta es la tercera *vez* que ha llamado. (día) 2. Fue el primer gran *escritor* americano. (escritora) 3. ¿Eres una buena *muchacha*? (muchacho) 4. Es una gran *oportunidad*. (oportunidades) 5. El primer *capítulo* es el mejor. (capítulos) 6. Algún *día* voy a actuar en el cine. (vez) 7. ¡Imposible! Eres muy mala actriz. (actor) 8. No hay ninguna *ocasión* para usarlo. (tiempo)

89. More About the Position of Adjectives

As you must recall, *nondescriptive* adjectives (demonstratives, unstressed possessives, and indefinitives, including **poco** and **mucho**) regularly *precede* the noun. *Descriptive* adjectives that set the noun off from others of its kind *follow* the noun. Any change in the normal position of an adjective will intensify its force or, at times, even change its meaning.

A. Change of meaning according to placement

When **gran(de)** is placed before the noun, it means *great;* **pobre** means *unfortunate;* **viejo** means *former* or *long-standing*:

un muchacho pobre	a poor (not rich) boy
el pobre muchacho	the poor (pitiful) boy
un amigo viejo	an old (elderly) friend
un viejo amigo	an old (long-standing) friend
un hombre grande	a big man
un gran hombre	a great man

B. Placement before the noun to characterize

An adjective that is usually distinguishing may be placed *before* the noun if, in a particular case, it is used to describe a normal characteristic of that noun rather than to distinguish it from others of its type:

la roja sangre	the red blood
la blanca nieve	the white snow
las hermosas modelos	the beautiful models
los ágiles acróbatas	the agile acrobats

C. Placement of two or more adjectives

There are two basic ways of treating a group of two or more adjectives that modify one noun:

1. Place the shorter or the more subjective adjective before the noun. Place the other(s)—the more categorizing—after. (Adjectives of nationality always follow.)

Es un joven escritor dramático.	He is a young dramatic writer.
la hermosa actriz francesa	the beautiful French actress

2. When both (or all) of the adjectives are felt to be equally distinguishing and of equal force, place them after the noun, joining two by **y** or separating all by commas.

Es una carrera importante y lucrativa.	It is an important and lucrative career.
Fue una operación delicada, peligrosa (y) complicada.	It was a delicate, dangerous (and) complicated operation.

For more emphasis or dramatic effect, they may all be placed before the noun.

Si cometen Uds. el tremendo, inexcusable error . . .	If you make the tremendous, inexcusable error . . .

Ejercicios

A. Diga en español:

1. Cold soup; the cold snow; an intelligent and charming girl; his old teacher; our beloved country (*patria*); the red blood
2. The poor sick boy; my rich Venezuelan relatives; a long, difficult lesson; a great day; a terrible fatal accident
3. A fantastic, incredible opportunity; the black, hard coal; the white, shining snow; a small gray cat; an expensive Italian car

B. Conteste ahora:

1. En su opinión, ¿quién es el mejor escritor contemporáneo norteamericano? 2. ¿Quién es el dramaturgo (*dramatist*) más grande de la literatura inglesa? 3. ¿Cree Ud. que por lo general las mujeres hermosas son menos inteligentes que las mujeres feas? 4. ¿Ha sufrido Ud. alguna vez una operación delicada y peligrosa? 5. ¿Ha tenido alguna vez un accidente automovilístico? 6. ¿Piensa Ud. seguir algún día una carrera importante y lucrativa? 7. ¿Cree Ud. que nuestro país tiene una irca y larga tradición artística? 8. ¿Cuál ha sido la decisión más importante y definitiva de su vida? 9. ¿Ha visto Ud. mi pequeño cuaderno rojo? Creo que se ha perdido. 10. ¿Qué artista moderno le gusta más?

90. *De* + Noun Instead of an Adjective

When describing the material of which something consists or is made, Spanish generally uses **de** + a noun (the material) instead of an adjective:

un reloj de oro	a gold watch
una mina de plata	a silver mine
aretes de perlas	pearl earrings
un vestido de algodón	a cotton dress

Ejercicios

A. Puede Ud. relacionar las palabras del Grupo I con las del Grupo II?

I	II
una casa	de plata, de diamantes, de algodón, de seda,
un abrigo	de bronce, de visón, de hierro, de latón,
una cuchara	de porcelana, de oro, de ladrillos
unos aretes	
un reloj	
una taza	
un pañuelo	
una corbata	
una olla	
una figurilla	
una estatua	

B. ¿Cuáles de las cosas arriba referidas (*mentioned above*) asocia Ud. con personas ricas y cuáles asocia con personas pobres?

C. ¿Cuáles de las cosas arriba referidas tiene Ud.? ¿U otro miembro de su familia?

Ejercicio de Repaso

Traduzca al español:

Ladies and gentlemen, dear friends of mine:

How happy I am to be here this evening, not only because I want you to give me your votes, but (*sino*) because I have always liked to visit this beautiful, magnificent city, center of culture, fountain of democracy, and mecca of beautiful women.

I have not come here today to speak ill (*mal*) of the other party. That is something that I never do. I'm not that kind. In fact, yesterday some of my friends said to me: —Why don't you tell the people the truth about (*sobre*) those thieves, those liars who want to destroy the good name of our beloved country?— But I said to them: —No, I don't want to do that. I never say anything bad about anyone. I only want to present my own platform and to tell my good friends what (*lo que*) I am going to do for (*por*) them.

(Great applause)

My platform is prosperity and justice. My motto: tradition and progress! I am a plain and simple man, of few words, of little shrewdness, but of great affection for you, my dear friends. I don't boast about being an intellectual. I don't get my ideas out of books. No, I don't even like to read. I get my ideas from my heart, an open and sincere heart that beats (*bate*) only for our beloved country, for the glory of our illustrious ancestors, and for you. I ask you to give me your confidence. Can I count on you?

(Shouts of: Victory! Yes! Until death! Hurrah!)

Thank you, my friends. Thank you. I hope you will forgive me if I cannot shake your hands personally. Thank you again, and good-bye.

III. CONVERSACIÓN: *LA POLÍTICA*

1. ¿Qué técnica usa el candidato que nos habla aquí para ganar el favor del público? ¿Qué dice para halagar (*flatter*) su vanidad? ¿Cree Ud. que va a recibir muchos votos este candidato? ¿Es un candidato típico o no?
2. ¿Le interesa a Ud. la política? ¿Les interesa a sus padres? ¿a sus amigos? ¿Ha votado Ud. ya? ¿Votan sus padres y parientes en todas las elecciones? En su opinión, ¿quién fue el presidente más grande de los Estados Unidos? ¿Por qué?
3. ¿Le gustaría a Ud. ser alcalde (*mayor*) de su pueblo o ciudad? ¿Gobernador del estado? ¿Senador? ¿Presidente de los Estados Unidos? ¿Vice Presidente? ¿Por qué?
4. ¿Cree Ud. que la mayor parte de los políticos son honrados o no? ¿Cree Ud. que es posible llegar a una posición importante en la política sin sacrificar sus ideales?
5. ¿Conoce Ud. personalmente a un funcionario (*official*) público? ¿Quién es? ¿Le gusta a Ud. como persona?
6. ¿Cree Ud. que las mujeres deben tomar una parte más activa en la política? ¿Votaría Ud. (*Would you vote*) por una mujer para presidente de los Estados Unidos? (Sí, votaría . . .)

IV. TEATRO Y COMPOSICIÓN

Escriba Ud. un discurso político original, o si prefiere, escriba una composición sobre uno de los temas siguientes:

1. Por Qué Quiero (o No Quiero) Ser Presidente de los Estados Unidos
2. Mi Concepto de un Gran Presidente
3. Por Qué Creo (o No Creo) en el Sistema Democrático

EL MUNDO DE HOY (Today's World)

las **Naciones Unidas** *the United Nations*
la Organización de Estados Americanos (OEA) *Organization of American States (OAS)*
la **Guerra Fría** *the Cold War*
la **Cortina de Hierro** *the Iron Curtain*
la **Cortina de Bambú** *the Bamboo Curtain*
la revolución *revolution*
la sublevación *uprising*
el ataque *attack*

ejército *army*
tropas *troops*
marina *navy*
fuerza aérea *air force*
flota *fleet*
el cohete *rocket*
bomba *bomb*
bombardeo *bombardment*
el proyectil *missile*

presidente *president*
primer ministro *prime minister*
dictador *dictator*
rey, monarca *king, monarch*
emperador *emperor*
gobernador *governor*
senador *senator*
representante *representative*
diputado *Congressman, deputy*
delegado *delegate*
ministro *minister, secretary*
embajador *ambassador*
cónsul *consul*

república *republic*
Parlamento[1] *Parliament*
dictadura *dictatorship*
monarquía *monarchy*
imperio *empire*
gobierno *government*
Senado *Senate*
Congreso *Congress*
Cámara de Diputados *House of Representatives or Deputies*
ministerio *ministry, department*
embajada *embassy*
consulado *consulate*

democracia *democracy*
las elecciones *election(s)*
la política *politics; policy*

comunismo *communism*
nombramiento *appointment*
el régimen *regime*

la ley *law*
juez *judge*
el policía *policeman*
bombero *fireman*

la corte, el tribunal *court*
justicia *justice*
la policía *police force; police*
cuerpo de bomberos *fire department*

unión, sindicato de obreros *union*
sindicalismo *unionism*

huelga *strike*
paro *(work) stoppage*

el huracán *hurricane*
tormenta *storm*
el derrumbe *landslide*

crecida (de agua), inundación *flood*
terremoto, temblor de tierra *earthquake*

[1] In Spain, the Parliament is called **las Cortes.**

Discusión

1. ¿Dónde se reúnen (*meets*) las Naciones Unidas? ¿Cuántos años hace que (*How many years ago*) fue inaugurada esta institución? ¿Cuántas naciones incluye (*does it include*) ahora?
2. ¿Quién es Presidente de los Estados Unidos ahora? ¿Y antes de él? ¿Y antes de aquél? ¿Quién es el Primer Ministro de Inglaterra ahora? ¿de Francia? ¿de la Unión Soviética?
3. ¿Qué forma de gobierno tenemos en los Estados Unidos de América? ¿Qué forma de gobierno tiene Inglaterra? ¿Francia? ¿España? ¿Rusia? ¿Dinamarca? ¿Holanda? ¿La Argentina? ¿Bélgica? ¿Cuba?
4. ¿Puede Ud. nombrar (*name*) los dos senadores del estado en que vive Ud.? ¿Cinco miembros de la Cámara de Diputados? ¿Nuestro embajador ante las Naciones Unidas? ¿Cinco actores y cinco actrices del cine?
5. ¿Cree Ud. en la democracia? ¿Por qué? ¿Cree Ud. que la democracia va a triunfar sobre el comunismo?
6. ¿Cuál considera Ud. más importante para la defensa de nuestra nación: el Ejército, la Marina, o la Fuerza Aérea?
7. ¿Qué noticia de las últimas dos o tres semanas le impresionó más?
8. ¿Ha visto Ud. alguna vez (*Have you ever seen*) un terremoto? ¿un huracán? ¿una erupción volcánica? ¿una crecida de agua (*flood*)? ¿el desbordamiento (*overflowing*) de un río? ¿un motín (*riot*)? ¿Cuándo?
9. ¿Qué piensa Ud. de las huelgas estudiantiles? ¿Cree Ud. que se deben prohibir las huelgas en industrias esenciales? ¿Por qué?

Lectura X

CERVANTES Y DON QUIJOTE

¿Cervantes? ¿Don Quijote? ¿Cuál nos interesa más?—el hombre o la creación artística?—¿la realidad de *carne* que *yace* muerta desde 1616, o una fantasía que vive todavía? ¿A quién conocemos mejor? ¿Cuál de los dos ha contribuido más a nuestro desarrollo 5 espiritual? ¿Qué *habría sido Cervantes* sin don Quijote? ¿*Podría* existir un don Quijote sin Cervantes? ¿Quiénes son? ¿Qué son? ¿Cómo son?

flesh . . . lies

would Cervantes have been . . . Could there

Miguel de Cervantes, hombre, nació en Alcalá de Henares en

Illustraciones de *Oliveros de Castilla,* una novela caballeresca del tipo que satirizaba Cervantes en su *Don Quijote de la Mancha.*

1. Oliveros y Artus, hijos del rey de Castilla, hermanastros e inseparables amigos, son entregados a un caballero para aprender las artes de la caballería andante.

2. Oliveros rechaza el amor ilícito de su madra reina de Algarbe, y huye de la corte. Llega a un puerto donde se embarca con otro caballe Allí empiezan nuevas y maravillosas aventuras.

3. El barco naufraga cerca de Inglaterra y todos mueren menos Oliveros y su compañero. El otro caballero muere, pero reaparece después como el Caballero Negro y más tarde como el Caballero Blanco.

4. Artus va por el mundo buscando a Oliveros, a quien cree muerto. Llega a Irlanda donde mata a un terrible y espantoso monstruo. De vuelta a España, se pone gravemente enfermo.

Retrato de Miguel de Cervantes (1547–1616), sacado en los últimos años de su vida.

octubre de 1547. Su padre era *cirujano,* profesión poco estimada en aquellos tiempos, y la familia era pobre. De su *niñez y juventud* sabemos poco. Parece que tuvo poca educación *escolar*. En 1570 *se alistó* en el ejército, y sirvió en varias *campañas* en Italia. El 7 de octubre de 1571, su cumpleaños, le hallamos luchando valientemente contra los turcos en la gran batalla de Lepanto, la batalla naval en que los cristianos destruyeron definitivamente las pretensiones europeas de los musulmanes. Allí Cervantes perdió para siempre el uso del brazo izquierdo. Y por eso, en años posteriores, le iban a llamar "el *Manco* de Lepanto".

surgeon
childhood and youth
formal
enlisted . . . campaigns
Cripple

Recuperado de sus *heridas*, pasó unos años más en Italia, y en septiembre de 1575, acompañado de su hermano Rodrigo, decidió volver a España. Pero la suerte le tenía preparada otra cosa. *Rumbo a* España, su barco fue atacado por piratas, y Cervantes fue llevado a Argel donde le vendieron como *esclavo*. Pasó cinco años en el

wounds
On the way to
slave

5. Oliveros descabeza a sus dos hijos para dar su sangre a Artus, y salva así la vida hermanastro. Milagrosamente, cuando Oliveros a a casa, descubre que sus hijos viven todavía.

6. Rey de España ahora, Oliveros casa a su hija Clarisa con Artus y muere tres años después.

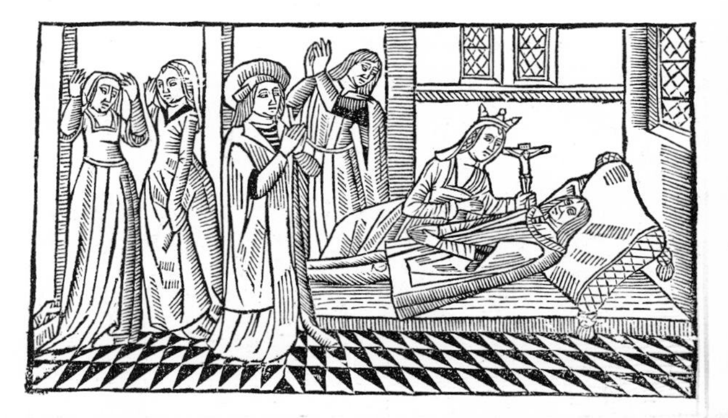

Daniel Urrabieta Vierge (1851–1904), "Don Quijote Probando Su Armadura" y "La Salida de don Quijote en Busca de la Aventura".

cautiverio, años en que se hizo jefe de los cautivos cristianos y en que más de una vez fue condenado a muerte por haber organizado *intentos de fuga*. Pero su heroísmo le había ganado el respeto de sus propios enemigos, y le perdonaron cada vez al último momento. Por fin, fue *rescatado* y volvió a España.

captivity
attempts at escape
ransomed

Pero el héroe de la guerra a menudo se halla olvidado cuando vuelve a la vida civil. Y así ocurrió en el caso de Cervantes. *Consiguió* varios *empleos* menores. Tuvo que contribuir a la *manutención* de sus padres. Se casó y tuvo una hija. Sirvió como cobrador de impuestos. Una vez fue *excomulgado* por la iglesia, y en más de una ocasión fue echado en la cárcel por *deudas* o por otras razones *poco claras*. Y empezó a escribir. Deseando tener el mismo éxito que Lope de Vega, el ídolo de su época, Cervantes se puso a componer *comedias,* y poesía, y una novela pastoril. Pero *fracasó*. Se dice que durante uno de sus periodos de *encarcelamiento*, concibió la idea de *Don Quijote de la Mancha*. La primera parte de su obra maestra salió en 1605, la segunda en 1615. Pero a pesar de la gran popularidad que alcanzó su novela, Cervantes quedó pobre, sin protector, y sin el reconocimiento que su genio *merecía*. Y así murió, el 23 de abril de 1616,[1] *sin haber gozado nunca de* los frutos de su triunfo,

He got
jobs . . . support
excommunicated
debts . . . unclear
plays . . . he failed
imprisonment
deserved
without ever having enjoyed

[1] Shakespeare también murió el 23 de abril de 1616, pero no era el mismo día que la muerte de Cervantes debido a una pequeña diferencia en los calendarios de Inglaterra y de España.

pero con la *plena conciencia de haber dado a luz* al hijo de su espíritu.
45 Don Quijote nació en 1605 a la edad de cincuenta años. Era alto, *enjuto,* y tenía *el cerebro* tan lleno de novelas de caballería que *llegó* a creer que él mismo era un *caballero andante,* y resolvió ir por el mundo *deshaciendo agravios,* haciendo bien a todos, descubriendo hermosura donde había *fealdad.* Y por eso era loco. Su lucha *desigual*
50 contra los *molinos de viento* representa la lucha de todo ser humano contra lo imposible, *lo inalcanzable,* lo inevitable. Pero sigue luchando, porque quiere hacerlo posible y alcanzable. Y su *afán* de justicia, su defensa del *oprimido,* su *prosecución* del ideal de la belleza, su conciencia de la relatividad de toda verdad, de toda realidad—
55 eso es el don Quijote que renace con cada nueva generación. Porque don Quijote y su *escudero* Sancho Panza son más que una sátira de las novelas caballerescas, más aun que un contraste entre idealismo y materialismo. El uno *se contagia de* las cualidades del otro, y de la mezcla surge el impulso vital que caracteriza al
60 hombre creador y pensador.

¿Cervantes? ¿Don Quijote? ¿Son el mismo hombre? *¿O ha dejado atrás la creación a su creador?* ¿Quién vive hoy? ¿Quién ha muerto?

fully aware of having brought to light
skinny . . . his brain
began to . . . knight errant
undoing wrongs
ugliness . . . unequal
windmills
the unattainable
zeal
oppressed . . . pursuit
squire
becomes infected with
Or has the creation left its creator behind?

Preguntas

1. ¿Cuándo nació Miguel de Cervantes? ¿Dónde nació?
2. ¿Cómo era su familia?
3. ¿Qué sabemos de su niñez y juventud?
4. ¿Cuándo se alistó en el ejército? ¿Dónde sirvió?
5. ¿Qué batalla naval tuvo lugar el 7 de octubre de 1571? ¿Qué resultado tuvo esa batalla?
6. ¿Qué perdió Cervantes en la batalla? ¿Cómo le iban a llamar después?
7. ¿Qué le pasó a Cervantes cuando volvía a España en 1575?
8. ¿Cuántos años pasó como prisionero en Argel?
9. ¿Cómo le fue la vida después de volver a España?
10. ¿Quién era el ídolo literario de esa época?
11. ¿Qué tipos de obras se puso a componer Cervantes?
12. ¿Cuándo salió la primera parte de *Don Quijote de la Mancha*? ¿Cuándo salió la segunda parte? ¿Cómo fue recibida la novela? ¿Cómo quedó Cervantes?
13. ¿Cuándo murió Cervantes? ¿Qué otro gran escritor murió en la misma fecha?
14. ¿A qué edad nació don Quijote?
15. ¿Cómo era don Quijote? ¿Qué llegó a creer? ¿Qué resolvió hacer?
16. ¿Qué representa su lucha contra los molinos de viento?
17. ¿Qué más busca en su vida don Quijote?
18. En la opinión de Ud., ¿cuál ha contribuido más al pensamiento filosófico del hombre moderno—la vida de don Quijote o la de Cervantes?

Lección QUINCE

I. TEMA: *LA SUERTE*

Suerte. *¿La tendré?* ¿No la tendré? Es un problema que nos preocupa siempre. ¡Cuántas veces *hemos oído decir a nuestros conocidos!*:

—¿Ramón? *Se ha hecho* millonario. Compró mil *acciones* de la Compañía *Unida* cuando no valían nada. Todos sabíamos que la compañía estaba *a punto de declararse en bancarrota*, pero Ramón, que nunca ha sabido nada de la *Bolsa*, compró. Y un día, descubren *uranio*, suben cien veces las acciones, y ahora no hay nadie más astuto que él. *Eso sí* es suerte.

—¡Pobre Elsa! En toda su vida no ha tenido ni un día bueno. Las cosas le van siempre *de mal en peor*. *Nunca podré* comprenderlo. Eso sí es no tener suerte.

—Con la suerte que tengo yo, no lo dudes por un momento, amigo, *¡me darán* el mismo profesor que *me suspendió* el año pasado!

—Chocaron los dos coches. El *chófer* del primero murió instantáneamente. El otro murió en la ambulancia *camino al* hospital. Pero su mujer, que estaba sentada *junto a él,* escapó completamente *ilesa*. Estas cosas ocurren. Es la suerte, nada más.

No. Gracias, pero no. Ya no compro *suertes* ni boletos de lotería ni nada de eso. Nunca he ganado nada en ninguna *rifa,* ni el *premio* más mínimo. Y estoy seguro de que *no cambiará* mi suerte ahora. Yo soy *de los que* tienen quetrabajar siempre. ¿Sabe Ud.?, hay gente que tiene suerte para esas cosas. Yo conozco a una mujer, *vecina* nuestra, que . . .

Will I have it?
have we heard our acquaintances say:
He has become . . . shares
United
about to go bankrupt
Stock Market
uranium
That really

from bad to worse I'll never be able to

they'll give me . . . flunked me
driver
on the way to
next to him unhurt

chances
raffle
prize . . . won't change
one of those who

a neighbor

Suerte. En realidad, ¿qué es? Recuerdo un cuento de un autor contemporáneo español llamado Joaquín Calvo Sotelo. El cuento *se titula* sencillamente "La Suerte." *Trata de* un pobre chófer de taxi que encuentra un día en al *asiento trasero* de su coche una cartera que *contiene* cien mil pesetas. Siempre ha sido un hombre honrado, pero esta vez, *piensa en* las muchas cosas que necesitan él y su familia. —El dinero *será de* un gran millonario. *Él no lo necesitará tanto como yo,* piensa. —Pero no es mío, *arguye* consigo mismo. —No tengo derecho a este dinero.— Y así, luchando con su conciencia, decide entregar las cien mil pesetas a la *policía.*

Camino a la *comisaría, se le presenta en la calle la Dama Suerte.* Está furiosa con él. —¿Por qué me ofendes así?, pregunta al chófer. —*Fui yo la que* hice a ese señor olvidar su cartera en el taxi. No quiero *que le devuelvas* el dinero. Si lo haces, *no volveré a sonreírte nunca. Te castigaré por tu honradez. Ya lo verás.*

Pero el chófer ha hecho ya su decisión y entrega la cartera a la policía. Pasan semanas. Pasan meses. Y las cosas le van de mal en peor. *Va buscando en todas partes a* La Suerte. Quiere hablar otra vez con ella. Compra patas de conejo y *docenas* de amuletos, pero La Suerte *no se le aparece* en ninguna parte. Un día, compra todos los números en *la rueda de ruleta y la obliga a* venir. Pero la Dama no quiere favorecerle más. Por fin, *desesperado,* el chófer decide *quitarse la vida.*

Sube al *último piso* de su casa y *se arroja* por la ventana. Pero *en vez de* morir *aplastado* en la calle, cae en el *toldo de una azotea.* Levanta la cabeza y entonces, en la ventana de *la casa vecina,* ve a la Dama Suerte—que le sonríe *cariñosamente.*

is entitled . . . It deals with
back seat
contains
he thinks about
probably belongs to . . . He probably doesn't need it as much as I
he argues
police.
police station, Lady Luck appears to him on the street.
I was the one who
you to return to him . . . I will never smile upon you again. I'll punish you for your honesty. You'll see.
He goes around looking everywhere for
dozen
doesn't appear to him
the roulette wheel and forces her to
desperate . . . take his own life
top floor . . . throws himself
. . . instead of . . . crushed . . . . . . awning of a porch
the house next door
affectionately

Vocabulario Activo

acción *action; share of stock*
Bolsa *Stock Market*
derecho *right (to something)*

cambiar *to (ex)change*
chocar *to collide*
preocupar(se) *to worry*

camino a *on the way to*
de mal en peor *from bad to worse*
junto a *next to*

docena *dozen*
premio *prize*
vecino(a) *neighbor*

quitar(se) *to take away; to take off*
necesitar *to need*
devolver *to return, give back*

pensar en *to think of or about*
tratar de *to deal with; to try to*

Preguntas

1. ¿Qué problema nos preocupa siempre?
2. ¿Cómo se hizo millonario Ramón? ¿Era un gran experto en la Bolsa?
3. ¿Cómo es que subieron cien veces las acciones de la Compañía Unida?
4. ¿Tiene suerte Elsa? ¿Cómo le van siempre las cosas?
5. ¿Qué teme el estudiante que se queja (*complains of*) de su mala suerte?
6. ¿Qué pasó cuando chocaron los dos coches?
7. ¿Por qué no quiere comprar más suertes ni boletos de lotería la última persona que nos habla?
8. ¿Quién es Joaquín Calvo Sotelo?
9. ¿Quién es el protagonista de su cuento *La Suerte*?
10. ¿Qué descubre el chófer en el asiento trasero de su taxi?
11. ¿En qué piensa cuando ve la gran cantidad (*quantity*) de dinero?
12. ¿Qué piensa el chófer acerca del hombre que perdió la cartera?
13. ¿Por qué decide ir a la policía?
14. ¿A quién encuentra en la calle?
15. ¿Por qué está furiosa con él la Dama Suerte?
16. ¿Qué hará la Dama si el chófer insiste en llevar el dinero a la policía?
17. ¿Qué hace el chófer? ¿Cómo le resultan después las cosas?
18. ¿Cómo trata de hacer volver a La Suerte (*to make Lady Luck come back*)?
19. ¿Qué decide hacer el chófer cuando se siente abandonado por la suerte?
20. ¿Cómo trata de quitarse la vida? ¿Por qué no muere en la calle?
21. Cuando levanta la cabeza, ¿a quién ve? ¿Qué hace ahora La Suerte?

II. ESTRUCTURA

91. The Future

The future tense tells what *will* or what is *going to* happen. It is future of *now*.

There is only one set of endings for all conjugations in the future tense. They are added to the whole infinitive. These endings are all derived from the present indicative of **haber: (h)e, (h)as, (h)a, (h)emos, (hab)éis, (h)an:**

hablar

hablaré	(*I will or shall speak*)	hablaremos
hablarás		hablaréis
hablará		hablarán

Ahora complete:

beber: beberé, beberás, ______, ______, ______, ______

vivir: viviré, ______, ______, ______, ______, ______

Only a few very common verbs have irregular forms (corruptions of the original infinitive through the wear and tear of centuries of use), but the endings remain the same. You can complete the conjugations.

venir: vendré, vendrás, vendrá, vendremos, vendréis, vendrán
tener: tendré, tendrás ______, ______, ______, ______
poner: pondré, pondrás, ______, ______, ______, ______
salir: saldré, ______, ______, ______, ______, ______
valer: valdré, ______, ______, ______, ______, ______
poder: podré, ______, ______, ______, ______, ______
saber: sabré, ______, ______, ______, ______, ______
haber: habré, ______, ______, ______, ______, ______
caber (*to fit*)*:* cabré, ______, ______, ______, ______, ______
hacer: haré, ______, ______, ______, ______, ______
decir: diré, ______, ______, ______, ______, ______
querer: querré, ______, ______, ______, ______, ______

Ejercicios

A. Diga la forma del futuro:

yo: comprar, hablar, leer, ser, vivir, sentir; venir, tener, poner
tú: enseñar, encontrar, perder, dormir; hacer, decir, querer
Ud.: dudar, amar, creer, abrir; haber, caber, poder
nosotros: cantar, comer, permitir; venir, tener, salir, valer
vosotros: estar, ser, ver, ir; poder, poner, saber, caber
los niños: dar, volver, reír; decir, hacer, querer, haber

B. Cambie ahora al futuro:

1. *Ha hablado* aquí. 2. ¿*Vas* a oírle? 3. No *estábamos* en casa. 4. ¿*Vinieron*? 5. Le *dije* la verdad. 6. ¿*Es* escritor o abogado Russell? 7. Uds. no lo *hallaron* allí. 8. *Tenemos* que hacerlo. 9. ¿*Sabíais* las respuestas? 10. ¿*Valió* la pena? 11. ¿*Hay* tiempo? 12. ¿*Pueden* acabar?

92. The Future of Probability

In addition to its normal use to express a future action, the future tense may be used to state conjecture or *probability about a present action:*

¿Quién será?	Who can he be? I wonder who he is.
¿Dónde estarán?	Where can they be? I wonder where they are.
Estarán por aquí.	They probably are (must be) around here.
Juan lo sabrá.	John probably knows (must know).

Ejercicio

Complete las frases siguientes:

1. (*It must be*) mi padre. 2. (*I wonder*) ¿Qué hora (*it is*)? 3. (*It's probably*) las tres. 4. (*They must be*) aquí. 5. Esos hombres (*probably are right*). 6. Él (*probably doesn't need*) el dinero tanto como yo. 7. ¿De quién (*can it be*)?

93. The Future Perfect

The future perfect is composed of the future of **haber** + the past participle. It tells what *will have happened* by a certain future time and may also be used to express probability or conjecture about a present action (what probably *has* happened):

Se habrán ido para el sábado.	They will have gone by Saturday.
Habremos vuelto para junio.	We shall have returned by June.
¿Dónde está Juan? —Habrá salido.	Where is John? —He probably has (must have) gone out.
Ya lo habrán comprado.	They have probably bought it already.

Ejercicios

A. Change the following sentences to tell what *will have happened:*

1. Lo terminará mañana. 2. Volverán para diciembre. 3. Ya lo haré. 4. ¿Quién lo sabrá? 5. No lo escribiremos. 6. Chocarán seguramente. 7. Cambiarán la fecha.

B. Change the following sentences to express probability or conjecture:

1. Han llegado. 2. No lo ha dicho. 3. No han vuelto todavía. 4. Nos ha llamado muchas veces. 5. ¿Quién la ha comprado?

94. Other Meanings of *Will* in English

When *will* means *to will, to be willing,* or *please*, it is translated by the present of **querer:**

¿Quieren Uds. esperar un momentito?	Will you (please) wait a moment?
¿Quiere Ud. pasar la sal y pimienta?	Will you (please) pass the salt and pepper?
No queremos firmarlo.	We *will* not (don't want to, are unwilling to) sign it.

Ejercicios

A. Diga en español:

1. Will you (please) be seated? 2. Will you open the window? 3. God wills it.

4. Will you (please) give him our regards (*recuerdos*)?

B. Escriba cinco oraciones originales pidiendo a otras personas que hagan varias cosas.
POR EJEMPLO: ¿Quiere Ud. abrir las ventanas? ¿Quieren Uds. sentarse?

95. *Haber de*

To be (*supposed or expected*) *to* is expressed in Spanish by the idiom **haber de.** This is the *only* use of **haber** as a main verb that can be conjugated in all persons:

Hemos de verlos mañana.	We are (supposed) to see them tomorrow.
El avión ha de despegar a las dos.	The plane is (supposed) to take off at two.
Había de venir, pero no vino.	He was (expected) to come, but he didn't.

Ejercicio

Lea bien los diálogos siguientes, y después conteste las preguntas:

1.—El tren ha de llegar a las cuatro y media, ¿no?
—Sí, pero creo que llegará tarde. Está nevando mucho y los rieles están cubiertos de nieve.

CONTESTE: a. ¿A qué hora ha de llegar el tren?
b. ¿Por qué piensa la otra persona que llegará tarde?
c. ¿Qué estación del año es?

2.—Habíamos de ir a la fiesta esta noche, pero no podemos.
—¿Por qué? Rafaela lo va a sentir mucho.
—Sí, lo sé. Pero mi esposa está enferma.

CONTESTE: a. ¿Adónde habían de ir esta noche?
b. ¿Por qué no pueden ir?
c. ¿Quién cree Ud. que es Rafaela?

3.—¿Sabes, Carmen? Dicen en la radio que ha de llover mucho esta tarde.
—¡Ay, no me digas! Vine sin abrigo, sin sombrero, y sin paraguas.
—No te preocupes. Yo te daré algo.

CONTESTE: a. ¿Qué dicen en la radio?
b. ¿Por qué no quiere Carmen que llueva?
c. ¿Dónde piensa Ud. que están las dos amigas?

4.—¡Dios mío! Hemos de tener examen mañana, ¡y no he estudiado!
—En ese caso, Miguel, has de rogar a Dios que te ayude.

CONTESTE: a. ¿Por qué está preocupado Miguel?
b. ¿Qué le recomienda la persona con quien habla?
c. ¿Quién será esa otra persona?

96. The Definite Article for an Omitted Noun

The definite article stands for a noun that is omitted. These are the usual circumstances:

A. To avoid repeating the same noun after a possessive:

nuestra casa y la de Juan	our house and John's
tu coche y el de tu hermano	your car and your brother's
el marido de Ana y el mío	Anna's husband and mine

B. The pseudo-demonstrative

As we have seen, a true demonstrative (*this, that, these, those*) *points out*. At times, English uses *that* or *those* not to point out one or more of a group, but merely to avoid repeating a noun. In such cases, Spanish logically uses the definite article:

el Museo de Arte y el de Historia Natural	the Museum of Art and that of Natural History
la Facultad de Medicina y la de Bellas Artes	the School of Medicine and that of Fine Arts
nuestro producto y los de nuestros competidores	our product and those of our competitors

Ejercicio

Cambie para evitar (*avoid*) la repetición:

1. ¿Ha visto Ud. mi abrigo y *el abrigo* de Roberto? 2. Sus maletas y *nuestras maletas* han desaparecido. 3. La clase de 1963 y *las clases* de 1964 y 1965. 4. La casa de su tío y *la casa* de mi padre están muy cerca. 5. La muerte de Cervantes y *la muerte* de Shakespeare coinciden en la misma fecha. 6. Mi coche y *el coche* de mi hermano son idénticos.

Ejercicio de Repaso

Traduzca al español:

Will I have luck or won't I have luck? Nobody knows the answer to this question. What (*Lo que*) the future will bring us is a mystery, and many times things happen that we can not explain. For example, do you remember Raymond Lozano? He's a millionaire now. And how? Is he very intelligent? No. He's very lucky. He bought a thousand shares in a company that wasn't worth anything; and one day, what happens? They discover uranium and his shares go up a hundred times, while (*mientras*) those that *we* bought in another company go down. That's life. That's luck.

And some people never seem to have luck. You probably know someone for whom (*para quien*) things always seem to go from bad to worse. I have a friend, Mary, who has never had a good day in her whole (*entera*) life. And she will always be like that (*así*), I suppose (*suponer*).

All this reminds me of (*me recuerda*) the story of a taxi driver who found a wallet with a hundred thousand pesetas in the back seat of his car. He wanted to keep it because he thought:—It must belong to a great millionaire who probably doesn't need it as much as I.— But his conscience didn't let him keep the money, and so (*así*) he took it to the police. Well, Lady Luck came to him one day and said:—You didn't accept the gift (*el regalo*) that I gave you. I will never come to you again. You will have to spend the rest of your life without me.

The poor taxi driver looked for her everywhere, and finally, desperate, he decided to take his own life. But when he threw himself out of the window of his house, he fell (*cayó*) on the awning of a porch. And when he raised his head, there was Lady Luck, who was smiling at him.

III. CONVERSACIÓN: *LA SUERTE*

1. ¿Cree Ud. en la suerte? En su opinión, ¿tiene más influencia en nuestra vida la suerte o nuestra voluntad (*will*)?
2. ¿Se considera Ud. una persona afortunada? ¿Por qué? ¿Qué circunstancia considera Ud. la más afortunada de su vida?
3. ¿Recuerda Ud. un caso específico en que tuvo buena suerte? ¿Un caso de un amigo o pariente suyo?
4. ¿Recuerda Ud. un caso en que tuvo mala suerte? ¿Una experiencia de un amigo o pariente suyo?
5. En su opinión, ¿en qué consiste la buena suerte?
6. ¿En qué orden de importancia pone Ud. los siguientes: dinero, salud, amor?
7. En el caso del chófer de taxi, ¿cree Ud. que hizo bien o mal en devolver la cartera al hombre que la perdió?
8. ¿Qué hará Ud. si halla un día una cartera con diez dólares? ¿cien dólares? ¿mil dólares? ¿cien mil dólares?
9. ¿Ha hallado Ud. algo alguna vez? ¿Qué fue? ¿Qué hizo Ud?
10. En el sentido (*sense*) moral, ¿cree Ud. que es un acto más criminal robar diez mil pesos que diez pesos? ¿Es un acto menos criminal robar a una persona rica que a una persona pobre?

IV. TEATRO Y COMPOSICIÓN

Haga Ud. una versión dramatizada de *La Suerte*. Puede contar el cuento del chófer que encontró la cartera, o puede contar un episodio original acerca de la suerte. O si Ud. quiere, puede escribir una composición sobre:

1. Por Qué Me Considero (o No Me Considero) una Persona Afortunada
2. Un Caso de Suerte Excepcional
3. La Persona Más Afortunada del Mundo
4. Lo Que Espero de la Suerte

REPASO III

Cuadro flamenco.

I. Tema: La Música Hispánica (*Tape 20*)
   Vocabulario, p. 419

II. Dictado y Ejercicio de Comprensión (*Tape 20*)

III. Repaso de Gramática

A. Forms of the Present Subjunctive

1. Regular

hablar	**comer**	**abrir**
hable	coma	abra
hables	comas	abras
hable	coma	abra
hablemos	comamos	abramos
habléis	comáis	abráis
hablen	coman	abran

2. Irregular

ser: sea, seas, sea, seamos, seáis, sean
saber: sepa, sepas, sepa, sepamos, sepáis, sepan

ir: vaya, vayas, vaya, vayamos, vayáis, vayan
haber: haya, hayas, haya, hayamos, hayáis, hayan

All other irregular verbs that we have studied add the normal subjunctive endings to the stem of the first person singular of the present indicative:

hago: haga, hagas, etc.
conozco: conozca, conozcas, etc.

3. **-ir** radical changing

sentir	**morir**
sienta	muera
sientas	mueras
sienta	muera
sintamos	muramos
sintáis	muráis
sientan	mueran

-ar and **-er** radical changing verbs have no change in the stem vowel of the first and second persons plural.

B. Direct Commands

Direct affirmative commands in **Ud.** and **Uds.** use the third person of the present subjunctive. Negative commands, both familiar and polite, use the corresponding form of the present subjunctive. Remember: *Object pronouns must be attached to the end of direct affirmative commands.* They are placed in their normal position *before* the verb in negative commands: **Siéntese Ud. No se siente Ud.**

C. The First Two Concepts of the Subjunctive

1. Indirect or implied command: **Quiero que lo haga.**
2. Emotion: **Sentimos que esté enfermo.**

D. The Future

1. Forms

The future endings **é, ás, á, emos, éis, án** are added to the entire infinitive:

llevar: llevaré, llevarás, llevará, llevaremos, llevaréis, llevarán
creer: creeré, creerás, creerá, creeremos, creeréis, creerán
abrir: abriré, abrirás, abrirá, abriremos, abriréis, abrirán

Some irregular verbs add these endings to shortened forms or corruptions of the infinitive:

venir	vendré	saber	sabré
tener	tendré	haber	habré
poner	pondré	caber	cabré
salir	saldré	hacer	haré
valer	valdré	decir	diré
poder	podré	querer	querré

2. Uses

The future tells what *is going to* or what *will happen*. It also expresses probability or conjecture about a present action.

E. The Past Participle

The past participle is formed by changing the infinitive ending **-ar** to **-ado,** the **-er** and **-ir** to **-ido.**

llamar llamado   meter metido   vivir vivido

There are a few irregular past participles:

poner puesto   volver vuelto
ver visto   cubrir cubierto
hacer hecho   abrir abierto
decir dicho   morir muerto
escribir escrito   romper roto

The past participle is often used as an adjective:
un estudiante interesado
una hora perdida

F. Compound (or Perfect) Tenses

1. Present perfect: present of **haber** + past participle (*has, have gone*)

he hablado, visto, ido
has
ha
hemos
habéis
han

2. Pluperfect (past perfect): imperfect of **haber** + past participle (*had gone*)

había hablado, visto, ido
habías
había
habíamos
habíais
habían

3. Future perfect: future of **haber** + past participle (*will have gone, probably has gone*)

habré hablado, visto, ido
habrás
habrá
habremos
habréis
habrán

4. Present perfect subjunctive: present subjunctive of **haber** + past participle (*may have gone*)

haya hablado, visto, ido
hayas
haya
hayamos
hayáis
hayan

G. Formation of Adverbs

Adverbs are regularly formed by adding **-mente** to the feminine singular of an adjective: **lentamente, sinceramente, fácilmente.** Sometimes Spanish prefers **con** + a noun in place of an adverb: **con sinceridad, con tristeza.**

H. Unequal Comparisons: *more, less . . . than*

Adjectives and adverbs are compared regularly by placing **más** or **menos** before them: **más bonita, menos inteligentes, el niño más listo, más rápidamente.**

There are only a few irregular comparisons:

ADJECTIVE	ADVERB	COMPARATIVE
bueno	bien	mejor
malo	mal	peor
mucho	mucho	más
poco	poco	menos
grande		mayor
pequeño		menor

Than is normally translated by **que**. However, **de** precedes a number.

I. More About Adjectives

1. Shortening

A few adjectives lose the final **-o** before a masculine singular noun: **buen(o), mal(o), algún(o), ningún(o), primer(o), tercer(o). Grande** becomes **gran** before any singular noun; **ciento, cien** before any noun.

2. Position

Non-descriptive adjectives—demonstratives, indefinites (including **mucho** and **poco**), unstressed possessives—and descriptive adjectives that are used to characterize rather than to distinguish are placed *before* the noun.

Descriptive adjectives that set the noun off from others of its type and stressed possessives (**mío,tuyo**,etc.) are placed *after* the noun.

Any change in the position of an adjective may affect its emphasis or meaning.

3. **De** + a noun states the material of which something is made: **un reloj de oro.**

J. Weather

Phenomena that are felt use **hacer**; those that are seen use **haber**: **Hace frío, calor, sol, viento. Hay luna, sol.** Also: **llover(ue)** (*to rain*); **nevar(ie)** (*to snow*).

K. Indefinites and Negatives

INDEFINITES	NEGATIVES
algo *something*	nada *nothing*
alguien *somebody, someone*	nadie *nobody, no one*
algún, alguno(a) *some, any or some (one of a group)*	ningún, ninguno(a) *none, no one (of a group)*
algunos(as) *some, several (of a group)*	ningunos(as) *no, none (of a group)* (rare)
alguna vez *sometimes*	nunca, jamás *never*
algún día *some day*	
(en) alguna parte *somewhere*	(en) ninguna parte *nowhere*
(de *or* en) alguna manera *somehow, in some way*	(de *or* en) ninguna manera *in no way*
	ni . . . ni *neither . . . nor*
	ni siquiera *not even*
	tampoco *neither, not . . . either (opposite of* también *[also])*

Estudio de Vocabulario

1. ¿Qué palabras del Grupo I asocia Ud. con las del Grupo II?

I	II
billete	novios . . . llorar . . . moneda . . . invierno . . . niños . . .
nevar	deportes . . . estrella . . . madera . . . agua . . . Bolsa
lágrima	
criar	
suerte	
trozo	
casarse	
jugara	
acción	
llover	

2. ¿Puede Ud. encontrar un sinónimo para cada una de las palabras siguientes?
   ponerse a, pegar, responder, tener miedo, contento

3. ¿Puede Ud. decir lo contrario de las palabras siguientes?
   verdad, fuerte, corto, siempre, nacer, correr, por dentro, dudar, hacer una pregunta

4. ¿Cuántas palabras o expresiones conoce Ud. relacionadas con el clima (*climate*)?

Composición

Escriba una composición sobre:

1. Restaurantes y Comidas
2. Una Comida en Mi Casa
3. Cómo Me Gusta Pasar Mi Tiempo Libre
4. El Mundo de Hoy

SUSTANCIAS Y ARTÍCULOS DE USO DIARIO
(Substances and Articles of Daily Use)

el metal *metal*
hierro *iron*
acero *steel*
el cobre *copper*
el bronce *bronze*

el latón *brass*
oro *gold*
plata *silver*
platino *platinum*
estaño *tin*

aluminio *aluminum*
uranio *uranium*
el níquel *nickel*
plomo *lead*
cromo *chromium*

el cartón *cardboard*
el papel *paper*

ladrillo(s) *brick(s)*
el adobe *adobe*

cemento *cement*
piedra *stone*

loza *pottery*
porcelana *porcelain, china*
madera *wood*
vidrio *glass*
cuero *leather*
caucho, goma *rubber*
plásticos *plastics*

el jabón *soap*
toalla *towel*
navaja (de afeitar) *shaving razor*
crema dental *toothpaste*
cepillo *brush*
cepillo dental *toothbrush*
el peine *comb*

el carbón *coal*
el aceite *oil*
petróleo *petroleum*
el gas *gas*
la electricidad *electricity*

botella *bottle*
el sacacorchos *corkscrew*
lata *can*
el abrelatas *can opener*

tela *fabric, cloth*
el algodón *cotton*
seda *silk*
lana *wool*
el nilón *nylon*

el reloj *clock*; (de pulsera) *wristwatch*
el paraguas *umbrella*
el impermeable *raincoat*

pañuelo, *handkerchief*
gafas, los lentes *eyeglasses*
anteojos o gafas para el sol *sunglasses*

Preguntas

1. ¿De qué se construye una casa? ¿De qué es la casa en que vive Ud.?
2. ¿De qué se hace un automóvil? ¿una mesa? ¿una olla o una sartén? ¿una taza? ¿un vaso? ¿un sofá? ¿un televisor? ¿una estatua? ¿un anillo? ¿una lata? ¿un vestido? ¿una pelota? ¿dinero? ¿zapatos? ¿una caja? ¿la llanta de un automóvil! ¿un avión? ¿una bomba atómica? ¿un libro? ¿un reloj?
3. ¿Qué usamos para lavarnos? ¿Para limpiar los dientes? ¿Para peinarnos? ¿Para poder ver mejor? ¿Para protegernos de la lluvia? ¿Para afeitarnos? ¿Para abrir una lata?
4. ¿Qué combustibles se emplean para calentar la casa? ¿Cuál prefiere Ud.? ¿Cuál usa Ud. en su propia casa?

Lectura XI

LOPE, TIRSO, Y CALDERÓN

"El *monstruo* de la naturaleza," le nombró Cervantes. "El Shakespeare de España," "Padre del teatro español," le llamaron otros. "Es de Lope," decían en su época para indicar que una cosa era excepcionalmente buena. Tuvo una vida larga, llena de triunfos personales, de aventuras, y de conquistas amorosas. Y cuando murió en 1635, era casi una figura legendaria, y una nación entera lloró su muerte.

Félix Lope de Vega Carpio, el prodigio de su tiempo, nació en Madrid en 1562, de familia pobre. Se dice que antes de aprender a escribir, ya dictaba poesías. Siendo joven todavía, fue *encarcelado y desterrado* después por una aventura amorosa. Sirvió a varios *amos* de *rango* altísimo. Se hizo soldado y estuvo con la Armada Invencible en 1588. *Vuelto a* España, continuó su carrera literaria[1] escribiendo con una *rapidez asombrosa volúmenes* de exquisita poesía lírica, largos poemas épicos y alegóricos, dos novelas pastoriles, otros *tomos* de prosa, y unas dos mil obras dramáticas en verso.

Genio de la improvisación, podía componer un drama de tres actos en veinte y cuatro horas, y a pesar de la prisa de su composición, gran número de ellos son verdaderas obras maestras. La producción de Lope *solo bastaría* para llenar los anales literarios de toda una época. Escribió dramas históricos basados en romances populares y en crónicas medievales; escribió comedias de "*capa y espada*," comedias *palaciegas,* comedias de carácter, comedias pastoriles y picarescas y mitológicas y religiosas. Antes de él, el teatro había sido el *género* menos cultivado. Lope lo hizo la forma más popular y tal vez la mejor conocida y *desarrollada. Descuidando* las *reglas* tradicionales de la construcción clásica del drama, mezclando elementos trágicos y cómicos, introduciendo una gran variedad de temas, y perfeccionando el ritmo poético, creó un verdadero teatro nacional.

Tirso de Molina (nombre de pluma del humilde *fraile* Gabriel Téllez) es el autor de una de las obras dramáticas que más influencia han tenido en la literatura y la música del mundo. El protagonista de su obra maestra, *El Burlador* de Sevilla o *El Convidado de Piedra* (1630), es don Juan Tenorio, símbolo todavía del amante libertino. Don Juan ha sido el tema de obras de Moliere, Zorrilla,

prodigy
jailed and exiled
. . . masters
rank
Back in
amazing speed volumes
tomes
alone would suffice
cape and sword
of the palace
genre
developed. Ignoring . . . rules
friar
The Scoffer . . . The Stone Guest

[1] ¡Y su igualmente prolífica carrera amorosa!

Lope (1562–1635).

Espronceda, Byron, Dumas, Shaw y otros muchos, y el héroe de la ópera de Mozart, *Don Giovanni*, ¡y hasta de una ópera china llamada *Sang Po!*

La interpretación del carácter de don Juan *varía* mucho según la época y el artista que lo trata. El don Juan de Tirso no es un verdadero amante, porque no sabe amar. Es *más bien* un burlador, un *engañador* que abusa no sólo de las mujeres sino de todos, y que trata de imponer su propia voluntad sobre la de Dios, el mundo sobre el cielo. Y por eso, es condenado al infierno. Moliere y otros contemporáneos del neoclásico francés también le condenan. Pero en el periodo romántico, don Juan es salvado a veces por el amor. Y en la obra de Shaw, don Juan llega al paraíso porque *al desafiar* las convenciones sociales *ha merecido* algo más que *la nada* del infierno. Y así continuará estimulando la imaginación de nuevas generaciones el tema del burlador. Porque representa más que la cuestión del amor o del *engaño*. Representa la lucha del hombre contra la eternidad; representa su deseo de negar la *misma* existencia de esos poderes que él no puede dominar, su deseo de vencer sobre los misterios fundamentales de su vida y de su muerte. "*¡Tan largo me lo fiáis!*" contesta don Juan cuando le dicen que algún día tendrá que pagar por sus *pecados*. Pero llega el día para don Juan, como llega para todos, y

varía: varies
más bien: rather
engañador: deceiver
al desafiar: by challenging
ha merecido: has earned . . .
la nada: the nothingness
engaño: deceit
misma: very
¡Tan largo me lo fiáis!: I have a long time to worry about that
pecados: sins

surge entonces la cuestión: ¿Puede salvarse el hombre si *se arrepiente* de sus pecados al último momento? ¿Qué tiene que hacer para ganarse la vida eterna? ¿Hay salvación? ¿Hay infierno? Tirso condena a don Juan. Shaw le abre las puertas del cielo. ¿Qué *haríamos nosotros si tuviéramos que* decidir el caso de don Juan? ¿Qué *haría Ud.*?

arises . . . he repents

would we do if we had to

would *you* do?

La Vida Es Sueño, obra maestra de Pedro Calderón de la Barca también *sugiere* un tema interesantísimo: el problema de nuestro *reconocimiento* de la realidad. ¿Qué es la vida? ¿Consiste solamente *en* lo que hacemos mientras estamos *despiertos*? ¿Cómo podemos separar la realidad *consciente* de la realidad subconsciente del sueño? Calderón, hombre del barroco, noble de familia, religioso de temperamento, *concluye* que la vida en esta tierra no es la única, ni la más importante, y que el hombre debe vivirla consciente siempre de su *temporalidad.*

Life Is a Dream

suggests

recognition

of . . . awake

conscious

concludes

temporariness

"¿Qué es la vida?—Una ilusión,
Una *sombra*, una ficción . . .
Que toda la vida es sueño,
Y los sueños sueño son."

shadow

El psicólogo de hoy *sacaría* otra conclusión. Pero el problema que *plantea* Calderón, último de los grandes *dramaturgos* del Siglo de Oro, nos atormenta todavía.

would draw

poses . . . dramatist

60

65

70

75

Preguntas

1. ¿Qué nombre dio Cervantes a Lope de Vega? ¿Cómo le llamaron otros? ¿Qué decían en su época?
2. ¿Cómo fue la vida de Lope de Vega?
3. ¿Cuándo nació Lope? ¿Dónde nació? ¿Cómo era su familia?
4. ¿Qué sabemos de su juventud? ¿En qué batalla naval tomó parte?
5. ¿A qué se dedicó al volver a España? ¿En qué consiste su producción literaria?
6. ¿Qué tipos de obras dramáticas escribió?
7. ¿Qué contribución hizo Lope al teatro nacional?
8. ¿Quién fue Tirso de Molina? ¿Qué obra famosa escribió?
9. ¿Qué otros escritores han tratado el tema de don Juan? ¿Cómo aparece en la música?
10. ¿Por qué no es un verdadero amante don Juan? ¿Qué trata de hacer?
11. ¿Cómo le juzga (*judges*) Tirso de Molina? ¿Y Zorrilla? ¿Y Shaw?
12. ¿Qué representa la conducta de don Juan? ¿Qué cuestiones surgen? ¿Le condenaría (*would you condemn him*) o le perdonaría Ud.? (Yo le condenaría . . . o perdonaría . . . porque . . .)
13. ¿Quién escribió *La Vida Es Sueño*? ¿Qué tipo de persona era Calderón?
14. ¿Qué tema sugiere su obra maestra? ¿Qué conclusión saca Calderón?

Lección

DIECISÉIS

I. TEMA: *EL IDEAL*

Me dice una amiga mía que cuando *tenía diez años* decidió que un día *se casaría con un vaquero. A los quince,* anunció que su marido *tendría que ser un cantante popular,* o a lo menos, un guitarrista de orquesta. A los diez y ocho, *ya llegada a la plena madurez, hizo saber a todos que no se contentaría* con menos que un millonario. A los veinte, ya estaba casada, con un agente tan pobre como el *ratón* proverbial, pero muy buen muchacho. Y prosperaron tanto que ahora no tiene que *envidiar* a ninguna de sus *antiguas* amigas, y vive *feliz* con su marido y sus dos hijos. Pero *de tiempo en tiempo*, cuando pone la televisión, creo que *sueña todavía con* el vaquero.

she was ten years old
she would marry a cowboy.
At fifteen
would have to
be a popular singer
having reached full maturity, she let everyone know that she would not be satisfied
mouse
envy . . . old . . . happily
from time to time
she still dreams about

El ideal. ¡Cuántas veces cambia para *ajustarse al capricho* del amor! La abstracción *se convierte en Él, en Ella, llega a ser específica, personal, pasajera.* Y tomamos la realidad y *creamos* con ella un nuevo ideal.

adjust itself to the whim
becomes Him, Her, it becomes specific, personal, passing . . . we create

Pero, en verdad, ¿qué es el ideal? ¿Qué buscamos, por ejemplo, en el amor?

Ayer, escuché una conversación tan típica de las muchachas de hoy como sus *zapatos sin tacón* y su *suéter de lana color aceituna.* Note Ud. el orden de importancia que dan a las cosas:

flat-heeled shoes . . .
olive-colored wool sweater

—Anita, ¿sabes? *Me voy a casar.*

—¿De veras? ¡Qué maravilloso! *¡Enhorabuena!* ¿Con Pedro?

—No. *Tan desesperada no estoy.*

—Pues ¿con quién entonces? ¿Le conozco?

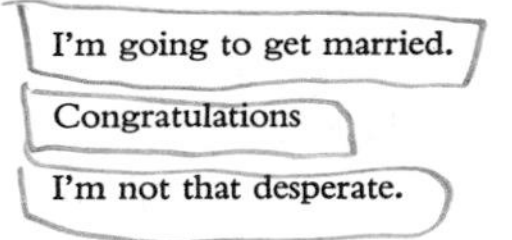
I'm going to get married.
Congratulations
I'm not that desperate.

—*Creo que no.* Es un muchacho que conocí hace tres meses en el campo. No es de aquí.

—¿Cómo se llama?

—Diego.

—¿Tienes el *anillo* ya?

—Todavía no. Dijo que *lo escogeríamos juntos este fin de semana.*

—Pero *dime algo de él,* ¿cómo es?

—Bueno, es alto y. . . .

Parece que las jóvenes de hoy empiezan toda descripción de su ideal *midiendo* su elevación sobre la tierra. Eso es, si el novio *tiene a lo menos seis pies de alto.* Si no es alto, *evitan* totalmente el tema (¡nunca *ofrecen voluntariamente* la información de que es *bajo*!) y empiezan con su familia. Por ejemplo:

—Su padre es presidente de la Compañía Eléctrica.

Si el novio *no se distingue mucho* por su familia, la muchacha *comienza* con su profesión u oficio:

—Estudia *para abogado* . . . Trabaja en el banco . . . Es *teniente* en la Fuerza Aérea. . . .

Pero si eso tampoco ofrece posibilidad de *impresionar* a su amiga, la novia dice sencillamente:

—Es maravilloso. *Te lo presentaré* algún día.

Y al mismo tiempo hace una nota mental de no presentarle a ninguna de sus amigas hasta estar casada . . . y *bien casada.*

Con los hombres es un poco diferente. Primero tienen que *disculparse por haberse enredado en el compromiso.*

—Hola, Diego. Me dicen que te vas a casar. ¿Cómo te dejaste caer en la *trampa*? ¿Quién *creería* que tú . . . ?

—Pues hombre, *me cansé* de hacer mi propio *desayuno,* ¿sabes? Y cuando esa *muñequita rubia* ofreció *hacérmelo* todos los días, *no pude rehusar. Cualquier soltero* de corazón—y estómago—*habría hecho lo mismo.*

—¿Una rubia, dices? Menos mal.

El hombre, como ya ve Ud., después de *tratar* el compromiso como una *enorme broma de que él mismo es la apacible víctima, nos entera* en seguida del color del pelo de la novia, *sobre todo si lo tiene rubio* o rojo. *Esto basta* normalmente para caracterizarla y *satisfacer* la curiosidad del amigo. Si es *morena,* puede cambiar un poco el orden de las cosas. *Empezaría* entonces diciendo dónde o cuándo la conoció, o tal vez, *recalcando en qué buena muchacha es.*

Pero, ¿cómo es ella de veras? ¿Cómo es él? No se habla mucho de eso. *Ni él ni ella lo sabrán,* pero no importa. No saben *lo que* es el ideal, sólo que lo han encontrado.

I don't think so.

ring

we would pick it out together this weekend.

tell me about him

by measuring . . . is at least six feet tall . . . they avoid

offer voluntarily . . . short

isn't very distinguished

begins

to be a lawyer . . . lieutenant

impressing

I'll introduce him to you

good and married.

apologize for having gotten entangled in the engagement.

trap . . . would think

I got tired . . . breakfast

blonde doll . . . make it for me . . . I couldn't refuse. Any bachelor . . . would have done the same

treating

enormous joke of which he himself is the willing victim informs us

especially if it is blonde . . .

This suffices . . . to satisfy

brunette

He would begin

emphasizing what a good kid she is

Neither one probably knows . . . what

Vocabulario Activo

anillo *ring*
broma *joke*

bastar *to be enough, suffice*
comenzar (comienzo) *to begin*
crear *to create*

cualquier *any (at all)*
enorme *enormous*

Creo que no. *I don't think so.*
de tiempo en tiempo *from time to time*
¡Enhorabuena! *Congratulations!*
enterar de *to inform*

el fin *end;* — de semana *weekend*
oficio *trade, occupation*

evitar *to avoid*
ofrecer (ofrezco) *to offer*
rehusar *refuse*

moreno *brunette*
rubio *blond*

llegar a ser *to become (after a time)*
sobre todo *especially*
tener . . . años (de edad) *to be . . . years old;* — . . . de alto *to be . . . tall;* — . . . de ancho *to be . . . wide*

Preguntas

1. ¿Con quién decidió que se casaría la primera muchacha cuando tenía diez años? ¿Cuando tenía quince? ¿Cuando llegó a los diez y ocho?
2. ¿A qué edad se casó? ¿Con quién?
3. ¿Era rico su novio cuando se casaron? ¿Cómo viven ahora? ¿Cuántos hijos tienen?
4. A veces, cuando pone la televisión, ¿con quién sueña todavía la mujer?
5. ¿Es estable (*stable*) y permanente el ideal?
6. ¿En qué se convierte la abstracción? ¿Qué hacemos con la realidad?
7. ¿Cómo se visten las muchachas típicas de hoy?
8. ¿Qué menciona primero la novia al hacer una descripción de su novio?
9. Si no es alto el novio, ¿con qué empieza su descripción la muchacha?
10. ¿Y si no se distingue mucho por su familia?
11. ¿Y si eso tampoco puede impresionar a su amiga?
13. ¿Cómo empiezan los hombres a hablar de su proyectado matrimonio (*forthcoming marriage*)?
14. ¿Qué menciona primero el hombre respecto a (*concerning*) su novia?
15. ¿Saben los novios cómo es de verdad su ideal? ¿Qué es lo único que saben?

II. ESTRUCTURA

97. The Conditional Tense

A. General meaning

The conditional is usually translated by *would* (*would go, would do*), and occasionally in the first person by *should*. Since the conditional is primarily the future of a *past* action, it has all the functions of the future tense, but with relation to the past.

Reduced to a mathematical ratio:

CONDITIONAL : PAST = FUTURE : PRESENT
(Conditional is to Past as Future is to Present)

Dice que vendrá.	He says that he will come.
Dijo que vendría.	He said that he would come.

B. Forms

The stem of the conditional, like the future, is the whole infinitive. The conditional endings, however, are the same as those of the imperfect tense of **-er** and **-ir** verbs:

hablar

hablaría (*I would speak* [*if* . . .])
hablarías
hablaría
hablaríamos
hablaríais
hablarían

Now you complete:
bebería, beberías, ______, ______, ______, ______
viviría, ______, ______, ______, ______, ______

Irregular verbs have the same stem as in the future tense:

venir: vendría, ______, ______, ______, ______, ______
tener: tendría, ______, ______, ______, ______, ______
poner: pondría, ______, ______, ______, ______, ______
salir: saldría, ______, ______, ______, ______, ______
valer: valdría, ______, ______, ______, ______, ______
poder: podría, ______, ______, ______, ______, ______
saber: sabría, ______, ______, ______, ______, ______
haber: habría, ______, ______, ______, ______, ______
caber: cabría, ______, ______, ______, ______, ______
hacer: haría, ______, ______, ______, ______, ______
decir: diría, ______, ______, ______, ______, ______
querer: querría, ______, ______, ______, ______, ______

Ejercicio

Cambie, usando siempre el condicional:

1. Juan dijo que lo *haría.* (preparar, abrir, decir, perder)
2. Yo no *caminaría.* (llevarlo, decirlo, mandársela, tener tiempo)
3. Pepe y su amigo *irían.* (saberlo, comprarlos, no hacerlo, caber)
4. Manolo y yo no *saldríamos.* (poder, creerlo, venir, pedírselo)
5. Tú seguramente me *ayudarías.* (llevar, nombrar, ofrecerlo, querer)
6. Vosotras nos lo *daríais.* (mandar, devolver, cambiar, hacer, decir)

98. Principal Uses of the Conditional

A. It tells what *was going* to take place.

Prometió que lo haría.	He promised that he would do it.
Dijiste que me escribirías.	You said that you would write to me.

B. It states what *would* happen *if* something were so.

Vendría si . . .	He would come if . . .
Le llamaríamos si . . .	We would call him if . . .

C. It expresses conjecture or probability about a *past* action.

Sería él.	It probably was he. (It must have been he.)
¿Dónde estarían?	Where could they have been? (I wonder where they were.)

Ejercicios

A. Conteste en español (por supuesto):

1. ¿Me haría Ud. un favor? 2. ¿Qué hora sería cuando empezó la clase hoy? 3. ¿Le gustaría casarse con una persona muy famosa? 4. ¿Le gustaría a su madre tener una máquina para lavar los platos? 5. ¿Les gustaría a Uds. no tener exámenes nunca? 6. ¿Cuándo les dijo su profesor(a) que tendrían el próximo examen? 7. ¿Podría Ud. venir a mi casa mañana por la tarde? 8. ¿No prometió Ud. que me escribiría una carta?

B. Ahora traduzca al español:

1. Would *you* speak to him? 2. I wouldn't do that. 3. They would like (*Les* . . .) to go with us. 4. They would call him if . . . 5. She probably was here yesterday. 6. Who would think that *you* . . .? 7. I said that I would give it to him. 8. He wouldn't say that if . . . 9. Would you (pl.) have time? 10. We wouldn't be able to go.

99. The Conditional Perfect

The conditional perfect (in English, *would have gone, would have done*) is composed of the conditional of **haber** + the past participle. It tells what *would have happened* (*if* . . .):

Yo habría ido de muy buena gana.	*I* would have gone very gladly.
Lo habrían hecho si . . .	They would have done it if . . .

It may also express probability or conjecture about a *past* perfect action (what probably *had* happened):

Ya habrían llegado.	They probably had already arrived.
¿Dónde habría estado?	Where could he have been?

Ejercicios

A. Cambie para decir lo que *habría ocurrido* (what *would have* happened):
1. Fui con ellos. (Habría . . .) 2. Ya la habíamos comprado. 3. Nos lo dio ayer. 4. Vendría a la fiesta si . . . 5. ¿Quién creería eso? 6. No lo ha dicho.

B. Cambie para expresar probabilidad (Remember: the *future* expresses conjecture about the present; the *conditional*, about the past):
1. Está aquí. Estuvo aquí. Ha estado aquí. Había estado aquí. 2. Fue Juan. Había sido Juan. 3. Ya habían llegado. 4. Lo habíamos perdido. 5. ¿Lo han hecho? ¿Lo habían hecho? 6. Había venido tarde.

100. Other Meanings of *Would*

A. When *would* means *used to*, it is translated by the imperfect:

Nos llamaba todas las tardes.	He would (used to) call us every afternoon.
Iban primero a la iglesia, después a la escuela.	They would go first to church, then to school.

B. When *would* means *please,* or is used to make a polite request, it is translated, like *will*, by **querer:**

¿Quiere Ud. pasar la sal?	Would you pass the salt?
¿Quiere Ud. abrir la ventana?	Would you open the window?

Ejercicio

Complete las frases siguientes:
1. (*Would you help me*) a completar esta lección? 2. (*He would visit us*) todos los días cuando vivíamos cerca. 3. (*Would it be*) mejor dejarla aquí? 4. Dijeron que (*they would be*) aquí a tiempo. 5. (*Would you repeat*) eso, por favor? No le oí.

101. *Should*

At times, English uses *should* to express a conditional in the first person: *I should like to go* (**Me gustaría ir**). Aside from this rather infrequent use, *should* must not be confused with *would*:

A. When *should* means *ought to,* it is translated by **deber**.

Niños, debéis prestar atención.	Children, you should (ought to) pay attention.
Debemos ayudarles.	We should help them.

B. When *should* indicates probability or conjecture, it is translated by **deber (de)** or by the future of probability.

Deben (de) saberlo. Lo sabrán.	They should (probably) know it.

Ejercicio

Lea Ud. bien cada oración o diálogo, y después decida cuál de las alternativas le corresponde mejor. Por ejemplo:

1. Alfredo, tus notas han bajado mucho recientemente. Debes (jugar más al fútbol, *estudiar más*, comer menos).
2. Tenéis sueño, ¿eh? Pues debéis (acostaros más tarde, levantaros más temprano, acostaros más temprano).
3. —¿No ha llegado todavía Carlos?
   —Ah, sí. Debe (estar por aquí, ir al cine, comprar cien acciones).
4. Serán las ocho de la mañana. Debemos (almorzar, cenar, desayunarnos) en seguida.
5. Si no escuchan, no van a aprender. Deben (rehusar el trabajo, prestar más atención, hacer un viaje).
6. ¡Ay, pobres! No tienen comida ni vestidos ni casa ni nada. Todos debemos (ayudarlos, golpearlos, evitarlos).
7. Hace muchísimo frío hoy. No creo que los niños deben (salir con abrigo, ponerse los guantes, salir sin abrigo y guantes).

102. Equal Comparisons

A. tanto (a, os, as) . . . como *as much (as many) . . . as*

Tiene tantos enemigos como amigos.	He has as many enemies as friends.
No tengo tanto dinero como tú.	I don't have as much money as you.
Había tantas mujeres como hombres.	There were as many women as men.

B. tan . . . como *as (+ adjective or adverb) . . . as*

Es tan alto como su padre.	He is as tall as his father.
¿Están Uds. tan cansados como nosotros?	Are you as tired as we (are)?

But remember: **tanto** means *as much, so much.*

No tengo tanto como ella.	I don't have as much as she.
No hables tanto.	Don't talk so much.

Ejercicio

Cambie las siguientes comparaciones desiguales (*unequal comparisons*) a comparaciones *iguales*:
1. ¿Sabe más lenguas que Ud.? (¿Sabe tantas . . .?) 2. ¿Tiene menos dinero que

tú?—¡Imposible! Nadie tiene menos dinero que yo. 3. No tengo más que hacer que mis hermanas. 4. Esta lección es menos difícil que la próxima. 5. Juanito es más inteligente que los demás (*the others*). 6. Tengo más hambre que él. 7. Están más cansados que nosotros.

Ejercicio de Repaso

Traduzca al español:

When my sister was ten years old, she decided that she would marry a cowboy. At fifteen she announced that her husband would be at least a millionaire. At eighteen, she got married, to a poor fellow, but a very nice person, and now she wouldn't change him for (*por*) anybody.

It seems that the ideal changes as quickly as the weather in March. Each time, we take reality and adjust it to our desire, and so, we create a new ideal. And this ideal is as stable and permanent as the last one (*el último*). But what would we do without the ideal? What would we be without an ideal?

Love presents some interesting aspects of this problem. For example, yesterday I heard a conversation between two girls here at the college.

—Anita, do you know? I'm getting married!

—Wonderful! To Peter?

—No. I'm not that desperate! His name is Jim.

—What's he like?

—Well, he's tall, and . . .

As you see, the girl always begins the description of her fiancé (by) measuring his elevation above the ground, that is, if he is at least six feet tall. If he isn't as tall as he should be, she begins (by) telling of his family, or his profession or trade, or by saying simply:
—He's wonderful. I'll introduce him to you some day.

With men, it's different. First they must apologize for having fallen into the trap.

—Who would believe that you . . .?

—Well, I thought I would never get married, but when that little blonde offered to make my breakfast every day. . . . Really, any man would have done the same.

As you see, the man always begins with the color of his fiancée's hair, that is, if she is blonde or if she has red hair. But what is she like really? What is he like? They don't talk much about that. They don't know what their ideal is, only that they have found it.

III. CONVERSACIÓN: *EL IDEAL*

1. ¿Cree Ud. en el amor a primera vista (*at first sight*)?
2. (A las muchachas) ¿Qué busca Ud. en un marido? ¿Se casaría Ud. por dinero? ¿Tiene que ser guapo su marido? ¿Tiene que ser alto? ¿Tiene que ser más alto que Ud.? ¿Tiene que ser mayor que Ud.? ¿Tiene que estar empleado (*employed*)? ¿Puede ser muy pobre?
3. (A los hombres) ¿Qué busca Ud. en una mujer? ¿Se casaría Ud. por dinero o por posición

social? ¿Tiene que ser bonita su mujer ideal? ¿Le gustaría a Ud. casarse con una mujer famosa por su belleza (*beauty*)?
4. ¿Qué le atrae (*attracts*) más a Ud.?: inteligencia, bondad (*goodness*) o buen aspecto físico (*physical appearance*)? ¿Puede Ud. poner estas tres cualidades en su orden de importancia?
5. ¿Qué cualidades de carácter considera Ud. esenciales en un marido o en una mujer?
6. ¿A qué edad cree Ud. que un(a) joven puede reconocer el amor verdadero?
7. Si no les gusta a sus padres su novia (o novio), ¿se casaría Ud. con ella (o con él)?
8. Si no le gusta a su novia (o novio) la familia de Ud., ¿se casaría Ud. con ella (o con él)?
9. ¿Está Ud. dispuesto a aceptar algo inferior a su ideal? ¿En qué respectos?

IV. TEATRO Y COMPOSICIÓN

Escriba una conversación original entre dos jóvenes que hablan de sus novios (o novias), o haga una versión dramática del tema: *El Ideal.* O posiblemente, si Ud. prefiere, escriba una composición sobre uno de los temas siguientes:

1. Mi Concepto de un Marido (o una Mujer) Ideal
2. Por Qué Quiero (o No Quiero) Casarme
3. Por Qué Creo (o No Creo) en el Divorcio

Lección
DIECISIETE

I. TEMA: *¿QUÉ HAY EN UN NOMBRE?*

Según *la costumbre*, toda relación social debe empezar con el nombre. Antes de saber cómo es una persona, sabemos cómo se llama.

Andamos *por* la calle. Se acerca un *conocido* acompañado *de* otra persona:

—Buenas tardes. ¿Cómo está? ¿Conoce Ud. al Sr. Ortega? Pues, Sr. Ortega, mi vecino, el Dr. Campos.

Se ven por primera vez dos niños:

—Hola. Yo soy *Carlitos*. ¿Cómo te llamas tú?

O habla un adolescente:

—Mamá, *de aquí en adelante,* quiero que me llames Pepe. Mis amigos dicen que Raúl *suena* un poco afectado.

Un matrimonio joven *acaba de enterarse* de que van a tener un hijo:

—Juan, tenemos que decidir ahora mismo. ¿Qué nombre vamos a *ponerle*?

Y *la pareja* pasa siete meses discutiendo todos los nombres posibles.

—¿Juan?—así se llama todo el mundo. ¿Anastasio Estanislao? —también ordinario. ¿Gonzalo?—no creo que suene bien con el *apellido* González. ¿Ramón?—no sé . . . no se usa mucho ahora. ¿Gilbert?—un poco *afrancesado*. ¿Luis?—no, eso no. Una vez conocí a un Luis que era el hombre *más antipático* del mundo. No. Luis, nunca. ¿Francisco?—no me gusta. *Me recuerda* a un joven

custom
along . . . acquaintance . . . by
Charlie
from now on
sounds
has just found out
give him?
the couple
last name

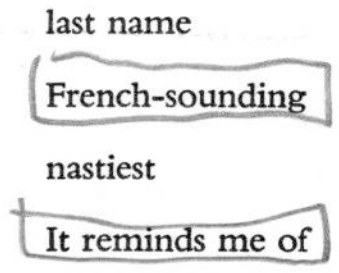

French-sounding
nastiest
It reminds me of

25 que murió trágicamente. ¿Vicente?—*no está mal,* pero . . . ¿y qué hacemos si es una niña? — it's not bad

Hasta *los perros* tienen nombre—*Tiniebla, Roñoso,* Gerardo Tercero. — dogs . . . Shadow, Mangy

Ahora bien, ¿por qué esta preocupación con los nombres?
30 Shakespeare nos dice que la rosa va a tener el mismo *dulce olor aunque le pongamos* otro nombre. O como dice una famosa escritora moderna, una rosa es una rosa es una rosa. En otras palabras, que la cosa *es lo que es,* que *lo importante* es su esencia, no su nombre. — sweet smell even though we give it; is what it is . . . the important thing

Entonces, ¿qué hay en un nombre? ¿*Para qué sirve*? Pues bien,
35 el nombre sirve para identificar, *eso sí.* Pero además, *lleva consigo* ciertas connotaciones, como de clase social u origen nacional. Hasta nos dice algo de la psicología de la familia. — What good is it?; that it does . . . it carries with it

¿Por qué nos gustan ciertos nombres? *Puede ser que nos sugieran algo agradable.* ¿Por qué no nos gustan otros? *Tal vez por que los*
40 *identifiquemos* con una persona que *no nos haya gustado,* porque *lo asociemos* con una cualidad o con una cosa que *consideremos* desagradable, o con un episodio que *queramos* olvidar. O sencillamente porque *no nos guste* la combinación de *sonidos.* — It can be because they may suggest something pleasant; . . . Perhaps because we may identify them . . . that we didn't like . . . we may associate it . . . we may consider; we may want to; we may not like . . . sounds

Hay nombres que dan tono, elegancia, hasta cierta *presunción,* y
45 hay otros tan llanos y *humildes* que hasta dan la impresión de *plebeyez.* Hay nombres que revelan la religiosidad de la familia. Hay nombres que indican *sencillez* de carácter, o romanticismo, o conservatismo, *o un desafío a lo tradicional,* o que nos hablan de los *sueños* de los padres. ¡Cuántas Lindas feas he conocido! ¡*Qué de*
50 *Gracias* y Felicidades! — presumptuousness; humble; ordinariness; simplicity; or a challenge to the traditional; dreams . . . How many Graces

Los nombres aun pueden indicar algo sobre actitudes esenciales de un pueblo. En España, cuando se casa una mujer, *conserva su propio nombre de soltera, añadiendo al fin* "de" y el nombre de su esposo. Por ejemplo, si María Salinas se casa con Pedro García, *su*
55 *nombre de casada* es María Salinas de García. Y los niños *suelen* conservar también el nombre de la madre, *a menos que resulte demasiado largo el nombre.* Así, si María Salinas de García tiene un hijo, Jorge, el nombre completo del muchacho será Jorge García y Salinas (o García Salinas). *Cuando llegue a* hombre, la gente le llamará "Señor
60 García", pero el nombre de su madre *quedará* como parte de su nombre completo. — she keeps her own maiden name, adding at the end; her married name; . . . usually; unless the name turns out to be too long; When he becomes; will remain

En los Estados Unidos *se pierde* totalmente el apellido de la madre. Según algunos amigos españoles míos, esto indicará la *subconsciente* supresión de la mujer norteamericana, *mientras que* la
65 mujer hispana conserva a lo menos parte de su identidad. ¿Quién sabe? — is lost; subconscious . . . while

Además, en el mundo hispánico, *se usan* muchos nombres religiosos,—el nombre del santo *en cuyo* día especial *haya nacido* el niño, nombres de otros santos que *puedan asegurar su felicidad,* nombres *sacados* del *catecismo*—Asunción, Resurrección, Concepción, Ángel, Jesús.

are used
on whose . . . may have been born
may be able to assure his happiness
taken . . . catechism

Sí, una persona es una persona es una persona. Pero la joven pareja que espera la *llegada* de esa nueva personalidad, del niño suyo, todavía pasa *hora tras hora* buscando el nombre perfecto:

arrival
hour after hour

—¿Javier? ¿Alberto? ¿Horacio? ¿César? . . .

Vocabulario Activo

la actitud *attitude*
la costumbre *custom*
la felicidad *happiness*
sueño *dream*
llegada *arrival*
la calle *street*
pareja *couple*
la parte *part*

conservar *to keep, preserve*
quedar(se) *to remain*
recordar (recuerdo) *to remind of*
revelar *to reveal; to develop (film)*

agradable *pleasant*
lindo *beautiful*
dulce *sweet*
antipático *nasty*
feo *ugly*
demasiado *too much;* pl. *too many*

a menos que *unless*
de aquí en adelante *from now on*
enterarse de *to find out*
hacerse *to become (rich, poor, old;* or, *of a profession)*
No está mal. *That's not bad.*

Preguntas

1. ¿Cómo empieza toda relación social? ¿Qué sabemos primero de una persona?
2. ¿Por qué quiere Raúl que su madre le llame Pepe ahora?
3. ¿De qué acaba de enterarse el joven matrimonio?
4. ¿Cómo pasan los próximos siete meses?
5. ¿Por qué no le gusta a la joven esposa el nombre Juan? ¿Y Gonzalo? ¿Y Ramón? ¿Gilbert? ¿Luis? ¿Francisco?
6. ¿Para qué sirve un nombre? ¿Qué otras implicaciones lleva consigo?
7. ¿Por qué nos gustan ciertos nombres? ¿Por qué no nos gustan otros?
8. ¿Qué impresión dan ciertos nombres?
9. Si Rosa González se casa con Jorge Torres, ¿cuál es su nombre de casada?
10. Y si tiene un hijo, Ramón, ¿cuál es el nombre completo del niño?
11. ¿Conserva su apellido la mujer casada norteamericana?
12. Según algunos españoles, ¿qué indica esto sobre la psicología social del norteamericano?
13. ¿De dónde vienen muchos nombres hispanos?
14. ¿Cómo pasa su tiempo la joven pareja que espera el nacimiento (*birth*) de su hijo?

II. ESTRUCTURA

103. The Third Concept of the Subjunctive: Unreality

The subjunctive deals with unrealities: the doubtful, uncertain, indefinite, unfulfilled, nonexistent. It is used in the subordinate clause whenever the idea upon which that clause depends places it within the sphere of the unreal.

At times, it is the main clause that expresses doubt about or denies the existence of the subordinate clause action. At other times, the doubt or unreality may be expressed by the conjunction that introduces the subordinate clause or the noun to which it refers. In this section and in **104, 105,** and **108** we shall analyze some of the important instances in which the concept of unreality produces the subjunctive:

A. The shadow of a doubt

When the main clause expresses doubt or uncertainty about the subordinate clause action, the nebulous reality of that action is conveyed by the subjunctive:

Dudo que venga.	I doubt that he'll come.
Es posible que sea ella.	It's possible that it is she.
No está seguro de que lo hayan visto.	He isn't sure that they have seen it.

The verb **creer** (*to think; to believe*) shows how the speaker's expression of doubt, and not the verb itself, determines the use of subjunctive or indicative in the subordinate clause.

When **creer** is used in an affirmative statement, it generally implies a positive conviction or belief, and so, normally calls for the indicative in the subordinate clause:

Creo que tiene razón.	I think he's right.
Creo que vendrán.	I think they'll come.

In questions or negative statements, **creer** will be followed by the subjunctive in the subordinate clause *if* the speaker wishes to cast doubt, but by the indicative if he gives no indication of doubt:

¿Cree Ud. que tenga razón?	Do *you* think he's right? (I don't).
¿Cree Ud. que tiene razón?	Do you think he's right? (I am expressing no opinion.)
No creo que vengan.	I don't think they'll come. (I doubt it.)
No creo que vendrán.	I don't believe they'll come. (I fully believe they won't.)
¿No cree Ud. que es bonita?	Don't you think she's pretty? (I do.)

B. Denial

When the main clause denies the existence of the subordinate clause action, that unreality is expressed by the subjunctive:

Niego que lo haya dicho. — I deny that he has said it.
No es verdad que se vaya. — It's not true that he's leaving.
But: No niego que lo ha dicho. — I *don't* deny that he has said it.
Es verdad que se va. — It is true that he's leaving.

Ejercicios

A. Cambie según las indicaciones:

1. Juan viene mañana.
(Creo que . . . Dudo que . . . Es posible que . . . Es verdad que . . . No es verdad que . . .)
2. Tienes razón.
(No creo que . . . Estoy segura de que . . . No negamos que . . . No dudamos que . . . Dudan que . . .)
3. Los dos bastarán.
(¿Cree Ud. que . . .? ¿No cree Ud. que . . .? Estamos seguros de que . . . No están seguros de que . . . Es probable que . . . Creemos que . . . Dudamos que . . .)

B. Conteste ahora:

1. ¿Cree Ud. que podamos terminar esta lección hoy? 2. ¿No cree Ud. que es interesante aprender una lengua extranjera? 3. ¿Es posible que nieve mañana? 4. ¿Es probable que llueva? 5. ¿Cree Ud. que es más fácil el inglés o el español? 6. ¿Cree Ud. que aprobará (*you'll pass*) todos sus cursos este año? 7. ¿Es verdad que su familia es riquísima? 8. ¿Niega Ud. que mienta de vez en cuando?

C. Traduzca ahora al español:

1. My father doubts that they'll buy it. 2. I don't doubt that you're right. 3. He denies that they have stolen it. 4. But he doesn't deny that they have used it. 5. It's true that they're here. 6. We're not sure that Mary is coming. 7. I think you've won. 8. I don't think (I doubt) that we are ready. 9. Do you think he'll speak to us? (Two ways) 10. Don't you think he's handsome?

104. Conjunctions that Imply Unreality: Uncertainty, Impossibility, Unfulfillment

When a subordinate clause is introduced by a conjunction whose meaning implies that the following action is uncertain, nonexistent, or pending, the subjunctive expresses that unreality:

A. Some conjunctions, by their very meaning, always state that the following action is uncertain or nonexistent. These conjunctions include: **en caso de que** (*in case*), **con tal que** (*provided that*), **a menos que** (*unless*), and **sin que** (*without*). They are always followed by the subjunctive.

Lo haré con tal que me des tu palabra de honor.	I'll do it, provided you give me your word of honor.
En caso de que llame, dígale que no estoy.	In case he calls, tell him that I'm not in.
Saldrá sin que[1] le vea nadie.	He'll leave without anyone's seeing him.

B. Other conjunctions, such as **aunque** (*although, even though, even if*), **dado que** (*granted that*), and **a pesar de que** (*in spite of the fact that*), are followed by the subjunctive when the speaker wishes to imply uncertainty, by the indicative when he does *not*. In many cases, English indicates uncertainty by using the auxiliary *may*.

Aunque sea rico, es muy tacaño.	Although he may be rich, he is very stingy.
Aunque es rico, es muy tacaño.	Although he is rich, he is very stingy.
Dado que gane . . .	Granted that he may win (but maybe not) . . .
Dado que ganará . . .	Granted that he'll win (and I admit it) . . .

C. After conjunctions of time, the subjunctive is used if the action is still (or was still) pending at the time of the main clause action. Conjunctions of time include: **cuando** (*when*), **así que, en cuanto** (*as soon as*), **hasta que** (*until*), **después de que** (*after*), **antes de que** (*before*).[2]

Iremos así que vengan.	We'll go as soon as they come. (They haven't come yet.)
Algún día, cuando sea hombre . . .	Some day, when he is a grown man . . .
Me quedo aquí hasta que vuelvan.	I'm staying here until they return.
Terminemos antes de que nos vean.	Let's finish before they see us.

If there is no reference to a pending action, the conjunction of time is followed by the indicative:

Fuimos así que vinieron.	We went as soon as they came.
Cuando llegó a hombre . . .	When he became a man . . .
Siempre me quedo hasta que vuelven.	I always stay until they return.

D. Para que

Para que (*in order that, so that*) is always followed by subjunctive because: (1) it represents one person's will that something else be done; (2) it indicates that the subordinate clause action could not possibly have been completed at the time of the main clause.

Te lo digo para que estés preparado.	I'm telling you so that you may be (or will be) prepared.
Trabaja para que su hijo se haga abogado.	He is working so that his son may (or will) become a lawyer.

[1] **Sin que** appears only when there is a change of subject. When there is no change of subject, the preposition **sin** + the infinitive is used: No saldrá sin vernos. He won't leave without seeing us.

[2] **Antes de que** (*before*), by its very meaning, always indicates that the action had not happened yet, and therefore is always followed by the subjunctive.

Ejercicios

A. ¿Puede Ud. completar las frases del Grupo I usando las del Grupo II?

I

No le digas nada
En caso de que me lo pida,
No se vayan Uds.
Aunque no los conozco bien
A menos que estudies
Se lo decimos ahora
Cuando ella se case
Así que venga
Me quedé

II

. . . te llamaremos . . . a menos que te lo pregunte . . . ¿debo dárselo? . . . hasta que vinieron . . . hasta que volvamos . . . para que se preparen bien . . . los invitaré . . . se llamará Ana García de Mora . . . no aprobarás el curso

B. Complete las oraciones siguientes:

1. Aunque (*I know him*) bien, no quiso verme. 2. Aunque (*he may not want to*) verme, hablaré con él. 3. Salgamos antes de que (*he comes*). No quiero (*him to see me*). 4. No, no, mil veces no. Nunca me casaré con él, (*unless he asks me*) (pedírmelo). 5. En caso de que (*Johnny comes*), dígale que estaré de vuelta en cinco minutos. 6. No tiren (*until you see*) lo blanco de sus ojos. 7. Nunca tiramos (*until we see*) lo blanco de sus ojos. Pero entonces es tarde. 8. (*Before you leave*), devuélvame mi cartera. 9. Trabaja tanto (*so that his family may have*) toda comodidad.

Ejercicio de Repaso

Traduzca al español:

What is there in a name? The names that we give to our children, the names that we prefer reveal a great deal about our personality, about our social or national origin, about our dreams or ambitions. Don't you think that's true?

Now why do we like certain names? Why don't we like others? Perhaps because some names suggest to us experiences or people (*personas*) that we may consider unpleasant or that we may want to forget. And others perhaps may remind us (of) things or people that we may have found agreeable and want to preserve. And also, many people give their children religious names so that the child may always live under (*bajo*) the protection of a special saint. And there are many who give their children elegant names even though they themselves may come from a poor family. They believe that this way (*así*) their child will have more tone, more prestige. I doubt that the name has real influence on a person's life; but still, we spend hour after hour thinking of (*en*) the perfect name for (*para*) our child.

Names can also indicate something about the psychology of a nation. For example, in Spanish countries, a married woman keeps her own name, adding at the end *de* and the name of her husband. And when she has a child, he also keeps his mother's name as part of his complete name. For example: Jorge Moreno y García. When he becomes a man, people (*la gente*) will call him Mr. Moreno, but his mother's name remains as part of his complete name, unless the name becomes too long. And so, my friend, before you decide on a name for your child some day, think of all the implications that the name may have. Who knows? It is possible that you may name him simply: Mr. X.

III. CONVERSACIÓN: *¿QUÉ HAY EN UN NOMBRE?*

1. ¿Cómo se llama Ud.? ¿Por qué le pusieron ese nombre sus padres? ¿Le gusta su nombre? ¿Cómo se llaman los demás miembros de su familia?
2. ¿Qué nombres masculinos le gustan más a Ud.? ¿Qué nombres femeninos? ¿Por qué le gustan?
3. ¿Qué nombres masculinos le gustan menos? ¿Qué nombres femeninos? ¿Por qué no le gustan?
4. ¿Asocia Ud. ciertos nombres con personas específicas, con clases sociales, con una experiencia que haya tenido, o con ciertas cualidades?
5. ¿Le gustan a Ud. los nombres comunes o los nombres excepcionales, originales? ¿Le gustan los nombres de flores para mujeres? ¿Le gusta a Ud. la tradición de dar al hijo el mismo nombre que su padre? ¿Y si el padre es muy famoso?
6. ¿Le gustan los nombres sacados de la Biblia u otros nombres religiosos?
7. ¿Qué apodo (*nickname*) tiene Ud.? ¿Le gusta? ¿Quién se lo dio? ¿Cuándo? ¿Por qué?
8. ¿Cree Ud. que una persona debe cambiar su apellido si tiene un nombre extranjero? ¿O si no le gusta su nombre? ¿Debe cambiar su nombre si el resto de la familia no quiere cambiarlo?

IV. TEATRO Y COMPOSICIÓN

Escriba una escena original relacionada con el tema de los nombres. Por ejemplo, una joven pareja está esperando un hijo, y sus padres quieren ayudarles a escoger un nombre. O posiblemente una joven no quiere casarse con su novio a menos que cambie su apellido, etc. Seguramente Ud. podrá encontrar una idea interesante. Pero si prefiere, puede escribir una composición sobre uno de los temas siguientes:

1. Nombres y Personas
2. Por Qué Considero (o No Considero) Importante el Nombre de una Persona
3. Por Qué Me Gustan y Por Qué No Me Gustan Ciertos Nombres

TIENDAS Y OFICIOS (Stores and Occupations)

zapatería	*shoe store*	zapatero
ropería	*clothing store*	ropero
costurería	*couturier*	costurero
sombrerería	*hat store*	sombrerero
sastrería	*tailor shop*	sastre
el bazar (Sp.)	*department store*	tendero; dueño de bazar
el almacén (Sp. Am.)	*department store*	almacenista; dueño de almacén
peletería	*furrier; leather goods shop*	peletero
abarrotería (Sp. Am.)	*grocery*	abarrotero
bodega, tienda de comestibles o de ultramarinos	*grocery*	bodeguero; tendero
lechería	*dairy (store, bar, etc.)*	lechero
quesería	*cheese store*	quesero
carnicería	*butcher shop*	carnicero
verdulería	*greengrocery*	verdulero
panadería	*bakery*	panadero
barbería	*barber shop*	barbero
peluquería	*barber shop*	peluquero
salón de belleza	*beauty shop*	peinadora; manicurista
lavandería	*laundry*	lavandero
lavandería en seco	*dry cleaner shop*	lavandero en seco
tintorería	*cleaner's and dyer's*	tintorero
ferretería	*hardware store*	ferretero
quincallería (Sp. Am.)	*hardware store*	quincallero
mueblería	*furniture store*	mueblero
carpintería	*carpenter's shop*	carpintero
plomería	*plumber's shop*	plomero
librería	*book shop*	librero
imprenta	*printing shop*	impresor
relojería	*watchmaker's shop*	relojero
joyería	*jewelry store*	joyero
botica	*drug store*	boticario
farmacia	*pharmacy*	farmacéutico
droguería	*drug store*	droguista
clínica	*doctor's office*	médico
clínica dental	*dentist's office*	dentista

banco	*bank*	banquero
prendería	*pawn shop*	prendero
agencia de viajes	*travel agency*	agente de viajes
agencia de seguros	*insurance agency*	agente de seguros
agencia funeraria	*funeral parlor*	director de funeraria
agencia de bienes raíces	*real estate agency*	agente *or* corredor de bienes raíces
el hotel	*hotel*	hotelero
el garage	*garage*	mecánico
la estación de servicio	*service station*	mecánico
bomba	*gasoline pump; gas station* (*Sp. Am.*)	

Discusión

1. ¿A dónde voy para comprar: un par de zapatos, un sombrero, un nuevo vestido, carne, una comida, leche, guantes, un abrigo, una casa, una póliza de seguros, legumbres, mantequilla, tortas, libros, clavos y tornillos, una mesa, gasolina para el coche, un reloj, un anillo de diamantes, medicinas?
2. ¿A quién llamo si me siento enfermo? ¿Si tengo dolor de muelas? ¿Si muero?
3. ¿A dónde voy para depositar mi dinero? ¿A dónde voy si quiero pasar la noche en otra ciudad? ¿Si quiero alquilar una casa o una oficina? ¿Si no quiero comer en casa? ¿Si necesito dinero? ¿Si mi coche no anda bien? ¿Si quiero visitar a un amigo enfermo? ¿Si no me sienta (*doesn't fit*) bien un traje? ¿Si está sucio mi abrigo?
4. ¿Cómo se llama el hombre que le vende: zapatos, sombreros, vestidos, leche, carne, una póliza de seguros, una casa, pan, libros, una mesa, un reloj, legumbres, medicinas?
5. ¿Hay tenderos (*storekeepers*) en su familia? ¿Quiénes son? ¿Hay un farmacéutico? ¿Hay un mecánico? ¿Hay un banquero? ¿Hay un director de funeraria? ¿Hay un agente de seguros?
6. ¿Le gustaría a Ud. ser tendero? ¿Por qué? ¿Qué oficios le interesan más?
7. ¿Qué tiendas hay en la calle donde vive Ud.?

DOS MEJICANOS, ALARCÓN Y SOR JUANA

Hispanoamérica sigue durante todo el periodo colonial las corrientes literarias de la *metrópoli*. Las primeras obras que salen del Nuevo Mundo son libros de historia, *relatos* sobre la conquista escritos por los conquistadores mismos o por escritores pro-
5 fesionales *enviados* por el rey. Y los misioneros que acompañan a los exploradores escriben pequeños dramas para presentar visualmente al indio episodios de la Biblia y vidas de santos. Después, hay poesía épica, como "*La Araucana*" de Alonso de Ercilla, un joven noble español que tomó parte en la *campaña* contra los indios
10 araucanos de Chile, y "*ora* con la espada, ora con la pluma", luchando *de* día, escribiendo de noche, *llegó* a admirar a sus adversarios y los idealizó en su gran *epopeya*. Y hay obras religiosas y obras satíricas y narraciones de aventuras. Y hay mucha poesía. (En un *concurso* literario dado en la corte del *virrey* de Méjico a
15 mediados del siglo diez y siete, ¡tomaron parte más de dos mil poetas!) Pero la mayor parte de esa poesía sigue el estilo de los dos escritores *sobresalientes* del barroco español, el gran poeta, prosista y *satírico*, Quevedo, y el "*príncipe de las tinieblas*", Góngora, y no se puede considerar una expresión verdaderamente americana.

metrópoli: mother country
relatos: narrations
enviados: sent
campaña: campaign
ora: now
de ... llegó: by ... came to
epopeya: epic
concurso ... virrey: contest ... viceroy
sobresalientes: outstanding
satírico ... príncipe de las tinieblas: satirist ... prince of shadows (obscurity)

Sor Juana Inés de la Cruz por Miguel Cabrera.

Luis de Argote y Góngora (1561–1627), jefe de la escuela culterana de la poesía barroca española, y muy admirado e imitado en la América colonial.

Nace en el Perú poco después de la conquista el primer gran escritor americano, Garcilaso de la Vega el Inca, hijo de una princesa peruana y de un capitán español (de la familia del poeta Garcilaso). El joven mestizo, *orgulloso* de su doble origen, cuenta en un hermosísimo castellano la historia de sus *antepasados* indios, desde su principio legendario hasta la conquista española. Su obra nos da la mejor interpretación de la realidad de la conquista vista por los ojos de un hombre que sintió y vivió sus múltiples aspectos.

orgulloso: proud
antepasados: ancestors

Francisco de Quevedo y Villegas (1580–1645), gran poeta, prosista, y satírico del Siglo de Oro, y rival de Góngora. Su influencia se nota al lado del culteranismo gongorista en la obra de Sor Juana Inés de la Cruz.

Y nace en Méjico en 1581 Juan Ruiz de Alarcón, una de las figuras más importantes del teatro español del Siglo de Oro. Alarcón, hijo de un juez español, estudió en la Universidad de Méjico, y después de graduarse, fue a España a *proseguir* su carrera de abogado. Ahí empezó también su vida de creación literaria, y de *amargo* sufrimiento. Porque Alarcón era feo, *bajo, y jorobado*—defectos físicos que traían consigo en aquellos tiempos el *ridículo y desprecio* de la gente. Además, tenía el pelo rojo, que la gente ignorante consideraba símbolo del *diablo.* Y era americano, y *por lo tanto,* de inferior categoría social. Alarcón reaccionó con palabras *mordaces* contra los ataques de sus atormentadores, y sus comedias de carácter, de una gran perfección de composición, revelan la crítica social y moral que tenía que ser una parte tan esencial de su vida. Lope había sido el impulso vital del teatro español; Tirso le dio uno de sus personajes más universales; Calderón iba a *añadirle* la nota filosófica; y Alarcón le *agregó* la dimensión moral y psicológica. Juntos llevaron a su apogeo el drama nacional.

pursue
bitter . . . short, and hunchbacked
ridicule and scorn
devil . . . therefore
biting
add to it
contributed

Nacío en Méjico también la poetisa más brillante de la América colonial, *Sor* Juana Inés de la Cruz. Sor Juana reveló desde muy niña su gran talento intelectual. De una familia pobre del campo, aprendió por sí misma a leer y escribir cuando tenía sólo tres años de edad. A los siete u ocho años, persuadió a sus padres a mandarla a la capital a vivir con unos tíos suyos, y allí la muchacha empezó a leer todos los libros que *le venían a mano.* Tan ansiosa estaba de aprender que se cortaba el pelo al empezar un nuevo proyecto de estudio, y si no lo había terminado cuando *le crecía de nuevo el pelo,* se lo cortaba otra vez, "porque *no me parecía razón que estuviese vestida de cabellos cabeza que estaba tan desnuda de noticias*".[1] Su fama de genio llegó a la atención de la *virreina,* quien la invitó a vivir en la corte. En poco tiempo, la joven llegó a ser el prodigio de todo Méjico, no sólo por su extraordinaria *sabiduría,* sino también por su gran hermosura física. Pero de repente, por razones que no comprendemos exactamente (algunos dicen que fue a causa de un amor *no correspondido,* otros, porque la muchacha no podía tolerar la corrupción e hipocresía de la vida cortesana), a los diez y seis años, anunció su decisión de hacerse *monja*, y entró en un convento.

Sister
she could get hold of . . .
her hair grew back again
it didn't seem right to me that a head so bare of facts should be dressed with hair
viceroy's wife
wisdom
unrequited
nun

Pero la vida del convento no le bastaba. Convirtió su *celda* en una biblioteca y laboratorio, y pasó su tiempo estudiando ciencias, matemáticas, historia y filosofía, y escribiendo poesía y prosa y obras de teatro. Y venían a visitarla todos los eruditos distinguidos

cell

[1] De una carta escrita por Sor Juana el 1º de marzo de 1691.

del país. Pasaba el tiempo y crecía la fama de Sor Juana hasta que un día sus superiores, *disgustados* por el gran interés que mostraba la monja en las cosas de este mundo, decidieron prohibirle el estudio. Pero Sor Juana no podía *dejar de estudiar* y "aunque no estudiaba en los libros, estudiaba en todas las cosas que Dios creó, sirviéndome ellas *de* letras, y *de libro* toda esta máquina universal". Por fin, *angustiada* por dudas sobre la *validez* de su *vocación* religiosa, criticada a menudo por sus superiores, Sor Juana renunció en 1693 a su vida intelectual, escribió una confesión con su propia sangre, e *hizo quemar* toda su biblioteca personal. Dedicándose exclusivamente a sus deberes religiosos, murió dos años después *cuidando* de los pobres en una *epidemia de viruela.*

displeased
stop studying
as . . . as a
upset . . . validity . . . calling
had burnt
taking care
smallpox epidemic

La obra de Sor Juana, variada de tema, a veces sentimental, a veces satírica o humorística, otras veces llena de fantasías y sueños, revela el conflicto interior de una mujer que sentía la necesidad de Dios y que quería servirle, pero cuya alma independiente no cabía en su época.

Preguntas

1. ¿Qué corrientes literarias sigue Hispanoamérica durante el periodo colonial?
2. ¿De qué tipo son las primeras obras que salen de América después de la conquista?
3. ¿Qué hacían los misioneros?
4. ¿Qué obra compuso Alonso de Ercilla? ¿Cómo se distingue la obra?
5. ¿Qué otra producción literaria caracteriza la época? ¿Quiénes son los modelos favoritos de los poetas coloniales?
6. ¿Quién fue Garcilaso de la Vega el Inca? ¿De qué escribió?
7. ¿Quién fue Juan Ruiz de Alarcón? ¿Dónde nació? ¿Dónde estudió? ¿Por qué decidió ir a España? ¿Por qué era víctima del ridículo del pueblo?
8. ¿Cómo es el teatro de Alarcón? ¿Cuál es su mayor contribución al drama español del Siglo de Oro?
9. ¿Dónde nació Sor Juana Inés de la Cruz? ¿Cómo era su familia?
10. ¿Cuándo empezó a revelar su gran precocidad intelectual?
11. ¿Quién la llevó a la corte?
12. ¿Por qué llegó a ser el prodigio de todo Méjico?
13. ¿Qué decisión tomó a los diez y seis años de edad?
14. ¿Cómo vivió Sor Juana en el convento?
15. ¿Qué prohibición le impusieron sus superiores? ¿Qué hizo entonces Sor Juana?
16. Por fin, ¿qué decidió hacer Sor Juana dos años antes de su muerte?
17. ¿Qué revela su obra?

Lección

DIECIOCHO

I. TEMA: *LA ÉPOCA EN QUE ME GUSTARÍA VIVIR*

Según los antropólogos, cuando un animal cambia su manera de vivir, ciertos *músculos caen en desuso, se efectúan ciertos cambios* en la estructura de los huesos, y en poco tiempo, el animal no podría volver a su vida anterior, *aunque quisiera*. Por ejemplo, tomemos el caso del *dedo meñique* del pie humano. Hoy ha quedado casi *inútil*, mientras que en tiempos primitivos, nuestros antecesores tenían *tan bien desarrollados* todos los dedos del pie que podían usarlos para *agarrar* cosas y *subir a los árboles*.

Si esto es verdad, nuestra raza humana está en *verdadero peligro*. ¿Por qué? Pues es sencillo. Porque ya no utilizamos las piernas ni los pies. Si tenemos que ir a visitar a los vecinos *de enfrente, instintivamente* nos dirigimos al garage para sacar el coche. Si vivimos *a dos cuadras* de la escuela, llevamos a los niños siempre en coche. *¡No permita Dios que caminen!* ¡Y peor—que caminemos nosotros! Ahora si queremos poner o apagar la televisión, *apretamos un botón* y no tenemos siquiera que levantarnos del sillón donde estamos instalados. *He oído decir que hoy día* hasta la infantería anda en pequeños *carritos*. ¡El ejército anda *sobre ruedas*! Pues bien, si esto continúa, en poco tiempo seremos como la famosa cucaracha de la canción mejicana: "Ya no podremos caminar."

Los brazos *tampoco nos sirven para mucho*. ¿Qué haríamos *si no tuviéramos* todas las nuevas comodidades modernas? *En vez de lavar* ropas, dejamos que lo haga la máquina de lavar. Con los platos, lo

muscles fall into disuse, certain changes are effected

even if it wanted to

small toe . . . useless

so well developed

grasp . . . climb trees

real danger

across the street, instinctively

. . . two blocks

God forbid that they should walk

we press a button

I have heard that nowadays

little cars . . . on wheels (fig., smoothly)

aren't much use to us either

. . . if we didn't have

. . . Instead of washing

mismo. En vez de preparar una comida *fresca*, abrimos *paquetes* de comestibles *congelados* o una serie de *latas, y ya estamos*. El brazo aun sirve muy poco para escribir. Se usa para levantar el teléfono y la boca *se encarga de lo demás*. Total: que corremos el *riesgo de desarrollar* un nuevo orden fisiológico caracterizado por una enorme boca y un tremendo . . . *aparato de sentarnos*.

fresh . . . packages
frozen . . . cans, and there we are
takes care of the rest . . . risk of developing
sitting-down apparatus

Pero hablando *en serio*, en el *sentido* físico, la vida de hoy es más fácil que antes. Nadie querría *que abandonáramos* el automóvil por el *carruaje tirado por caballos*, ni la *bombilla* eléctrica por la antigua *lámpara de aceite*. No queremos ser como ese viejo *campesino que lamentaba que se hubieran inventado los abonos químicos* y que rogaba a sus vecinos *que conservaran* sus tradicionales *bolas de estiércol* porque "*lo que bastaba a* sus padres debía bastarles a ellos". Eso no. Es muy cómodo tener máquinas *que nos ayuden* con los *quehaceres* de la casa, tener más tiempo para *divertirnos*, mejores condiciones de trabajo, nuevas medicinas, y la *perspectiva* de una vida más larga. No hay nadie *que lo contradiga*.

seriously . . . sense
us to give up
horse-drawn carriage . . . bulb
oil lamp . . . countryfellow who regretted that chemical fertilizers had been invented
to keep . . . dung
what was good enough for
to help us . . . chores
enjoy ourselves
prospect
who will contradict it

Pero, *a pesar de* las nuevas invenciones tecnológicas que hacen más fácil la vida de hoy, *han surgido* también problemas que la complican. Antes, la gente respiraba un aire *más limpio* y libre de los *humos asfixiantes* de la gasolina. Se dice que había más intimidad social, que la familia se sentía más unida, que no había nadie que *no conociera* a su vecino y que *no estuviese dispuesto a* ayudarle. La gente amaba las cosas más sencillas, un *paseo* por el parque, una excursión al campo, un *carnaval ambulante*, mientras nosotros, *hartos de* tantos estimulantes, nos encontramos *a menudo* realmente *aburridos*. Sí, se trabajaba más en aquellos días, pero ¿era más difícil la vida? ¿Quién sabe? Tal vez *existieran* muchos de los mismos problemas. Es posible que la gente de entonces *recordara* con igual nostalgia "*aquellos buenos tiempos pasados*". Pero nadie tenía miedo de que en cualquier momento *se acabara* la civilización con un bombardeo atómico.

in spite of
there have arisen
cleaner
asphyxiating fumes
didn't know
wasn't ready to
stroll
itinerant carnival . . . sated with
often . . . bored
there existed
remembered
those good old days
might come to an end

¿Qué nos traerá el futuro? ¿Será una vida mejor en que podamos *aprovechar* los nuevos descubrimientos científicos en *beneficio del hombre*, o será una continuación de esta *llamada "carrera de ratas", pero siempre a un compás más acelerado*?

take advantage of . . . benefit of mankind
so-called "rat race", but at an ever-increasing pace

¿Es posible que encontremos vida humana en otro planeta? ¿Puede hallar la humanidad una fórmula que nos permita *evitar para siempre las guerras*? El futuro, *claro está*, tiene que ser un enigma. Pero los *preparativos* que hagamos ahora para ese futuro pueden determinar *hasta* cierto punto el curso que *va a seguir*. *Dediquemos* una parte de cada hoy a mañana.

avoid wars forever
. . . of course
preparation(s)
up to . . . it is going to take.
Let's dedicate

Vocabulario Activo

el árbol *tree*
el parque *park*
paseo *walk, stroll*
lata *(tin) can*
el paquete *package*
los preparativos *preparations*

bombilla *(electric) bulb*
humo *fume; smoke*
cuadra *(city) block*
raza *race (of people)*
riesgo *risk*

aprovechar(se de) *to take advantage of*
encargarse *to take charge*
desarrollar(se) *to develop*

lavar *to wash*
tocar *to touch; to play (an instrument)*
divertirse (me divierto) *to enjoy oneself*

cierto *(a) certain*
congelado *frozen (food)*

fresco *fresh; cool*
limpio *clean*

a menudo *often*
a pesar de (que) *in spite of (the fact that)*

en serio *seriously*
en vez de *instead of*
mientras (que) *while*

Preguntas

1. Según los antropólogos, ¿qué ocurre cuando un animal cambia su manera de vivir? ¿Qué le pasa en poco tiempo?
2. ¿Cómo ha quedado ahora el dedo meñique del pie humano? ¿Cómo tenían los dedos del pie nuestros antecesores primitivos?
3. ¿Por qué está en peligro ahora la raza humana?
4. ¿Qué hacemos si tenemos que visitar a los vecinos de enfrente?
5. ¿Cómo van a la escuela los niños? ¿Cómo ponemos o apagamos la televisión?
6. Si continúa esto, ¿cómo seremos en poco tiempo?
7. ¿De qué nos sirven los brazos?
8. ¿Cómo lavamos la ropa? ¿Y los platos? ¿Cómo preparamos una comida?
9. ¿Qué características fisiológicas vamos a desarrollar?
10. En el sentido físico, ¿cómo es la vida de hoy en comparación con la de antes?
11. ¿Qué lamentaba el viejo campesino? ¿Por qué?
12. ¿Qué beneficios sacamos de la mecanización moderna?
13. ¿Cómo era el aire antes? ¿Cómo se sentía la familia?
14. ¿Cómo eran las relaciones sociales? ¿Qué cosas amaban en aquellos tiempos?
15. ¿De qué tiene miedo el hombre de hoy?
16. ¿Cómo podemos prepararnos para el futuro?

II. ESTRUCTURA

105. Unreality (Continued): Indefinite Antecedent

When the subordinate clause refers back to someone or something that is *indefinite, hypothetical, or nonexistent,* the subjunctive must be used. Obviously, if the entire subordinate action depends upon something that is not a positive, existing certainty, it falls well within the realm of unreality:

¿Hay alguien que me preste un millón de dólares?	Is there someone who will lend me a million dollars? (There may not be such a person!)
Busca una secretaria que hable francés.	He is looking for a secretary who speaks French. (He hasn't found her yet.)
Quiero comprar un libro que tenga las respuestas.	I want to buy a book that has the answers. (I'm not sure it exists.)
No hay nada que nos guste más que el español.	There is nothing (no specific thing) that we like better than Spanish.
Hará lo que le digas.	He'll do what(ever) you tell him. (Indefinite: You haven't told him yet.)

But if the subordinate clause refers back to someone or something that *is* definite, specific, or known to exist, the indicative is used:

Conozco a alguien que te prestará diez dólares.	I know someone who will lend you ten dollars.
Tiene una secretaria que habla francés.	He has a secretary who speaks French.
Acabo de comprar un libro que las tiene.	I have just bought a book that has them.
Hay sólo una cosa que me gusta más que el español. ¡Eres tú!	There is only one thing that I like better than Spanish. It's you!
Siempre hace lo que le dices.	He always does what you tell him.

Ejercicios

A. Conteste:

1. Donde vive Ud., ¿hay muchas familias que tengan dos coches? 2. ¿Hay muchas casas que tengan más de ocho cuartos? 3. ¿Hay profesores en su escuela que enseñen más de una lengua? 4. ¿Hay un profesor en su departamento de español que se llame Mercurio? 5. ¿Hay un profesor que se llame González? 6. ¿Conoce Ud. a alguien que quiera hacerse actor o actriz? 7. ¿Conoce Ud. a una actriz que se llama Natalía Madera? ¿A un actor que se llama

Roca Hudson? 8. ¿Hay algo que le guste más que estudiar español? 9. ¿Ha visto Ud. alguna vez una pluma que escriba con diez colores? 10. ¿Ha visto Ud. mi pluma que escribe con tres colores?

B. Ahora complete las frases siguientes:

1. ¿Hay alguien (*who understands this*)? 2. Buscamos un estudiante (*who can help us*) con el español. 3. Hay muchos estudiantes (*who can help you*)—pero no aquí. 4. Quiero un marido (*who has*) riqueza, inteligencia, dinero, buen carácter, y una gran fortuna. —Pues yo tengo buen carácter. 5. ¿Es Ud. la persona (*who is going to teach me*) a bailar? —Yo no. No hay nadie (*who dances*) peor que yo.

106. The Imperfect (Past) Subjunctive

A. The imperfect subjunctive is the only simple past subjunctive in Spanish. It is formed in regular verbs by replacing the infinitive endings as follows:

hablar	**comer**	**vivir**
hablara	comiera	viviera
hablaras	comieras	vivieras
hablara	comiera	viviera
habláramos	comiéramos	viviéramos
hablarais	comierais	vivierais
hablaran	comieran	vivieran

There are alternate imperfect subjunctive forms ending in **-se**. They are essentially interchangeable with the **-ra** forms:[1]

hablase	comiese	viviese
hablases	comieses	vivieses
hablase	comiese	viviese
hablásemos	comiésemos	viviésemos
hablaseis	comieseis	vivieseis
hablasen	comiesen	viviesen

(Incidentally, **-ar** and **-er** radical changing verbs are conjugated like ordinary regular verbs in the imperfect subjunctive.)

Ejercicio

Diga la forma correspondiente del imperfecto del subjunctivo:

yo: lavar, quedar, perder, abrir
tú: recordar, tocar, entender, permitir
Luisa: aprovecharse, encargarse, ofrecer, recibir
Ud. y yo: comenzar, bastar, comprender, insistir

[1] In Spanish America the **-se** form is not common.

tú y Emilio: contar, bajar, subir, meter
Uds.: encontrar, sentarse, mover, asistir

B. **-ir** radical changing verbs and *all* irregular verbs add these endings to the stem of the third person plural of the preterite. For example:

tener, **tuvieron:** **tuviera,**[2] tuvieras, tuviera, tuviéramos, tuvierais, tuvieran

Ahora complete Ud:

estar, estuvieron: estuviera, ______, ______, ______, ______, ______
andar, anduvieron: anduviera, ______, ______, ______, ______, ______
haber, hubieron: hubiera, ______, ______, ______, ______, ______
poder, pudieron: pudiera, ______, ______, ______, ______, ______
poner, pusieron: ______, ______, ______, ______, ______, ______
saber, supieron: ______, ______, ______, ______, ______, ______
conducir, condujeron: ______, ______, ______, ______, ______, ______
decir, dijeron: ______, ______, ______, ______, ______, ______
venir, vinieron: ______, ______, ______, ______, ______, ______
hacer, hicieron: ______, ______, ______, ______, ______, ______
ser, fueron: ______, ______, ______, ______, ______, ______
ir, fueron: ______, ______, ______, ______, ______, ______
sentir, s*i*ntieron: ______, ______, ______, ______, ______, ______
morir, m*u*rieron: ______, ______, ______, ______, ______, ______
oír, oyeron: ______, ______, ______, ______, ______, ______
traer, trajeron: ______, ______, ______, ______, ______, ______
querer, quisieron: ______, ______, ______, ______, ______, ______
dar, dieron: ______, ______, ______, ______, ______, ______

107. Uses of the Imperfect Subjunctive

The imperfect subjunctive is used when a subordinate clause that requires subjunctive expresses a *past* action, or when the main clause is in the past:

A. When the subordinate clause expresses a past action

Dudan que fuera él.	They doubt that it was he.
Es posible que lo hiciera.	It is possible that he did it.

B. When the main clause is in the past

Quería que le escribiéramos.	He wanted us to write to him.
No había nadie que la conociera.	There wasn't anybody who knew her.
Te dije que no lo tomaras.	I told you not to take it.

C. It is also used in *if*-clauses that state a supposition contrary to fact (see 108).

[2] Remember that the **-se** form is equally correct.

Ejercicios

A. Cambie al pasado:

POR EJEMPLO:
Me dice que lo haga en seguida. **Me dijo que lo hiciera en seguida.**
Quieren que cantemos. **Querían que cantáramos.**

1. No queremos que se vaya. 2. ¿Hay alguien que lo comprenda? 3. Te pido que me lo des. 4. Se lo daré para que me escriba. 5. Quiere que le llamemos. 6. Esperan que lo hagas. 7. Duda que sea Juan. 8. Es posible que estén enfermos.

B. Diga en español:

1. He wants us to come. 2. He wanted us to come. 3. I'm happy that you'll receive it. 4. I'm happy that you received it. 5. They insist that she leave at once. 6. They insisted that she leave at once. 7. I hope he does it! 8. I hope he did it. 9. He isn't sure that (*de que*) they are here. 10. He isn't sure that they were here. 11. There isn't anyone who knows her. 12. There isn't anyone who knew her. 13. There are many people (*personas*) who know her. 14. We'll wait until he comes. 15. We said that we would wait until he came. (He hadn't come yet.—Use the imperfect subjunctive.)

108. *If*-Clauses Contrary to Fact

Just as in English, when a clause that begins with *if* makes a supposition that is contrary to fact (*If he were here,* but he isn't . . . , *If they knew,* but they don't . . .), the past subjunctive *must* be used. This, obviously, is a clear case of unreality.

Notice that the main clause, which tells what "would happen if," uses the conditional:

Si pudiera, te ayudaría.	If I could, I would help you. (But I can't.)
Si Elisa hablase menos, Pepe se casaría con ella.	If Elisa talked less, Joe would marry her.
Vendrían si tuvieran tiempo.	They would come if they had time.

Sometimes this construction is used with a future action to imply that it is unlikely, that it is probably contrary to fact:

Si te rogara, ¿qué harías?	If I were to beg you, what would you do?
Si nevara, no podrían salir.	If it should (or were to) snow, they wouldn't be able to go out.

When **si** (*if, whether*) does *not* imply a condition contrary to fact, but merely makes an assumption, the indicative is used. Note: *Never use a present subjunctive after* **si:**

Si puede, te ayudará	If he can, he'll help you.
Vendrán si tienen tiempo.	They'll come if they have time.
No sé si lo han recibido.	I don't know whether they have received it.

Ejercicios

A. Cambie las oraciones siguientes para expresar una idea contraria al hecho:

1. Si viene, le veremos. 2. Si llueve, no irán. 3. Si tengo tiempo, lo haré. 4. Si estudia, tendrá mejores notas. 5. Nos llamará si puede. 6. Si no se da prisa, saldrán sin él. 7. Si es difícil, no lo haremos. 8. Me dará el viejo si se compra otro. 9. Si tenemos dinero, seremos ricos. (¡No me diga!)

B. Complete de una manera original:

1. Si yo tuviera un millón de dólares . . . 2. Si supiera hablar bien el español . . . 3. Si mis profesores me conocieran bien . . . 4. Si no comieras tanto . . . 5. Si hubiera cuarenta y ocho horas en un día . . . 6. Si mi familia viviese más cerca de la universidad . . . 7. Si nunca tuviéramos exámenes . . . 8. Si yo fuera presidente de los Estados Unidos . . . 9. Si mi novio (novia) estuviera aquí en este momento . . . 10. Si yo pudiera vivir en otra época . . .

Ejercicio de Repaso

Traduzca al español:

According to men of science, when an animal changes its way of life, certain muscles and bones change their structure, and in a relatively short time, it couldn't go back to its old way of life even if it wanted to. The human race is running the same danger now. Why? Because we hardly (*apenas*) use our arms and legs nowadays. If we aren't careful, we'll find that our arms and legs will become (*quedar*) useless, and that we have developed only a tremendous mouth and an enormous sitting-down apparatus.

What would we do if we didn't have so many machines? If we didn't have cars? If we had to walk five miles to school, as children did thirty or forty years ago? If we didn't have frozen meals and cans of —everything?

In many respects, life is easier for us. We work fewer hours than our parents and we have more comforts. And, of course, we hope that life will be even (*aun*) easier for (*para*) our children. But we have also lost certain things. They say that in other times, there was nobody who didn't know his neighbor and who wasn't ready to help him, if he were to need it. They say that life was slower (*más lenta*), more pleasant. I am not sure that this is true, but at least people weren't afraid that the world would end with an atomic explosion. There are many good things today, and there were many good things yesterday. Tell me, frankly, if you could live in another epoch, which one (*cuál*) would it be?

III. CONVERSACIÓN: *LA ÉPOCA EN QUE ME GUSTARÍA VIVIR*

1. ¿Es verdad que el hombre de hoy usa relativamente poco los brazos y las piernas? ¿Qué ejercicios hace Ud.? ¿Con qué frecuencia?

2. ¿Camina Ud. mucho? ¿A qué distancia de la escuela vive Ud.? ¿Viene Ud. a la escuela en coche? Si no, ¿cómo viene? Si Ud. tuviera que caminar cinco millas todos los días para asistir a (*attend*) la universidad, ¿lo haría Ud.?
3. Si Ud. pudiera vivir en otra época, ¿cuál escogería (*would you choose*)? ¿Por qué?
4. ¿Le habría gustado a Ud. (*Would you have liked*) vivir en la Roma de Julio César? ¿En la corte de Cleopatra? ¿En la época en que vivió Jesucristo? ¿En el tiempo de Shakespeare y Cervantes? ¿En el siglo XXII? ¿Por qué?
5. ¿Le habría gustado a Ud. ir con Cristóbal Colón (*Christopher Columbus*) en su primera expedición a América? ¿Ir con Cortés a conquistar a los aztecas? ¿Llegar a Plymouth Rock con los peregrinos (*pilgrims*)? ¿Atravesar los llanos (*Cross the plains*) y desiertos con los "pioneros"? ¿Por qué?
6. ¿Es más fácil la vida de Ud. que la de sus padres? ¿En qué respectos? ¿Es más feliz?
7. ¿Qué elementos de nuestra sociedad conservaría Ud. para el futuro? ¿Qué elementos eliminaría? ¿Qué elementos del pasado introduciría Ud. otra vez? ¿Qué elementos nuevos introduciría Ud. en el mundo del futuro?
8. ¿Cree Ud. que el mundo se hace mejor o peor para la humanidad? ¿Cree Ud. que ahora hay más moralidad o menos que antes? ¿Cómo lo explica Ud.?
9. ¿Cree Ud. que hay vida humana en otros planetas? ¿Le gustaría a Ud. visitar otros planetas? ¿Iría Ud. en la primera expedición? ¿Por qué?

IV. TEATRO Y COMPOSICIÓN

Escriba una escena original comparando la vida moderna con la de otra época, o posiblemente, proyectándose en el futuro. O en caso de que no le guste escribir una obra de teatro, haga una composición sobre:

1. Mi Concepto del Mundo del Futuro
2. La Época en que Me Gustaría Más Vivir

Lección

DIECINUEVE

I. TEMA: *¿QUIÉN SOY?*

Miguel de Unamuno[1] nos dice que hay en cada uno de nosotros cuatro personas: la persona que es de verdad, la persona que cree que es, la persona que otros creen que es, y la persona que *quisiera* ser. En otras palabras, somos una combinación de realidad e imaginación, o *mejor dicho*, de dos realidades, una exterior, otra interior. Es importante *que reconozcamos* esta estructura *compleja* de nuestra personalidad.

> he would (might) like to
> rather
> that we recognize . . .
> complex

Como Unamuno, no creo *que haya nadie* que se conozca verdaderamente. *Si hubiera tal* persona, ¡es probable que *se muriera de vergüenza*! Hacemos muchas cosas que nosotros mismos no comprendemos, pero las racionalizamos, buscando su justificación. Y este *deseo* de justificarnos puede cambiar para nosotros la realidad de los *hechos*. ¿*No nos convencemos* frecuentemente *de que ocurrió algo como quisiéramos que hubiera ocurrido*? ¿*O de que la culpa fue del otro,* y no nuestra? Y muchas veces este mismo deseo de justificarnos nos hace creer que somos diferentes *de lo que somos en realidad.*

> there is anybody
> If there were such a . . .
> he would die of shame!
> desire
> facts. Don't we convince ourselves . . . that something happened as we might prefer that it had happened? Or that the fault was the other fellow's
> from what we really are

(*¿Le confundo? Espero que no. Sin embargo*, es necesario *que me crea.* Porque *yo nunca me equivoco*, ¿comprende?)

> Do I confuse you? I hope not. Nevertheless . . . that you believe me
> I am never wrong

Evidentemente, *los que* nos conocen *desde fuera* saben muy poco de nuestro mundo interior. Para ellos, *basta* conocer sólo ciertos aspectos de nuestra conducta social para formarse una opinión de nosotros. Y pueden llegar a una conclusión que sea

> those who . . . from the outside
> it is enough

[1] Famoso escritor y filósofo español (1864–1937).

completamente falsa. *En cambio,* aun es posible que otra persona *se acerque más que* nosotros mismos a la comprensión de lo que somos realmente. ¡Las *paradojas* de la vida!

Pero a mí me interesa más el *cuarto* aspecto de la personalidad, *es decir*, la persona que cada uno de nosotros quisiera ser. Porque aquí encontramos *resumidos* todos nuestros deseos y ambiciones. Quiero discutirlo un poco con Ud. *para que piense en sí mismo*, para que *penetre* en su propia vida interior. ¿Quién sabe? *Quizá le sorprenda lo que encuentre ahí.* ¡*Ojalá* que le guste!

Piense Ud. por un momento y dígame francamente: ¿Está Ud. completamente *satisfecho de* sí? ¿Tiene Ud. un ideal *al que quisiera aproximarse*? ¿Ha tenido Ud. alguna vez un deseo *íntimo* de ser diferente de lo que es? ¿Ha pensado Ud. algunav ez?: ¡Ay, si fuera como él . . . o como ella! ¡Si pudiera . . . Si tuviera . . . Si *hubiera sabido* . . . Si *hubiese sido* . . . ! ¡Quién no lo ha hecho! ¿Ha pensado Ud. alguna vez que le gustaría cambiar su identidad por la de otra persona? —¿ser *tal o cual* actriz, ser ese famoso millonario, aquel gran inventor, o sencillamente ser popularísima como su prima Rosalía?— ¿*haber sido* Julio César, *Carlomagno,* María Antonieta, Napoleón . . . ?

Sí, lo sé. Hay muchos Napoleones en los *manicomios, pero no me refiero a eso.* Me refiero al sueño que hay en cada uno de nosotros, y específicamente en Ud. Abra Ud. *por un rato* la puerta de su alma, y *déjelo* salir.

On the other hand
may come closer than
paradoxes
fourth
that is,
summed up
so that you may think about yourself . . .
penetrate . . . Perhaps what you find there will surprise you. I hope
satisfied with . . . that you would like to approach . . .
intimate
I had known
. . . I had been
this or that
to have been . . .
Charlemagne
insane asylums, but I'm not referring to that
for a little while
let it (the dream)

Vocabulario Activo

deseo *desire, wish*
rato *a little while*

entender (entiendo) *to understand*
reconocer (reconozco) *to recognize*

justificar *to justify*

íntimo *intimate*
necesario *necessary*

aun *even*
en cambio *on the other hand*
es decir *that is (to say)*

vergüenza *shame;* tener — *to be ashamed*

referirse a (refiero) *to refer to*
ocurrir *to happen, occur*
sorprender *to surprise*

satisfecho (de) *satisfied (with)*
tal *such a;* tales (pl.) *such*

quizá(s) *perhaps*
mejor dicho *rather (better said)*
sin embargo *nevertheless*

Preguntas

1. ¿Quién fue Miguel de Unamuno? ¿Cuándo nació? ¿Cuándo murió?
2. Según Unamuno, ¿qué hay en cada uno de nosotros?

3. ¿Cuáles son las cuatro personas que existen dentro de nosotros?
4. Si hubiera una persona que se conociera realmente, ¿qué haría?
5. ¿Qué cosas hacemos muchas veces? ¿Cómo nos las explicamos (*How do we explain them to ourselves*)?
6. ¿Qué trae como resultado (*What is the result of*) ese deseo que tenemos de justificarnos?
7. ¿Cómo forman su opinión de nosotros las personas que nos conocen desde fuera?
8. ¿Qué aspecto de nuestra personalidad es el más interesante? ¿Por qué?
9. ¿Qué preguntas quiere que nos hagamos (*wants us to ask ourselves*) la persona que nos habla en este capítulo?
10. ¿Qué quiere que hagamos con el sueño que tenemos dentro?

II. ESTRUCTURA

109. The Pluperfect Subjunctive

The pluperfect (past perfect) subjunctive consists of the imperfect subjunctive of **haber** + the past participle. It translates the English *had been, had gone, etc.,* when a subjunctive is required in the subordinate clause.

hubiera (hubiese) hablado, comido, vivido
hubieras (hubieses)
hubiera (hubiese)
hubiéramos (hubiésemos)
hubierais (hubieseis)
hubieran (hubiesen)

Sentíamos que no hubiera ganado	We were sorry that he *hadn't won.*
¿Había alguien que hubiese estado allí?	Was there anyone who *had been* there?
Si hubieran sabido eso, no lo habrían hecho.	If they *had known* that (but they didn't), they wouldn't have done it.
Si hubieras venido, te habrías divertido.	If you *had come,* you would have enjoyed yourself.
Sería mejor si no hubieseis dicho nada.	It would be better if you *hadn't said* anything.

Ejercicios

A. Complete las frases siguientes:

1. (*If I had known*) que Ud. venía, te habría hecho una torta. 2. Mi padre dudaba que (*they had received*) la carta. 3. (*If we had had*) tiempo, habríamos hecho un viaje a Europa. 4. Era lástima que (*they had already gone out*). 5. ¿Era posible que (*he had found it*)? 6. (*If you had known it*), ¿me lo habrías dicho?

B. Conteste ahora:

1. Si Ud. hubiera nacido en Madrid, ¿qué sería Ud.? ¿Si hubiera nacido en Roma? ¿en Lisboa? ¿en Buenos Aires? ¿en París? 2. Si Ud. hubiera nacido en 1900, ¿cuántos años tendría ahora? ¿Si hubiera nacido en 1910? ¿en 1920? ¿en 1820? 3. Si nosotros hubiéramos nacido en el siglo XVIII, ¿viviríamos todavía? 4. Si los españoles hubieran colonizado la América del Norte, ¿qué lengua hablaríamos nosotros? 5. Si los ingleses hubieran descubierto la América del Sur, ¿qué lengua hablarían allí ahora? 6. Si no hubiera ocurrido la Revolución Norteamericana, ¿qué serían los Estados Unidos de Norteamérica? 7. Si esta universidad no le hubiera aceptado a Ud., ¿adónde habría ido? 8. Si Tomás Edison no hubiera vivido, ¿qué cosas no tendríamos ahora?

110. Sequence of Tenses with the Subjunctive

MAIN CLAUSE	SUBORDINATE (SUBJUNCTIVE) CLAUSE
Present (future, present perfect)	Same tense as in English
Past (conditional, pluperfect)	Imperfect subjunctive (simple tense)
	Pluperfect subjunctive (compound tense)

A. When the main clause is in the *present* tense (or in the closely allied future or present perfect), *the subjunctive in the subordinate clauses uses the same tense as the English.* Notice again that the present subjunctive refers to future actions as well as to present:

Siento que esté malo.	I am sorry that he is sick.
Es posible que venga.	It is possible that he will come.
Le diré que te llame.	I'll tell him to call you.
Siento que haya estado malo.	I am sorry that he has been sick.
Es posible que haya venido.	It is possible that he has come.
Siento que estuviera malo.	I am sorry that he was sick.
Es posible que viniera.	It is possible that he came.

B. When the main clause is in the past or the conditional, only a *past* subjunctive should be used: imperfect subjunctive for a simple tense; pluperfect subjunctive for a compound tense:

Sentía que estuviera malo.	I was sorry that he was sick.
Era posible que viniera.	It was possible that he would (or might) come.
Le dije que te llamara.	I told him to call you.
Si pudieran, lo comprarían.	If they could, they would buy it.
Sentía que hubiese estado malo.	I was sorry that he had been sick.
Era posible que hubiera venido.	It was possible that he had come.
Si hubieran podido, lo habrían comprado.	If they had been able to, they would have bought it.

Ejercicio

Diga en español:

1. I doubt that he is here. 2. I doubt that he has been here. 3. I doubt that he was here last April. 4. She is hoping that he'll come. 5. She was hoping that he would come. 6. She was hoping that he had come. 7. His mother doesn't want him to go. 8. His mother didn't want him to go. 9. If it were raining, we would stay at home. 10. If it had rained, we would have stayed at home. 11. As soon as he comes, tell him to call me. 12. He said that as soon as he arrived, he would call me. (He hadn't arrived yet!)

III. Impersonal Expressions

A. When there is no change of subject, an impersonal expression is followed by the infinitive:[2]

Es imposible hacerlo hoy.	It is impossible to do it today.
Era importante verle.	It was important to see him.
Hay que (Es necesario) trabajar.	One must (It is necessary to) work.

B. Most impersonal expressions fall within the three basic concepts that produce subjunctive. Therefore, when such an expression is followed by a change of subject, the subordinate clause is in the subjunctive:

INDIRECT OR IMPLIED COMMAND

Es necesario (importante, urgente, preferible, etc.) *que lo haga* en seguida.	It is necessary (important, urgent, preferable, etc.) *that he do it* at once. (Note subjunctive in English.)

EMOTION

Es lastima (¡Ojalá!, Es de esperar, etc.) que lo *haya terminado*.	It is a pity (Oh!, if only!, It is to be hoped, etc.) he *has finished it*.

UNREALITY (DOUBT, UNCERTAINTY, IMPOSSIBILITY, etc.)

Es probable (improbable, posible, imposible, increíble, No es verdad, etc.) que *lo dijeran*.	It is probable (improbable, possible, impossible, incredible, It is not true, etc.) that *they said it*.

C. An impersonal expression that states a certainty or the speaker's positive belief is followed by the indicative when there is a change of subject:

Es verdad (No hay duda de, Es seguro, cierto) que *está* vivo.	It is true (There is no doubt, It is sure, certain) that *he is* alive.
But: ¿Es verdad que está vivo?	Is is true that he is alive? (I don't know. Do you?)
¿Es verdad que esté vivo?	Is it true that he is alive? (I doubt it.)

[2] Under certain limited circumstances, the infinitive may be used even when there is a change of subject: **Me es imposible ir hoy** (*It is impossible for me to go today*).

Ejercicios

A. Lea en voz alta, y después cambie según las indicaciones:

1. Es improbable que le *paguen* el dinero.
   (devolver, ofrecer, prometer, rehusar)
2. *Es imposible* que lo terminen a tiempo.
   (Es necesario, Es importante, ¡Ojalá! Es seguro)
3. *Era evidente* que decía la verdad.
   (No era posible, Era importante, Era increíble, Era aparente)
4. *Es necesario* prepararse bien para el futuro.
   (Hay que, Es imposible, Será importante)
5. Ojalá que no *venga* demasiado pronto.
   (salir, revelarlo, quitárselo, darse cuenta)

B. Ahora lea bien los diálogos siguientes, y conteste las preguntas:

1. —Es improbable que Juanito vuelva a la universidad este año.
   —¿Por qué?
   —Porque su padre está malo, y Juanito tendrá que trabajar.

CONTESTE: a. ¿Qué es improbable?
b. ¿Por qué es importante que trabaje?
c. ¿Es pobre o rica la familia de Juanito?

2. —Es evidente que Rosario mentía.
   —¿Por qué dices eso, Ana?
   —Porque evitaba mirarme a los ojos. Había que verla (*You should have seen her*). Se puso (*She turned*) roja y parecía que iba a llorar.

CONTESTE: a. ¿Por qué era evidente que Rosario mentía?
b. ¿Por qué había que verla?
c. ¿Es muy buena mentirosa (*liar*) Rosario?

3. —Es lástima que Ricardo no pudiera jugar ayer.
   —¿Qué pasó?
   —Pues perdimos el partido (*game*). Fue imposible ganar sin él.

CONTESTE: a. ¿Por qué es lástima que Ricardo no pudiera jugar ayer?
b. ¿Cómo sabemos que es muy buen jugador (*player*)?
c. ¿A qué deporte cree Ud. que jugaron?

4. —¡Ojalá que tuviéramos más tiempo!
   —¿Para qué?
   —Para acabar la lección. Es muy probable que nuestro profesor nos examine mañana, y no estoy preparado.
   —¡Pobre Manolo!

CONTESTE: a. ¿Qué deseo expresa Manolo?
b. ¿Qué dice que es probable?
c. ¿Qué materia (*subject*) piensa Ud. que está estudiando?

Ejercicio de Repaso

Traduzca al español:

Do you think that you know yourself? The famous Spanish writer and philosopher Miguel de Unamuno once said that there are four people within every one of us. The first is the person that we really are. The second is the person that we think we are. The third is the person that others think we are. And the last is the person that we would like to be. It is very important that we recognize the differences that can exist between what we are and what we think we are.

For example, we often do things that we don't understand. And if it is something bad, we rationalize it, looking for a justification. I doubt that there is anyone who hasn't done that. And it is even possible that another person may understand us better than we (do).

But the most interesting aspect of our personality is the person that we would like to be. Is there anyone who is completely satisfied with himself? Is there anyone who hasn't thought: "If I had . . . If I were . . . If I had gone . . . If I had had the chance . . . If I had known . . . If I could . . . How I wish (*¡Ojalá*) I were he . . . or she . . . ! Let's think about ourselves for a little while so that we may understand the hopes that live in our heart. Let's open the door of our soul and let the dream come out. Perhaps it will surprise us.

III. CONVERSACIÓN: *¿QUIÉN SOY?*

1. ¿Está Ud. contento de sí mismo? ¿En qué respecto sí? ¿En qué respecto no? ¿Le gustaría ser más guapo? ¿más inteligente? ¿más rico? ¿más alto? ¿más bajo? ¿más bueno?
2. Si Ud. pudiera ser otra persona, ¿quién sería? ¿Por qué?
3. ¿Le habría gustado a Ud. ser Napoleón? ¿Cleopatra? ¿Jorge Washington? ¿Miguel de Cervantes? ¿Tomás Edison? ¿Paco Sinatra? ¿El Presidente, o su esposa? ¿Por qué?
4. En su opinión, ¿quién ha contribuido más a la ciencia? ¿a la tecnología moderna? ¿a la música? ¿al arte? ¿a la novela moderna? ¿al drama? ¿al concepto de la democracia?
5. ¿Cuál considera Ud. la invención o descubrimiento más beneficioso a la humanidad? ¿La invención o descubrimiento menos beneficioso?
6. ¿Cuál es su idea de una persona verdaderamente grande (*great*)? ¿Cree Ud. que va a ser grande Ud. mismo algún día?

IV. TEATRO Y COMPOSICIÓN

Vamos a ver si puede Ud. escribir una escena original sobre los múltiples aspectos de la personalidad humana. Por ejemplo, dos personas pueden estar hablando, pero las cosas que dicen y las cosas que piensan son enteramente distintas. Use Ud. la imaginación, ¿está bien? O como alternativa, escriba una composición sobre uno de los temas siguientes:

1. La Persona que Soy y la Persona que Otros Piensan que Soy
2. La Persona que Quisiera Ser

VIAJES (Trips)

medios de transporte *means of transportation*

el coche, carro, auto(móvil) *car*
el avión *airplane*
el autobús; colectivo (Sp. Am.) *bus*
el vapor *steamship*
el bote *small boat, rowboat*
el tranvía *trolley*
el coche de alquiler *hired car*
subterráneo, metro *subway*
caballo *horse*

el tren *train*
helicóptero *helicopter*
el camión *truck; bus* (*Mex.*)
barco *ship*
lancha *launch*
el taxi *taxi*
el ferrocarril *railroad*
submarino *submarine*
burro *donkey*

en coche *by car*
en avión, por avión[3] *by plane*
por mar *by sea*
en tren, por tren *by train*
a caballo *on horseback*
a pie *on foot*
vuelo *flight*

hacer un viaje *to take a trip*
hacer una parada *to make a stop*
hacer escala *to stop* (*at a port*)
despegar *to take off* (*a plane*)
aterrizar *to land* (*a plane*)
atracar *to dock*
volar (vuelo) *to fly*
manejar, conducir *to drive*

carretera *highway*
camino *road*
la estación *station*
el salón (*or* sala) de espera *waiting room*
horario *timetable*
boletería (Sp. Am.); taquilla (Sp.) *ticket office*

el muelle *dock, pier*
aeropuerto *airport*
parada (de autobús) *bus stop*
portero *porter*
boleto (Sp. Am.); billete (Sp.) *ticket*
boletero (Sp. Am.); taquillero (Sp.) *ticket seller*

alojamiento *lodging*

el hotel *hotel*
el mesón, la posada *inn*
el zaguán *lobby*
maleta *suitcase*
el equipaje *baggage*
agua corriente *running water*
un cuarto doble (*or* para dos) *a double room*

la recepción (*hotel*) *desk*
el botones *bellhop*
propina *tip*
el baúl *trunk*
la calefacción (*steam*) *heat*
aire acondicionado *air conditioning*
un cuarto (una cámara) para uno *single room*

[3] Normalmente se dice que una **persona** va **en** avión; una **cosa** (una carta, etc.) va **por** avión.

Discusión

1. ¿Ha hecho Ud. alguna vez un viaje? ¿Adónde? ¿Cuándo lo hizo?
2. ¿Qué medio de transporte le gusta más? ¿Por qué?
3. ¿Cuántas veces ha volado Ud.? ¿Cuándo? ¿Adónde? ¿Le gustó la primera vez?
4. Para ir a Europa, ¿prefiere Ud. ir en avión o por mar? Para ir a California (o a Nueva York), ¿iría Ud. en coche, en tren, o en avión?
5. ¿Sabe Ud. manejar un coche? ¿Maneja Ud. bien? ¿Cuánto tiempo hace que maneja Ud.? ¿Ha tenido que pagar muchas multas (*fines*)?
6. ¿Sabe Ud. conducir una lancha de motor? ¿Tiene Ud. su propia lancha? ¿Sabe Ud. conducir un avión? ¿Le gustaría aprender si no lo sabe ya?
7. ¿Se aloja Ud. (*Do you stay*) frecuentemente en hoteles? ¿Qué hotel le ha impresionado más? ¿Puede Ud. recordar un incidente divertido que haya ocurrido en un hotel?
8. ¿Puede Ud. escribir una escena original sobre la llegada de un turista a un hotel mejicano o español? O tal vez le guste más describir la llegada de un turista hispano a un hotel de una gran ciudad norteamericana.

PASAPORTE

Nombre Johnston ________________ ______
APELLIDO NOMBRE DE PILA INICIAL

Dirección ________________ ______ ________________ ________________
CALLE NÚMERO CIUDAD PAÍS

Fecha de Nacimiento __________ de __________ de __________
DÍA MES AÑO

Lugar de Nacimiento ________________ ________________
PUEBLO O CIUDAD PAÍS

Ciudadanía ________________

Estado Civil ____Casado(a) ____Soltero(a) ____Viudo(a) ____Divorciado(a)

Nombre de su Esposo (Esposa) ________________ Hijos ______

Profesión u Oficio ________________________

Altura __________ Peso __________

Ojos ______ Pelo __________

Países que Piensa Visitar:

Razón del Viaje:

Ponga aquí una foto reciente

Lectura XIII

EL GRECO Y LA GRANDEZA

Hasta ahora hemos hablado sólo de la realidad histórica de la España del Siglo de Oro y de su *reflejo* en la literatura. Pero el hombre no se limita a la palabra escrita para expresar sus *más hondas* emociones. Se expresa por la música, por el baile, por la pintura, la escultura, la arquitectura. Así, no es *sorprendente* que la época que nos dio un Cervantes, un Lope, un Tirso, y un Calderón *haya producido* también un gran florecimiento del arte visual. Carlos I, Felipe II y sus sucesores hacen construir magníficas catedrales y palacios y llaman a los mejores *pintores* de la tierra para decorar sus paredes y sus altares. Se rodean de artistas como Ribera, Murillo, Zurbarán, y Velázquez, que dedican su genio no sólo a *consagrar* temas religiosos y pintar *retratos* de la familia *real*, sino a captar en sus *lienzos* el alma popular de España. Y los reyes invitan a pintores *extranjeros* a venir a España y tomar parte en la vida cultural de la corte. Tomemos el caso de El Greco, seguramente uno de los más interesantes.

El Greco, *bautizado* Domenico Theotocopulos, nació en la isla de *Creta* en 1541. En 1560 fue a Venecia, donde estudió con el viejo maestro *Ticiano*, y donde se puso en contacto con las corrientes populares del arte italiano. Por razones *desconocidas, se trasladó* a Roma en 1570, y su fama se extendió rápidamente. *Hizo amistades* con muchos de los españoles que visitaban ese país *por excelencia* del

reflejo: reflection
más hondas: deepest
sorprendente: surprising
haya producido: should have produced
pintores: painters
consagrar: consecrate
retratos . . . real: portraits . . . royal
lienzos: canvasses
extranjeros: foreign
bautizado: baptized
Creta: Crete
Ticiano: Titian
desconocidas, se trasladó: unknown, he moved
Hizo amistades: He made friends
por excelencia: par excellence

"El Entierro del Conde de Orgaz", (detalle) obra maestra del Greco (1541–1614), se encuentra ahora en la capilla de una pequeña iglesia toledana.

El Greco, "San Ildefonso".

El Greco, "San Martín y el Mendigo".

Renacimiento, y para 1577 le encontramos en Toledo, comisionado para pintar una serie de cuadros religiosos para la catedral. De ahí en adelante, El Greco iba a ser un pintor español. Ticiano le había enseñado la técnica. Tintoretto y *Miguel Ángel habían influido en* su concepto dramático del *fondo* y de la forma. Conservaba todavía algo de la perspectiva medieval bizantina. Pero Castilla le *independizó,* le *liberó* de las formas tradicionales de la pintura italiana. El Greco se encuentra a sí mismo en España, abandona a maestros y *reglas* y se hace parte de su tierra *adoptiva.*

En 1579 El Greco pasó a la corte de Madrid, invitado por el monarca, Felipe II. El primer *cuadro* que hizo para el rey fue muy bien recibido. Pero el segundo, El *Martirio de San Mauricio,* que Felipe le hizo pintar para la *Capilla* de San Mauricio en el Escorial, fue *rechazado* sumariamente por el rey, *disgustado* por la extravagancia personal de la técnica del artista. Profundamente ofendido, El Greco volvió a Toledo, donde se estableció definitivamente. Vivió con

Michelangelo had influenced
background
made him independent
liberated
rules
adopted
painting
Martyrdom of St. Maurice
Chapel
rejected . . . displeased

opulencia hasta 1600, cuando las dificilísimas condiciones económicas
40 del país empezaron a afectar su prosperidad material. Poco a poco *se fue alejando* de la vida social, y por fin murió en 1614, *empobrecido,* admirado por algunos, despreciado por otros.

se fue alejando: he retired . . . *empobrecido*: impoverished

Después de la muerte del artista, su fama *decreció* rápidamente. Según un crítico de fines del silgo diez y siete, la obra de El Greco
45 "contentaba a pocos" por ser tan "extravagante y extraña". En el siglo diez y ocho, El Greco era casi desconocido. Durante la primera mitad del siglo diez y nueve, la mayor parte de sus cuadros quedaban todavía en el *olvido.* En 1888 un cuadro suyo que vale ahora más de cien mil dólares, *se vendió en Londres* por noventa
50 dólares. Sólo a fines del siglo diez y nueve empezó a ser redescubierto, y ahora El Greco es reconocido como el pintor más importante del *barroco* español, y uno de los más *geniales* del arte mundial.

decreció: decreased; *olvido*: oblivion; *se vendió en Londres*: was sold in London; *barroco* . . . *geniales*: Baroque . . . brilliant

¡Los *altibajos* de la vida, y de la *grandeza!* Y nos hace pensar. ¿En qué consiste la verdadera grandeza? ¿Es más grande El Greco
55 ahora *que hace cien años*? . . . ¿que hace doscientos años? . . . ¿que en vida? ¿Dónde está la grandeza—en la obra misma o en los ojos de la persona que la admira? ¿Sería menos grande El Greco si mañana *cayera* otra vez en el olvido? ¿Somos nosotros los que damos o quitamos grandeza, o hay algo permanente en la obra que *no se le*
60 *pueda quitar*?

altibajos . . . *grandeza*: ups and downs . . . greatness; *que hace cien años*: than a hundred years ago?; *cayera*: he were to fall; *no se le pueda quitar*: that can't be taken away from it?

Preguntas

1. ¿Cómo expresa el hombre sus más hondas emociones?
2. ¿Cómo fomentaron los reyes españoles el florecimiento artístico del Siglo de Oro?
3. ¿Quiénes eran los pintores más importantes de esa época?¿ A qué obras dedicaron su genio?
4. ¿Dónde nació El Greco? ¿En qué año nació?
5. ¿Adónde fue a estudiar? ¿Quién fue su maestro?
6. ¿Adónde se trasladó en 1570?
7. ¿Dónde le encontramos en 1577?
8. ¿Qué influencia tuvo en él su residencia en Castilla?
9. ¿Cómo fue recibido el primer cuadro que pintó para el rey Felipe II?
10. ¿Cómo fue recibido el segundo? ¿Por qué no le gustó al rey la obra del artista?
11. ¿Dónde pasó El Greco el resto de su vida? ¿Cómo vivió? ¿Cómo murió?
12. ¿Qué ocurrió después de su muerte?
13. ¿Cómo era considerada su obra para fines del siglo diez y siete? ¿Y en el siglo diez y ocho? ¿Y en el siglo diez y nueve?
14. ¿Por cuánto dinero se vendió un cuadro suyo en 1888? ¿Cuánto vale ahora?
15. ¿Cuándo empezó a ser redescubierto El Greco? ¿Cómo le consideramos hoy?
16. ¿Qué problemas filosóficos sugiere el caso de El Greco?

Lección

VEINTE

I. TEMA: *LA LIBERTAD*

¿Libertad, la llaman? ¡Más libertad tendría si me pusieran en la *cárcel*! *Desde que* nací, me parece que vivo dominado por las personas y las cosas que *me rodean*—por mi madre, por mi padre, por el mundo, por el dinero, por. . . . Ud. dirá que eso es normal. Pero, *¿a mí qué me importa lo normal?* Para otros puede ser *el mayor de los bienes.* Para un alma independiente como la mía, no, mil veces no.

Como dije, desde el momento en que nací, me hallé prisionero:

—Niño, *come* . . . ¿No te gusta? Pues esto no *lo* permito en mi casa. *Desperdiciar la buena comida es un crimen.* Si no te lo comes ahora, lo pongo en el refrigerador para tu almuerzo. . . . *Vístete.* Ahora mismo, te digo. No, no, hijo, *no te pongas* esa camisa azul con esos pantalones. ¿Por qué? *¡Porque no!* . . . ¡Ay, esas manos! ¿Cómo *te las ensuciaste tanto*? *Lávatelas. Recuerda,* con jabón. Y la cara también. . . . ¡¡Juanito, *no lo toques*!! . . . Niños, ¡fuera de aquí! *Idos a jugar al sol. Pero no atraveséis* la calle y *volved para las cinco*, ni un minuto después. . . . Juanito, *haz tu tarea de la escuela*. . . . Y no olvides practicar en el piano o no te dejo mirar la televisión por una semana entera. . . .

Hasta cuando llegué a la escuela superior, continuó mi cautiverio y aun peor:

—*Dime*, ¿a dónde vas? . . . ¿Al cine, dices? ¿Con quién? . . . Ya te he dicho mil veces que no me gusta esa muchacha. No quiero que vayas con ella. . . . *Sí puedo.* Es sencillo. No te doy el dinero.

Dinero—*ahí tienes el mayor culpable* de todos. Nos quita la

jail! Ever since
surround me
what do I care about what's normal?
. . . the greatest of all goods
eat . . . (Don't translate *lo*)
Wasting good food is a crime.
Get dressed.
don't put on
Because I said not to . . .
did you get them so dirty?
Wash them. Remember
don't touch it!
Go out and play in the sun.
But don't cross . . . be back by 5
. . . do your homework
Even
Tell me
Oh yes I can!
there you have the biggest culprit

libertad más que ninguna otra cosa, más aun que todos los padres y madres—y esposas—juntos. *Quisiéramos* hacer un viaje, jugar *a la pelota*, descansar en la verde, *fresca yerba* del campo, tomar el sol en una *playa dorada*, o no hacer nada—pensar, *canturrear* una canción, ¿quién sabe qué?—pero hay que trabajar. *¿Para qué?* Para que haya dinero para pagar el *alquiler*, para que haya comida en la mesa, para. . . .

Dinero. ¡Cuántas veces *nos corta la lengua para que no brote una palabra* que pueda ofender! ¡Cuántas veces quita una verdad y la *reemplaza* con una mentira *provechosa*! ¡Cuántas veces nos hace sonreír cuando sentimos por dentro *un volcán a punto de hacer erupción*! ¡Cuántas veces nos obliga a hacer cosas que *no hubiéramos hecho*!

Pero el dinero no es *el único culpable de nuestra esclavitud.* Es la vida misma. *Es el tiempo que no hace caso al hombre.* Es el hombre que no hace caso a su *prójimo*. . . . Hace calor. No quiero ponerme *corbata ni esa camisa almidonada que me ahoga, pero eso no se hace.* ¿Por qué *pertenecer* a ese club que no me interesa nada? Porque *eso sí se hace.*

Tal vez tuvo razón el filósofo Rousseau al decir que debíamos volver a la *naturaleza*. En la naturaleza hay libertad. *Cada hoja se abre al amanecer* con franqueza; *cada flor bosteza sin cubrirse la boca.* Y si no hay dos hojas que sean absolutamente idénticas, ¿por qué *hemos de esperar* que sean idénticos los hombres? ¿Por qué no sabemos *mantener* nuestra libertad personal *dentro del gran todo*?

¿Utopía, me dices? ¿Sueño de filósofo?

Entonces, ¿por qué no tratamos a lo menos de conservar dentro de nosotros *una sola cosa* que sea exclusivamente nuestra? Este sueño *sí puede* hacerse realidad.

We might want . . . ball
fresh grass
golden beach . . . hum
What for?
the rent
it cuts short our tongue so that a word won't come out
replaces . . . profitable
a volcano ready to erupt!
we might not have done!
the only one to blame for our enslavement . . . It is time that pays no attention to man
fellow . . . a tie or that starched shirt that chokes me, but that isn't done . . . belong
that *is* the thing to do
nature . . . Each leaf opens to dawn
. . . every flower yawns without covering its mouth
should we expect
maintain . . . within the great whole
one single thing
can

Vocabulario Activo

el alquiler *rent*
la cárcel *jail*
el crimen *crime*
la libertad *liberty*

atravesar (atravieso) *to cross*
bostezar *to yawn*
cortar *to cut*

dorado *golden*

desde (prep.) *since (a certain point in time)*

al sol *in the sun*
echar a perder *to waste, spoil*

naturaleza *nature*
la flor *flower*
yerba, hierba *grass*
pelota *ball*

ensuciar *to dirty*
man*tener* *to maintain*
rodear *to surround*

provechoso *profitable*

desde que (conj.) *since*
a punto de *about to*

¡Fuera de aquí! *(Get) Out of here!*
hacer caso a *or* de *to heed, pay attention to*

Preguntas

1. ¿Dónde dice que tendría más libertad la persona que nos habla?
2. ¿Por quién(es) se vio (*did he feel*) dominado desde que nació?
3. ¿Por qué dice que no le importa lo normal?
4. Cuando era niño, ¿qué le decía su madre cuando no quería comer? ¿Y cuando ella quería que se vistiera? ¿Y cuando el niño tenía sucias las manos y la cara?
5. ¿Qué decía la madre cuando quería que los niños salieran a jugar al sol?
6. ¿Qué trabajo tenía que preparar el niño? ¿Qué otra obligación tenía?
7. Cuando llegó a la escuela superior, ¿qué influencia ejercía todavía su madre?
8. Según esta persona, ¿qué cosa más que ninguna otra hace prisionero al hombre?
9. ¿Cómo influye el dinero en nuestra vida diaria? ¿Para qué cosas lo necesitamos?
10. ¿Qué otros efectos tiene el dinero? ¿Qué otras fuerzas nos hacen prisioneros?
11. ¿Qué idea tuvo el gran filósofo Rousseau? ¿Qué encontramos en la naturaleza?
12. ¿Qué debemos hacer para conservar nuestra identidad individual?

II. ESTRUCTURA

112. Familiar Affirmative Commands (the Imperative)

We have seen that all polite commands (**Ud., Uds.**) and all negative commands (familiar and polite) are taken from the present subjunctive. Only *familiar affirmative* commands are formed otherwise:

A. Tú

The affirmative command form for **tú** is the same as the third person singular of the present indicative:

Habla, niño.	Speak, boy.
Bébelo todo, amorcito.	Drink it all, sweetie.
Canta, Paquito.	Sing, Frankie.

There are only eight exceptions:

ven *come*	haz *make, do,*
ten *have*	sé (ser) *be*
pon *put*	di *say, tell*
sal *go out*	ve *go*

B. Vosotros (generally not used in Spanish America)

The affirmative command for **vosotros** is formed by changing the final **-r** of the infinitive to **-d**. There are no exceptions:

hablar: hablad	Speak! (all of you)
hacer: haced	Do!
abrir: abrid	Open!

When the reflexive pronoun **os** is attached, the **-d** disappears. **-ir** verbs require an accent mark over the last **i** to keep the stress normal:

Hablaos.	Speak to each other.
Poneos los guantes.	Put on your gloves.
Vestíos.	Get dressed.

Only **irse** (*to go away*) keeps the **-d** when **os** is attached:

Idos.	Go away.

Ejercicios

A. Diga en español los mandatos (*commands*) siguientes, usando: (1) **tú** (2) **vosotros** (3) **Ud.** (4) **Uds.** (Remember that polite commands and *all* negative commands use the present subjunctive. Remember also to *attach object pronouns to the end of affirmative commands* and to *place them immediately before negative commands.*)

1. Speak more rapidly. 2. Don't talk so much. 3. Give it to me. 4. Don't give it to him. 5. Help us. 6. Tell them (it). 7. Don't tell it to them. 8. Come at once. 9. Do me the favor of . . . 10. Sit down. 11. Get dressed. 12. Put it on (*ponerse*).

B. Escriba cinco oraciones originales dando mandatos a varios miembros de su clase.

113. Uses of *Para*

Para, translated most frequently by *for, in order to,* generally looks ahead ——→ toward the objective, the destination, or logical outcome of the action:

para ——→ Objective / Destination / Logical outcome

Almost all of its uses reflect this concept. These are its most important meanings:

A. In order to ——→ objective, logical outcome

Estudio para (ser) abogado.	I am studying (in order) to be a lawyer.
Lo hizo para impresionar a su novia.	He did it (in order) to impress his girlfriend. (She most likely *was* impressed.)
Para ser delgada, hay que seguir un régimen estricto.	(In order) To be slim, one must follow a strict diet.

Notice that Spanish uses **para** before an infinitive whenever the English *to* really means *in order to.*

B. Destined for, headed for ——→ objective, destination

¿Para quién es?	Whom is it for?

Lo compró para su cuarto.	He bought it for his room.
Salimos para Madrid hoy.	We leave for Madrid.

C. To be used for ⟶ objective

papel para cartas	letter paper
una taza para té	a teacup
un vaso para vino	a wine glass
But: una taza *de* té	a cup of tea
un vaso *de* vino	a glass of wine

D. By or for (a certain time or date) ⟶ objective

Para la próxima clase . . .	For the next session . . .
Lo quiero para el sábado.	I want it for (or by) Saturday.
Para el 16, estaremos en Londres.	By the 16th, we'll be in London.

E. Considering, compared with, with relation to ⟶ immediate object of reference

Para él, no hay nada difícil.	For him, there's nothing (too) hard.
Para su edad, habla muy bien.	For his age, he speaks very well.
Para un viejo, es muy fuerte.	For an old man, he is very strong.

Ejercicios

A. Conteste:

1. ¿Ha comprado Ud. algo recientemente para un amigo? ¿Para un pariente suyo? ¿Para sí mismo? 2. ¿Ha comprado algo para su casa? ¿Para su cuarto? 3. ¿Es difícil para Ud. aprender lenguas extranjeras? 4. ¿Fue difícil para Ud. aprender a manejar su coche? 5. Para un estudiante principiante (*beginning*), ¿cree Ud. que entiende bien el español? 6. ¿Qué tiene Ud. que hacer para mañana? ¿Y para la semana que viene (*next week*)? 7. ¿A qué hora sale Ud. para la escuela los lunes? ¿Y los martes? ¿los viernes? 8. ¿Para qué profesión u oficio se prepara Ud.? 9. ¿Qué tiene uno que hacer para sacar buenas notas (*grades*)? 10. Si Ud. entra en un restaurante, ¿pide una taza *de* café o una taza *para* café? 11. Si tiene sed, ¿pide un vaso *de* agua o un vaso *para* agua? 12. Si quiere comprar un regalo de bodas (*wedding present*) para unos amigos, ¿les compra vasos de vino o vasos para vino? ¿Les brinda Ud. (*Do you toast them*) con una copa *de* champaña o con una copa *para* champaña?

B. Complete las oraciones siguientes:

1. Tengo un regalo (*for you*). —(*For me*)? ¡Qué bien! 2. Los niños habrán salido (*for school by 8:30*). 3. Quiero que lo tengas terminado (*by tomorrow*). 4. (*To go*) a la ciudad, hay que tomar el tren. 5. Ayer compré una docena de magníficos (*wine glasses*). 6. ¿Puedo ofrecerle (*a glass of water*)? —Gracias, pero yo prefiero (*a glass of wine in a water glass*). 7. En esta tienda vendemos (*women's and children's clothes*). 8. ¿Es demasiado larga (*for you*) esta lección? —No, (*not for me*). Me gusta sufrir.

114. Uses of *Por*

Por has two broad categories of uses. One refers to tangible or physical actions: location, position, means, etc. The second looks back ⟵ to the motive, the impulse, the reason for the action:

A. Tangible or physical uses (location, position, means, duration of time, etc.)

1. By (an agent), by means of

Por Avión	By Airmail
Llámeme por teléfono.	Telephone me.
Una si por tierra, dos si por mar.	One if by land, two if by sea.
El cuento fue escrito por Galdós.	The story was written by Galdós.

2. Through, along, around

Entramos por la puerta trasera.	We entered through the back door.
Andaban por la playa.	They were walking along the beach.
Vive por ahí	He lives around there.
Pase por aquí.	Come this way. (Pass through here.)

3. During, for (a period of time), in (the morning, etc.)

Venga el jueves por la tarde.	Come Thursday (in the) afternoon.
No hay clases por la mañana.	There are no classes in the morning.
Vivió en Lima por cinco años.	He lived in Lima for five years.

4. In exchange for

¿Cuánto me da por el coche?	How much will you give me for this ring?
No lo haría por nada.	I wouldn't do it for anything.

5. Per

Esta carne vale noventa centavos por[1] libra. —¿Y cuánto pesa su pulgar?	This meat costs 90¢ per (a) pound. —And how much does your thumb weigh?
Cobran por la semana, no por el día.	They charge by the week, not by the day.

B. Motive, impulse ⟵ por

1. Motive, impulse ⟵ out of, because of, through

Renunció por miedo.	He resigned out of fear.
Se lo dieron por compasión.	They gave it to him for pity.

2. Motive, impulse ⟵ for the sake of, on behalf of

¡Hágalo por mí!	Do it for me!
¡Por Dios!	For Heaven's sake!

[1] The definite article is also used in this sense: **noventa centavos la libra.**

Se sacrificó por su patria. — He sacrificed himself for his country.

3. Motive, impulse ←—— for, in search of, in quest of

Pepe, ve por el cura. — Joe, go for the priest.
Los conquistadores no vinieron sólo por oro. — The conquistadors didn't come only for gold.

Ejercicios

A. Complete las frases siguientes, distinguiendo atentamente entre **por** y **para**:

1. Lo haré solo (*for you*). 2. Decidieron mandar (*for the doctor*). 3. ¿Se casaría Ud. (*for money*)? 4. Envíemelo (*by Friday night*). 5. Le ofreció diez dólares (*for her pen*). —Está loco. No vale tanto. 6. Trabaja mucho (*to*) mantener a su familia. 7. Lo envió (*by*) avión. 8. (*For a smart boy*), eres muy tonto. 9. Los niños fueron cantando (*through the streets*).

B. ¿Puede Ud. terminar las frases del Grupo I usando las del Grupo II?

I

Esa chica se casó
Rápido, José, ve
¿Volverán
¡Dios mío! ¿Cien pesetas
Para la próxima clase,
Han de venir mañana
Acaban de llamar
No lo haríamos por nadie
El televisor
Para gastar tanto
Salimos el lunes para
Para estudiantes nuevos
Pasen Uds.
La carta irá

II

... para el 16? ... sólo por dinero ... por el médico ... sino por ti ... por kilo? ... por la tarde ... por teléfono ... por avión ... terminen la lección ... México y Guatemala ... Uds. hablan maravillosamente ... será para mi cuarto ... por aquí ... hay que ser rico

Ejercicio de Repaso

Traduzca al español:

Sometimes I think that I would have more freedom if they put me in jail! Ever since I was born I have lived dominated by the people and things that surround me, by my mother, by my father, by. . . . Let's take for example when I was a child:

—Johnny, come here . . . Do this . . . Don't do that . . . Study your lessons . . . Practice the piano . . . Don't touch my new teacups! . . . Get dressed . . . Wash your (*las*) hands and face . . . with soap, do you hear? . . . Children, get out of here. Go out and play in the sun . . . But don't cross the street, and don't forget to be back by five o'clock.

When I got to high school, I thought that my captivity had ended. But no.

—Tell me, Johnny, where are you going now? . . . To the movies? With whom? . . . Don't tell me with Ann! You know very well that I don't like that girl. I don't want you to go . . . Oh yes I can. It's simple. I won't give you the money.

Money. To me, money is one of the biggest culprits of them all. Instead of walking through the park singing a song, what do I do? I have to work. Instead of resting on a golden beach, I spend eight hours per day, five days a week working, and for what? To pay the rent, to buy clothes, to eat. . . . Yes, I know that is the normal thing (*lo normal*), but for an independent soul like mine, it's worse than being in prison.

And it isn't only money that dominates us. It's time, that pays no attention to man; it's man, who pays no attention to the desires of his fellow man. Many people want us all to be identical. Well, nature isn't like that. In nature, every leaf is different. Every flower opens to dawn without fear. Why can't *we* be like that? Why can't we preserve at least part of our personal freedom? Why can't we keep one single thing that is exclusively ours?

III. CONVERSACIÓN: *LA LIBERTAD*

1. Cuando Ud. era niño, ¿se consideraba libre o prisionero? ¿Y cuando llegó a la adolescencia? ¿Y ahora?
2. ¿Imponían muchas reglas en casa sus padres? (*Did your parents impose . . .?*) ¿Escogía Ud. sus propios vestidos? ¿Escogía Ud. su propio menú a la mesa? ¿Podía Ud. salir de la casa o volver a cualquier hora? ¿Se acostaba Ud. y se levantaba cuando quería? ¿Y ahora?
3. ¿Le permitían sus padres escoger sus propios amigos sin restricciones?
4. ¿Le permitían sus padres leer todos los libros que le gustaban? ¿Le permitían ver todas las películas que quería ver? ¿Y todos los programas de televisión que le gustaban?
5. Cuando era niño, ¿hizo Ud. algo alguna vez precisamente porque le estaba prohibido?
6. Cuando Ud. entre en el mundo de los negocios, ¿cree Ud. que va a tener más o menos libertad que ahora? ¿Y cuando sea madre—o padre—de familia?
7. ¿Cree Ud. que es más libre el hombre ignorante o el hombre educado? ¿Le gusta a Ud. tener más responsibilidad o menos?
8. Si Ud. pudiera crear la sociedad del futuro, ¿conservaría el sistema democrático? Conservaría Ud. el matrimonio? ¿Por qué?

IV. TEATRO Y COMPOSICIÓN

Escriba Ud. una versión dramatizada de *La Libertad*, o de cualquier otra cosa relacionada con ese tema. O si prefiere, puede escribir una composición sobre:

1. Mi Concepto de la Libertad
2. La Utopía
3. Mi Idea de una Vida Feliz

REPASO IV

"La Fiesta Brava". Aguafuerte de Francisco de Goya (1746–1828).

I. Tema: La Corrida de Toros — Razón y Sinrazón (*Tape 26*)
   Vocabulario, p. 420

II. Dictado y Ejercicio de Comprensión Aural (*Tape 26*)

III. Repaso de Gramática

A. The Conditional

CONDITIONAL : PAST = FUTURE : PRESENT

The conditional tells what *would* (*what was going to*) *happen, what would happen if . . .*, or states conjecture about a past action. It is formed by adding the imperfect endings of **-er, -ir** verbs (**-ía, -ías,** etc.) to the whole infinitive. Irregular verbs use the same infinitive corruption as in the future tense:

hablar		**comer**		**vivir**	
hablaría	hablaríamos	comería	comeríamos	viviría	viviríamos
hablarías	hablaríais	comerías	comeríais	vivirías	viviríais
hablaría	hablarían	comería	comerían	vivirías	vivirían

venir	vendría	**salir**	saldría
tener	tendría	**saber**	sabría

B. The Conditional Perfect: Conditional of **haber** + past participle (*would have gone,* etc.)

habría ido, hecho, dicho, etc.	habríamos ido, hecho, dicho, etc.
habrías	habríais
habría	habrían

C. The Imperfect (Simple Past) Subjunctive

The imperfect subjunctive translates a simple past when subjunctive is required:

hablar	**comer**	**vivir**
hablara, hablase	comiera, comiese	viviera, viviese
hablaras, hablases	comieras, comieses	vivieras, vivieses
hablara, hablase	comiera, comiese	viviera, viviese
habláramos, hablásemos	comiéramos, comiésemos	viviéramos, viviésemos
hablarais, hablaseis	comierais, comieseis	vivierais, vivieseis
hablaran, hablasen	comieran, comiesen	vivieran, viviesen

D. The Pluperfect (Past Perfect) Subjunctive: Imperfect subjunctive of **haber** + past participle

The pluperfect subjunctive translates *had gone, had said,* etc., when subjunctive is required in the subordinate clause:

hubiera (hubiese) ido, dicho, etc.	hubiéramos (hubiésemos) ido, dicho, etc.
hubieras (hubieses)	hubierais (hubieseis)
hubiera (hubiese)	hubieran (hubiesen)

E. Direct Commands

	AFFIRMATIVE	NEGATIVE
tú	3rd person singular present indicative (except **ten, ven, pon, haz, sal, sé, di, ve**)	Present subjunctive
vosotros	infinitive: final **r > d**	Present subjunctive
Ud., Uds.	Present subjunctive	Present subjunctive
nosotros	Present subjunctive or **Vamos a** + infinitive	Present subjunctive

F. Uses of the Subjunctive

Aside from its use in direct commands, the subjunctive belongs almost exclusively in the subordinate clause.

1. Indirect or implied command

The subjunctive is used in the subordinate clause whenever the idea of the main clause expresses one person's will that someone else do something or that something be done:

Quiero que lo haga en seguida.	I want him to do it at once.
Les rogó que no lo dijeran.	He begged them not to say it.

2. Emotion

The subjunctive is used in the subordinate clause whenever the main clause expresses emotion about the subordinate clause action:

Es lástima que no haya venido.	It is a pity that he hasn't come.

When there is no change of subject, it is normal to use the infinitive instead of a subordinate clause:

Siento no poder venir.	I am sorry that I can't come.

3. Unreality: doubt, uncertainty, indefiniteness, impossibility, inconclusiveness

The subjunctive is used in the subordinate clause whenever the idea upon which it depends places it in the realm of the doubtful, uncertain, indefinite, nonexistent, impossible, incomplete.

a. When the main clause expresses doubt about or denies the existence of the subordinate clause action:

Dudamos que lo haga.	We doubt that he'll do it.
Negó que estuvieran allí.	He denied that they were there.

b. When the main clause refers back to someone or something that is indefinite, hypothetical, or nonexistent:

Busco un libro que tenga una foto del senador.	I am looking for a book that has a picture of the Senator. (There is no specific book in mind.)
No había nadie que me ayudara.	There wasn't anyone who would help me.
¿Hay alguien que lo comprenda?	Is there anyone who understands it?

c. When the conjunction that introduces the subordinate clause states that its action is (1) uncertain or impossible; (2) incomplete, pending at the time of the main clause action; (3) contrary to fact:

(1)	Aunque me dé permiso, no voy a hacerlo.	Even though he may give me permission, I'm not going to do it.
	En caso de que llueva . . .	In case it rains . . .
	Salió sin que le viéramos.	He left without our seeing him.
(2)	Se lo daré cuando le vea.	I'll give it to him when I see him.
	Dijo que se quedaría hasta que volviéramos.	He said he would wait until we returned. (We hadn't returned yet.)
	Te lo digo para que[1] te prepares.	I'm telling you so that you may get prepared.
(3)	Si le conociera mejor, hablaría con él.	If I knew him better, I would talk to him.
	Si hubieran ido, se habrían divertido mucho.	If they had gone, they would have had a very good time.

[1] **Para que** takes subjunctive because it includes both the idea of incompleteness at the time of the main clause action and implied command.

Si lloviera, ¿qué haríamos?	If it were to rain (or should rain), what would we do?

Only the imperfect subjunctive (or pluperfect subjunctive for a compound tense) is used after **si** (if). When **si** does *not* state a condition contrary to fact, the indicative is used:

Si llueve, ¿qué haremos?	If it rains, what will we do?

G. The Sequence of Tenses with Subjunctive

MAIN CLAUSE	SUBORDINATE (SUBJUNCTIVE) CLAUSE
Present (future, present, perfect)	Same tense as in English
Past (conditional, pluperfect)	Imperfect subjunctive (simple tense)
	Pluperfect subjunctive (compound)

H. Equal Comparisons

1. **tanto(a) . . . como** (*as much . . . as*); **tantos(as) . . . como** (*as many . . . as*)

Nadie sabe tanto como él.	No one knows as much as he.
Hay tantas muchachas como muchachos en la clase.	There are as many girls as boys in the class.

2. **tan . . . como** (*as* + adjective or adverb . . . *as*)

No eres tan alto como él.	You aren't as tall as he.
No canto tan bien como ella.	I don't sing as well as she.

I. Uses of **Por** and **Para**

Por

1. Tangible or physical uses (location, position, duration, agent, etc.): through, along, around, by means of, by (an agent); during, in; (in exchange) for; per
2. Motive, impulse ←—— out of, because of, through; for the sake of, on behalf of; in quest of

Para

1. (in order) to ——→ objective
2. headed for, destined for ——→ objective
3. to be used for ——→ objective
4. by or for a certain time ——→ objective
5. compared with, with respect to ——→ immediate object of reference

Estudio de Vocabulario

1. ¿Puede Ud. encontrar diez palabras que traten de (*deal with*) cosas *agradables*? (bonito, agradable, felicidad, etc.)
2. ¿Ocho palabras que traten de cosas desagradables?
3. ¿Cinco palabras relacionadas con la ciudad o con la vida moderna?
4. ¿Cinco palabras que se refieran a la naturaleza?
5. Escriba oraciones originales empleando las expresiones siguientes:

   en vez de, a menudo, de aquí en adelante, hacerse, a menos que, en cambio, sin embargo, hacer caso, sobre todo, tener . . . de alto (o ancho)

EL AUTOMOVILISMO (Motoring)

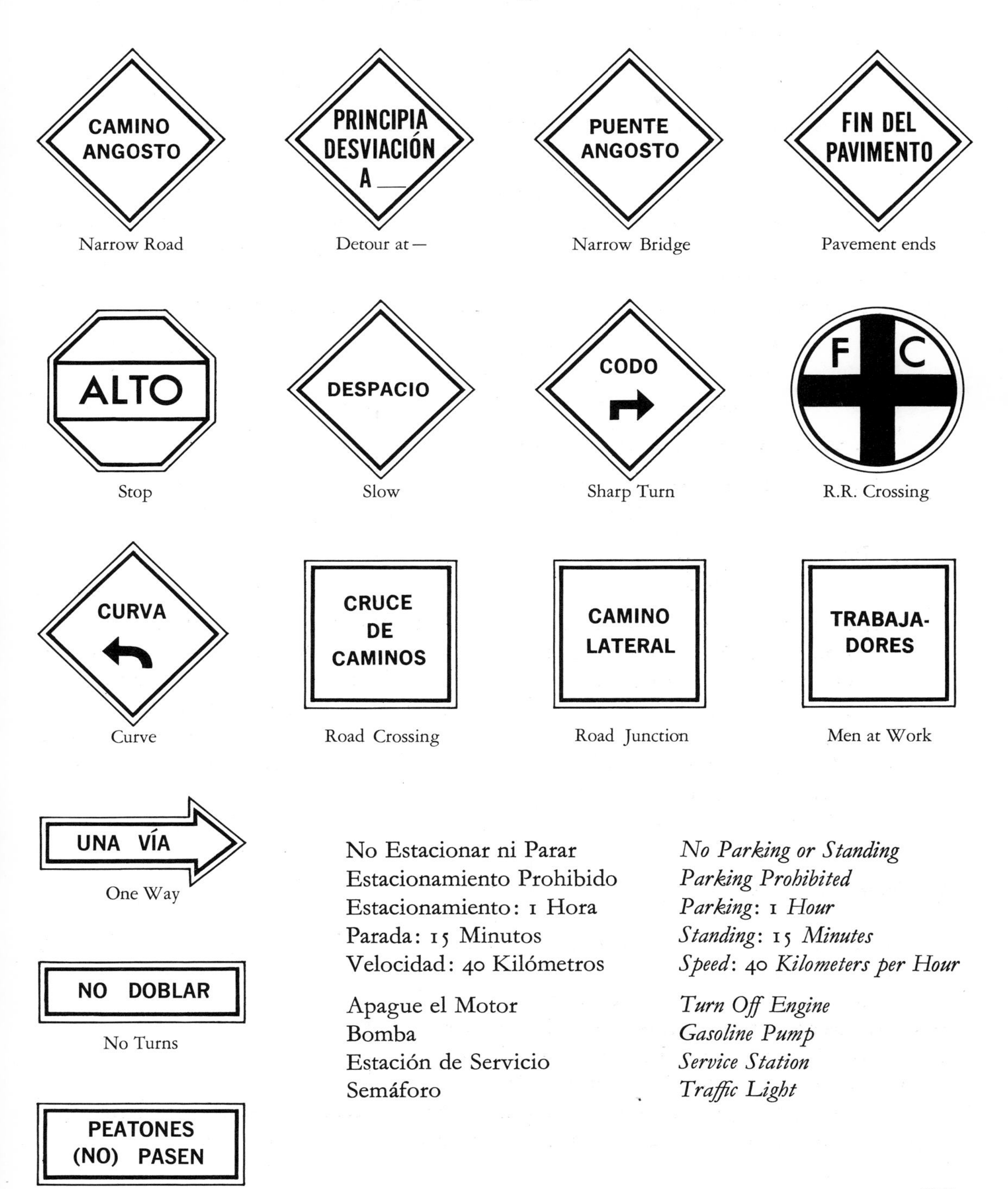

Narrow Road — Detour at— — Narrow Bridge — Pavement ends

Stop — Slow — Sharp Turn — R.R. Crossing

Curve — Road Crossing — Road Junction — Men at Work

One Way

No Turns

Pedestrians (Don't) Walk

No Estacionar ni Parar	*No Parking or Standing*
Estacionamiento Prohibido	*Parking Prohibited*
Estacionamiento: 1 Hora	*Parking*: 1 *Hour*
Parada: 15 Minutos	*Standing*: 15 *Minutes*
Velocidad: 40 Kilómetros	*Speed*: 40 *Kilometers per Hour*
Apague el Motor	*Turn Off Engine*
Bomba	*Gasoline Pump*
Estación de Servicio	*Service Station*
Semáforo	*Traffic Light*

el motor *motor*
el parabrisas *windshield*
el carburador *carburetor*
el guardafangos *fender*
bocina *horn*
freno *brake*
el acelerador *accelerator*
el regulador *regulator*
multa *fine, traffic ticket*

rueda *wheel*
llanta, neumático *tire*
desinflado, pinchazo *flat* (*tire*)
gasolina *gasoline*
el aceite *oil*
bujía *spark plug*
el chasis *chassis*
neumático de repuesto *spare tire*
el volante *steering wheel*

Preguntas

1. ¿Tiene Ud. su propio coche? ¿De qué color es? ¿De qué marca (*brand*)? ¿De qué año es? ¿Cuántas puertas tiene? ¿Cuánto dinero costó? ¿Cómo obtuvo (*did you obtain*) dinero para comprarlo? ¿Cuántos automóviles hay en su familia?
2. ¿A qué edad aprendió Ud. a manejar un coche? ¿Quién le enseñó?
3. ¿Ha tenido Ud. alguna vez un accidente? ¿Obedece Ud. siempre los reglamentos de velocidad? ¿Ha tenido Ud. alguna vez que pagar una multa?
4. ¿A cuántas millas por hora (*miles per hour*) está permitido ir dentro de la ciudad? ¿Y en las grandes carreteras? ¿A qué velocidad le gusta a Ud. ir?
5. ¿Le interesan a Ud. las carreras (*races*) de automóviles? ¿Le gustaría tomar parte en una carrera de automóviles?
6. ¿Qué necesita el motor de un coche para poder funcionar?
7. ¿Qué hace Ud. si tiene un desinflado?
8. ¿Le gustan más a Ud. los automóviles pequeños o los grandes? ¿Prefiere Ud. los coches europeos o los norteamericanos? ¿Por qué?
9. ¿Cree Ud. que los hombres manejan mejor que las mujeres?

Lectura XIV

DECADENCIA, INVASIÓN, Y GUERRA

Goya, "La Familia de Carlos IV". El artista capta sutilmente la insensibilidad y arrogancia de la inepta familia real.

El siglo diez y ocho empieza con la muerte del inepto Carlos II, y marca el fin de la dinastía de los Hapsburgos en España. España ha perdido el estímulo creador que produjo la gran expansión territorial y artística del Siglo de Oro. Ahora es Luis XIV de Francia, el "*Rey Sol*," quien domina la escena política y cultural de su época, y Luis hace introducir en España la dinastía francesa de los *Borbones*.

Sun King

Bourbons

En general, el siglo diez y ocho en España es un periodo de *estancamiento* político y económico, y de retroceso cultural. *A pesar de esfuerzos por* imitar el sistema racionalista de los franceses, España no se adapta fácilmente a la nueva moda. Y mientras Francia llega a nuevas alturas con el estilo neo-clásico, el español, individualista, sentimental, melodramático, dado al *gesto* heroico, continúa la exageración barroca que *conduce* a la decadencia.

stagnation . . . In spite of attempts to

gesture

leads

En los últimos años del siglo diez y ocho, el mundo occidental está en crisis. En Francia *se oyen* las voces de los grandes filósofos—Rousseau, Voltaire, Montesquieu—declarando la libertad fundamental del individuo. En Inglaterra, las fuerzas liberales empiezan a limitar los poderes absolutos del monarca. Del Nuevo Mundo viene el *son* de la guerra, *trayendo consigo* la independencia de una nación

are heard

sound . . . bringing with it

Goya, "Señora Sabasa García".

nueva concebida en la libertad, los Estados Unidos de Norteamérica. Y en 1789 *estalla* violentamente en Francia la revolución. Mueren bajo la guillotina Luis XVI y su reina María Antonieta, y suena por las calles de París el grito: "Libertad, Fraternidad, 25 Igualdad".

erupts

Los cambios afectan también el aspecto económico, social e intelectual de la vida. Comienza la revolución tecnológica y la evolución de una verdadera clase media, la diseminación de la educación y la explosión de nuevas *teorías*. Y viene Napoleón, haciendo 30 *resonar* por toda Europa el *paso* imperial francés. Europa está en fermento, y España...

theories
resound ... footstep

Los españoles continuaban como antes, cultivando la tierra como en siglos anteriores, y recordando un pasado glorioso. Y mientras el rey iba *de caza* en los magníficos *bosques* que rodeaban 35 sus *suntuosos* palacios, la reina *se distraía* con sus favoritos de la corte, entregándoles las *riendas* del gobierno.

hunting ... woods
sumptuous ... amused herself
reins

El dos de mayo de 1808, Napoleón invade España. Toma prisionero al rey Carlos IV, y nombra a su propio hermano, José Bonaparte, rey de España. Pero el pueblo español, acostumbrado a 40 sufrir bajo sus propios reyes, decide no sufrir más—no sufrir sobre

Goya, "Con Razón o Sin Ella". Aguafuerte de la serie "Los Desastres de la Guerra", que pinta la heroica resistencia de los españoles contra la invasión napoleónica.

todo la dominación extranjera. Sin ejército, sin armas, los españoles empiezan a resistir. Durante seis años luchan, atacando un día aquí, otro día allá, y los franceses tienen que *pelear* por cada calle, por cada plaza, por cada casa y por cada patio. El gobierno de Bonaparte[1] no puede actuar.

pelear: fight

Entretanto, las ideas liberales se extienden por España. Al mismo tiempo que se defienden contra los franceses, los líderes españoles quieren establecer un sistema democrático de gobierno—si no una república, a lo menos una monarquía constitucional. En 1812 las Cortes[2] se reúnen en Cádiz. Invitan a delegados de Hispanoamérica y todos juntos, se dedican a escribir una constitución. El momento de la libertad ha llegado. España va a vivir libre, va a despertar de la *somnolencia* de generaciones, va a incorporarse a las nuevas *corrientes* europeas. El *infante* Fernando, prisionero todavía en Francia, ha prometido respetar la constitución, ha dicho que será el primer rey democrático de España. *Una vez expulsados los invasores*, ¡España *renacerá* en la deomocracia!

Entretanto: Meanwhile
somnolencia ... *corrientes*: lethargy ... currents
infante: Crown Prince
Una vez expulsados los invasores: Once the invaders have been expelled
renacerá: will be reborn

Los liberales siguen luchando. Los *guerrilleros* continúan atacando sin cesar, y por fin, a fines de 1813, los franceses *se retiran* definitivamente de tierra española. ¡España ha ganado! ¡¡Fernando va a volver!!

guerrilleros: guerrilla fighters
se retiran: withdraw

Preguntas

1. ¿Qué dinastía termina en España al principio del siglo diez y ocho?
2. ¿Cómo era España en ese periodo?
3. ¿Quién era la figura dominante de Europa entonces?
4. ¿Por qué no podía aceptar el español el racionalismo y neo-clasicismo de los franceses?
5. ¿Cómo estaba el mundo occidental para fines del siglo diez y ocho?
6. ¿Quiénes eran los grandes filósofos franceses de esa época?
7. ¿Qué ocurrió en Inglaterra? ¿Y en Norteamérica? ¿Y en Francia?
8. ¿Qué otros cambios se produjeron en ese periodo?
9. ¿Cómo seguía España?
10. ¿Qué hizo Napoléon en mayo de 1808?
11. ¿Cómo reaccionó el pueblo español? ¿Cuántos años continuó la lucha?
12. ¿Qué quisieron hacer los líderes liberales? ¿A quiénes invitaron a colaborar con ellos?
13. ¿Qué gran labor realizaron en 1812?
14. ¿Qué había prometido el infante Fernando?
15. ¿Cuándo se retiraron definitivamente los invasores franceses?
16. ¿Quién iba a volver como rey de España?

[1] El pueblo español llamaba a José Bonaparte "Pepe Botellas". Sin embargo, la evidencia de la historia prueba (*proves*) que el nombre no le convenía, pues el rey sufría de úlceras del estómago que no le permitían beber licores.
[2] El Parlamento español.

Lección

VEINTIUNA

I. TEMA: *¿YO? ¿NOSOTROS?*

Aviso a los Pasajeros

Cómo Deben Ajustarse los Salvavidas

Póngase como chaqueta, cualquier lado hacia afuera.
Átense todas las tiras.
Los salvavidas *se encontrarán* en ______.

Notice to the Passengers
How Life Preservers should be Adjusted
Put on like a jacket, either side out.
Tie all the strings.
will be found

En caso de *fuego*, *choque*, u otro accidente *serio*, la alarma de emergencia será seis *pitazos cortos* y un pitazo largo *del pito del vapor*.
Al sonar esta alarma, los pasajeros de este camarote se pondrán los salvavidas e irán inmediatamente a la Estación Número 2 de la *Cubierta B.*

fire, collision . . . serious
short blasts . . . from the ship's whistle.
Upon the sounding of this alarm, the passengers of this cabin
Deck B

Hallé estas instrucciones para el uso de las chaquetas salvavidas en una pared de mi *camarote* cuando hice un viaje por mar a Sudamérica *el verano pasado*. No son *nada* excepcionales. En una lengua u otra, las encontramos en todos los camarotes de todos los barcos que *cruzan* todos los mares del mundo. Y hallamos instrucciones más o menos *semejantes* para el uso de *los paracaídas* en casi todos los aviones. *¿Y qué?*, me pregunta Ud. Sencillo. La vida *ante todo*. Conservar *la propia* es el instinto fundamental de todo *ser vivo;* defender *la suya y la de su prójimo*, la responsabilidad de todo ser social.

stateroom
last summer . . . at all
cross
similar . . . parachutes
What of it? . . . above all
one's own . . . living being . . . your own and the other fellow's

Pero ¿hasta qué punto somos responsables por la vida de otra persona? Ahí tenemos un problema interesantísimo.

Recuerdo un caso que *oí hace no sé cuántos años*. Aunque no recuerdo todos los *detalles*, fue más o menos así: Un hombre *reconocido como nadador excelente cruzaba a pie un puente*. Era una tarde de

I heard I don't know how many years ago . . . details . . . known to be an excellent swimmer was walking across a bridge

invierno. *De repente, oyó voces* y vio que un hombre había caído en el río y *se ahogaba*. Parecía que entre *todos los que* estaban allí, no había nadie que supiese *nadar, menos él*, que nadaba tan bien.

Suddenly, he heard shouts
was drowning . . . all those who
to swim, except him

Pero el nadador *siguió su camino*. Tenía *un catarro*, explicó después, y no quería *arriesgarse saltando al* agua fría *en pleno invierno. A poco murió ahogada la víctima*, y el nadador *fue llevado* a la cárcel por la *enfurecida muchedumbre*.

continued on his way . . . a cold
take a chance jumping into . . . in mid-winter. Shortly afterwards, the victim drowned . . . was taken
infuriated crowd

Poco después le acusaron en un *proceso* criminal de *haber faltado* a su responsabilidad humana al dejar morir a un hombre cuya vida estaba en sus manos salvar. El pueblo pedía *que se le condenara* a una larga sentencia. El *jurado* le oyó defenderse:

trial . . . having failed
that he be condemned
jury

—¿Por qué he de ser culpable yo si la víctima *no fue empujada* al agua por mis manos? ¿Por qué he de tener más responsabilidad que *los demás* que allí estaban? ¿Porque soy buen nadador? ¿Y si no supiera nadar? . . . ¿Por qué no es culpable aquel señor que le vio caer y *no gritó* inmediatamente pidiendo *ayuda*? ¿Por qué . . . ?

wasn't pushed
the others
didn't shout . . . help

Desgraciadamente, no recuerdo el *resultado* del caso. No sé si *fue condenado o absuelto. Pero hace pensar.*

Unfortunately . . . result . . . he was convicted or absolved. But it makes one think

Y una vez vi una *película* . . . *Ud. la habrá visto* también. Era muy popular hace dos o tres años. Pues en esa película un hombre sufre un ataque al corazón. Pide a otro hombre (que parece ser rival o *enemigo* suyo) que le dé un *frasco* de píldoras que hay en el *cajón* de la mesa. El otro no se lo da y el enfermo muere. ¿Es un crimen eso? ¿Tenía el otro la obligación social. *además de* moral, de darle las píldoras?

film . . . you must have seen it
enemy . . . little bottle . . . drawer
besides

Si *un ciego va a chocar con* una pared . . . , si un niño cruza el camino y no ve que viene sobre él un automóvil, ¿tengo yo la obligación social de gritarles "*¡Cuidado!*"? ¿Y *de cogerles por el brazo y guiarles* hasta que queden libres del peligro? Si descubro que alguien está a punto de *suicidarse*, ¿es mi responsabilidad *impedírselo*? O si veo que mi vecino pega a su hijo y le va a hacer verdadero daño, ¿es *mi deber intervenir*? Si hay una tribu en la selva que practica el canibalismo, ¿debo *permitírselo* si está *en mis manos* poner fin a esa práctica? Si sé que otra persona, u otro pueblo, cree en una religión que yo considero falsa, ¿debo tratar de enseñarle la mía? ¿Deben tratar ellos de enseñarme la suya?

a blind man is going to crash into
Watch out . . . to take them by the arm and guide them
committing suicide . . . prevent him from doing so
my duty to interfere?
allow them to do it . . . within my power

Hace pensar.

Vocabulario Activo

ayuda *help*
el deber *duty*
el paracaídas *parachute*
pasajero *passenger*

fuego *fire*
lado *side*
el puente *bridge*
el salvavidas *life preserver*

atar *to tie*
empujar *to push*
faltar *to fail, be lacking or remiss*
gritar *to shout*
impedir (impido) *to prevent*
nadar *to swim*
saltar *to jump*

ciego *blind*
corto *short (in length)*
semejante *similar*
serio *serious*

menos *except*
nada *(not) at all*

a poco *shortly afterward*
en pleno invierno *in mid-winter*
de repente *suddenly*
¡Cuidado! *Be careful! Watch out!*

Preguntas

1. ¿Cómo deben ponerse los salvavidas?
2. ¿Qué deben hacer los pasajeros al oír (*upon hearing*) la alarma?
3. ¿Dónde halló el narrador estas instrucciones de emergencia? ¿Adónde iba?
4. ¿Son excepcionales estas instrucciones? ¿Dónde se hallan normalmente?
5. ¿Cuál es el instinto fundamental de todo ser vivo?
6. ¿Cuál es la responsabilidad de todo ser social?
7. ¿Qué caso recuerda el narrador?
8. ¿Qué habilidad (*ability*) especial tenía el hombre que cruzaba a pie el puente?
9. ¿Qué oyó? ¿Y qué vio después? ¿Qué estación del año era?
10. ¿Qué hizo el nadador? ¿Qué le pasó al hombre que se ahogaba?
11. ¿A dónde fue llevado el nadador por el enfurecido público? ¿De qué le acusaron?
12. ¿Qué dijo en su defensa el nadador?
13. ¿Qué ocurre en la película que recuerda el narrador? ¿Qué pide el moribundo (*dying man*) al otro hombre que está con él?
14. ¿Dónde están las píldoras? ¿Se las da al moribundo? ¿Por qué?
15. ¿En qué nos hacen pensar estos problemas?

II. ESTRUCTURA

115. Meaning of the Passive Voice

There are two voices in grammatical structure: the active voice and the passive. In the *active* voice, the subject *does* the action of the verb:

Mandó la carta ayer.	He sent the letter yesterday.

In the *passive* voice, the subject *receives* the action of the verb:

La carta fue mandada ayer.	The letter was sent yesterday.

116. The True Passive in Spanish

The true passive in Spanish is formed exactly as in English. In this construction, *to be* is always **ser**, and the past participle agrees with the subject:

SUBJECT +	**ser** +	PAST PARTICIPLE +	**por**[1]
Juan	fue	recibido	por el presidente.
John	*was*	*received*	*by the President.*
Mi profesora	será	honrada	por la facultad.
My teacher	*will be*	*honored*	*by the faculty.*
Muchas casas	han sido	construidas	por el gobierno
Many houses	*have been*	*built*	*by the government.*

THE TRUE PASSIVE MUST BE USED WHEN THE DOER OF THE ACTION IS STATED. When the agent is not expressed, but is strongly implied, the same construction may often be used:[2]

Hamlet	fue	escrito	en el siglo XVII.
Hamlet	*was*	*written*	*in the 17th century.*
Sus amigos	serán	invitados	también.
His friends	*will be*	*invited*	*too.*
El capitán	fue	muerto[3]	ayer.
The captain	*was*	*killed*	*yesterday.*

Remember that the passive voice always deals with an *action* that is done to the subject. If the sentence deals not with an action itself but with the *result* of the action, **estar** is used. This construction is NOT a passive voice:

La tierra está cubierta de nieve. — The earth is covered with snow.
El niño estaba vestido de blanco. — The child was dressed in white.

Ejercicios

A. Cambie según las indicaciones:

1. *El museo* fue construido en 1925. (plaza, edificios, casas)
2. La lección fue *comenzada ayer*. (repetir, empezar, corregir, explicar)
3. Los premios serán *anunciados* en seguida (ofrecer, distribuir, pagar, retirar, recibir)
4. *Las acciones* han sido vendidas por un agente (anillos, coche, negocio, pintura)

[1] Occasionally, **de** is used instead of **por**, especially when the action is mental rather than physical: **Es respetado de todos** (*He is respected by all*).
[2] The true passive cannot be used when a person is the *indirect* recipient of the action: He has been told (It has been told *to* him), We have been given another chance (It has been given *to* us).
[3] In the expression *to be killed,* **muerto** is more commonly used for a person than **matado,** except when the meaning is *assassinated* or *slaughtered.*

B. Ahora complete:

1. Nuestra casa (*was built by*) mis abuelos. 2. Sus hijos (*will be sent*) a Europa a estudiar. 3. La tormenta (*knocked down*—derribar) muchos árboles. Muchas casas (*were destroyed*) también. 4. *Don Quijote* (*was written by*) Cervantes. La primera parte (*was published*—publicar) en 1605. 5. Las puertas (*were already closed*) cuando llegamos. De repente, a las diez en punto, (*they were opened*). 6. La vieja (*was seated*) cerca de la ventana, mirando los pájaros. 7. La ropa (*hasn't been washed*) todavía.

117. The Impersonal *They* For The Passive Voice

When the doer of the action is NOT stated, Spanish very often uses *they* impersonally as a substitute for the true passive. This also appears frequently in conversational English.

Dicen que va a nevar.	They say (It is said that) it's going to snow.
Este año llevan más cortas las faldas.	This year they're wearing skirts shorter. (Skirts are being worn . . .)
Enviarán a María a Madrid.	They will send Mary to Madrid. (Mary will be sent.)
Los mataron como a perros.	They killed them like dogs. (They were killed . . .)
Le han dejado una fortuna.	They have left him a fortune. (He has been left a fortune.)

Ejercicios

A. Diga de otra manera:

1. El niño ha sido hallado. (Han . . .) 2. Fue salvado. 3. No fuimos invitados. 4. La mandarán. 5. Publicaron los libros. 6. No fue empujado.

B. Diga en español usando la tercera persona del plural:

1. It is said . . . 2. He has been given . . . 3. I am told . . . 4. We were offered . . .

C. Ahora conteste:

1. ¿Cómo llevan las faldas este año, cortas o más largas? 2. ¿Dicen que va a nevar mañana? ¿Dicen que va a llover? 3. ¿Cuándo fundaron esta escuela? 4. ¿En qué mes darán los exámenes finales? 5. ¿A qué hora abren la biblioteca? ¿A qué hora la cierran?

118. The Reflexive for the Passive Voice

Again, when the doer of the action is NOT stated, Spanish may use a reflexive construction in place of the true passive or the third person plural:

A. When the subject of the passive sentence in English is *not* a person, it becomes the subject of a normal reflexive construction in Spanish (as if it had done the action to itself). The sentence usually begins with the reflexive verb and the subject follows.

Se construyó este edificio en 1900. — This building was built in 1900.
Se abren las puertas a las diez. — The doors are opened at ten o'clock.
Se hallarán allí los libros. — The books will be found there.
Se dice que es riquísima. — It is said that she's very rich.

B. When the subject of the English passive sentence *is* a person (or an animate thing that could possibly do the action to itself), Spanish uses the wholly impersonal third person singular reflexive **se** (*one*). *One* does the action, and the person to whom it is done becomes the direct or indirect object of the verb:

Se nos dijo . . . — We were told . . . (One told us . . .)
Se la mandará a casa. — She'll be sent home. (One will send . . .)
Se les mató como a perros. — They were killed like dogs. (One . . .)
Se le ha dejado una fortuna. — He has been left a fortune. (One . . .)

In this impersonal reflexive construction, only **le** or **les** is used for a third person masculine object, direct or indirect:

Se le llevó al hospital. — He was taken to the hospital.
Se les llevó al hospital. — They were taken to the hospital.

Ejercicios

A. Diga de tres maneras: (a) True Passive; (b) Impersonal "they"; (c) Reflexive passive

1. He was well received. 2. *Don Quijote* was published in 1605. 3. The children were found in the park. 4. She will be praised (*alabar*) for her work. 5. Our school was founded (*fundar*) a hundred years ago. 6. Why haven't they been invited? 7. The problem has been avoided.

B. Cambie a una construcción reflexiva:

1. Nos dijeron que . . . 2. Les darán un buen puesto. 3. El nadador fue llevado a la cárcel. 4. Me han preguntado eso muchas veces. 5. ¿Saben si va a venir?

C. Lea los diálogos siguientes, y después conteste las preguntas:

1. —Fue terrible. El coche chocó con un árbol, y . . .
—¿Y qué pasó? ¿Fue herido el chófer?
—Sí. Lo llevaron al hospital.

CONTESTE: a. ¿Cómo fue herido el chófer del coche?
b. ¿Adónde lo llevaron?
c. ¿Quiénes cree Ud. que están hablando?

2. —¡Ay, Dios mío! ¡Dicen en la radio que el Presidente acaba de ser asesinado!
—¡Por Dios, no! Pero, ¿cogieron al asesino?
—Sí, lo encontraron poco después en un teatro, y lo mataron como a un perro.
—Lo tenía bien merecido. (*He deserved it.*) Pero todavía no se le puede devolver la vida al Presidente. ¡Qué lástima!

CONTESTE: a. ¿Qué acaban de decir en la radio?
b. ¿Cogieron al asesino?
c. ¿Dónde lo encontraron?
d. ¿Qué le hicieron?
e. ¿Qué no se puede devolver?
f. ¿Recuerda Ud. un episodio como éste en su experiencia personal? ¿Puede Ud. describirlo?

3. —¿Dolores? Aquí habla Anita. ¿Sabes, Dolores? Ernesto acaba de ser ascendido. Mañana lo van a anunciar en la prensa (*press*).
—¡Qué felicidad! ¡Enhorabuena! Pero dime, ¿Ernesto será el único?
—Eso no se sabe todavía. Tal vez haya otros. Posiblemente mañana se publicará la lista.

CONTESTE: a. ¿Qué noticia le cuenta Anita a Dolores?
b. ¿Dónde la van a anunciar?
c. ¿Qué no se sabe todavía?
d. ¿Qué se publicará mañana?
e. En su opinión, ¿quiénes son las dos personas que hablan? ¿Quién es Ernesto? ¿Dónde trabaja? ¿Por qué quiere saber Anita si otros van a ser ascendidos también?
f. ¿Están hablando en persona o por teléfono las dos amigas?

119. The Reflexive Passive in Commands

Very often, written instructions use the reflexive passive instead of a normal command. This gives a more polite tone to the instruction (*May it be done.*) than the direct command (*Do it!*):

Tradúzcase al español.	Translate into Spanish. (May it be translated . . .)
Cárguense las cámaras.	Load the cameras. (May they be loaded.)
Hágase la voluntad de Dios.	(May) God's will be done.

Ejercicio de Repaso

Tradúzcase al español:

Last year I took a trip by sea to South America. The first thing that I saw when I entered my stateroom was a notice to the passengers. It said: "How life preservers should be adjusted. Put on like a jacket and tie all strings," and other instructions that I can't remember. Oh yes, it also tells where they will be found in case of fire. But the instructions themselves are not so important. What (*Lo que*) is important is life, above all. Each person wants to preserve his own, and every social being has the obligation to defend that of his fellow man.

This reminds me of a case I heard some years ago. It seems that a famous swimmer was crossing a bridge on foot when he heard shouts and voices. A man had just fallen into the river and was drowning. The people (*la gente*) begged him to save the man, but he refused. He had a cold, he said, and didn't want to take a chance (by) jumping into the cold water in mid-winter. Well, the victim drowned, and the swimmer was taken to jail. Shortly thereafter he was accused of the crime of having failed his responsibility to save the life of another person. But he argued (*arguyó*):—Why should I be responsible? He wasn't pushed into the water by my hands. Yes, I admit that I was called, but it wasn't my obligation.

I don't know how the case was resolved, but it makes one think. Does man have the social duty to save his fellow man, or is it only an ethical obligation which he can accept or reject (*o rechazar*)? If we believe that another person is hurting himself or wants to commit suicide, is it our duty to prevent him from doing so? Or if we believe that the religion or political system (*el sistema*) of another people is bad, do we have the duty to try to change it? Do they have the right to try to change ours? It makes one wonder. . . .

III. CONVERSACIÓN: *¿YO? ¿NOSOTROS?*

1. ¿Qué le parece a Ud. (*What do you think of*) el caso del nadador? ¿Qué habría hecho Ud. si estuviera en su puesto? ¿Cómo decidiría Ud. el caso si estuviera en el jurado?
2. ¿Cree Ud. que cometió un crimen el hombre que no quiso dar las píldoras al moribundo? ¿Qué sentencia le daría Ud.? En su opinión, ¿quién es peor—él o el nadador?
3. En el caso del ciego, o del niño que cruza el camino, ¿estamos obligados a sacarles del peligro? Y si no lo hacemos, ¿es un acto criminal o sólo inmoral?
4. En el caso del hombre que quiere suicidarse, ¿estamos obligados a impedírselo? ¿Por qué? ¿Cree Ud. que es un crimen tratar de quitarse la vida? ¿Por qué razones?
5. ¿Qué debemos hacer en el caso del padre que hace daño físico a su hijo? ¿Y si le hace daño mental o psicológico?
6. ¿Y en el caso de la tribu que practica el canibalismo?
7. ¿O en el caso del pueblo—o de la persona—que practica una religión que nosotros consideremos falsa, o mala?

IV. TEATRO Y COMPOSICIÓN

Dramatice Ud. el ensayo que acabamos de leer, o escriba Ud. una escena original relacionada en alguna forma con el tema de la responsibilidad social. O si quiere, escriba una composición sobre uno de los temas siguientes:

1. ¿Soy Guardián de Mi Hermano?
2. Por Qué Creo (o No Creo) que Tengo el Derecho de Intervenir en las Costumbres de Otro Pueblo
3. Por Qué Creo (o No Creo) que Tengo el Derecho de Enseñar Mi Religión a Otros

Lección VEINTIDÓS

I. TEMA: *AGONÍA DE UN FOTÓGRAFO*

Cuando *cumplí doce años*, mi padre me compró una cámara. Era una de esas *cajitas negras de cartón* con dos *agujeros—uno rojo y redondo* en un lado, otro transparente y más grande en *el frente*, y *por encima*, un espejito rectangular *por el cual podía divisar si sonreía bastante el sujeto*. Eso era todo. Insertaba el rollo de película, *movía con el dedo índice una palanquilla, y—¡ya! De vez en cuando le cortaba la cabeza a mi madre*, pero fuera de eso, sufrí muy pocas calamidades.

Al pasar los años, se multiplicaron las innovaciones fotográficas, y mi pobre cámara *con su gastado asidero de cuero* quedó tan anticuada como un *cuarteto de peluquería*.

Ayer, encontrándome *por casualidad* en una tienda donde venden aparatos fotográficos, y habiendo recibido media hora antes mi *sueldo semanal*, caí en la *tentación* y me compré una estupenda *cámara cinematográfica*. *Pagué* cien dólares—*a plazos*, por supuesto, pero es mía. Tiene dos *filtros para la luz*, un enorme ojo eléctrico, un ojo más pequeño que *guiña* cada cinco segundos, tres *lentes* con diez y seis *aberturas*, un mecanismo *para analizar los rayos* del sol, y otro para *pronosticar el tiempo de mañana*. ¿Quién sabe qué *más* tiene? *Sólo tener* una cámara como ésta me da *categoría* de profesional. Pero hay una dificultad: No sé cómo insertar la película.

En el momento que llegué a casa, abrí la cajita *amarilla* que *contenía* la película, *saqué* las instrucciones, y *empecé* a leer. Pero no comprendí nada. *Busqué alguien que me las leyera*, pero no había nadie.

I reached twelve
little black cardboard boxes . . . holes—one round red one . . . the front . . . on top
through which I could make out whether the subject was smiling enough
I would move a little lever with my index finger, and—there! Once in a while I would cut my mother's head off
As the years passed
with its worn-out leather handle
barbershop quartet
by chance
week's wages . . . temptation . . . movie camera. I paid . . . on installments
light filters
winks . . . lenses
openings . . . to analyze the rays . . .
predict tomorrow's weather.
else . . . Just having
rank
yellow
contained . . . I took out . . . began
I looked for someone who could read them to me

A ver si me ayuda Ud. Aquí las tiene:

Película Kodachrome *Para Cine*
en Colores *con Luz del Día*

Esta película *es para ser usada con luz diurna,* desde dos horas *después de salir el sol* hasta dos horas antes de *ponerse.*

Cárguese y descárguese la cámara *bajo luz tenue.*

Rollos: *Insértese con el lado claro hacia el objetivo. Conserve* la banda de papel *para colocarla alrededor de* la película *expuesta.*

Magasines: *Manéjense con cuidado.* En caso de que *se tuerzan,* no funcionarán bien. No debe forzarse el magasín al colocarlo en la cámara. *Mientras no esté* en la cámara, debe guardarse en su *envase. No se quite nunca la cinta adhesiva* del magasín.

Envío de Película

Rollos: *Asegúrese que la faja de papel* quede alrededor de la película. Después, ponga la película su en envase metálico redondo. Meta *éste* en la caja amarilla.

Magasines: *Al momento de sacarlo* de la cámara, el magasín debe *meterse* en la caja amarilla.

Escriba claramente en letras *mayúsculas* la *dirección* del laboratorio y el nombre y dirección del *remitente.* Esto es muy importante, *pues* no hay otra manera de identificar la película para *devolverla.*

Importante: La película expuesta debe mandarse *lo antes posible* a un laboratorio que *revele* Película Kodachrome. El precio de la película *incluye el revelado.*

Advertencia: En ciertos países donde no hay facilidades para hacer el revelado de esta película, *se encuentran en vigor* ciertos *reglamentos* especiales sobre el envío de *película expuesta sin revelar.* En algunos casos está prohibido el envío de película de un país a otro para ser revelada.

Los derechos y gastos extra de transporte a que pueda dar lugar la película al enviarse de un país a otro *son por cuenta del dueño* de la película. Para reducir estos gastos y evitar *demoras, conviene* mandar la película a los Estados Unidos por correo aéreo.

Nota: La Película Kodachrome *se reemplazará si resulta defectuosa* o si *la dañara o perdiera* esta compañía o una de sus agencias. *Exceptuando este reemplazo,* las películas se venden y se aceptan para revelado, duplicados o cualquier otro servicio, sin garantía ni responsabilidad de ninguna *clase.*

Ahora, ¿qué voy a hacer con la película? ¿Puede Ud. ayudarme? No entiendo español.

Movie
Daylight
is made for use in daylight
after sunrise . . . setting
Load and unload . . . in dim light.
Insert the light-colored side toward the lens. Keep
to place it around . . . exposed
Handle with care . . . they get twisted
As long as it is not . . . case
Never take off the adhesive tape
Shipment
Make sure that the paper strip
this (the case)
As soon as you take it out
should be put
capital . . . address
sender
since . . . send it back
as soon as possible
develops
includes developing
Warning
there are in force . . . regulations
undeveloped exposed film
The duties and extra shipping costs to which the film may give rise on being sent . . . are at the expense of the owner . . . delays, it is advisable
will be replaced if it proves defective . . . should spoil or lose it . . . . Except
for such replacement
kind.

Vocabulario Activo

cámara *camera*
película *film*
el lente *lens*
agujero *hole*
la luz *light*

dueño *owner*
sueldo *salary*
el frente *front*
la clase *class, kind, type*
caja *box*
cinta *tape; ribbon*

cargar *to load*
colocar *to place*
cumplir *to complete; to fulfill*

exponer (expongo) *to expose*
guardar *to keep*
seguir (sigo) *to follow; to continue*

amarillo *yellow*
rojo *red*

gastado *worn (out)*
redondo *round*

conviene *it is advisable*
de vez en cuando *from time to time*
lo antes posible *as soon as possible*

ponerse (el sol) *to set*
por encima *on top; — de above*
salir (el sol) *to rise*

Preguntas

1. Al cumplir doce años el narrador, ¿qué le compró su padre?
2. ¿Cómo era la cámara? ¿Cuántos agujeros tenía? ¿Para qué servía el espejito?
3. ¿Cómo la hacía funcionar el muchacho?
4. ¿Qué calamidades tenía de vez en cuando?
5. ¿Por qué quedó anticuada su cámara?
6. ¿Dónde estaba ayer el narrador?
7. ¿Qué acababa de recibir? ¿Qué decidió comprar?
8. ¿Cuánto le costó? ¿Lo pagó todo inmediatamente?
9. ¿Qué tiene la cámara nueva?
10. ¿Qué dificultad tiene ahora su dueño?
11. ¿Qué hizo en el momento de llegar a casa?
12. ¿Qué pasó cuando empezó a leer las instrucciones?
13. ¿A quién buscó?
14. ¿Qué quiere ahora que haga Ud.?
15. ¿Para qué uso está fabricada (*made*) la película?
16. ¿Bajo qué luz debe cargarse y descargarse la cámara?
17. ¿Cómo se inserta el rollo? ¿Cómo ha de manejarse el magasín?
18. ¿Dónde debe guardarse mientras no esté en la cámara?
19. ¿A dónde debe mandarse la película expuesta?
20. ¿Qué incluye el precio de la película?
21. ¿A dónde debe mandarse la película expuesta si no hay facilidades en ciertos países para su revelado? ¿Cómo debe mandarse?
22. ¿Qué responsibilidad acepta la compañía por la película?
23. ¿Por qué no puede comprender estas instrucciones el narrador?

II. ESTRUCTURA

120. Spelling Changing Verbs

A. In order to keep the pronunciation of their final consonant the same as it is in the infinitive form, some verbs must change their spelling under certain conditions. These are the most frequent:

1. Verbs that end in **-ger** or **-gir** change **g** to **j** before an **o** or **a**. This keeps the sound soft.

coger (*to catch*)

PRESENT INDICATIVE	PRESENT SUBJUNCTIVE
cojo	*coja*
coges	*cojas*
coge	*coja*
etc.	etc.

dirigir (*to direct*)

PRESENT INDICATIVE	PRESENT SUBJUNCTIVE
dirijo	*dirija*
diriges	*dirijas*
dirige	*dirija*
etc.	etc.

2. Verbs that end in **-gar** change **g** to **gu** before an **e**. The **u** is not pronounced. It serves only to keep the **g** hard.

cargar (*to load*)

PRETERITE	PRESENT SUBJUNCTIVE
cargué	*cargue*
cargaste	*cargues*
cargó	*cargue*
etc.	etc.

3. Verbs that end in **-guir** drop the **u** before **a** or **o**. Otherwise, the **u** would be pronounced.

seguir[1] (*to follow; to continue*)

PRESENT INDICATIVE	PRESENT SUBJUNCTIVE
sigo	*siga*
sigues	*sigas*
sigue	*siga*
etc.	etc.

[1] **Seguir** is also radical changing (**e** > **i**).

4. Verbs that end in **-car** change **c** to **qu** before **e**. This keeps the **c** sound hard.

sacar (*to take out*)

PRETERITE	PRESENT SUBJUNCTIVE
saqué	*saque*
sacaste	*saques*
sacó	*saque*
etc.	etc.

5. Verbs that end in a *consonant* + **-cer** change **c** to **z** before **a** or **o**.

vencer (*to conquer*)

PRESENT INDICATIVE	PRESENT SUBJUNCTIVE
venzo	*venza*
vences	*venzas*
vence	*venza*
etc.	etc.

B. In order to conform to the rules of Spanish spelling, which try to keep the language phonetically consistent, other verbs also undergo spelling changes.

1. Verbs that end in **-zar** change **z** to **c** before **e**.

empezar (*to begin*)

PRETERITE	PRESENT SUBJUNCTIVE
empecé	*empiece*
empezaste	*empieces*
empezó	*empiece*
etc.	etc.

2. Verbs that end in **-eer** change unstressed **i** to **y** between vowels.

leer (*to read*)

PRETERITE	IMPERFECT SUBJUNCTIVE		PRESENT PARTICIPLE
leí	*leyera*	*leyese*	*leyendo*
leíste	*leyeras*	*leyeses*	
leyó	*leyera*	*leyese*	
leímos	etc.	etc.	
leísteis			
leyeron			

Ejercicios

A. Cambie al pretérito:

1. Saco mis guantes. 2. Empiezo a sentirme mejor. 3. Lo busco en todas partes.

4. Lo lee muy bien. 5. No oyen nada. 6. Cargo mi cámara ahora. 7. Llego tarde. 8. No lo creen. 9. Sigo leyendo. 10. No cojo el tren.

B. Exprese las ideas siguientes en forma de mandatos (*commands*):
1. Ud. sigue leyendo. 2. Uds. lo tuercen. 3. No lo coges hoy. 4. Cargamos el bote. 5. ¿Lo sacan Uds. ahora? 6. Se dirige a la dependienta. 7. Las busca. 8. No le pegan. 9. Llegamos a tiempo. 10. Uds. empiezan ya. 11. Comenzamos en seguida. 12. Vence su miedo.

C. Escriba en español, y después, lea en voz alta:
1. I looked for it. 2. They took it out. 3. Take out a piece of paper (*Uds.*). 4. Load the camera (*Ud.*). 5. He read it aloud. 6. They didn't believe us. 7. Follow them (*Ud.*). 8. Continue reading. 9. They continued reading. 10. Begin now (*Uds.*). 11. They paid. —No. I paid. 12. I approached them. 13. Don't address (*dirigirse a*) him. 14. Conquer your fears (*Uds.*). 15. Let's all conquer them!

121. Uses of the Infinitive

As we have seen, the infinitive is often used as the object of a verb (**No quieren cantar. ¿Quién sabe hacerlo?**) or the object of a preposition (**antes de salir, sin decir nada, después de comer**). It also serves as follows:

A. Al + infinitive (upon doing something)

al llegar a la estación	upon arriving at the station
al sacar la película	upon taking out the film
al cumplir doce años	upon reaching twelve

B. As a noun
The infinitive may be used as subject or object of a verb and after **ser**. IT IS THE ONLY VERB FORM THAT CAN EVER BE USED AS A NOUN. (This differs from English, in which the present participle is preferred as a noun.)

(El) Vivir allí cuesta mucho.	Living there costs a great deal.
No me gusta el constante ir y venir.	I don't like the constant coming and going.
Se oía el gritar de los niños.	One could hear the shouting of the children.
Ver es creer.	Seeing is believing.

Notice that **el** is often used with the infinitive to emphasize the difference between its use as a noun and as a verb.

C. After verbs that refer to the senses

Nunca le he oído hablar.	I have never heard him speak.
Les vio salir.	He saw them go out.
La sentí acercarse.	I felt her approach(ing).

D. After verbs of permitting, forbidding, ordering, forcing

These verbs may be followed by either an infinitive or a subjunctive clause. In the case of **dejar, mandar,** and **hacer,** the infinitive is more common.

Déjale ir.	Let him go.
Nos mandó devolverlo.	He ordered us to return it.
Me hiciste amarte.	You made me love you.

Ejercicios

A. Diga en español:

1. *I* didn't make you love me. Falling in love was *your* idea. —No. I didn't want to do it. I didn't want to do it. 2. We were listening to the singing of the children. 3. Working can be fun (*divertido*). —For whom? 4. Upon finishing the exam, I sold all my books. 5. Wanting (to) is doing. (Where there's a will, there's a way.) 6. I can't put on my shirt. —Well, take out the pins. 7. Who wants to buy my camera? It's excellent for taking (*sacar*) pictures in Spanish!

B. Conteste ahora:

1. ¿Cuál es la primera cosa que hace Ud. al volver a casa todos los días? ¿Y al levantarse por la mañana? 2. ¿Cuál es la última cosa que hace antes de acostarse? 3. ¿Qué piensa Ud. hacer al acabar este semestre? 4. ¿Puede Ud. recordar un regalo especial que haya recibido al cumplir diez y seis años? ¿Al cumplir diez y ocho? ¿Al graduarse de la escuela superior? 5. ¿Ha oído hablar en persona alguna vez al Presidente de los Estados Unidos? 6. ¿Ha oído cantar en persona a un cantante famoso (o una cantante famosa)? 7. ¿Cree Ud. realmente que "Querer es hacer"? 8. ¿Cuesta mucho vivir donde vive Ud. ? 9. ¿Cree Ud. que le ayudará en el futuro el saber hablar español? 10. Si Ud. fuera padre (o madre), ¿permitiría a sus hijos hacer las cosas que hace Ud. ahora?

122. Uses of the Present Participle

In addition to its use after **estar** or a verb of motion (**ir, venir, seguir**) to describe an action in progress at a given moment (**Está comiendo. Siguieron hablando.**), the present participle may be used by itself with these meanings:

A. By (doing something)

Trabajando, te harás rico.	By working, you'll get rich.
Tomando el avión, llegaremos antes.	By taking the plane, we'll arrive sooner.

B. When, while, since (+ a clause that refers to a continuing action or situation)

Estando en la tienda, me compré una cámara.	While (when, since) I was in the store, I bought myself a camera.

Siendo médico, nos recomendó una dieta especial.	Since he was a doctor, he recommended a special diet to us.
Viviendo cerca sus padres, los visitaban a menudo.	Since their parents lived nearby, they visited them often.

Remember: the present participle is NOT used in Spanish either as an adjective[1] or as a noun. It refers only to actions or situations in progress at a certain time.

Ejercicios

A. Lea en voz alta, y después cambie según las indicaciones:

1. *Estudiando* demasiado, se puso enfermo.
   (comer, beber, trabajar, trasnochar)
2. No *habiendo* más tiempo, acabamos en seguida.
   (tener, necesitar, perder)
3. *Encontrando* la oportunidad, me levanté para hablar.
   (aprovechar, hallar, agradecerles)
4. *Andando* rápidamente, llegó a donde estaba la víctima.
   (correr, nadar, caminar, manejar)

B. Complete con sus propias palabras las frases siguientes:

1. Saliendo temprano . . . 2. Tomando el avión . . . 3. Viviendo lejos . . . 4. Habiendo recibido poco antes mi sueldo . . . 5. Teniendo tres horas que perder (*waste*) . . . 6. Estudiando día y noche . . . 7. Lloviendo mucho . . . 8. Estando enfermo . . . 9. Siendo muy ricos . . . 10. Hablando español . . .

Ejercicio de Repaso

Tradúzcase al español:

Yesterday afternoon, while I was in a store where they sell photographic equipment, I saw one of those new cameras with all the marvelous lenses and electric eyes that they have today. Having received my weekly salary half an hour before, I decided to buy myself one. Actually, I still liked my old camera, that my father had given me upon my (*al cumplir yo*) reaching twelve. But as you know, cameras, like styles, have changed, and mine was as old-fashioned as a barber-shop quartet. I paid a hundred dollars for it, on time, of course, and I arrived home at seven o'clock as happy as if I were a millionaire. Just having a camera like that made me almost a professional photographer . . . or at least, so (*así*) I thought.

But when I opened the little yellow box that contained the film and took out the roll, I realized that life was not going to be so easy from now on (*de aquí en adelante*). How am I going to be a great photographer if I can't even insert the film? I looked for someone who could help me, but there wasn't anyone. And so, now I ask you to help. As you see, the instructions are written in English, and I don't understand a word.

[1] Except for the adjectives **ardiendo** (*burning*) and **hirviendo** (*boiling*).

III. CONVERSACIÓN: *LA FOTOGRAFÍA Y OTROS PASATIEMPOS*

1. ¿Tiene Ud. una cámara? ¿De qué tipo es? ¿Cuánto le costó? ¿La compró Ud. mismo o se la regaló alguien (*did someone buy it for you as a gift*)? ¿Es Ud. buen fotógrafo? ¿Hace Ud. su propio revelado? Si no, ¿a dónde manda Ud. la película expuesta? ¿Qué le gusta fotografiar?
2. ¿Es Ud. fotogénico? ¿Recuerda Ud. un incidente divertido relacionado con una fotografía?
3. ¿Le gustaría a Ud. ser fotógrafo profesional? ¿Fotógrafo para el cine? ¿para la televisión? ¿para periódicos o revistas? ¿Por qué?
4. ¿Lee Ud. mucho? ¿Qué prefiere Ud. leer?
5. ¿Mira Ud. mucho la televisión? ¿Va Ud. a menudo al cine? ¿al teatro? ¿a partidos de pelota (*ball games*)? ¿a conciertos? ¿a conferencias (*lectures*)?
6. ¿Le gusta bailar? ¿Baila Ud. bien? ¿Sabe Ud. tocar un instrumento musical? ¿Canta Ud. bien? ¿Le gusta la ópera? ¿Por qué?
7. ¿Es Ud. coleccionista de sellos (*stamps*)? ¿monedas? ¿autógrafos? ¿muñecos (*dolls*)? ¿Qué otra colección tiene Ud.?
8. ¿Qué otros intereses o pasatiempos tiene Ud.?

IV. TEATRO Y COMPOSICIÓN

Escriba una escena original relacionada con la fotografía. Por ejemplo, estamos en una fiesta (de cumpleaños, de Navidad, etc.) y alguien quiere sacar fotos del grupo; estamos en un estudio profesional; estamos haciendo una película para el cine; un padre quiere fotografiar a su niñito, etc. O si le gusta más a Ud. escribir composiciones, escriba una sobre:

1. Cómo Me Gusta Pasar Mi Tiempo Libre
2. Por Qué Soy (o No Soy) Coleccionista

Hora de Conversación XV

LOS NEGOCIOS (Business)

De: Fernández y Cía., S.A.
Calle San Martín, 35
Valparaíso, Chile

A:
Sr. Rodrigo Mata Ortiz
Avenida 2 de Mayo, 97
Caracas, Venezuela

secretaria *secretary*
mecanógrafa *typist*
taquígrafa *stenographer*
recepcionista *receptionist*
telefonista *operator*
(representante) viajante *traveling salesman*
agente *agent*
fabricante *manufacturer*
tendero *storekeeper*
socio *partner*
Sociedad Anónima *Corporation;* (S.A. *Inc.*)
firma, casa *firm*

patrón, jefe *boss*
dueño, propietario *owner*
empleado *employee*
dependiente, dependienta *clerk*
tenedor (de libros) *bookkeeper*
contador *teller; accountant*
corredor *broker*
gerente *manager*
hombre de negocios *businessman*
comerciante *businessman, merchant*
obrero *worker*
cajero *cashier*

oficina *office*
el almacén *warehouse; store*

fábrica *factory*
la recepción *waiting room*

máquina de escribir *typewriter*
el conmutador *switchboard*

teléfono *telephone*
el telegrama *telegram*

carta *letter*
sello *stamp*
el paquete *package*
a vuelta de correo *by return mail*
la dirección *address*
las señas *address*
remitente *sender*
el porte *postage*
entrega inmediata *special delivery*

tarjeta postal *post card*
el sobre *envelope*
envío, remesa *shipment*
por avión, vía aérea, correo aéreo *air mail*
(casa de) correos, casa del correo, oficina de correos *post office*
destinatario *addressee*
la certificación *registry (of mail)*

La línea está ocupada. *The line is busy.*
Le comunico ahora. *I'll connect you now.*
No comunica. *There's no answer.*
marcar un número *to dial a number*

Muy señor(es) mío(s) — Dear Sir(s)
Muy señor(es) nuestro(s) — Dear Sir(s)

Obra en nuestro poder su favor (su atenta *or* su grata) del 5 del corriente — We have your letter of the 5th inst. (of this month)
Acusamos recibo de ... — We acknowledge receipt of ...

Discusión

1. ¿Qué tipo de trabajo le interesa a Ud.? ¿Le gustan los negocios? ¿Es hombre de negocios su padre? ¿otro miembro de su familia?
2. ¿Qué negocio le interesa más? ¿Ha trabajado Ud. alguna vez? ¿Cuándo? ¿Dónde?
3. ¿Prefiere Ud. trabajar en una oficina, en una tienda, en una fábrica, o al aire libre (*in the open air*)?
4. ¿Le gustaría viajar en su trabajo o trabajar en la misma ciudad donde vive?
5. ¿Le gusta más trabajar en una gran ciudad o en un pueblo pequeño? ¿Dónde le gusta más vivir? ¿Por qué?
6. ¿Prefiere Ud. trabajar para una compañía grande o para un negocio pequeño? ¿Prefiere Ud. trabajar para otra persona o ser dueño de su propio negocio? ¿Por qué?
7. ¿Ha visitado Ud. alguna vez una oficina comercial? ¿Cuántos empleados tiene? ¿Qué son?
8. ¿Sabe Ud. escribir a máquina? ¿Cree Ud. que debe ser obligatorio para todo (*every*) estudiante universitario aprender a escribir a máquina?
9. ¿Cree Ud. que va a ser rico algún día? ¿Cómo piensa Ud. hacer su fortuna?
10. ¿Cree Ud. que la mayor parte (*the majority*) de los hombres de negocios son honrados? ¿Piensa Ud. ser completamente honrado en los negocios?

Lectura XV

LA INDEPENDENCIA DE HISPANOAMÉRICA

José de San Martín, soldado y estadista, libertador del Sur.

Francisco de Miranda, idealista, intelectual, y trágica víctima de la Independencia.

Simón de Bolívar, el gran libertador. Impulsivo, ilusionado, líder de hombres.

Hispanoamérica estaba lista para la independencia. El descontento iba creciendo en todas partes. Hacía siglos que España explotaba los recursos naturales de la colonia, *agotando* (exhausting) sus minas de metales preciosos, *cobrando* (collecting) impuestos excesivos, y prohibiendo el comercio con otros países. La corrupción política impedía toda posibilidad de verdadera reforma. Los *cabildos,* (town councils) único organismo democrático desde los primeros días de la colonia, habían perdido todo su antiguo poder. Los *cargos* públicos se vendían *al* que más podía pagar por ellos, y estaban ocupados casi exclusivamente por los *peninsulares*. Y los criollos, blancos de raza, americanos de *ascendencia* española, se resentían de la discriminación practicada contra ellos por los españoles con quienes se ponían en contacto en América o cuando iban *de viaje* a la *metrópoli*.

offices . . . to the one
peninsulars (Spaniards)
ancestry
on a trip . . . motherland

Para mediados del siglo diez y ocho, Hispanoamérica *se iba contagiando de* las ideas revolucionarias de los filósofos franceses, ingleses, y norteamericanos. Aunque el gobierno español prohibía la importación de esos libros peligrosos, florecía el negocio de contrabando, y los libros prohibidos llegaron a ser los más conocidos, leídos, y asimilados. En 1776, Hispanoamérica tiene a la vista el ejemplo de la revolución norteamericana; en 1789, el de la revolución francesa. *Mientras tanto,* España yacía en la decadencia. En 1808, Napoleón invade la metrópoli. España ya no puede imponer el orden en sus colonias.

was becoming rife with
Meanwhile

La Argentina se aprovecha primero de la debilidad de España para declarar su autonomía. Usando como pretexto la ocupación francesa de España, los líderes revolucionarios anuncian su *adhesión* a Fernando VII, prisionero en Francia, y establecen *juntas* militares para administrar la región. Después de unas victorias iniciales, son derrotados por las *guarniciones* españolas estacionadas todavía en América. En 1814, José de San Martín, un *oficial* de gran talento que había estudiado ciencia militar en España, se encarga de las fuerzas revolucionarias del sur y dentro de ocho años logra establecer la independencia de esa parte del continente.

loyalty
governing bodies
garrisons
officer

Venezuela inicia la revolución en el norte bajo el *mando* de Francisco de Miranda. En 1811, Miranda gana una victoria que al principio parece ser decisiva. Pero poco después, Venezuela sufre un desastroso *terremoto* que mata a muchos *miles* de personas y destruye ciudades enteras. Y la gente ignorante, creyendo que el terremoto era un castigo de Dios, se vuelve furiosa contra los líderes de la revolución.

leadership
earthquake . . . thousands

En 1812, la causa revolucionaria halla su jefe principal en un joven de familia *acomodada*, nacido en Caracas, educado en Venezuela y en *el extranjero, de* nombre Simón Bolívar. Poco a poco consigue la liberación de Venezuela, el Ecuador, Colombia, y Bolivia. El momento oportuno *se está acercando*. Quedan todavía fuertes núcleos *realistas*, pero entre 1820 y 1823 España es *sacudida* por una sublevación popular contra el rey tiránico, y los revolucionarios hispanoamericanos ven su oportunidad. Bolívar y San Martín se reúnen en Guayaquil en junio de 1822. No se sabe exactamente lo que pasó

well-to-do
abroad, by
is approaching
royalist . . . shaken

en esa *reunión*, pero el hecho es que San Martín *se retiró* de la guerra y fue Bolívar quien realizó la victoria final.

La revolución siguió otro curso en México. En 1810 un pobre cura, el padre Hidalgo, incitó a los indios a *sublevarse* en nombre de la Virgen de Guadalupe. Por algún tiempo, su revuelta *tuvo éxito*, pero al fin Hidalgo cayó en manos de los realistas y fue *ejecutado*. Los años siguientes vieron otros *esfuerzos* revolucionarios abortivos, pero México, donde quedaba más *arraigada* la tradición española, estaba lejos todavía de la independencia. En 1820, un general español Agustín de Iturbide, *apoyado* por las fuerzas más conservadoras de la colonia, se apoderó del gobierno y se declaró emperador de un México independiente. Pero su imperio duró muy poco tiempo y México proclamó una república bajo el general Santa Ana en 1822.

Pero la independencia de Hispanoamérica es mucho más que una recitación de batallas y líderes, victorias y derrotas. ¿Qué efecto ha tenido en la historia subsecuente del continente? Primero, es interesante observar que la revolución no fue obra de la clase baja, sino mayormente de los criollos, que tenían educación y *medios* para llevarla a cabo. En muchos lugares, los indios lucharon contra la revolución, porque para ellos el amo *explotador* era el criollo rico, y no el español de España. Segundo, los jefes revolucionarios, obligados a pedir dinero y armas a países extranjeros enemigos de España (principalmente Inglaterra y Francia, y *en menor grado*, los Estados Unidos), dieron a sus *acreedores* concesiones económicas en Hispanoamérica. Ahí empieza la historia de la explotación extranjera en los países del sur. Otra consecuencia de las guerras de la independencia es el desarrollo del caudillismo, el dominio personal del hombre fuerte, como base del sistema político. Aunque casi todos los libertadores (incluso Bolívar, San Martín, Sucre, y O'Higgins) murieron *desterrados o asesinados* o en la desgracia, el *caudillismo* domina todavía en la vida política de la mayor parte de Hispanoamérica. Además, Hispanoamérica quedó fragmentada en muchas naciones pequeñas, *desechando* el consejo de Bolívar, que soñaba con unos Estados Unidos de Sudamérica y que aun convocó la primera conferencia panamericana.

Para 1825, Hispanoamérica había ganado su independencia de España, pero no había conseguido establecer un verdadero sistema democrático. Casi todas las naciones nuevas quedaron en manos de dictadores o *caudillos,* y las hermosas constituciones democráticas, hechas a imitación de la norteamericana, eran poco más que *huecos* símbolos de una vana ilusión.

meeting . . . withdrew
rise up
succeeded
executed
attempts
rooted
supported
means
exploiting
in a lesser sense
. . . creditors
exiled or assassinated
bossism
rejecting
political strong men
hollow

Preguntas

1. ¿Por qué crecía el descontento en Hispanoamérica?
2. ¿Cómo quedaban las minas de metales preciosos?
3. ¿Cómo era la situación política?
4. ¿Quiénes eran los criollos? ¿Por que se resentían de su tratamiento por los españoles?
5. ¿Qué ideas nuevas iban diseminándose en Hispanoamérica?
6. ¿Qué ejemplos tenían ante sus ojos los revolucionarios hispanoamericanos?
7. ¿Qué región de la América hispánica empieza la revolución? ¿Qué pretexto usan? ¿Qué establecen? ¿Quién se encarga de las fuerzas revolucionarias del sur en 1814?
8. ¿Cómo se inicia la revolución en Venezuela? ¿Cómo influye un acto de Dios en el curso de la revolución?
9. ¿Quién fue Simón Bolívar? ¿Qué hizo?
10. ¿Cómo empezó la guerra de la independencia en México? ¿Cuándo terminó?
11. ¿Qué clase social llevó a cabo la revolución en Hispanoamérica?
12. ¿Qué hicieron en muchos lugares los indios? ¿Por qué?
13. ¿A dónde tuvieron que ir los líderes revolucionarios para obtener dinero y armas? ¿Qué tuvieron que dar a sus acreedores?
14. ¿Qué sistema de gobierno evolucionó como resultado de las guerras de la independencia? ¿Qué es un caudillo?
15. ¿Cómo murieron casi todos los libertadores de Hispanoamérica?
16. ¿En qué quedó dividida Hispanoamérica después de la independencia?
17. ¿Con qué soñaba Bolívar?
18. ¿En qué sentido fracasaron (*failed*) las guerras de la independencia?

Lección VEINTITRÉS

I. TEMA: *VIDA DE PERRO*

Hay ciertas expresiones en inglés que no comprenderé nunca. Ud. las habrá oído y usado. Por ejemplo, "Estudia como un loco." Ahora bien, Ud. y yo sabemos perfectamente bien que los locos no estudian. Pero seguimos usando la expresión y hasta le damos un *sentido lisonjero*. Otra: si un amigo ha pasado el verano tostándose al sol, decimos que ha quedado "*tan pardo como una baya*". Pues en toda mi vida, no he visto una baya de ese color: rojas, sí; verdes, azules, *moradas, rosadas*, aun negras, sí—pero pardas, no. Y hay sobre todo una larga serie de expresiones que *tienen que ver* con los perros. Si uno sufre mucho en su vida, decimos que *lleva* una "vida de perro". Si trabaja mucho, "trabaja como un perro". Si alguien le trata mal, "le trata como a un perro". Si caemos *agotados de* fatiga, por supuesto, estamos "tan cansados como un perro". Y al mismo tiempo, según estadísticas recientes, todos los años se gastan en los Estados Unidos cerca de un billón de dólares en artículos de *lujo* para perros.

flattering sense
"as brown as a berry"
purple, pink
have to do
he is leading
exhausted with
luxury

¿Vida de perro, dicen? En otros países, sí. ¿Pero aquí... ? Aquí les damos comidas especiales, con vitaminas, minerales, y tónicos para estimular el apetito. Hay médicos para perros, psiquiatras[1] para perros. Hay peluqueros y perfumeros, *costureros* y zapateros para perros. *Hasta se ha establecido* en Nueva York una agencia que

couturiers
There has even been established

[1] Tengo una anécdota que contarle (*to tell you*) sobre un caso absolutamente verdadero. Parece que una señora rica cruzaba el Atlántico en uno de esos vapores de lujo, y traía consigo a su perrito faldero (*lap dog*). Estando prohibido en el barco tener animales en los camarotes, la señora fue obligada, mal de su grado (*reluctantly*), a dejarlo en una perrera (*kennel*) que mantenían a bordo expresamente con ese propósito (*for this purpose*).

envía una mujer a su casa si Ud. quiere salir por la noche, y estas mujeres, todas atractivas y vestidas a la última *moda* (se dice que según una votación reciente, la mayor parte de los perros prefieren a las rubias), estas mujeres, digo, *cuidan del perro, le dan de comer,* juegan con él, le ayudan a poner la televisión, y *le acuestan a la hora debida.* ¡Vida de perro, dicen! *¡Quién la tuviera tan buena!*

fashion; take care of the dog, feed him; put him to bed at the proper time; ... I wish *I* had it so good!

¿De quién es el sillón más cómodo del salón? Es *suyo, desde luego. La alfombra también le pertenece*—visiblemente. A las siete de la mañana *se nos echa encima* mientras estamos dormidos en la cama. Si lo hiciera el niño, *le pegaríamos, pero bien.* Pero en el caso de un inocente perrito de *noventa libras de peso,* ¿pegarle? ¿Por qué?

Whose ... his, of course.; The rug also belongs to him; he jumps on top of us; we would hit him, and how!; ninety pounds in weight

¿Y qué hacen los perros *para merecer* toda esa atención? Nada. Absolutamente nada. *Si les da la gana, menean la cola* cuando volvemos a casa. Si les ofrecemos una *golosina, nos lamen la cara* y las manos. A veces, después de una buena siesta, corren a *recoger* una pelota que *les tiramos. Y de noche,* si no están cansados del *ajetreo de tan* difícil día, son *fieles* guardianes de nuestra casa. (*Tan* fieles guardianes que un perro que conozco *se encariñó con el ladrón* que entró en la casa, ¡y se marchó *tan feliz* con él!) Y con todo eso, el perro es nuestro mejor amigo. Hasta los candidatos políticos tienen que manifestar un *tierno* amor *a* los perros. Yo recuerdo un caso... Pero *basta.* Parece que toda nación tiene su *fetiche.* En la India, *la vaca es sagrada.* En los Estados Unidos, *lo* es el perro.

to deserve; If they feel like it, they wag their tail; treat, they lick our face; retrieve ... we throw them; ... And at night ... hustle-bustle of such a; faithful ... Such; took a liking to the thief; ... as happy as could be; tender ... for ... that's enough; fetish ... the cow is sacred; (Don't translate *lo*)

Ahora, ¿por qué? ¿Por qué se encariña el hombre con un animal, con un pajarito, con una *fea tortuga,* con un *pez*? ¿Es porque saben escuchar y *callar*? ¿Será porque conservan para siempre una parte de nuestra *niñez*? ¿O porque el hombre *anhela* captar algo de esa naturaleza incorrupta *de que provino él mismo* y quiere guardarlo dentro de su casa y dentro de su corazón? ¿Será porque ese *pedazo* de color, de movimiento, de *sonido* rompe lo absoluto de la *soledad*? ¿O es sencillamente porque somos humanitarios—tan humanitarios que preferimos ver a un pajarito bien *alimentado* y caliente *detrás de las rejas de una jaula* que libre en un árbol?

ugly turtle ... fish; keep quiet; childhood ... desires; from which he himself came; bit; sound ... solitude; fed ... behind the bars of a cage

Al fin del viaje, la señora fue a buscar a su perrito, y lo encontró totalmente cambiado. Estaba nervioso. Ya no ladraba (*barked*) como antes. Se ocultaba (*He would hide*) en su falda y no quería salir. Tenía miedo de todo y de todos (*everyone*). La señora se quejó a la compañía, cuya decisión fue mandar el perro a un psiquiatra perrero (*dog psychiatrist*). Así se hizo. Después de una larga investigación, el doctor averiguó (*ascertained*) que el perrito había sufrido un colapso nervioso porque había pasado todo el viaje en la compañía de perros mucho más grandes y feroces (*ferocious*) que él, y que la única manera de restaurar (*restore*) su confianza en sí mismo era meterlo otra vez en una perrera, pero esta vez, llena de perritos aun más pequeños y dóciles que él. Dicho y hecho. (*No sooner said than done.*) Y resultó que después de un par de (*a couple of*) semanas en la compañía de esos perros diminutos y dóciles, el perro de la señora rica volvió a casa ladrando y mordiendo, atacando a diestra y siniestra (*barking and biting, attacking right and left*). Se había hecho insufrible, rey de todo lo que veía, amo absoluto (*master*) de la casa. Por fin su dueña decidió entablar pleito (*sue*) contra la compañía de vapores, acusándoles de haber estropeado (*spoiled*) la personalidad de un perrito de temperamento antes incomparable, y ahora inaguantable (*unbearable*). ¿Y sabe Ud?—¡ganó! La compañía le pagó cierta cantidad (*amount*) de dinero, y la señora se quedó un poco más rica, pero con un perro que ya no cabía (*no longer fit*) en su falda.

Vocabulario Activo

la niñez *childhood*
perro *dog*
pájaro *bird*
jaula *cage*
la soledad *solitude, loneliness*

callar *to be quiet, not speak*
cuidar de *to take care of*
gastar *to spend (money, etc.)*
tirar *to throw; to shoot*

rosado *pink*
pardo *brown*

dar de comer *to feed*
tener que ver con *to have to do with*

lujo *luxury*
moda *fashion*
peso *weight*
sentido *sense*
sonido *sound*

merecer (merezco) *to deserve*
pertenecer (pertenezco) *to belong*
establecer (establezco) *to establish*
recoger (recojo) *to pick up, retrieve*

fiel *faithful*
reciente *recent*

de noche *at night*
desde luego *of course*
detrás de (prep.) *behind*

Preguntas

1. ¿Qué no comprenderá nunca el narrador?
2. ¿Qué decimos si una persona estudia mucho?
3. ¿Qué decimos si una persona ha pasado el verano tostándose al sol?
4. ¿Por qué no le gustan al narrador estas expresiones?
5. ¿Qué decimos si una persona sufre mucho en su vida? ¿Si trabaja mucho? ¿Si alguien le trata mal? ¿Si estamos muy cansados?
6. ¿Cuánto dinero se gasta todos los años en los Estados Unidos en artículos de lujo para perros?
7. ¿Qué damos de comer a los perros? ¿Qué más hay aquí para perros?
8. ¿Qué agencia se estableció recientemente en Nueva York? ¿Cómo son las mujeres que cuidan de los perros? ¿A quiénes parecen preferir los perros? ¿Qué hacen estas mujeres por los perros?
9. ¿Qué pertenece al perro en la casa?
10. ¿Qué hacen los perros a las siete de la mañana? ¿Qué haríamos si hiciera la misma cosa un niño?
11. ¿Qué hacen los perros cuando volvemos a casa, eso es, si les da la gana?
12. ¿Qué hacen si les damos una golosina? ¿Y si les tiramos una pelota?
13. De noche, si no están cansados, ¿de qué sirven?
14. ¿Qué hizo una noche un perro que conocía el narrador?
15. A pesar de todo, ¿cómo consideramos a los perros?
16. ¿Qué fetiche tienen en la India? ¿Y en los Estados Unidos?
17. ¿Qué razones ofrece el narrador por el gran cariño que siente el hombre a los animales? ¿Está Ud. de acuerdo?

II. ESTRUCTURA

123. *¿Qué?* and *¿Cuál(es)?*

A. As a pronoun

When it stands alone as subject of a verb, **¿Qué?** (*What*)? asks for a definition, explanation, or opinion; **¿Cuál?** (*What? Which one?*) asks for a selection:

¿Qué es libertad?	What is liberty?
¿Qué son esas máquinas?	What are those machines?
¿Qué le pareció su charla?	What did you think of his talk?
¿Cuál es tu deporte favorito?	What (Which) is your favorite sport?
¿Cuáles son los mejores libros para este curso?	What (Which ones) are the best books for this course?

B. As an adjective

Strictly speaking, only **¿Qué?** is used before a noun to express both meanings: *What?* and *Which?* In actual usage, however, **¿Cuál(es)?** is quite common too.

¿Qué libertad hay en ese país?	What liberty is there in that country?
¿Qué deporte le gusta más?	What (Which) sport do you like best?
¿Qué libros usamos?	What (Which) books are we using?

Notice that all interrogatives have a written accent on the stressed vowel.

Ejercicios

A. Conteste:

1. ¿Cuál es el número de su teléfono? 2. ¿Qué hora es? 3. ¿A qué hora empieza su clase de español? 4. ¿Cuál es su programa favorito de televisión? 5. ¿Qué otros programas le gustan? 6. ¿Qué novelistas le gustan más? ¿Qué poetas? ¿Qué artistas? 7. ¿Qué clase de música prefiere Ud.? 8. ¿Qué le pareció el último examen que tuvimos? 9. ¿Cuál es la mejor universidad del mundo? 10. ¿Cuáles son los mejores restaurantes de por aquí (*around here*)?

B. Diga ahora en español:

1. What time was it? 2. What is your address? 3. What number do you like best? 4. What is the best film of the year? 5. What is the Iron Curtain? 6. Which curtains are better for my living room? 7. What did you think of her?

124. *¿Quién(es)?*

¿Quién? (pl. **¿Quiénes?**) asks *Who?* or *Whom?*

¿Quién es la más hermosa de todas?	Who is the fairest of all?
¿A quién mando la carta?	To whom do I send the letter?
¿Para quiénes serán las tortas?	Whom will the cakes be for?

Ejercicio

Complete las frases siguientes:

1. ¿(*Who*) te tiene miedo a ti? 2. ¿(*Whom*) prefiere Ud.—a él o a mí? 3. ¿(*To whom*) hablas así? 4. ¿(*With whom*) fueron? 5. ¿(*For whom*, pl.) los hizo? 6. ¿(*Who*) son los mejores estudiantes? 7. ¿Por (*whom*) vas a votar?

125. *¿De Quién(es)?*

¿De quién(es)? is the only way to ask the question *Whose?* There is no other possessive interrogative:

¿De quién es este sombrero?	Whose hat is this?
¿De quiénes son aquellas casas?	Whose houses are those?

Ejercicio

Diga en español:

1. Whose seat is this? —Which one? —This one. —It's mine. —It's not yours. It's mine! —Then why did you ask? 2. Whose cars are those? 3. Who's going with me? 4. Whose exam is this? —Tell me the grade and I'll tell you whose it is.

126. *¿Dónde? ¿Adónde?*

¿Dónde? asks where the subject is located. **¿Adónde?** (**¿A dónde?**) asks where the subject is going:

¿Dónde está mi cuaderno?	Where is my notebook?
¿Adónde vas?	Where are you going?

¿Dónde? may also be preceded by other prepositions besides **a**:

¿En dónde entró?	Where did he enter (go in)?
¿Por dónde escapó?	Through where did he escape?
¿De dónde son?	Where are they from?

Ejercicios

A. Complete las frases siguientes:

1. (*Where*) lo hallaste? 2. (*Where*) fueron? 3. (*From where*) vino el agua? 4. (*Where*) está su casa? 5. (*Through where*) salió? 6. (*Where*) entraremos?

B. Conteste otra vez:

1. ¿Adónde irá Ud. esta tarde? 2. ¿Adónde irá este verano? 3. ¿Dónde vive su novio (novia)? 4. ¿De dónde eran sus abuelos? 5. ¿De dónde viene el petróleo? 6. ¿De dónde vienen los diamantes? 7. ¿De dónde son los puertorriqueños? ¿los costarricenses? ¿los guatemaltecos?

127. *¿Cuánto? ¿Cuántos?*

¿Cuánto? asks *How much?* and **¿Cuántos?** asks *How many?*

¿Cuánto vale este traje? —Cien pesos. —¡Bandido!	How much does this suit cost? —One hundred pesos. —Robber!
¿Cuántas lenguas sabe Ud.? —Ninguna.	How many languages do you know? —None.

Ejercicios

A. Diga en español:

1. How many days are there in a year? —365. 2. How much time do we have left (*nos queda*)? 3. How many times must I tell you to close the door? 4. How old are you? (*¿Cuántos años . . . ?*)

B. Conteste una vez más:

1. ¿Cuántos estudiantes hay en su clase de español? 2. ¿Cuánto dinero tiene Ud. hoy en su cartera? 3. ¿Cuántos buenos amigos tiene Ud.? 4. ¿Cuántas horas por semana pasa Ud. en el laboratorio? 5. ¿Cuántos años tendrá Ud. en 1999?

128. *¿Cómo?* and *¿Qué Tal?*

A. ¿Cómo? asks *In what way? How is it done? What is it like? What condition is it in?*

¿Cómo se abre este paquete?	How does one open this package?
¿Cómo le gustan los huevos—fritos o pasados por agua?	How do you like your eggs—fried or soft boiled?
¿Cómo es su marido?	What is her husband like?
¿Cómo está tu madre?	How is your mother?

¿Cómo? also means *What (did you say)?*

Querido, ¿puedes darme mil dólares hoy? —¿Cómo?	Dear, can you let me have a thousand dollars today? —What?

B. ¿Qué tal? asks for an opinion or reaction:

¿Qué tal le gustaron los huevos? —Así, así.	How did you like the eggs? —So-so.
¿Qué (tal) te parece el nuevo profesor?	What do you think of (How do you like) the new profesor?

Ejercicios

A. Conteste las preguntas siguientes:

1. ¡Hola! ¿Qué tal? 2. ¿Cómo se aprende a hablar una lengua extranjera? 3. ¿Qué tal les gustó la televisión ayer? 4. ¿Cómo es su novio (o novia)? 5. ¿Cómo están Uds. hoy? 6. ¿Cómo se sale de este cuarto? 7. ¿Cómo le gusta a

Ud. el café? 8. ¿Qué tal le gusta el chocolate? 9. ¿Cómo se escribe su nombre? 10. ¿Sabe Ud. qué[2] vamos a hacer para mañana?

B. Ahora haga Ud. preguntas para las contestaciones siguientes:

1. Hay 52. 2. Voy a cumplir veinte y dos en noviembre. 3. Muy bien, gracias. 4. Es alto, guapo, y simpatiquísimo. 5. Me gusta con leche y azúcar, por favor. 6. Se entra por la puerta a la izquierda. 7. Allí está, en la mesa. 8. Se llama Pepe. 9. Es el nuevo maestro. 10. 251–6325. 11. Avenida de las Américas, 32. Apartamento 4B. 12. Son míos.

129. Exclamations

A. All interrogatives may be used as exclamations if the sense permits:

¡Quién creería eso!	Who would believe that!
¡Cuánto dinero debe!	How much money he owes!
¡Cómo canta! ¡Cómo baila! ¡Es una maravilla!	How she sings! How she dances! She's a wonder!
¡Qué fue eso!	What was that!

B. **¡Qué!** before a noun means *What* (*a*) . . . ! No article is used:

¡Qué hombre!	What a man!
¡Qué músculos!	What muscles!
¡Qué sonrisa!	What a smile!

C. **¡Qué!** before an adjective or adverb means *How* . . . !

¡Qué bonitas son!	How pretty they are!
¡Qué bien escribe!	How well he writes!

Ejercicios

A. Escriba tres oraciones exclamativas alabando (*praising*) los talentos de una persona y tres describiendo de una manera desfavorable a alguien.

B. Ahora complete las oraciones siguientes:

1. ¡(*How much*) le quiero! 2. ¡(*What a*) día! 3. ¡(*What*) flores! 4. ¡(*How badly*) habla para su edad! 5. ¡(*How many*) libros tenemos que leer! 6. Todo el mundo me dice (*how*) simpática es!

130. Diminutives and Augmentatives

Instead of using a large number of descriptive adjectives, Spanish often adds to the end of a word a diminutive or augmentative suffix that gives not only an impression of size, but also favorable or unfavorable connotations. These are some of the most used:

[2] In Spanish, when a question is included within another statement, the interrogative still has a written accent: **¿Sabe Ud. quién viene?**

A. -ito

-ito or **-(e)cito** is the most common of the diminutives. Although it often implies smallness of size, it may also convey a pleasant impression of niceness, charm, or affection, regardless of size:

Juanito	Johnny
una mujercita	a nice little woman
el viejecito	the little old man
mamacita, papacito	Mommy, Daddy dear
un chiquito	a little boy
una chiquitita	a tiny little girl

B. -illo

-illo is also a diminutive that usually conveys a very affectionate tone. Of course, both **-ito** and **-illo** may be used sarcastically with the opposite connotation:

Juanillo	Johnny-boy
la chiquilla	the cute little girl
un reyecillo	a petty, puppet king

C. -ón

-ón gives an impression of large size, grandeur, even masculinity:

una mujerona	a big, unfeminine-looking woman
un caserón	a large impressive house

Ejercicio

Use diminutive or augmentative endings with nouns, titles, or to replace adjectives:

1. Señora Machado 2. una pequeña casa 3. mi madre 4. un pequeño perro 5. un hombre alto y fuerte 6. una mujer baja y delicada 7. Esteban 8. Enrique, mi amor 9. una casa imponente 10. un señor muy importante 11. un libro pequeño. 12. un poema corto. 13. los gatos recién nacidos

Ejercicio de Repaso

Tradúzcase al español:

How many common expressions there are that really have no sense when one begins to think about them! For example, who has ever seen a madman study? But we say: "He's studying like mad." And who has ever seen a brown berry? And how can we explain the many expressions that have to do with dogs? "I'm as tired as a dog!" "He works like a dog." "She treats him like a dog." "The poor fellow is leading a dog's life." Well, I am sure that in other countries and in other times dogs led a dog's life, but in the United States, absolutely not. In fact, how many times have I thought, "I wish *I* had it so good!"

Do you know that here one of the most important luxury industries is that of articles for dogs? There are doctors and dentists and even psychiatrists for dogs. There are couturiers and shoemakers and . . . But that's enough.

Tell me, who is the master of the house? Whom do we have to take out for a walk (*a dar un paseo*) when it is snowing or raining? To whom does the big chair in the living room belong? Whose is the rug? Who jumps on us at 7 A.M. when we're asleep in bed? The precious little ninety pound dog! And what are his qualifications? It's simple. He is man's best friend. In India, the cow is sacred. In the United States, the dog is.

But why does man feel the need to love an animal? Why does he want to care for a bird or an ugly turtle or a cat or a dog? Maybe because he wants to keep forever some part of his childhood, or he desires the presence in his home of the uncorrupted nature from which he himself came. Or is it simply that we are such humanitarians that we prefer to keep a bird well fed and warm in a cage than free in a tree? What are our real reasons?

III. CONVERSACIÓN: *VIDA DE PERRO*

1. ¿Le gustan a Ud. los perros? ¿Tiene Ud. un perro ahora? ¿Tenía un perro cuando era niño? ¿Cuándo obtuvo su primer perro? ¿Quién se lo dio?
2. En su opinión, ¿cuál es más limpio—un perro o un gato? ¿más inteligente? ¿más leal (*loyal*)? ¿Cuál prefiere Ud.? ¿Por qué?
3. ¿Le gustan los animales en general? ¿Cuáles le gustan más? ¿Le gustaría tener un mono (*monkey*)? ¿un corderito (*lamb*)? ¿un caballo? ¿Sabe Ud. montar a caballo (*ride a horse*)?
4. ¿Le gusta a Ud. cazar (*hunt*)? ¿Le gusta cazar ciervos (*deer*)? ¿conejos (*rabbits*)? ¿zorros (*foxes*)? ¿osos (*bears*)? ¿Le gustaría cazar leones, tigres, o elefantes? ¿Por qué?
5. ¿Está Ud. por o contra el uso de animales en experimentos científicos?
6. ¿Le gustan los peces? ¿Le gusta pescar? ¿Por qué? ¿Le gusta el pescado? ¿Sabe Ud. nadar? ¿Le gusta nadar debajo del agua?
7. ¿Le gustan los pájaros? ¿Tiene Ud. un pájaro en casa? ¿De quién es? ¿Sabe hablar?
8. ¿Cree Ud. que la corrida de toros es cruel?¿ Es más cruel que la caza (*hunting*)?
9. Si Ud. pudiera volver al mundo en la forma de un animal, ¿qué animal escogería? (Véase la lista de animales en la página 338.)

IV. TEATRO Y COMPOSICIÓN

Escriba Ud. una escena original que tenga que ver con los perros u otros animales. Por ejemplo, una señora tiene un perro o un gato muy mimado (*spoiled*); una familia tiene todo un jardín zoológico (*zoo*) en su casa y los vecinos protestan; una señora está enseñando a su pajarito a hablar, etc. O si Ud. prefiere, puede escribir una composición sobre:

1. Por Qué Me Gustan (o No Me Gustan) los Animales
2. Una Experiencia Interesante que Tuve con un Animal
3. ¿Quiénes Son Más Crueles: los Hombres o los Animales?

Lección

VEINTICUATRO

I. TEMA: *DEPORTES Y DEPORTISTAS*

—¡*Dale,* Tigre! Dale. Así, con la derecha . . . fuerte . . . ahora con la izquierda . . . más . . . otra vez . . . ¡Ay! ¿Qué haces, Tigre? ¡Cuidado! . . . ¡Tigre! . . . ¡Cuidado! . . . no . . . no . . . ¡ay! ¡¡Tigre!!

Give it to him

Créalo o no, las *voces salen de* una mujercita de unos sesenta años, dulce, amable, *bondadosa,* generosa, que cierra los ojos si tiene que *matar una hormiga* y cuyo mayor placer en la vida es *dar de comer* a sus nietos. Y que cuando eran pequeños sus hijos *amenazaba castigar sus travesuras,* pero se limitaba a *contarlas* a su marido, y entonces *le rogaba que no les pegara* porque tenía las manos demasiado grandes para tocar a tan tiernas criaturas.

shouts are coming from
kindly
kill an ant . . . feed
threatened to punish them for their pranks
. . . relate them . . . begged him not to hit them

Pero en el momento que pone la televisión y ve a dos *boxeadores, se entusiasma como el antiguo populacho romano* ante un espectáculo de *muerte, y se siente defraudada si no sacan del cuadrilátero* a lo menos a uno de ellos totalmente *sin sentido.*

boxers, she gets as excited as the ancient Roman populace
death, and she feels cheated if they don't carry out of the ring
unconscious.

¿Tan gran *deportista* es, pregunta Ud.? No *lo* es, ni *lo* ha sido. *Ni mucho menos.* La verdad es que en general se interesa muy poco por los deportes. Sabe que en el béisbol deben ganar siempre los *Yanquis,* por que si no, *la tristeza se apodera de* toda la familia. Y del fútbol *lo único* que sabe es que no quiere que lo jueguen sus nietos porque pueden romperse esa hermosa *naricita* que tienen. Y *en cuanto a* ir a ver una *lucha de boxeo,* no lo haría nunca, porque no quiere ver correr sangre. Pero en la televisión, es otra cosa. Porque la sangre no es roja y las *figurillas* de los hombres son como dos *títeres* mecáni-

sportswoman . . . (Don't translate *lo*) . . . Not in the least
Yankees
sadness grips . . . the only thing
little nose . . . as for . . .
boxing match
little figures . . . puppets

cos, *irreales*, impersonales, *apartados* de nosotros por millas de distancia y por *alambres* y tubos y *esa pantalla de vidrio que no deja palpar* con la mano.

unreal . . . separated

wires . . . that glass screen that doesn't let you feel

Paradoja, ¿no? Sólo hasta cierto punto. Porque este *barniz* de civilización que *nos ponemos deja traslucir a menudo un fondo* de violencia *mal oculta*. Es el mismo deseo de violencia que se halla en *las muchedumbres que acuden* a la escena de un accidente o de un *homicidio*. O en el hombre que va al *monte* a matar animales por el puro gusto de matarlos. O en las masas de *espectadores* que asisten a entretenimientos que ponen en riesgo la vida humana—que no quieren que *se cubran los cuernos del toro en la corrida de toros*, que aplauden más al aerialista que no tiene *tendida por debajo una red de seguridad*, y que gritan *hasta enronquecer*: —Dale, Tigre . . . ¡¡Mátalo!!

Paradox . . . veneer

we put on often lets show through a background

badly hidden . . . the crowds

that rush . . . murder

woods

spectators

the bull's horns to be covered in the bullfight

stretched below him a safety net

until they get hoarse

Pero, dirá Ud., no se pueden comparar esas cosas. Es diferente en los deportes. Porque el deporte, además de ser un ejercicio físico, *se basa* igualmente en la inevitable *competición* que existe entre hombre y hombre, entre hombre y animal. Se basa en la necesidad de saber cuál es superior. Y tendría Ud. razón.

is based . . . contest

En cambio, hay dos clases de deportistas, y debemos separarlos. Hay los que toman parte en los juegos—*el atleta que se esfuerza por* ganar como si su vida dependiera *de ello*, y para quien el deporte es al mismo tiempo *gozo, ansia*, trabajo, y obra de arte. *Éste* grita muy poco.

the athlete who struggles to

on it

pleasure, anguish . . . *He*

Y hay el otro tipo—el simple y puro espectador, el que no puede *gozar de una carrera de caballos* si no hace una *apuesta* sobre el resultado. Y éste es *el que más sabe* de estadísticas y *estratagemas*, es el que mejor sabe *lo que hicieron mal los miembros del equipo*, y el que con *alta y ronca* voz grita: —Dale, Tigre . . . ¡¡Matalo!!

enjoy a horse race . . . bet

the one who knows most . . . stratagems

what the members of the team did wrong . . . loud, hoarse

Vocabulario Activo

apuesta *bet*
carrera *race; career; course*
el deporte *sport*
distancia *distance*
milla *mile*

obra *work (of art, etc.)*
pantalla *screen; lampshade*
vidrio *glass*
la muerte *death*
la sangre *blood*

amenazar *to threaten*
matar *to kill*

gozar de *to enjoy*
sentirse (+ adj.) *to feel*

amable *nice, amiable*
bondadoso *kind(ly)*

antiguo *old, ancient; former*

depender de *to depend on*
ni mucho menos *not at all*

en cuanto a *as for*

Preguntas

1. ¿Quién grita:—¡Dale, Tigre!? ¿Cuántos años tiene? ¿Qué clase de persona es?
2. ¿Qué hace cuando tiene que matar una hormiga?
3. ¿Cuál es su mayor placer en la vida?
4. ¿Qué hacía cuando sus propios niños eran malos? ¿Qué rogaba entonces a su marido?
5. ¿Qué le pasa cuando pone la televisión y ve a dos boxeadores?
6. ¿Es muy gran deportista la señora?
7. ¿Qué sabe del béisbol?
8. ¿Qué es lo único que sabe del fútbol?
9. ¿Por qué no quiere asistir a un encuentro (*match*) de boxeo?
10. ¿Por qué es diferente en la televisión?
11. ¿En qué otras formas se manifiesta nuestro deseo de violencia?
12. ¿En qué se basan los deportes?
13. ¿Cuáles son los dos tipos comunes de deportistas?
14. ¿Qué hace el atleta? ¿Qué representa para él el deporte?
15. ¿Qué necesita el otro tipo para poder gozar de una carrera de caballos o de otro partido?
16. ¿De qué sabe mucho este puro espectador? ¿Cómo grita?

II. ESTRUCTURA

131. *Que* and *Quien* as Relative Pronouns

A. Que

Que is the most common of all relative pronouns. It means *who, that,* or *which*, and as direct object of a verb, *whom*. Sometimes English omits the relative completely. Spanish does NOT:

la señora que compró la casa	the lady who bought the house
la comedia que estrenan ahora	the play (that) they're opening now
el escritor que admiro más	the writer (whom) I admire most

B. Quien

Quien (pl. **quienes**) means *who* or *whom*, and refers only to persons. Its most frequent use is as object of a preposition:

¿Es Ud. el señor a quien escribí?	Are you the man to whom I wrote?
Éstos son los artistas de quienes hablaban.	These are the artists about whom they were speaking.

Ejercicio

Lea los pequeños diálogos, y después conteste las preguntas:

1. — Mamá, ésta es la muchacha de quien te he hablado tanto.
— ¡Ay, no, Pepe! No me hagas llorar. Si tú me dejas sola, tú, mi único hijo . . .

CONTESTE: a. ¿Cómo presenta Pepe a su novia?
b. ¿Cómo recibe su madre la buena noticia?
c. Si Ud. fuera la chica, ¿se casaría con Pepe?

2. — ¿Quiénes son esos muchachos, Alonso? No los conozco.
— Ah, pues ésos son los chicos con quienes vamos de vacaciones este verano.

CONTESTE: a. ¿Quiénes son los muchachos?
b. ¿Adónde cree Ud. que van a ir?

3. — Tú conoces a Rafael Rivera, ¿no?
—Ah, sí. Es el chico que sacó el premio en la universidad el año pasado.
—Sí. Y ahora es el chico con quien me voy a casar en junio.
— ¡Qué maravilla! Enhorabuena, Luisita. Me alegro tanto.

CONTESTE: a. ¿Qué clase de estudiante fue Rafael Rivera?
b. ¿Cómo lo sabe Ud.?
c. ¿Qué más nos dice de él Luisita?
d. ¿Con quién piensa Ud. que está hablando Luisita?

132. *El cual* and *El que*

A. El cual

El cual, la cual, los cuales, las cuales may be used in place of **que** or **quien** when clarification is required:

La madre de mi amigo, *la cual* vive en Madrid, nos llevará al Prado.	My friend's mother, who lives in Madrid, will take us to the Prado.

If **que** or **quien** were used here, the logical assumption would be that my friend (the last mentioned) lives in Madrid. **La cual** specifies the mother.

El cual, etc., is also used to translate *which* after **por** and **sin** and after prepositions of two or more syllables:

la vitrina delante de la cual estaba parado	the showcase in front of which he was standing
las puertas por las cuales entramos	the doors through which we entered
los papeles entre los cuales lo puse	the papers among which I put it

B. El que

El que, la que, los que, las que have the same uses as **el cual,** etc., and in addition, often are used to mean *the one who, those who,* etc.:

El que más habla es el que menos hace.	The one who talks most is the one who does least.
Los que votaron por él lo sienten.	Those who voted for him regret it.

Ejercicios

Lea en voz alta, y después cambie según las indicaciones:

1. *La ventana* que da al (*faces*) parque . . .
   (Las ventanas, la galería, el balcón)
2. La *columna* detrás de la cual se escondía . . .
   (Las columnas, el árbol, los árboles)
3. Éstas son las *poesías* de que les hablé.
   (los poetas, las artistas, la poetisa, la música)
4. Los que *vinieron* se divirtieron mucho.
   (quedarse, fueron a la fiesta, asistieron a la función)
5. ¿Es *ella* la que te lo dijo?
   (Juan, ellos, ellas)
6. *El padre* de María, el cual nos ha invitado . . .
   (Los padres, el esposo, los hermanos)
7. *Él que* ríe después, ríe más.
   (La que, los que, las que)

133. *Lo cual* and *Lo que*

A. Lo cual and **lo que** mean *which,* when referring back to a whole idea:

Pepe no viene, lo cual (lo que) nos obliga a invitar a Ramón.	Joe isn't coming, which[1] obliges us to invite Raymond.
No soy miembro, lo cual (lo que) me impide votar.	I am not a member, which prevents me from voting.

B. Lo que has the additional and very frequent meaning of *what:*

Dime lo que quieres.	Tell me what you want.
Lo que hizo fue imperdonable.	What he did was unforgivable.
Lo que pide es imposible.	What he is asking for is impossible.

Ejercicios

A. Diga en español:

one of these on the final

1. I know very well what you want. —What do I want? 2. She is an excellent dancer, which makes her very popular. 3. He is not from here, which makes (it) difficult to elect him (*elegirle*). 4. What you are asking is unfair (*injusto*). 5. This is what I want you to do. —What!

B. Complete de una manera original las frases siguientes:

1. Lo que ella quiere . . . 2. No sabemos lo que . . . 3. No han aceptado la invitación, lo cual . . . 4. Es muy rico, lo cual . . . 5. Nunca dice lo que . . . 6. Es dificilísimo entender lo que . . .

[1] This use of *which* is considered colloquial by some English grammarians.

134. *Cuyo*

Cuyo (*whose*) is the only relative that states possession. It always agrees with the noun that it modifies:

la niña cuyo perro se perdió	the little girl whose dog got lost
el escritor cuyas obras leemos	the writer whose works we are reading
los García, cuya hija llamó	the Garcías, whose daughter called

Remember that the question *Whose?* is expressed by **¿De quién(es)?**

¿De quién es ese coche?	Whose car is that?

Ejercicios

A. Cambie según las indicaciones:

1. El señor Ramírez, cuya *casa* fue vendida . . .
   (fotografías, perro, cuadros)
2. El escritor *cuyo libro* estamos leyendo . . .
   (poesía, dramas [*m.*], obras)
3. La conferencia, cuya *fecha* no se sabe todavía . . .
   (tema [*m.*], días, tópicos, horas)

B. Complétense las oraciones siguientes:

1. Mis amigos, (*whose house*) está cerca de . . . 2. (*Whose*) cat is that?—(*Which one*)?—(*The one that*) acaba de romper mi florero. 3. El autor (*whose novels*) me gustan más es . . . 4. Éste es el muchacho (*whose parents*) compraron la finca.

135. Special Uses of *Lo*

A. Certain verbs, such as **pedir, preguntar, saber,** and **decir,** almost always require a direct object. If the direct object is not stated, **lo** is used in its place:

¿Sabe Ud. que ha muerto el Sr. Gómez? —Sí, lo sé.	Do you know that Mr. Gomez has died? —Yes, I know.
Dígaselo en seguida.	Tell him right away.
No quieren pedírtelo.	They don't want to ask you (for it).
Pregúnteselo a ellos.	Ask *them*.

B. Ser and **estar** normally cannot stand alone.[1] **Lo** is used to refer back to the quality or condition being described:

Su hermano es ingeniero, ¿no? —No, no lo es.	Your brother is an engineer, isn't he? —No, he isn't.
¿Son ricos? —¡Sí que lo son!	Are they rich? —They certainly are!
¿Estaba triste? —Sí, lo estaba.	Was he sad? —Yes, he was.

[1] Except when **estar** refers to location: **¿Está tu padre?—Sí, está.** (*Is your father in?—Yes, he is* [*in*].)

C. When used before a masculine singular adjective, **lo** converts the adjective into a noun. The noun so formed either describes a general quality or is the equivalent of the English *part, thing*, etc., (the best part, the only thing, etc.):

Lo único que sabe es . . .	The only thing she knows is . . .
Lo mejor fue que . . .	The best part was that . . .
Eso fue lo más interesante.	That was the most interesting part.
No le quite lo poco que le queda.	Don't take away from him the little he has left.
Hay que distinguir entre lo bueno y lo malo.	One must distinguish between good and bad (evil).

Ejercicios

A. Conteste las preguntas siguientes, usando **lo** en vez del objeto directo, etc.:

1. ¿Sabía Ud. que su padre es un gran millonario? 2. ¿Le han dicho ya a María que me llame? 3. ¿Te han preguntado si quieres hacerlo? 4. ¿Le pidieron a Fernando que volviera? 5. ¿Son ricos sus padres? 6. ¿Están cansados los niños? 7. ¿Tiene Ud. frío? 8. ¿Es bueno su profesor de español?

B. Diga en español:

1. The important thing is that . . . 2. The only part that I don't like is . . . 3. That was the best part of the trip. 4. This is going to be the hardest part.

136. *Ello*

Ello is a wholly neuter pronoun. It appears most often as object of a preposition when referring to a whole idea rather than to a specific thing:

Yo no sabía nada de ello.	I didn't know anything about it.
¿Qué piensa Ud. de ello?	What do you think of it?

Ello es que . . . means *The fact is that . . .*

Ello es que nadie le ha visto.	The fact is that nobody has seen him.

Ejercicio de Repaso

Tradúzcase al español:

—Give it to him, Tiger, with your right, now with your left, again, again, more . . . What's the matter with you, Tiger? . . . Watch out, Tiger! . . . Oh! . . . Tiger, no . . . !!!

Now, from whom do you think these shouts are coming? From a veteran sportsman? No, not at all. The extraordinary thing is that they are coming from a little woman about sixty years old, one of the kindest, nicest, persons in the world, who closes her eyes if she has to kill a fly, and whose greatest pleasure is to feed her grandchildren. And even more, she is not a great sportswoman, and never was (one). Then why this interest in boxing? Well, it is difficult to explain. The fact is that we do many things that we cannot explain.

We consider ourselves civilized people, and still, we attend spectacles that place human life in danger. I remember a man with whom I once had a long discussion about this. This man used to say that bullfights were cruel, but he used to go to the woods every weekend to kill animals, just (*sólo*) for the pleasure of doing it. And when he attended a boxing match, he was one of those who shouted: —Give it to him, Tiger . . . Kill him!

It seems that there are two basic types of sportsmen. The first, the athlete, who fights to win as if his life depended on it, and the sport to him is anguish, joy, and work of art. *He* shouts very little. And there is the other type, the pure spectator, who always knows what the members of the team did wrong, who can't enjoy a horse race or a baseball game without making a bet on the outcome, and who shouts until he's hoarse:—Give it to him . . . Kill him!

III. CONVERSACIÓN: *DEPORTES Y DEPORTISTAS*

1. ¿Qué deportes le gustan más? ¿Prefiere Ud. tomar parte en ellos o ser espectador?
2. (A las muchachas) ¿Cree Ud. que el participar en los deportes hace más masculino al hombre? ¿Le gustan a Ud. los atletas? ¿Prefiere Ud. el tipo atlético o el intelectual?
3. (A los hombres) ¿Cree Ud. que las mujeres deben participar en los deportes? ¿ Considera Ud. menos femenina a una muchacha que sobresale (*excels*) en los deportes? ¿en el tenis? ¿en el básquetbol? ¿en la natación (*swimming*)? ¿en la lucha (*wrestling*)?
4. ¿Le interesan a Ud. las carreras de caballos? ¿las carreras de perros? ¿Le gusta a Ud. hacer apuestas en estas carreras? ¿Ganó Ud. alguna vez?
5. ¿Le gusta a Ud. jugar a las cartas? ¿Con dinero o sin dinero? ¿Por qué? ¿Le gustaría a Ud. jugar a la ruleta? ¿a los dados (*dice*)? ¿Ha jugado Ud. alguna vez? ¿Perdió o ganó? ¿Hace Ud. apuestas sobre los partidos de béisbol, básquetbol, o fútbol?
6. ¿Le gustan a Ud. las carreras de automóviles? Si Ud. supiera que un día hubo un accidente fatal en una carrera de automóviles, ¿iría Ud. al día siguiente?
7. ¿Le gusta a Ud. la corrida de toros? ¿Cuál considera Ud. más cruel: la corrida de toros o el boxeo? ¿Cree Ud. que la corrida sería popular en los Estados Unidos? ¿Asistiría Ud.? ¿Por qué? ¿Preferiría Ud. que se cubrieran los cuernos del toro para que no corriera peligro de muerte el torero (*bullfighter*)?

IV. TEATRO Y COMPOSICIÓN

Componga Ud. una escena original relacionada con deportes o deportistas. Si quiere, aun puede hacer una versión dramática del tema que acabamos de leer. O si no, puede escribir una composición sobre:

1. Mi Deporte Favorito
2. Por Qué Me Gusta (o No Me Gusta) la Corrida de Toros
3. Por Qué Me Gusta (o No Me Gusta) el Boxeo

ARTÍCULOS CASEROS (Household Articles)

el mantel *tablecloth*
servilleta *napkin*
cubierto *place setting*
loza *dinnerware*
vajilla *flatware*
vajilla de plata *silverware*
juego *set*
poner la mesa *to set the table*
quitar *or* alzar la mesa *to clear the the table*

cortinas *curtains*
colgaduras *drapes*
persianas *Venetian blinds*

lámpara *lamp*
bombilla *bulb*
pantalla *shade*
araña *ceiling fixture*
el enchufe *socket, plug*
enchufar *to plug in*
el estante *shelf*
alacena *cupboard*

almohada *pillow*
sábana *sheet*
funda *pillow case*
colcha *quilt*
el colchón *mattress*
manta, frazada, el cobertor; cobija (Sp. Am.) *blanket*
sobrecama *bedspread*
tender una cama *to make a bed*

toalla *towel*
toallita *wash cloth*
esponja *sponge*
el jabón *soap*

el reloj *clock*
cuadro *picture*
marco *frame*
espejo *mirror*
florero, vasija *vase*
candelero *candlestick*
candelabro *candlelabra*
vela, candela *candle*

Discusión

1. ¿Puede Ud. hacer una descripción detallada de su sala? ¿Y de su alcoba? ¿Y de su comedor?
2. ¿Quién pone la mesa en su casa? ¿La ha puesto alguna vez Ud.? ¿En qué consiste el cubierto? ¿Usan Uds. normalmente en su casa servilletas de papel o de tela? ¿Siempre usan mantel?
3. ¿En qué consiste tender una cama? ¿De qué color son las sábanas de su cama? ¿De qué color(es) son sus mantas o colchas?
4. ¿Qué hay en las paredes de su cuarto? ¿Usan Uds. más lámparas o más arañas en su casa? ¿Qué usa Ud. en su alcoba o dormitorio?
5. ¿Dónde se colocan las flores cortadas? ¿Dónde se colocan las velas? ¿Dónde se enchufan las lámparas? ¿Cuánto vale (*costs*) una bombilla? ¿Cuántas lámparas tiene Ud. en su cuarto? ¿Cuántos enchufes hay?
6. ¿Dónde guardan (*keep*) Uds. los libros? ¿Y la loza? ¿Qué usa Ud. para lavarse las manos? ¿Y para secarlas (*dry*)?

EL SIGLO XIX: HISTORIA POLÍTICA Y CULTURAL

Fernando VII volvió a España el primero de enero de 1814, y *no tardó en restituir* la monarquía absolutista. Uno de sus primeros actos oficiales fue abrogar la constitución de 1812 y ordenar el encarcelamiento o *destierro* de los jefes liberales. Y España, que había soñado por un breve momento con la libertad, cayó otra vez bajo la mano de hierro. Como nos dice Mariano José de Larra, un joven periodista y *satírico* de esa época, Madrid es la *tumba* de la libertad, de la libertad de *imprenta* y de la libertad del pensamiento, la tumba del honor nacional y de la verdad, el *sepulcro* del crédito y del valor español. Y cuando la gente sale de la ciudad a visitar los cementerios *el Día de los Difuntos,* Larra pregunta con pasión: "¿Dónde está el cementerio? ¿Fuera o dentro?"

Pero el pueblo español no estaba dispuesto a aceptar otra vez el despotismo, y *se sublevó* repetidamente contra Fernando. En 1820 *estalló de nuevo* la revolución. Fernando fue hecho prisionero

didn't delay in restoring
exile
satirist . . . tomb
the press
grave
on All Soul's Day
it arose
broke out again

"La Procesión", por Eugenio Lucas y Padilla, demuestra gráficamente la angustia atormentada del pueblo español a mediados del siglo XIX.

y los liberales triunfantes declararon un gobierno constitucional. Parecía que esta vez la democracia tendría que vencer. Pero sucedió de otra manera. El rey de Francia, Luis Felipe, viendo en la sublevación popular de los españoles una *amenaza* indirecta contra su propia posición monárquica, mandó cien mil tropas a sofocar la rebelión en España. Y los "cien mil hijos de San Luis" acabaron con el último *esfuerzo* español contra la tiranía de Fernando.

menace

20

effort

Fernando murió en 1833, dejando a una hija, Isabel, muchacha de dos años *a la sazón*. El hermano de Fernando, el príncipe don Carlos, aprovechándose de una antigua tradición que prohibía la sucesión de una mujer al trono de España, anunció sus pretensiones. En seguida le *apoyaron* los elementos más reaccionarios y tradicionalistas. La *regenta, viéndose acosada* por las fuerzas conservadoras, tuvo que pedir *auxilio* a los liberales, concediéndoles ciertos derechos en la administración del estado y aprobando una nueva constitución. A poco estalló la lucha civil, guerras esporádicas que duraron casi todo el siglo diez y nueve, continuadas a la muerte de Carlos por su hijo, y después por su nieto, y nunca *resueltas* definitivamente.

at the time

25

supported

Regent, beset

help

30

resolved

El reinado de Isabel II se caracteriza por una turbulencia constante, hecha aun más *insoportable* por la escandalosa conducta personal de la reina misma. En 1868 Isabel fue obligada a abdicar y se refugió en Francia. Otra vez *irrumpieron* las guerras carlistas. Se ofreció el trono de España a varios príncipes europeos, pero todos lo rechazaron. En 1870, Amadeo de *Saboya,* un príncipe italiano, fue elegido rey por las Cortes. Amadeo aceptó, pero era incapaz de restaurar el orden. Dos años después, renunció a la corona y volvió a Italia. En 1873 se proclamó una república, pero *volvió a reinar* la disensión. El español, tan celoso de su dignidad personal, siempre tan individualista, no quería sacrificar parte de esa nueva libertad por el *bienestar* general.

35

unbearable

broke out

Savoy

40

reigned again

45

welfare

En 1875, después de otros dos años de lucha interna entre las muchas facciones políticas, la república fue suplantada otra vez por la monarquía. Alfonso XII, hijo de Isabel, fue invitado a volver, y empezó un periodo de relativa tranquilidad a pesar de la patente corrupción de los dos partidos políticos y de la *falta* de progreso tecnológico. Pero Alfonso murió súbitamente en 1885. Su hijo (el futuro Alfonso XIII) no había nacido todavía, y la nación continuaba su marcha hacia el *desastre* bajo la regencia de la reina viuda. Mientras los países principales de Europa y de América desarrollaban una gran tecnología moderna, España seguía *atrasada* y todavía *inconsciente* de su propia debilidad.

50

lack

disaster

55

backward

unconscious

Se acerca el año 1898. Estalla la guerra con los Estados Unidos.

El pueblo español *espera entusiasmado* el anuncio de su triunfo militar sobre aquella nación de puritanos e indios. Y llega la noticia . . . España ha sido derrotada. Ha perdido sus últimas posesiones coloniales. *Le ha sobrevenido* la catástrofe.

awaits enthusiastically

has befallen her

Como siempre, la literatura de una época refleja su historia política. El romanticismo, voz de la revolución francesa, grito de independencia del hombre *recién venido a* la libertad, llega tarde a una España sometida por tantos años a la opresión de Fernando VII. Cuando muere Fernando, los *emigrados* liberales vuelven, y surge entonces un movimiento romántico que *alcanza* su mayor desarrollo en la poesía y el drama. Los románticos cantan su *himno* a la libertad personal, lamentan las tragedias del amor y de la muerte, y resucitan tradiciones y romances y *leyendas* del pasado. Pero el fuego *apasionado* del romanticismo y su profunda *desesperación* melancólica *pasan de moda.* Para mediados del siglo, España se incorpora a la corriente europea del realismo, y más tarde, del naturalismo. Ahora predomina la novela—la novela regional de costumbres, la novela psicológica, la novela social, la novela de tesis. Benito Pérez Galdós, reformador liberal, historiador, y el mejor novelista de su época, nos deja un vasto documento de la vida española del siglo diez y nueve. Pero la voz de un Galdós no basta para despertar a una nación que sueña todavía con su pasado. La renovación intelectual tiene que venir también.

just born into

emigrés

achieves

hymn

legends . . . impassioned

despair . . . go out of style

Benito Pérez Galdós (1840–1920), por Joaquín Sorolla y Bastida (1863–1923).

Preguntas

1. ¿Cuándo volvió Fernando VII a España? ¿Qué hizo en seguida?
2. ¿Cómo quedó España durante el reinado de Fernando?
3. ¿Qué hizo en 1820 el pueblo español?
4. ¿Cómo terminó este último esfuerzo contra la tiranía de Fernando?
5. ¿Cuándo murió Fernando? ¿Qué edad tenía su hija Isabel a la sazón?
6. ¿Quién fue don Carlos? ¿Qué quiso hacer? ¿Quiénes apoyaron sus pretensiones?
7. ¿Cuánto tiempo duraron las guerras carlistas?
8. ¿Cómo era el reinado de Isabel? ¿Qué ocurrió en 1868?
9. ¿Quién fue Amadeo de Saboya? ¿Por qué renunció al trono de España?
10. ¿Cuándo se estableció una república? ¿Cuánto tiempo duró? ¿Por qué fracasó?
11. ¿Cómo era el reinado de Alfonso XII? ¿De qué defectos sufría España en esa época?
12. ¿Qué ocurrió en 1898? ¿Qué noticia esperaban los españoles? ¿Cúal recibieron?
13. ¿Por qué llegó tarde a España el romanticismo?
14. ¿Qué corrientes literarias predominaban en la segunda mitad del siglo diez y nueve?
15. ¿Quién fue Benito Pérez Galdós?
16. ¿Qué tipo de reforma necesitaba España?

Lección
VEINTICINCO

I. TEMA: *LA EDUCACIÓN*

El hijo de mi vecino va a *graduarse* de la escuela superior en junio, y ya ha anunciado a todos los que queremos escucharle que comenzando con esa gloriosa fecha de su liberación, no *piensa* abrir un libro el resto de su vida. Habrá completado su educación. Muy bien. Su padre se siente un poco *decepcionado* con la actitud del hijo. Habría preferido que su hijo asistiera a la universidad para hacerse médico o abogado, o a lo menos para que perteneciera a una buena fraternidad y *pegara en la ventanilla trasera* del coche una de esas pequeñas *banderas* de dos colores con el nombre de la escuela. Sueño roto.

graduate

intend to

disappointed

paste on the back window

banners

Otro muchacho que conozco—¿qué digo?—otros, *otros muchos, sí han aprovechado* la oportunidad de tener una educación universitaria, y de marcharse un buen día de primavera con el diploma en la mano derecha y un *reluciente reloj de oro* en la izquierda. Sin embargo, an dos años les he oído *contar*, aun con cierto *orgullo* que ya han olvidado todo lo que aprendieron de historia, matemáticas, y geología, y que de los cuatro años que estudiaron el ______ (aquí puede Ud. poner el nombre de cualquier lengua extranjera), *no les queda más que* un "¿Cómo está Ud.?", mal pronunciado, y un *retrato de Felipe II* (¿o era Luis XIV?).

many others, *have* taken advantage

shiny gold watch

relate . . . pride

all they have left is

portrait of Philip II

Ya que nos acercamos al fin de otro año escolar, *convendría* pensar un momentito en el progreso que hemos hecho. ¿Está Ud. satisfecho de lo que ha aprendido este semestre? ¿Qué va a hacer el año que viene? ¿Y el siguiente? ¿Y después?

Now that . . . it would be well

Son muchas las críticas que se han dirigido contra nuestro sistema de educación. Hace treinta o cuarenta años, decían que era demasiado rígido y formal, que el individuo no tenía posibilidad de expresarse, de crear, *de ser un todo,* una persona completa y *comprensiva,* que era sólo una máquina de acumular y repetir datos. Y *se hizo el cambio.* Pero ahora *vuelve a oscilar en otra dirección el péndulo,* y dicen que nuestra educación no tiene bastante *rigidez* ni formalidad, que *hace falta disciplina* mental y social.

Dicen, como *señaló* Rodó[1] hace más de medio siglo, que la educación en los Estados Unidos, con su *afán por incluir a todos,* no conduce a una verdadera cultura general, sino a una semicultura universal. Dicen que la universidad de hoy es poco más que una escuela secundaria glorificada, que las *normas* van bajando tanto que gran parte de nuestros graduados universitarios no saben expresarse bien ni en su propio *idioma. En fin,* Ud. sabe tan bien como yo lo que dicen. Y hasta cierto punto, tienen razón.

Es verdad que cuando *crece* el número de los que tienen *medios* económicos para asistir a la universidad *sin que aumente* en igual proporción el número de *los calificados para emprender* estudios avanzados, el *nivel* académico de la universidad que les abre sus puertas, tiene *forzosamente* que bajar. Pero es verdad también que el objeto de toda democracia es *elevar a la mayoría para que su voz sea digna de escucharse.* Y si elevar a la mayoría *hace inevitable suprimir* hasta cierto punto a la *minoría capaz de mayores alturas intelectuales,* creo que *los más dirían que sacrificar a los pocos* sería el menor de los *males.* Sin embargo, *escoger* entre dos males resulta siempre difícil.

Y así, hablo con Ud., estudiante y *testigo del éxito* de nuestro programa *educativo.* A ver si podemos encontrar juntos un *término medio* que permita el *desarrollo* de las *facultades* superiores del individuo dentro de la meta de *enfocar* la educación hacia la mayoría. Piense en este problema. Gran parte de nuestro futuro depende de su solución.

Many are the criticisms that have been directed

to be a whole . . . comprehensive

the change was made . . . the pendulum is swinging again in another direction

strictness

discipline is lacking

pointed out

zeal for including everyone

standards

language. In short,

grows . . . means

without there increasing

those qualified to undertake

level

necessarily

raise up the majority so that its voice is worthy of being heard

makes it inevitable to suppress . . . the minority capable of greater intellectual heights . . . most people would say that sacrificing the few

evils . . . choosing.

witness of the success

educational . . . compromise

development . . . abilities

aiming

Vocabulario Activo

bandera *banner, flag*	mayoría *majority*
objeto *object*	minoría *minority*
orgullo *pride*	el mal *evil, wrong*
éxito *success*	el nivel *level*
oro *gold*	retrato *portrait*
el reloj *watch; clock*	siglo *century*

[1] José Enrique Rodó (1872–1918), escritor y pensador uruguayo, autor de *Ariel*

crecer (crezco) *to grow*
pegar *to affix, stick (on), paste*

capaz (pl. capaces) *capable*

en fin *in short, to sum up*
hacer falta *to be missing, lacking, needed*

pensar (+ infin.) *to intend to*
repetir (repito) *to repeat*

digno *worthy*

quedarle a alguien (*like* gustar) *to have left*
volver a (+ infin.) *to (do something) again*

Preguntas

1. ¿Qué va a hacer en junio el hijo del vecino? ¿Qué ha anunciado ya?
2. ¿Cómo se siente el padre? ¿Por qué?
3. ¿Qué han hecho otros muchos jóvenes que conoce el narrador?
4. ¿Qué cuentan con cierto orgullo dos años después de graduarse?
5. ¿Qué recuerdan de sus estudios lingüísticos?
6. ¿En qué nos conviene pensar ahora?
7. ¿Qué crítica hacían antes de nuestro sistema educativo? ¿Qué crítica hacen ahora?
8. ¿Quién fue José Enrique Rodó? ¿Cuándo vivió?
9. ¿Qué dijo Rodó acerca de la educación en los Estados Unidos?
10. ¿Qué dicen muchas personas acerca de las universidades de hoy?
11. ¿Qué no saben hacer bien nuestros graduados universitarios?
12. ¿Qué ocurre cuando crece el número de las personas que tienen medios para asistir a la universidad?
13. ¿Cuál es el objeto de toda democracia?
14. ¿En qué problema debemos pensar todos? ¿Por qué?

II. ESTRUCTURA

137. Omission of the Indefinite Article

A. As we have seen, the indefinite article is regularly omitted before an unmodified noun of profession, religion, nationality, or other affiliation. The emphasis of the sentence falls on *what* the person is:

Es protestante	He is a Protestant
Su hijo quiere hacerse abogado.	His son wants to be a lawyer.
¿Qué es Ud., demócrata o republicano? —¿Yo? Soy anarquista.	What are you, a Democrat or a Republican? —I? I'm an anarchist.

But when the noun is modified or when the sentence merely identifies *who* the person is, the article remains:

Es un demócrata ferviente.	He is a fervent Democrat.
¿Quién es ese señor? —Es un médico que vive cerca.	Who is that man? —He is a doctor who lives nearby.

B. It is omitted with **otro** (*another*), **cierto** (*a certain*), **cien(to)** (*a hundred*), **mil** (*a thousand*), **¡Qué . . . !** (*What a . . . !*), and **tal** (*such a*):

No se hace tal cosa.	You don't do such a thing.
Te lo he dicho mil veces. —No. Sólo cien veces.	I've told you a thousand times. —No. Only a hundred times.
Habrá otra ocasión.	There will be another time.

C. It is omitted with personal effects, unless the numerical concept *one* is emphasized:

Nunca llevo sombrero.	I never wear a hat.
No salgas sin paraguas.	Don't go out without an umbrella.
Escriban Uds. con pluma.	Write with a pen.

Ejercicio

Diga en español:

1. What is your father? —He's a doctor, lawyer, dentist, architect, and teacher, but he doesn't like to work. 2. Dr. Mendoza is an excellent doctor. He always tells me to take a vacation. 3. They say that in a certain little town there are more than a thousand men, and only a hundred women! —Wonderful? When do we leave for there? 4. Another husband wouldn't do this for you. —A thousand thanks! 5. What a day! Don't go out without a coat. 6. Please write with a pen.—I prefer to use a pencil.

138. Formation of Conjunctions

Conjunctions are used to join two clauses. Very often, conjunctions in Spanish are formed by adding **que** to a preposition:

antes de	**antes de que**	*before*
después de	**después de que**	*after*
hasta	**hasta que**	*until*
para	**para que**	*in order that, so that*
sin	**sin que**	*without*

Most frequently, the verb in the subordinate clause immediately follows the conjunction and the subject is placed after the verb:

No te vayas hasta que volvamos.	Don't go away until we return.
Lo hizo sin que lo supiese nadie.	He did it without anyone's knowing.

Ejercicio

Complete las frases siguientes:

1. No lo hagas (*before tomorrow*). 2. No lo hagas (*before*) te demos permiso. 3. Estudia tanto (*in order to*) sacar buenas notas. 4. Estudia tanto (*in order that*) sus

padres estén contentos de él. 5. No quiero irme (*until*) hayan terminado el trabajo. 6. Se quedan (*until*) pasado mañana. 7. (*After finishing*) la comida, fueron al cine. 8. (*After*) lleguen, iremos al teatro.

139. *Sino*

Sino (*but*) is used in place of **pero** only when the first part of the sentence is negative and the second part contradicts it:[1]

No es rico, sino pobre.	He isn't rich, but poor.
No le interesa el curso, sino la nota.	He's not interested in the course, but in the grade.

When the second part of a negative sentence does *not* contradict the first, **pero** is used:

No es rico, pero viaja mucho.	He isn't rich, but he travels a lot.

Ejercicio

Complete las frases siguientes, usando **pero** o **sino:**

1. No fue el, ______ su hermano. 2. No lo hizo, ______ no me importa. 3. Tomó el curso, ______ no aprendió nada. 4. Se casó con él no por amor, ______ por dinero. 5. Ya no son niños, ______ hombres. 6. No comas con las manos, ______ con el tenedor. 7. Dicen que es muy buena persona, ______ no me gusta.

140. Further Uses of the Indirect Object

A. Possession

With parts of the body, articles of clothing, and personal effects, Spanish generally uses the definite article instead of a possessive adjective and states the person to whom they belong by using the indirect object pronoun:

Le lavó las manos.	She washed his hands.
Quiero peinarte el pelo.	I want to comb your hair.
Me pidió el pañuelo.	He asked for my handkerchief.

B. Separation

Unlike English, Spanish uses the indirect object for the person from whom something is removed (*stolen, taken, bought,* and so forth):

Se lo compramos a Méndez.	We bought it from Mendez.
Nos la robaron.	They stole it from us.
Le quitarán la casa.	They'll take his house from him.

[1] **Sino que** generally precedes a clause under these circumstances.

Ejercicio

Conteste en español:

1. ¿Quién le lava la cara a un niño? 2. ¿Se lava Ud. el pelo o deja Ud. que otra persona se lo lave? 3. ¿Le gusta que otra persona le peine el pelo? 4. ¿A quién compra Ud. sus vestidos? 5. ¿Quién le prepara las comidas en casa? 6. ¿A quién puede Ud. pedir dinero si lo necesita? 7. Le han robado algo alguna vez? 8. ¿Le han quitado a Ud. alguna vez una cosa que realmente quisiera?

141. Ordinal Numbers

primer(o) *first*
segundo *second*
tercer(o) *third*
cuarto *fourth*
quinto *fifth*
sexto *sixth*
séptimo *seventh*
octavo *eighth*
noveno *ninth*
décimo *tenth*

Ordinal numbers are used normally only through **décimo**. In dates of the month, the only ordinal used is **primero**:

el primero (°1) de enero *January 1st*
But: el dos de marzo *March 2nd*; el diecisiete de junio *June 17th*

A. With personal titles and chapters of books, the ordinal usually follows the noun:

Lección Tercera *Lesson III* Fernando Séptimo *Ferdinand VII*
But: Alfonso Trece *Alphonse XIII*

B. In other cases, it usually precedes the noun:

la primera mujer *the first woman* el tercer hombre *the third man*
la Quinta Avenida *Fifth Avenue*

Ejercicios

A. Diga en español:

1. This is his second chance. 2. Please give me the fourth book on the sixth shelf. —Here it is. —Now I want the second volume. 3. The eighth President of the United States was . . . Well, the seventh was . . . The fourth was . . . Anyway, the first was Jefferson, wasn't it? —No, it was Charles III!

B. ¿Puede Ud. enumerar los reyes Luis de Francia? (Luis Primero . . .)

C. Conteste una vez más ahora:

1. ¿En qué página empieza la primera lección de este libro? ¿Y la segunda? ¿la tercera? ¿la cuarta? 2. ¿En qué página termina la quinta LECTURA cultural? ¿la sexta? ¿la séptima? ¿la octava? 3. ¿En qué MOMENTO DE VIDA encontramos un programa de radio? ¿Y las noticias del día? 4. ¿En qué TEMA hablamos de la superstición? ¿Y de la vida de un perro ?

142. Fractions

1/2	un medio[1]	1/3	un tercio

All other fractions through 1/10 use the ordinal number:[2]

1/4	un cuarto	1/5	un quinto
1/8	un octavo	1/10	un décimo

Above 1/10, **–avo** is added to the cardinal number (sometimes producing a spelling change.):

1/11	un onzavo	1/12	un dozavo
1/15	un quinzavo	1/20	un veintavo

Ejercicio

Diga en español:

$1/4 + 1/2 = 3/4$ $\qquad$ $2/10 = 1/5$

$2 \div 4 = 1/2$ $\qquad$ $1/3 + 1/2 = 5/6$

143. Masculine Nouns Ending in *-a*

Aside from nouns ending in **-ista** that refer to male beings, there is a group of nouns ending in **-ma, -pa,** and **-ta** which are masculine. These include:

el mapa	*the map*	el sistema	*the system*
el drama	*the drama*	el clima	*the climate*
el programa	*the program*	el idioma	*the language*
el poeta	*the poet*	el planeta	*the planet*

144. Other Groups of Feminine Nouns

Most nouns that end in **-umbre** and **-ie** are feminine:

la costumbre	*the custom*	la serie	*the series*
la muchedumbre	*the crowd*	la superficie	*the surface*

Ejercicio de Repaso

Tradúzcase al español:

Very few people are really interested in understanding our educational system. In fact, probably two-thirds of our college students consider education a necessary evil that they must complete before entering the real world. I am thinking not only of my neighbor's son, who is going to graduate from high school on the first of June and who has already

[1] **La mitad** (*half*) is used when referring to a specific item or quantity: **Una mitad para ti, la otra para mí** (*One half for you, the other, for me*).
[2] **La cuarta parte, la quinta parte,** etc., may also be used.

said that he will never open another book, but of the many young people who do receive a college education, and who rapidly forget everything they learned.

Now that we are approaching the end of another school year, let's spend a little while thinking about what we should do to make our program better in the future. Our educational system has been the object of much criticism in the past, and even now. Thirty or forty years ago, they used to say that we were educating only the intelligence, that there was no possibility of expressing oneself, of creating. And now, they say that our standards have fallen so low that many of our college graduates don't even know how to speak and write their own language well. It is very difficult to make a system that will serve the needs of all those who want an education. But solving this problem is as important for every parent as washing his child's hands and face before eating.

Tell me, are you satisfied with what you have learned this semester? What success have you had? Where have we failed?

Frankly, if you can say all this in Spanish, you are a great success. I hope that you have enjoyed this year and that you have learned something. Good-bye—till soon.

II. CONVERSACIÓN: *LA EDUCACIÓN*

1. ¿Por qué quiere Ud. una educación universitaria? ¿Estudia Ud. mucho? ¿Usa Ud. bien o mal su tiempo?
2. ¿Está Ud. contento hasta ahora del progreso que ha hecho? ¿Por qué?
3. ¿Cuándo decidió Ud. asistir a la universidad? ¿Cuál era la actitud de sus padres? ¿Tienen una educación universitaria otros miembros de su familia? ¿Están satisfechos ellos?
4. ¿Cree Ud. que el propósito esencial de la educación universitaria debe ser preparar al estudiante para una carrera, o darle conocimientos (*knowledge*) generales de humanidades?
5. ¿Cree Ud. que debe haber más cursos obligatorios o menos? ¿Qué requisitos (*requirements*) eliminaría Ud.? ¿Qué requisitos añadiría? ¿Cree Ud. que es importante estudiar lenguas extranjeras? ¿música? ¿filosofía? ¿ciencia?
6. ¿Recuerda Ud. mucho de lo que aprendió en la escuela elemental? ¿Qué materias aprendió mejor? ¿Qué recuerda Ud. de su educación secundaria? ¿de lo que aprendió el año pasado?
7. ¿Empieza Ud. ahora a comprender el español?

IV. TEATRO Y COMPOSICIÓN

Por última vez, escriba una escena original sobre el tema de *La Educación*. Puede tomar lugar en una clase típica de escuela superior o de universidad, o posiblemente, en casa de una familia cuyos hijos no quieren continuar su educación, etc. O si Ud. prefiere, puede terminar con una composición sobre:

1. Mi Concepto de una Persona Educada
2. El Propósito de una Educación Universitaria
3. Por Qué Estoy (o no Estoy) Satisfecho de Mi Progreso Hasta Ahora

REPASO V

I. Tema: Juan Manso (*Tape 32*)
Vocabulario, p. 421

II. Dictado y Ejercicio de Comprensión (*Tape 32*)

III. Repaso de Gramática

A. Spelling Changing Verbs (For other spelling changing verbs, see the verb appendix, pp. 357–373.)

1. Verbs that change their spelling to maintain the same pronunciation of the final consonant as in the infinitive:
   a. Verbs ending in **-ger** or **-gir** change **g** to **j** before **o** or **a**: **coger; cojo, coja.**
   b. Verbs ending in **-gar** change **g** to **gu** before an **e**: **negar; negué.**
   c. Verbs ending in **-guir** drop the **u** before **o** or **a**: **seguir; sigo, siga.**
   d. Verbs ending in **-car** change **c** to **qu** before **e**: **sacar; saqué.**
   e. Verbs ending in a consonant + **cer** change **c** to **z** before **o** or **a**: **vencer; venzo, venza.**
2. Verbs that change their spelling to conform to the phonetically consistent rules of Spanish spelling:
   a. Verbs ending in **-zar** change **z** to **c** before **e**: **empezar; empecé.**
   b. Verbs that end in **-eer** change **i** to **y** between vowels: **leer; leyó, leyera.**

B. The Passive Voice
(*Recall*: In the passive voice, the subject does not do, but receives the action.)

1. The true passive with agent expressed:

ser + past participle + **por**

Ha sido	elegido	por el público.
He has been	elected	by the public.

2. The passive voice *without* the agent expressed:
   a. The true passive

Ha sido elegido ya.	He has been elected already.

   b. The impersonal "they"—third person plural:

Le han elegido ya.	He has been elected already. (They have elected him.)

   c. The reflexive
   (1) The normal reflexive construction when the subject is not an animate being that could do the action to itself:

Se construirá una casa allí.	One house will be built there.
Se construirán dos casas aquí.	Two houses will be built here.

(2) The impersonal **se** (third person singular reflexive) when the subject of the English passive sentence is a person or an animate being that could possibly do the action to itself. *One* does the action, and the person to whom it is done becomes object (direct or indirect) of the verb:

Se le ha elegido ya.	He has already been elected. (One has already elected him.)

C. Uses of the Infinitive

Aside from its use after a conjugated verb (**No quiero ir,** etc.) or a preposition (**antes de salir,** etc.), the infinitive is used:

1. As a noun (subject or object of a verb), it is frequently preceded by **el**: **el cantar de los pájaros**
2. **Al** + infinitive = *upon* (doing something)
3. After verbs that refer to the senses (seeing, hearing, etc.): **Le vi acercarse.**
4. After verbs of permitting, forbidding, ordering, forcing, preventing, etc.; **Nos impidió hacerlo.**

D. Uses of the Present Participle

1. After **estar** or a verb of motion to form the progressive tense: **Estaban leyendo.**
2. To express *by* (*doing something*): **Cantando se alegran los corazones.**
3. In place of a clause beginning with *when, while,* or *since* and referring to a continuing action or situation: **Estando presente, decidí tomar parte en la discusión.**

E. Interrogatives

1. **¿Qué?**
   a. As a pronoun: *What?* (asks for a definition)
   b. As an adjective: *What? Which?* (defininition or selection)
2. **¿Cuál? ¿Cuáles?** *Which?* (*one or ones*)*?*
3. **¿Quién? ¿Quiénes?** *Who?* (after a preposition, *Whom?*)
4. **¿De quién? ¿De quiénes?** *Whose?*
5. **¿Dónde?** *Where?* (location)
6. **¿A dónde? ¿Adónde?** *Where?* In what direction?
7. **¿Cómo?** *How* (*is it done*)*? In what condition* (*is it*)*?*
8. **¿Qué tal?** *How* (*goes it*)*? What do you think of it?*

F. Relative Pronouns

1. **que** (*who, that, which;* at times, *whom*)—the normal relative: **el niño que lo encontró; las comidas que tuvimos; el autor que admiro**
2. **quien, quienes** (*who, whom*)—used most often when a person is object of a preposition: **el joven con quien se casó**
3. **el cual, la cual, los cuales, las cuales** (*who, which*)—used for clarification in cases of ambiguity, or after **por, sin,** or a long preposition
4. **el que, la que, los que, las que** (*who, which*)—interchangeable with **el cual,** etc.,

in the uses decribed above; in addition, may mean *the one who, he who, those who,* etc.: **los que lo hicieron**

5. **lo cual** (*which*)—a neuter form that refers to a whole idea rather than to a specific person or thing
6. **lo que** (*what*)—**Dime lo que quieres.**; may mean *which*—neuter, interchangeable in this sense with the use of **lo cual** as described above
7. **cuyo** (*whose*)—the only relative possessive adjective: **el vecino cuyos hijos nos saludaron**

G. Omission of the Indefinite Article

1. With unmodified predicate nouns of profession, occupation, religion, nationality, or other affiliation
2. With **otro, cierto, cien(to), mil, tal,** and **¡Qué!**
3. With parts of the body and personal effects, unless the numerical value or possessor is stressed: **Dame la mano.**

H. Ordinal Numbers (Ordinal numbers are usually not used beyond *tenth.*)

primer(o)	sexto
segundo	séptimo
tercer(o)	octavo
cuarto	noveno
quinto	décimo

Estudio de Vocabulario

1. ¿Qué palabras del grupo I asocia Ud. con las del Grupo II?

I	II
paracaídas	bombero, barco, avión, playa, jaula, trabajar, matar, cámara, carrera, paquete
salvavidas	
fuego	
nadar	
caja	
sueldo	
lente	
pájaro	
muerte	
apuesta	

2. ¿Sabe Ud. un sinónimo para cada una de las expresiones siguientes?
   de vez en cuando, tipo, continuar, completar, amable, antiguo, salario, ruido
3. ¿Cuántos verbos relacionados con sentimientos o emociones humanas conoce Ud.?
4. Use en oraciones originales:
   quedarle (algo) a alguien, volver a + infinitive, pensar + infinitivo, depender de, tener que ver con, desde luego, lo antes posible, de repente

Hora de Conversación XVII

LA NATURALEZA

tierra *the land; earth*	la simiente *seed*	el monte *hill, mountain; woods*
planta *plant*	prado *meadow*	montaña *mountain*
el árbol *tree*	**el bosque** *forest, woods*	el valle *valley*
hoja *leaf*	llanura *plain, prairie*	pantano *swamp*
la flor *flower*	llano(s) *flatland(s), plain(s)*	desierto *desert*
hierba, yerba *grass*	meseta *plateau*	**piedra** *stone*
arbusto *bush*	selva *jungle; thick forest*	roca *rock*
la raíz *root*	jungla *jungle*	guijarro *pebble*
el agua (f.) *water*	río *river*	pozo *well*
el mar *sea*	arroyo *stream*	**playa** *beach*
oceano *ocean*	la fuente *fountain*	**arena** *sand*
el aire *air*	**viento** *wind*	neblina *fog, haze*
al aire libre *in the open air*	polvo *dust*	niebla *fog, haze*
el clima *climate*	lodo *mud*	diluvio *flood, downpour*
tiempo *weather*	tormenta *storm*	crecida *flood (overflowing)*
lluvia *rain*	el huracán *hurricane*	terremoto *earthquake*
la nieve *snow*	chubasco *cloudburst*	el temblor *tremor*
granizo *hail*	aguacero *shower*	
cielo *sky*	**luna** *moon*	estrella *star*
el sol *sun*	**la nube** *cloud*	el planeta *planet*
isla *island*	hemisferio *hemisphere*	archipiélago *archipelago*
el continente *continent*	península *peninsula*	el ecuador *equator*

Discusión

1. ¿Cómo es la geografía del estado en que vive Ud.? ¿de los Estados Unidos en general? ¿de Sudamérica? ¿de África? ¿de Europa? ¿de Asia?
2. ¿Le gusta más a Ud. el campo o la ciudad? ¿Por qué?
3. Donde vive Ud., ¿hay mucha lluvia? ¿nieve? ¿granizo? ¿neblina? ¿polvo? ¿En qué estación del año?
4. ¿Cuál considera Ud. el clima ideal? ¿Le gustaría vivir en un país tropical? ¿Le interesaría visitar la Zona Ártica? ¿Por qué?
5. ¿Qué asocia Ud. con: ¿mal tiempo? ¿primavera? ¿terremoto? ¿vacaciones?
6. ¿De qué colores son los árboles? ¿las flores? ¿las piedras? ¿las montañas? ¿la playa? ¿el mar? ¿la nieve? ¿el cielo al amanecer (*at dawn*)? ¿el cielo al atardecer (*sunset*)?
7. ¿Cuál es la primera cosa que se le ocurre cuando oye las palabras siguientes: luna, sol, jardín, arena, estrella, bosque, mar, California, Tejas, Suiza, Arabia, la Florida, Londres?

EL MUNDO DE LOS ANIMALES

perro *dog*
gato *cat*
caballo *horse*
burro *donkey*
asno *ass*
mula *mule*
conejo *rabbit*
puerco, cerdo, marrano *pig*
cabra *goat*
cordero *lamb*
oveja *sheep*
vaca *cow*
buey *ox*
toro *bull*
becerro, ternero *calf*

el reptil *reptile*
culebra, la serpiente *snake*
lagarto *lizard*
insecto *insect*
mosca *fly*
mosquito *mosquito*
araña *spider*

pájaro, el ave (f.) *bird*
gallo *rooster*
gallina *hen*
pollo *chicken*
pato *duck*
pato silvestre *wild duck*
el águila (f.) *eagle*
pavo *turkey*

ardilla *squirrel*
rata *rat*
el ratón *mouse*
lobo *wolf*
zorro *fox*
oso *bear*
ciervo, venado *deer*
el león *lion*
el tigre *tiger*
el elefante *elephant*
leopardo, pardal *leopard*
pantera *panther*
el puma *American panther*
mono *monkey, ape*
el gorila *gorilla*

cocodrilo *crocodile*
tortuga *turtle*
galápago *large turtle*
escarabajo *beetle*
mariposa *butterfly*
polilla *moth*
hormiga *ant*

Discusión

1. ¿Qué animales encontramos normalmente en la casa? ¿en una granja (*farm*)? ¿en el bosque? ¿en una selva tropical? ¿en África? ¿en la India? ¿servidos a la mesa?
2. ¿Le gustan a Ud. los animales? ¿Cuáles? ¿Le gustan los pájaros? ¿Por qué? ¿Le interesan los reptiles? ¿Ha tocado Ud. alguna vez un reptil? ¿Cuándo?
3. ¿Tiene Ud. miedo de los insectos? ¿Qué insectos hay donde vive Ud.? ¿Hay muchos mosquitos en el verano? ¿Hay arañas en su casa?
4. ¿Qué animales son carnívoros? ¿Cuáles no lo son? ¿Qué animal considera Ud. el más peligroso de todos? ¿Y el más hermoso? ¿el más odioso?
5. ¿Qué animales usaría Ud. para completar las comparaciones siguientes?
   a. Tan valiente como . . . b. Tan astuto como . . . c. Tan sucio como . . .
   d. Tan torpe como . . . e. Tan traidor como . . . f. Tan fuerte como . . .
   g. Tan grande como . . . h. Tan fecundo como . . . i. Tan testarudo como . . .
   j. Tan leal como . . . k. Tan ligero como . . . l. Tan pobre como . . .

EL MODERNISMO Y LA GENERACIÓN DEL '98

Hispanoamérica consiguió su independencia política en la primera mitad del siglo diez y nueve. Pero no había conseguido todavía su independencia cultural. Durante los dos primeros siglos de la época colonial, su literatura caía completamente dentro de la órbita de España. Entonces, poco a poco, vino el cambio. A mediados del siglo diez y ocho, el intelectual hispanoamericano, *admirador* de los filósofos franceses, empieza a buscar su inspiración en la cultura francesa. Y así, cuando estallan las guerras de la independencia, muchos hispanoamericanos quieren abandonar igualmente la tradición hispánica y se vuelven hacia Francia. ¡Aun hay gente (*incluso* el gran escritor y presidente de la Argentina, Domingo Faustino Sarmiento) que recomienda públicamente que *se sustituya el francés* por el español como lengua oficial!

admirer

including

French be substituted

El romanticismo francés llega tarde a un continente *destrozado* por guerras *sangrientas,* pero llega por fin, y es *acogido* con entusiasmo por los jóvenes intelectuales, que recitan e imitan las obras de Hugo y Lamartine y Musset.[1] En sus poesías y en sus novelas, los románticos americanos, como sus preceptores europeos, alaban al noble salvaje, hijo de la naturaleza tan virgen como la hizo Dios. Y lamentan la tragedia del amor condenado por el cruel *destino* a *perecer sin consumarse.* Y denuncian con apasionada retórica la brutalidad del régimen del dictador argentino Rosas y *lanzan juramentos* de venganza y de sacrificio personal. Y evocan momentos del pasado, leyendas e historias de generaciones muertas. Para fines del siglo, el romanticismo ha perdido su vigor. La novela resulta monótona, *cargada de lugares comunes;* la poesía ha quedado exageradamente *resonante,* o débilmente prosaica. Además de la literatura *gauchesca* de la Argentina y el Uruguay, Hispanoamérica continúa reflejando los modelos europeos.

devastated

bloody . . . received

destiny

perish unconsummated

they hurl oaths

laden with commonplaces

bombastic . . . gaucho

En 1888 un joven poeta nicaragüense publica un pequeño libro de versos y prosa. La obra se titula *Azul,* y va a cambiar el color y el tono de su generación. Su autor es Rubén Darío, un joven de gran talento, pero de carácter inestable e incapaz de conservar por mucho tiempo los empleos *periodísticos* que le consiguen sus amigos. Trabaja por un periodo en Chile y en la Argentina, viaja a España al tiempo de la catástrofe de 1898, y llega a conocer a

journalistic

[1] Byron también era muy conocido y admirado en Hispanoamérica, pero su influencia directa en la literatura es secundaria.

sus jóvenes intelectuales, diseminando así sus innovaciones modernistas.

Por primera vez ha nacido en Hispanoamérica un movimiento
40 literario de verdadera importancia en el mundo occidental. Aunque el modernismo *reúne* y adapta elementos de varias escuelas poéticas francesas, Darío lo hace creación original suya. Reaccionando contra la exagerada emoción y retórica del romanticismo, *busca el arte por el arte,* el verso puro y sencillo, la palabra musical. En sus primeras
45 obras, crea un mundo artificial *rococó*, poblado de princesas y *músicas* y lagos *inmóviles,* y de *cisnes,* símbolo de pureza y gracia, y cuyo *cuello*, formado como un *punto de interrogación,* representa el enigma perpetuo de la vida. Los colores *sugieren* sensaciones y *adquieren* valor simbólico, y el *conjunto* es de una perfección y sensi-
50 bilidad artística nunca alcanzada antes. Sus obras posteriores *se alejan* de ese mundo de escape artístico. Rubén Darío empieza a penetrar en sus propios problemas íntimos y los lleva al arte en una forma al mismo tiempo personal y universal. Empieza a pensar también en cuestiones de América, y sus últimas poesías
55 revelan un alma puramente americana oculta antes en su refugio de artista. Darío muere en 1916 dejando para siempre la huella

gathers together
he seeks art for art's sake
rococo
musical strains . . . still . . . swans
neck . . . question mark
suggest
acquire . . . whole
depart from

Rubén Darío (1876–1916), poeta de América.

Pío Baroja (1872–1958), gran novelista de la Generacíon del '98, y amigo de Ernest Hemingway. Retrato por Sorolla.

Abajo: Miguel de Unamuno (1864–1936), novelista, poeta, dramaturgo, pensador —"hombre de carne y hueso". Retrato por Sorolla.

de su *paso* por este mundo en sus delgados volúmenes de poesías, y en la escuela de artistas que le imitaron y siguieron. — passing

El modernismo llega también a España. Pero España sufre
60 más que una crisis intelectual. Acaba de ser derrotada en la guerra, acaba de perder los últimos *restos* de su imperio, y la gente no quiere darse cuenta de su trágica realidad. Entonces se oye la voz de un nuevo grupo de pensadores—artistas, escritores, filósofos—Miguel de Unamuno, Ramón del Valle Inclán, Joaquín Costa,
65 Pío Baroja, Azorín, José Ortega y Gasset, y otros muchos. *Renovadores antes que* reformadores, la Generación del '98 quiere despertar a una nación dormida en su pasado. Quieren saber dónde *se radica* esa decadencia de siglos. ¿Será porque España no ha seguido bastante cerca al resto de Europa? ¿O será porque lo ha seguido
70 demasiado, olvidando su propio carácter y naturaleza? ¿Dónde se encontraron las *simientes* de su grandeza anterior? ¿Dónde se encontrarán las de su grandeza futura?

remains

Rebuilders rather than

is rooted

seeds

Y la renovación llega al *campo* del hombre y de su propia realidad. El artista de la generacion del '98 (mayormente im-
75 presionista de concepción) se pregunta: "¿Cuál es mi verdadera realidad? ¿Cómo sé que vivo?" Y contesta: "Porque siento. No porque piense sino porque recibo sensaciones. Y las sensaciones que recibo desde fuera son exclusivamente mías, vistas por mis ojos, tocadas por mis manos, escuchadas por mis oídos, e inter-
80 pretadas por mis experiencias." Así, destruyendo viejas convenciones y maneras de pensar, *sembrando* duda donde antes había complacencia, llegando a la base de la existencia del hombre, y por él, a la de la sociedad, la generación crea un arte nuevo, y aun más importante, una realización de la necesidad de destruir
85 para reconstruir.

field

sowing

Preguntas

1. ¿Cómo era la literatura hispanoamericana durante el periodo colonial?
2. ¿Qué cambio ocurre en el periodo de las guerras de la independencia?
3. ¿Qué escritores románticos ejercen más influencia en el romanticismo hispanoamericano?
4. ¿Cuáles son los temas populares de los románticos hispanoamericanos?
5. ¿Quién es Rubén Darío? ¿Cuál es su primera obra importante? ¿Cuándo apareció?
6. ¿Cómo se llama el movimiento literario encabezado por Darío?
7. ¿Cómo son sus primeras obras? ¿Qué tipo de mundo crea? ¿Qué representa el cisne? ¿Qué sugieren los colores? ¿Qué hace Darío en sus obras posteriores?
8. ¿Qué es la Generación del '98? ¿Quiénes son algunos de sus escritores más importantes?
9. ¿Qué acababa de sufrir España? ¿Qué querían hacer los jóvenes intelectuales?
10. ¿Qué preguntas hacían sobre la condición de España? ¿Ysobre la realidad del hombre?
11. ¿Qué contribución hizo la Generación del '98 al pensamiento y a la literatura de España?

Lectura XVIII

SIGLO VEINTE: PERSPECTIVAS

En 1902, Alfonso XIII, último rey de España, *asciende* al trono, *heredando* el caos que caracterizaba el periodo de su *minoridad*. Continúan las guerras en Marruecos. En Cataluña brotan constantemente sublevaciones anarquistas y separatistas. Los dos partidos políticos, *carcomidos* por la corrupción, no pueden estabilizar una economía irremediablemente atrasada. En 1923 Miguel Primo de Rivera, apoyado por el rey, *da un golpe de estado,* suspende los derechos constitucionales, e instituye un periodo de dictadura que va a durar hasta 1930.

ascends
inheriting . . . minority
rotted
makes a coup d'etat

El resentimiento general crece. Se forma una coalición de monarquistas liberales, republicanos, y socialistas, y Primo de Rivera es obligado a renunciar. El próximo año se establece otra vez una república. Empieza una campaña de reforma social, económica, y religiosa. El gobierno nuevo quiere efectuar la separación de la iglesia y del estado, pero encuentra mucha resistencia. Se instituye el matrimonio civil y hay esfuerzos por quitar la educación de manos de la iglesia. Las dificilísimas condiciones económicas continúan. Todo el mundo occidental está sufriendo la depresión económica más grave de su historia, y una España sin tecnología no puede prosperar. En

Juan Ramón Jiménez (1881–1958), poeta y prosista, recipiente del Premio Nobel por su obra *Platero y Yo*. Pintado por Sorolla.

Federico García Lorca (1898–1936), poeta de vanguardia, valor internacional.

las elecciones de 1936, los partidos *izquierdistas* salen victoriosos. El país queda dividido entre extremistas de ambos lados.

La Guerra Civil empieza ese mismo año. El general Francisco Franco, apoyado por el partido conservador, La *Falange* Española y por la Unión Militar, ayudado también por Hitler y Mussolini, sale victorioso en 1939. Desde entonces, ha podido mantenerse en el poder.

Pasado el primer gran momento renovador de la Generación

izquierdistas: leftists
Falange: Phalanx

Gabriela Mistral (1889–1958), poetisa chilena, ganadora del Premio Nobel. Retrato por José María López Mezquita.

Manuel de Falla, gran compositor español. Pintado por José María López Mezquita.

del '98, España continúa todavía su desarrollo cultural. Jacinto Benavente *infunde* un nuevo vigor en el arte del teatro. Juan Ramón Jiménez, que empieza su carrera poética en el modernismo, *perfecciona* la simplificación exquisita del verso. Expresando una sencilla filosofía y conciencia humana, gana el Premio Nobel por su obra en prosa poética, "*Platero* y Yo". José Ortega y Gasset, filósofo social, describe en "La Rebelión de las Masas" los cambios que van afectando la estructura fundamental de nuestra sociedad. Condena no la *aparición* de una fuerte masa económica o social, sino la dominación intelectual por el *hombre masa* que no quiere pensar por sí mismo, que no quiere otra cosa sino sentirse exactamente igual a los demás.

Durante la Guerra Civil aparece y muere el joven poeta y dramaturgo andaluz, Federico García Lorca, considerado hoy el *valor más alto* de la literatura contemporánea española y muy conocido y traducido en *el exterior*. Después de la guerra, *sigue* un periodo de poca producción literaria. Pero a *partir de* 1945 surge una nueva generación de escritores, entre ellos los novelistas Juan Antonio de Zunzunegui, Camilo Cela, Miguel Delibes, y Carmen Laforet. Esencialmente realistas, a menudo desilusionados, aun cínicos, corresponden en muchas de sus obras a los "Angry Young Men" de la literatura contemporánea inglesa. Pero aun dentro de su *efectismo* "tremendista"[1], añaden a veces una nota sutil de humo-

infuses

perfects

(Platero is the name of his idealized little burro, projection of his own self.)

emergence

mass (minded) man

greatest light

abroad . . . there follows

from 1945 on

technique

[1] Se llama "tremendismo" a una escuela literaria contemporánea que quiere chocar la sensibilidad del lector con situaciones, vocabulario, y efectos violentos, aun exagerados.

Lo viejo sigue viviendo al lado de lo nuevo. Peñafiel, Castilla . . .

. . . y México, D. F.

rismo que *suaviza* el tono general de *amargura*. El teatro y la poesía también florecen hoy en España, pero no se han producido obras de verdadera significación universal. Además, algunos de los artistas *máximos* (incluso el gran músico Pablo Casals) dejaron su patria por razones políticas y continúan su obra creadora en Hispanoamérica. España vive todavía, pero dentro de los límites de la dictadura.

softens . . . bitterness

prime

55

Después del modernismo, Hispanoamérica empieza a sentirse

verdaderamente independiente. El siglo veinte ha producido hasta
60 ahora una gran creación artística—en la pintura, en la escultura, en la música, en la literatura. Las formas literarias más cultivadas son la poesía, el cuento, y la novela, y su variedad es asombrosa. Las obras de la poetisa chilena Gabriela Mistral, que recibió el Premio Nobel, gozan de fama internacional, y muchos novelistas hispanoamericanos
65 son muy conocidos en Europa. La novela *abunda*—novela sociológica, novela indianista (muchas veces de orientación izquierdista), novela psicológica, novela filosófica, novela histórica, novela de experimentación artística. Y el escritor *ensaya* nuevas formas, deseando expresar por ellas la verdadera esencia de su pueblo.

abounds

tries out

70 Hispanoamérica empieza a encontrar su identidad. La dirección que seguirá en el futuro dependerá mucho de sus relaciones con los Estados Unidos y de su propia capacidad para *resolver los agudos* problemas políticos y económicos que la acosan. España se va acercando a otro *cruce de caminos*. El general Franco parece favorecer
75 la restauración de la monarquía cuando él muera. Su dictadura ha tenido que *suavizar* un poco *su dominio* sobre el público para evitar sublevaciones de mayores proporciones. Pero España, conservadora todavía y profundamente religiosa, recuerda la *matanza* de la Guerra Civil, y tiene miedo. Puede soñar con la libertad, pero. . . .
80 ¿Perspectivas? No se sabe. Podemos ofrecerle sólo comprensión y esperanza.

solve the acute

crossroads

loosen . . . its grip

slaughter

Preguntas

1. ¿Quién fue el último rey de España? ¿Cuándo subió al trono?
2. ¿Qué problemas continuaron perturbando el país?
3. ¿Qué ocurrió en 1923? ¿Qué tipo de gobierno instituyó Primo de Rivera? ¿Cuándo terminó su régimen?
4. ¿Cuándo se estableció la segunda república? ¿Qué quiso hacer el gobierno republicano? ¿Por qué fracasó?
5. ¿Cuándo empezó la Guerra Civil? ¿De quiénes recibió ayuda el general Franco? ¿Cuándo acabó la guerra? ¿Cómo ha quedado España después?
6. ¿Quién fue Juan Ramón Jiménez? ¿Qué premio ganó?
7. ¿Qué representa el "hombre masa" de Ortega y Gasset? ¿Cómo se titula la obra en que lo describe?
8. ¿Quién fue Federico García Lorca?
9. ¿Cómo es la producción literaria de España hoy en día?
10. ¿Qué ha producido Hispanoamérica en el siglo veinte? ¿Quién fue Gabriela Mistral?
11. ¿Qué formas toma la novela moderna hispanoamericana?
12. ¿De qué dependerá la dirección que seguirá Hispanoamérica en el futuro?
13. ¿Cuál es la situación actual de Espñaa? ¿Por qué se acerca a un cruce de caminos?

APPENDIXES

I. DEFINITION OF GRAMMATICAL TERMS

Active voice A construction in which the subject performs the action of the verb. *The storm knocked down the tree.*

Adjective A word that describes a noun: a *smart* child.

Adverb A word that answers the questions "Where?" "How?" "Why?" It is used to describe an adjective, another adverb, or the action of a verb: Be *there* on time. They sang *badly*. I'll see you *soon*.

Agreement A term usually applied to adjectives. An adjective agrees with the noun it describes when its ending changes in accordance with the gender and number of the noun. In Spanish, all adjectives must agree with the nouns they describe: **un niño bueno, una niña buena, los zapatos negros, las medias blancas.**

Antecedent The noun or pronoun to which a following clause refers: He is the *man* who gave it to me.

Articles See *Definite article* and *Indefinite article*.

Auxiliary verb A verb that *helps* in the conjugation of another verb: They *have* arrived. I *will* go.

Clause A group of words that includes at least a subject and a verb and forms a part or the whole of a sentence. The following sentence contains two clauses: It is a pity/ that she is sick.

Comparative The form of an adjective or adverb that indicates a greater degree or amount: *taller, richer*.

Compound or (perfect) tense A tense formed by the auxiliary verb *have* (in Spanish **haber**) and the past participle. Compound or perfect tenses refer to actions that have already been or will be completed. The tense of the auxiliary verbs tells *when:* They *have* left. He *will have* come. I *would have* gone with them.

Conjugated verb Any verb form that has a subject. Only the infinitive and the participles are not conjugated.

Conjugation The listing of verb forms in order of person (first, second, third singular; first, second, third plural) in their different tenses and moods: *I am, you are, he is,* etc.

Conjunction A word that joins words, phrases, clauses, or sentences: *and, but, for, because, since, that,* etc.

Definite article A word standing before a noun and indicating a definite person or object: *the* house.

Demonstrative An adjective or pronoun that points out one or more of a group: *this, that, these, those.*

Dependent clause See *Subordinate clause.*

Exclamation A word used to express emotion: *What* a day! *How* wonderful!

Gender A distinction of nouns and pronouns based on sex. All nouns in Spanish are either masculine or feminine: **la casa, el libro;** but there are neuter pronouns that refer to whole ideas.

Indefinite article A word standing before a noun and indicating an indefinite word or object: *a* man, *an* article.

Indefinites Adjectives, adverbs, or pronouns that refer to an indefinite person, thing, place, time, etc.: *any, some, anywhere, someone.*

Independent clause See *Main clause.*

Infinitive The form of the verb preceded in English by *to* and having no subject or number: *to live, to die.*

Interrogative A word that asks a question: *Who? Why?*

Intransitive verb A verb that cannot have a direct object: They *went* out.

Irregular verb One whose stem or endings deviate from those of the regular verb patterns.

Main clause A clause that has complete meaning by itself: *This is the man* who did it.

Modify To describe a noun, adjective, adverb, or action of a verb: a *hard* book. He spoke *well.*

Mood There are three moods: indicative, subjunctive, and imperative. Mood is indicated by changing the verb form to reflect a change in the speaker's basic attitude.

Noun A word that names a person, place, thing, or abstraction: *money, city, hat, valor.*

Number Number refers to singular and plural.

Object Generally a noun or pronoun that receives the action of a verb. A direct object answers the questions "What?" or "Whom?" An indirect object answers the questions "To whom?" or "To what?": Give *them* (direct object) *to me* (indirect). Nouns and pronouns may also be objects of prepositions: It is for *Johnny,* not for *you.* Clauses and infinitives may also serve as objects of a verb.

Part of speech One of the basic grammatical categories into which words are divided: *noun, pronoun, adverb,* etc.

Passive voice A construction in which the subject *receives* the action of the verb: The tree *was knocked down by* the storm.

Past participle The verb form ending in English in *-ed, -t, -en,* etc., and in Spanish, generally in **-do.** The past participle is used after the auxiliary *to have* (**haber**) to form compound tenses and is also frequent as an adjective: The toy has *fallen* down. A *broken* toy.

Person There are three persons: *I, we, me, us, mine, our(s),* etc. (first person); *you, thou, your(s),* etc. (second person); and *he, she, they, it, him, her, their(s), them,* etc. (third person). Remember that in Spanish, **Ud.** and **Uds.** (*you*) are in the *third* person. Person affects both verb and pronoun forms.

Phrase A group of words used together to form a part of speech, but not containing a subject and verb. Phrases are normally introduced by prepositions: He went *to the park.*

Possessive A word that indicates ownership: *My* father can beat *yours.*

Predicate That part of the sentence which contains the verb and states something further about the action of the subject: Many of us *have been there within the past year.*

Predicate adjective An adjective that stands alone (without a noun) after verbs of being: He is very *sick.*

Predicate noun A noun that is linked to the subject by the verb *to be* or another such verb of state rather than action: His brother is a *doctor.* This is our *class.*

Preposition A word that introduces a noun, pronoun, adverb, infinitive, or present participle and which indicates their function in the sentence. Such a group of words is called a prepositional phrase: We stayed *in bed* all day. In Spanish, unlike English, the verb form that follows a preposition is the infinitive, not the present participle.

Present participle In English, the verb form ending in *-ing* : Are they *going?* It is also used in English as a noun or an adjective: *Living* there is too expensive. It is an *interesting* lesson. In Spanish, the present participle is used almost exclusively as a verb (never as a noun, and almost never as an adjective).

Pronoun A word that replaces a noun: *I, she,*

you, us, them, his, etc. A subject pronoun stands for the person or thing that is spoken of: *They* told us. *It* came. A direct object pronoun receives the action of the verb: Have you seen *her?* An indirect object pronoun refers to the person or thing to whom or which the action is directed: He sold it to *them.* A pronoun can also be object of a preposition: Don't go out with *him.*

Proper noun The name of a person or place. Proper nouns are capitalized.

Radical (or stem) changing verbs Verbs whose stem vowel undergoes a change under certain conditions. All radical changing verbs conform consistently to patterns that govern their type.

Reflexive pronoun A pronoun that refers to the same person as the subject: *myself, yourself, himself, themselves,* etc. A reflexive pronoun may serve either as a direct or indirect object of a verb: He hurt *himself.* She always talks *to herself.* It may also be the object of a preposition: I bought it *for myself.*

Relative pronoun A pronoun that introduces a subordinate clause and refers to a previously mentioned noun or pronoun: Do you know anyone *who* has been there?

Simple tense A tense which needs no auxiliary verb: He *came.* They *did* it. I *see* you.

Subject The person or thing that is spoken of: The *baby* is sleeping. *Who* is there? *What* was that? The *dog* bit him.

Subordinate clause A clause that does not express a whole idea by itself, but depends upon the main clause to complete its meaning: Call me *when you get there.* Did you know *that he had died?*

Superlative The form of the adjective or adverb that denotes the greatest degree or amount: *best, largest, finest.*

Tense The indication given in verb forms of the time when the action takes place.

Transitive verb A verb that may take a direct object: *Tell* me the time. Please *pass* it.

Verb A word that expresses an action or state: Who *goes* there? It *was* my brother.

answers question "what"
Takes Direct Object: lo, los
la, las

II. PUNCTUATION AND CAPITALIZATION

A. An inverted question mark is placed at the beginning of the interrogative part of a sentence, and an inverted exclamation point before the exclamatory part, even though this may mean placing them in the middle of the sentence:

¿Cómo se llama Ud.?	What is your name?
Es Paquito, ¿no?	It's Frankie, isn't it?
¡No me diga!	You don't say!
Créalo o no, ¡era él!	Believe it or not, it was he!

B. In Spanish, only proper names are capitalized. Names of languages, nationalities, days of the week, and months are not:

Pablo Méndez es de Bolivia.	Paul Mendez is from Bolivia.
Sus amigos son argentinos.	His friends are Argentinians.
No hablan inglés.	They don't speak English.
Vuelven a su país el lunes, dos de mayo.	They are returning to their country on Monday, May 2.

C. Usted(es), señor(es), and **don** are capitalized only when they are abbreviated:

¿Qué me pide Ud. (usted)?	What do you want of me?
Muy señor nuestro:	Dear Sir:
¿No conoce Ud. a la Sra. Aldecoa?	Don't you know Mrs. Aldecoa?
¿Dónde está D. Ramón (don Ramón)?	Where is Don Raymond?

III. IDIOM LIST

The following list contains all important idioms and common expressions that appear in the text. Those that can be given in the infinitive form are listed alphabetically after **to:**

a little while ago hace poco, hace un rato
about to a punto de
actually en realidad
again otra vez; de nuevo
ago hace (+ *period of time*)
all at once de una vez, de repente (*suddenly*)
all day long todo el día, el día entero
all right está bien, muy bien, bueno, ¡Cómo no!
aloud, in a loud voice en voz alta
around, round about alrededor (de)
as (+ *adjective or adverb*) **as** tan . . . como
as for en cuanto a
as much (many) . . . as tanto(s) . . . como
as soon as possible cuanto antes, lo antes posible, tan pronto como sea posible
as usual como de costumbre
at first, at the beginning al principio
at home en casa
at least al menos, a lo menos
at midnight a la medianoche
at night de noche, por la noche
at noon al mediodía
at once en seguida, inmediatamente
at the end al fin
at the proper time a la hora debida
at the same time al mismo tiempo, a la vez
at times a veces, de vez en cuando
besides *adv.* además; *prep.* además de
better than ever mejor que nunca
by airmail por avión, vía aérea
by car en coche
by plane en avión, por avión
by ship por mar
by the way a propósito
by train en tren
Careful! ¡Cuidado! ¡Ojo!
downtown *n.* el centro; *adj.* del centro
every day, every month, etc. todos los días, todos los meses
everybody todo el mundo
everywhere en (*or* por) todas partes
excuse me perdóne(me), con permiso
facing out hacia fuera
far away a lo lejos
filled with lleno de
finally por fin, al fin
for (*a period of time that* is *still continuing*) hace . . . que (+ *verb in present tense*); — (*a period of time that* was *still continuing*) hacía . . . que (+ *verb in the imperfect*)
for example por ejemplo
for Heaven's sake! ¡Dios mío! ¡Por Dios!
forever para siempre
from bad to worse de mal en peor
from now on de aquí en adelante
from then on de ahí en adelante
from time to time de vez en cuando, de tiempo en tiempo, de vez en vez
Give it to him! ¡Dale!
gladly con mucho gusto, de muy buena gana
Good afternoon. Buenas tardes.
Good morning. Buenos días.
Good night. Good evening. Buenas noches.
He said not (to). Dijo que no.
He said so. He said yes. Dijo que sí.
Here is . . . Aquí tiene Ud. . . .
home (*direction*) a casa
hour after hour hora tras hora
How are you? ¿Cómo está Ud.? ¿Cómo le va? ¿Qué tal? ¿Qué hay?
How do you do? Tanto gusto (en *or* de conocerle).
How I wish (hope)! ¡Ojalá . . .!
How long have you known him? ¿Cuánto tiempo hace que le conoce?
How much does it cost? ¿Cuánto vale?
How old are you? ¿Cuántos años tiene Ud.?
How pretty, good, etc.! ¡Qué bonito, bueno . . .!
I don't care. No me importa. (*It doesn't matter at all.*) Me da lo mismo. (*I'm indifferent either way.*)
I don't think so. Creo que no.
I know. Lo sé.

I'm pleased to meet you. Tanto (*or* Mucho) gusto en (*or* de) conocerle.
I'm so sorry! ¡Cuánto lo siento!
I think so. Creo que sí.
I wish I had it so good! ¡Quién la tuviera tan buena!
If only . . .! Would that . . .! ¡Ojalá!
in bad condition en malas condiciones
in mid-winter en pleno invierno
in short en fin
in spite of a pesar de
in the distance a lo lejos
in the meantime mientras tanto, entretanto
in (during) the morning, afternoon, evening por la mañana, tarde, noche; de la mañana, etc. (*after the hour is mentioned*)
in the open air al aire libre
in the sun al sol
instead of en lugar de
Is that where . . .? ¿Es ahí (allí) donde . . .?
Is this where . . .? ¿Es aquí donde . . .?
It doesn't matter. No importa.
It is said Se dice
It makes no difference. Da lo mismo.
It makes one think. Hace pensar.
last night anoche
last summer el verano pasado
last week la semana pasada
left and right a derecha e izquierda, a diestra y siniestra
Let's go! ¡Vámonos!
Let's see. A ver. Vamos a ver.
meanwhile mientras tanto, entretanto
neither one ni uno ni otro
none of that nada de eso
nowadays hoy día, hoy en día
Of course! ¡Cómo no!; desde luego, por supuesto; Claro que . . .
often muchas veces, a menudo
Oh, me! ¡Ay de mí!
Oh, my! ¡Dios mío!
on board a bordo
on business de negocios
on foot a pie, en pie
on installments a plazos
on purpose de propósito
on the inside (por) dentro
on the left a la izquierda
on the outside (por) fuera
on the part of de parte de
on the right a la derecha
on the way to camino a, rumbo a
on time a tiempo, a la hora debida; a plazos (*payments*)
on top por encima
on vacation de vacaciones
once in a while de vez en cuando
one must(n't) (no) hay que
please por favor; Haga el favor de . . .; Favor de . . .; Tenga la bondad de . . .; Sírvase (+ *infinitive*)
rather *adj.* más bien; bastante
rather *adv.* mejor dicho
really de veras, en verdad, de verdad, en realidad
retail al por menor
right away en seguida
right here aquí mismo
right now ahora mismo
right over here aquí no más
right over there ahí no más
second hand de segunda mano
seriously en serio, hablando en serio
shortly after poco después, a poco
So long. Hasta pronto. Hasta luego.
So what? What of it? ¿Y qué?
sooner antes
suddenly de repente, súbitamente
surrounded by rodeado de
Thanks a million. Un millón de gracias. Mil gracias.
That isn't done. Eso no se hace.
that's all nada más
the best part is . . . lo mejor es . . .
the normal thing lo normal
the only thing lo único
The pleasure is mine. El gusto es mío.
the same thing lo mismo
the whole week toda la semana, la semana entera
there is, there are hay
There lies the problem. Ahí queda el problema.
There now! All right! There we are! Ya estamos.
to address (someone) dirigirse a
to approach acercarse a
to ask a question hacer una pregunta

to ask someone for something pedir algo a alguien
to attend asistir a
to be . . . (feet long, wide, tall) tener . . . (pies de largo, ancho, alto)
to be about to estar para, estar a punto de
to be afraid tener miedo
to be at the expense of ser por cuenta de
to be beside oneself estar fuera de sí
to be cold hacer frío (*weather, room temperature*); tener frío (*a person's feeling*); ser frío (*a characteristic*); estar frío (*a state or condition of an object*)
to be difficult or **hard to . . .** costar trabajo
to be glad that alegrarse de que
to be good for, useful for servir para
to be hungry tener hambre
to be in (at home) estar (en casa): **He isn't in.** No está.
to be in effect estar (*or* encontrarse) en vigor
to be in style estar de moda
to be (very) lucky tener (mucha) suerte
to be muddy (out) haber lodo
to be patient tener paciencia
to be right tener razón
to be sleepy tener sueño
to be sorry sentir (en el alma)
to be successful tener éxito; (*in doing something*) lograr (+ *infinitive*)
to be sunny hacer sol; haber sol
to be thirsty tener sed
to be warm hacer calor (*weather, room temperature*); tener calor (*a person's feeling*); estar caliente (*the temperature of something*)
to be windy hacer viento
to be within one's power ser de su poder
to be wrong no tener razón; equivocarse
to be . . . years old tener . . . años de edad
to become hacerse (*by a voluntary act: profession, etc.; also, rich*); llegar a ser (*the result of a series of acts leading to the goal*); ponerse (+ *adjective refers to a physical change: sick, angry, etc.*)
to become tired or **bored with** cansarse de
to begin to empezar a; ponerse a; echar a (*run, laugh, etc.*)
to boast of jactarse de, alabarse de
to catch up with, get up to date with ponerse al corriente de
to come out (*the sun, etc.*) salir
to continue on one's way seguir su camino
to count on contar con
to deal with, treat of tratar de
to depend on depender de
to (do something) again volver a (+ *infinitive*)
to dream about soñar con
to drop dejar caer
to enjoy gozar de, disfrutar de
to enter entrar en, entrar a (*Spanish America*)
to fail in (*one's duty*) faltar a
to fail to dejar de; (*also use preterite of main verb*)
to feed dar de comer
to feel like (*doing something*) tener gana(s) de, darle a uno ganas de
to get hurt hacerse daño
to get in touch with ponerse en contacto con
to get lost perderse, descaminarse
to get (take) sick ponerse enfermo
to give a name to poner nombre a
to have just acabar de (*only in present and imperfect*)
to have left (*over* or *remaining*) quedarle a uno (*like* gustar *in construction*): **I have two left.** Me quedan dos.
to have something to do, say, etc. tener algo que hacer, decir, etc.
to have to tener que
to have to do with tener que ver con
to hear someone say oír decir a alguien
to hear (someone or something) spoken about oír hablar de (alguien o algo)
to hear that . . . oír decir que . . .
to hurt, be painful dolerle a uno: **My head hurts.** Me duele la cabeza.
to inform (*oneself*) enterar(se) de
to insist that insistir en que
to intend to pensar (+ *infinitive*)
to jump on top of echarse (por) encima de
to like querer (*a person*); gustarle a uno; **I like them.** Me gustan.
to make an effort to esforzarse por
to make oneself understood hacerse entender
to marry casarse (con)
to mean querer decir
to miss (*a plane, etc.*) perder; — (*a person*) echar de menos a, extrañar

to move mover(se), trasladar(se)
to need hacerle falta a uno (*like* gustar *and* quedar *in construction*): **I need them.** Me hacen falta.
to pay attention to hacer caso a (*heed*); prestar atención (*listen to*)
to pay cash pagar al contado
to pay for pagar
to play (*ball, etc.*) jugar a (la pelota, etc.)
to play (*an instrument*) tocar (un instrumento)
to put in danger poner en riesgo
to put on (*one's shirt, hat, etc.*) ponerse (la camisa, el sombrero, etc.)
to reach (a certain) age cumplir . . . años (de edad)
to realize darse cuenta de (*acknowledge*); realizar (*put into effect*)
to refer to referirse a
to return (come back) volver; **(give back)** devolver
to return home volver a casa
to serve as servir de
to set (*the sun*) ponerse (el sol)
to succeed in lograr (+ *infinitive*), tener éxito en
to sue entablar pleito contra
to take (*decide to purchase*) quedarse con
to take a liking to encariñarse con
to take a step dar un paso
to take a trip hacer un viaje
to take a walk dar un paseo, dar una vuelta
to take advantage of aprovechar(se de)
to take away from someone quitarle a alguien
to take charge of encargarse de
to take into one's power or **possession** apoderarse de
to tell the truth (*phrase*) a decir verdad
to thank dar las gracias; agradecer
to think of or **about** pensar en; (*to have an opinion of*) pensar de
to try to tratar de
to turn out well resultar bien, salir bien
to turn round and round dar vueltas
to worry about preocuparse de *or* por
tonight esta noche
two blocks from . . . a dos cuadras de . . .
unconscious sin sentido
underneath por debajo
unless a menos que
upon (*passing, entering, etc.*) al (pasar, entrar, etc.)
usually de costumbre
Watch out! ¡Ojo!
well . . . pues bien . . .
What do you think of . . .? ¿Qué le parece . . .?
What good is it? ¿Para qué sirve?
What is he like? ¿Cómo es?
What's the matter? ¿Qué tiene Ud.?; ¿Qué pasa (aquí)?
What time is it? ¿Qué hora es?
wholesale al por mayor
without further ado sin más tardar
You're welcome. De nada. No hay de qué.

IV. 200 COMMON ANTONYMS

Antonyms are often helpful in learning the meaning of words. Here are 200 of the most common. The pairs of words are listed according to their alphabetical position in English. Thus:

bad *malo* good *bueno;* against *contra* for *por*

Irregular verbs that appear in full in the verb appendix are marked with an asterisk. Stem changing verbs show the vowel change in parentheses, and the affected consonant is indicated in verbs that have spelling changes.

1. a great deal *mucho, muchísimo* a little *poco, poquísimo*
2. able *capaz* unable *incapaz*
3. above (*por*) *encima de* below, under *debajo de*

4. accept *aceptar* refuse *rehusar* reject *rechazar*
5. acquit *absolver* (*ue*) (past part. *absuelto*) convict *condenar*
6. admit *admitir* deny *negar* (*ie*)
7. advantage *ventaja* disadvantage *desventaja*
8. after (adv.) *después;* (prep.) *después de;* (conj.) *después de que* before (adv.) *antes;* (prep.) *antes de;* (conj.) *antes de que*
9. again *otra vez, una vez más* no more *no más; ya . . . no* (no longer)
10. against *contra* for *por*
11. agree to *convenir* en* refuse to *negarse* (*ie*) *a*
12. agreeable, pleasant *agradable; amable, simpático* (persons) disagreeable, unpleasant *desagradable; antipático* (persons)
13. ahead (*adj.*) *adelantado* (a watch, etc.); (adv.) *hacia adelante* behind (adj.) *atrasado;* (adv.) *hacia atrás*
14. alive *vivo* dead *muerto*
15. all *todo* nothing *nada* part *parte* (f.)
16. all at once *de una vez* little by little *poco a poco*
17. alone *solo* together *juntos*
18. allow *permitir, dejar* forbid *prohibir*
19. already *ya* not yet *todavía no*
20. also *también* neither, not . . . either (*ni*) . . . *tampoco*
21. always *siempre* never *nunca, jamás*
22. and *y* or *o*
23. anyone *cualquiera, cualquier persona; alguien* no one *nadie*
24. anything *cualquier cosa; algo* nothing *nada*
25. appreciate *apreciar* scorn *despreciar, menospreciar*
26. approach, draw near *acercarse a* move away from *alejarse de*
27. arrive *llegar* depart, go away *irse**
28. ask *preguntar* answer *contestar, responder*
29. asleep *dormido* awake *despierto*
30. at the beginning, at first *al principio* finally *al fin, por fin*
31. attend, be present *asistir* (*a*) miss, be absent *faltar*
32. awake(n) *despertar*(*se*)(*ie*) fall asleep *dormirse*(*ue*)
33. back (n.) *fondo* (location); *revés* (m.), *envés* (m.) (reverse side); (adj.) *trasero* front (n.) *frente* (m.); (adj.) *delantero*
34. bad *mal*(*o*) good *buen*(*o*)
35. badly *mal* well *bien*
36. be born *nacer* (*zco*) die *morir* (*ue*)
37. be in *estar** (*en casa*) be out *no estar, estar fuera*
38. be right *tener* razón* be wrong *no tener razón, estar* equivocado, equivocarse*
39. be silent *callar* speak *hablar*
40. beautiful *hermoso* ugly *feo*
41. before (adv.) *antes* later *después* now *ahora*
42. begin *empezar* (*ie*), *comenzar* (*ie*) end, finish *acabar, terminar*
43. beginning (n.) *principio* end *fin* (m.)
44. behind *detrás de* in front of *delante de*
45. believe *creer** doubt *dudar*
46. best *mejor* worst *peor*
47. better *mejor* worse *peor*
48. big *grande* small, little *pequeño*

49. bitter *amargo* sweet *dulce*
50. black *negro* white *blanco*
51. blond(e) *rubio* brunette *moreno*
52. bored *aburrido, cansado* interested *interesado*
53. boring *aburrido, cansado* interesting *interesante*
54. borrow *pedir (i) prestado, tomar prestado* lend *prestar*
55. both *los dos, ambos* neither *ni uno ni otro*
56. bottom *fondo; fin* (m.) (of a page) top *cima* (height); *principio* (of a page)
57. brave *valiente* cowardly *cobarde*
58. bravery *valentía, valor* (m.) cowardice *cobardía*
59. bright *listo* (intelligent); *subido* (color) dull *estúpido, insulso; apagado*
60. busy *ocupado* idle *desocupado*
61. buy *comprar* sell *vender*
62. buyer *comprador* seller *vendedor*
63. cheap *barato* expensive *caro, costoso*
64. city *ciudad* (f.) country *campo*
65. clean *limpio* dirty *sucio*
66. clear (weather) *despejado* cloudy *nublado*
67. close (v.) *cerrar (ie)* open (v.) *abrir* (past part. *abierto*)
68. closed *cerrado* open *abierto*
69. cold (n.) *frío* heat, warmth *calor* (m.) cold (adj.) *frío* hot *caliente; caluroso*
70. come *venir** go *ir*; irse**
71. cool (adj.) *fresco* warm *cálido, calientito, caluroso*
72. cover *cubrir* (past part. *cubierto*) discover, uncover *descubrir* (past part. *descubierto*)
73. crazy, mad *loco* sane *cuerdo*
74. create *crear* destroy *destruir (uyo)*
75. cruel *cruel* kind *bondadoso, bueno*
76. cry (v.) *llorar* laugh (v.) *reír**, *reírse*
77. dark *oscuro* light *claro*
78. day *día* (m.) night *noche* (f.)
79. death *muerte* (f.) life *vida*
80. die *morir (ue), morirse* live *vivir*
81. different *diferente, distinto* similar *semejante* same *igual*
82. difficult *difícil* easy *fácil*
83. disobedient *desobediente* obedient *obediente*
84. disobey *desobedecer (zco)* obey *obedecer (zco)*
85. dress (v.) *vestir(se) (i)* undress (v.) *desnudar(se)*
86. drink (v.) *beber* eat *comer*
87. early *temprano* late *tarde*
88. earth *tierra* sky *cielo*
89. easy *fácil* hard *difícil*
90. eat (v.) *comer* fast (v.) *ayunar*
91. empty (adj.) *vacío* full *lleno*
92. enemy *enemigo* friend *amigo*
93. enough *bastante* too much *demasiado* too little *muy poco*
94. enter *entrar* leave *salir**
95. ever, at some time *alguna vez* never, at no time *jamás, nunca*
96. everyone *todo el mundo; todos* no one *nadie*
97. everything *todo* nothing *nada*

98. evil (*mal* m.) good (n.) *bien* (m.)
99. except *excepto, exceptuando* including *incluso*
100. fail *suspender; ser* suspendido* (school) pass *aprobar* (*ue*)*; ser* aprobado*
101. fail *fracasar* succeed *tener* éxito*
102. fair *justo* unfair *injusto*
103. faithful *fiel* unfaithful *infiel*
104. fall *caer** get up *levantarse*
105. false *falso* true *verdad, verdadero*
106. famine *hambruna* feast *festín* (m.), *banquete* (m.)
107. famous *famoso* unknown *desconocido*
108. far *lejos* near *cerca*
109. fast *adelantado* (clock, etc.); *rápido* slow *atrasado* (clock, etc.); *lento, despacioso;* (adv.) *despacio*
110. fat *gordo* slim *delgado* thin *flaco, enjuto*
111. fear (v.) *temer;* (n.) *temor* (m.) hope (v.) *esperar;* (n.) *esperanza*
112. few *pocos* many *muchos*
113. find *hallar, encontrar* (*ue*) lose *perder* (*ie*) seek, look for *buscar*
114. finish (v.) *terminar, acabar* start *empezar* (*ie*), *terminar*
115. first *primero* last *último*
116. follow *seguir* (*i*) lead *dirigir, conducir**
117. forget *olvidar* remember *recordar* (*ue*), *acordarse* (*ue*) *de*
118. freeze (v.) *helar*(*se*) (*ie*), *congelar*(*se*) melt *derretir*(*se*) (*i*)
119. from *de; desde* to *a; hacia*
120. future *futuro, porvenir* (m.) past *pasado*
121. gay *alegre* sad *triste*
122. give *dar** take *tomar; quitar* receive *recibir*
123. go *ir*(*se*)* stay *quedarse* come *venir** go (a car, etc.) *andar** stop *parar*
124. go in *entrar* go out, come out *salir**
125. go up *subir* go down, come down *bajar*
126. grandfather *abuelo* grandson, grandchild *nieto*
127. guilty *culpable* innocent *inocente*
128. handsome *buen mozo, guapo* homely *feo*
129. happiness *felicidad* (f.) sadness *tristeza*
130. happy *feliz; contento; alegre* sad *triste*
131. hard *duro* soft *muelle, blando*
132. hate (v.) *odiar* love *amar, querer**
133. heaven *cielo, paraíso* hell *infierno*
134. heavy *pesado* light *ligero*
135. here *aquí; acá* (with verbs of motion) there *allí; allá* (yonder)
136. hide *ocultar, esconder* reveal *revelar* show *mostrar* (*ue*)
137. high *alto* low *bajo*
138. hit (v.) *acertar* (*ie*) miss *errar**
139. hungry *hambriento* sated, full *harto*
140. in (adv.) *dentro;* (prep.) *en; dentro de* out (adv.) *fuera;* (prep.)__ of *fuera de*
141. in a loud voice *en voz alta* softly *en voz baja*
142. inside (adv.) *dentro; adentro;* (prep.) *dentro de* outside (adv.) *fuera; afuera;* (prep.) *fuera de*
143. keep on (doing something) *seguir* (*i*) + present participle stop, cease *dejar de* + infinitive
144. land (n.) *tierra* sea *mar* (m.)

145. land (v.) (an airplane) *aterrizar* take off *despegar*
146. large *grande* small *pequeño*
147. last week *la semana pasada* next week *la semana que viene*
148. learn *aprender* teach *enseñar*
149. least *menos* most *más* the least *lo menos* the most *lo más*
150. leave *irse**, *marcharse, salir** return *volver*(*ue*) (past part. *vuelto*)
151. left *izquierdo* right *derecho*
152. less *menos* more *más*
153. lie (n.) *mentira* truth *verdad* (f.)
154. liquid *líquido* solid *sólido*
155. little *poco* much *mucho*
156. long *largo* short *corto*
157. lose *perder* (*ie*) win *ganar*
158. loud *alto* soft *bajo*
159. lower (v.) *bajar* raise *levantar*
160. lucky *afortunado* unlucky *desafortunado*
161. majority *mayoría* minority *minoría*
162. married *casado* single *soltero*
163. necessary *necesario* unnecessary *innecesario*
164. never *nunca, jamás* sometimes *a veces, de vez en cuando*
165. new *nuevo* old *viejo*
166. next *próximo* past, last *pasado; último*
167. nice *simpático* unpleasant, nasty *antipático*
168. nobody, no one *nadie* somebody, someone *alguien*
169. none, no one (of a group) *ninguno* some, some one (or more of a group) *alguno*(*s*)
170. nothing *nada* something *algo*
171. now *ahora* then *entonces*
172. often *a menudo, frecuentemente* seldom *rara vez, infrecuentemente*
173. old *viejo* young *joven*
174. older *mayor* younger *menor*
175. on the left *a la izquierda* on the right *a la derecha*
176. over (prep.) (*por*) *encima de* under *debajo de*
177. owe *deber* pay *pagar*
178. peace *paz* (f.) war *guerra*
179. poor *pobre* rich *rico*
180. poverty *pobreza* wealth *riqueza*
181. pretty *bonito* ugly *feo*
182. put on *poner*(*se*)* take off *quitar*(*se*)*
183. quick *rápido* slow *despacio*(*so*), *lento*
184. rapidly *rápidamente* slowly *despacio, lentamente*
185. receive *recibir* send *mandar, despachar*
186. rest (v.) *descansar* tire *cansar* rested *descansado* tired *cansado*
187. retail *al por menor* wholesale *al por mayor*
188. right (*adj.*) *correcto; bueno* wrong *incorrecto; equivocado; malo*
189. right away *en seguida* later *más tarde, después*
190. rise (the sun) *salir** set (the sun) *ponerse**
191. round *redondo* square *cuadrado*
192. save *ahorrar* spend *gastar*
193. seated *sentado* standing *de pie, en pie; parado*

194. short (in height) *bajo* tall *alto*
195. sick *enfermo* well *bien (de salud)*
196. sit down *sentarse (ie)* stand up *ponerse* de pie, levantarse*
197. sour *agrio* sweet *dulce*
198. strong *fuerte* weak *débil*
199. useful *útil* useless *inútil*
200. with *con* without *sin*

V. WEIGHTS AND MEASURES

inch	pulgada	**ounce**	onza
yard	yarda	**pound**	libra
meter	metro (39.37 inches)	**kilogram**	kilo (2.2 pounds)
mile	milla	**acre**	acre (*m.*)
kilometer	kilómetro (.6 of a mile)	**hectare**	hectárea (2.47 acres)

VI. MONETARY UNITS

peseta	España	**lempira**	Honduras
peso	Argentina	**córdoba**	Nicaragua
	Colombia	**balboa**	Panamá
	Cuba	**guaraní**	el Paraguay
	México	**sol**	el Perú
	la República Dominicana	**bolívar**	Venezuela
	Uruguay	**libra esterlina**	Inglaterra
boliviano	Bolivia	**franco**	Francia
colón	Costa Rica	**marco**	Alemania
	El Salvador	**rublo**	Rusia
sucre	el Ecuador	**lira**	Italia
quetzal	Guatemala	**dólar**	los Estados Unidos
escudo	Chile		

VII. VERBS

1. Regular Verbs

INFINITIVE

llorar *to cry* beber *to drink* vivir *to live*

PRESENT PARTICIPLE

llorando *crying* bebiendo *eating* viviendo *living*

PAST PARTICIPLE

llorado *cried*	bebido *drunk*	vivido *lived*

Tenses of the Indicative Mood

PRESENT

I cry, am crying, do cry	*I drink, am drinking, do drink*	*I live, am living, do live*
lloro	bebo	vivo
lloras	bebes	vives
llora	bebe	vive
lloramos	bebemos	vivimos
lloráis	bebéis	vivís
lloran	beben	viven

IMPERFECT

(The imperfect expresses a past action or condition in its process.)

I was crying, used to (or would) cry, cried	*I was drinking, used to (or would) drink, drank*	*I was living, used to (or would) live, lived*
lloraba	bebía	vivía
llorabas	bebías	vivías
lloraba	bebía	vivía
llorábamos	bebíamos	vivíamos
llorabais	bebíais	vivíais
lloraban	bebían	vivían

PRETERITE

(The preterite *records* a completed action in the past.)

I cried	*I drank*	*I lived*
lloré	bebí	viví
lloraste	bebiste	viviste
lloró	bebió	vivió
lloramos	bebimos	vivimos
llorasteis	bebisteis	vivisteis
lloraron	bebieron	vivieron

FUTURE

I will (shall) cry	*I will (shall) drink*	*I will (shall) live*
lloraré	beberé	viviré
llorarás	beberás	vivirás
llorará	beberá	vivirá
lloraremos	beberemos	viviremos
lloraréis	beberéis	viviréis
llorarán	beberán	vivirán

CONDITIONAL

(The conditional is normally the future of a past action. It tells what would, what was going to happen, or states the result of an *if* clause. In the first person, *should* sometimes replaces *would.*)

I would cry	*I would drink*	*I would live*
lloraría	bebería	viviría
llorarías	beberías	vivirías
lloraría	bebería	viviría
lloraríamos	beberíamos	viviríamos
lloraríais	beberíais	viviríais
llorarían	beberían	vivirían

Simple Tenses of the Subjunctive Mood

(The subjunctive mood is not always translatable as indicated below in English. See # 73, 79, 103–105, 108.)

PRESENT

(*that*) *I* (*may*) *cry*	(*that*) *I* (*may*) *drink*	(*that*) *I* (*may*) *live*
llore	beba	viva
llores	bebas	vivas
llore	beba	viva
lloremos	bebamos	vivamos
lloréis	bebáis	viváis
lloren	beban	vivan

IMPERFECT

(The imperfect subjunctive is the only simple past subjunctive.)

(*that*) *I might cry, I cried*	(*that*) *I might drink, I drank*	(*that*) *I might live, I lived*
	-ra form	
llorara	bebiera	viviera
lloraras	bebieras	vivieras
llorara	bebiera	viviera
lloráramos	bebiéramos	viviéramos
llorarais	bebierais	vivierais
lloraran	bebieran	vivieran
	-se form	
llorase	bebiese	viviese
llorases	bebieses	vivieses
llorase	bebiese	viviese
llorásemos	bebiésemos	viviésemos
lloraseis	bebieseis	vivieseis
llorasen	bebiesen	viviesen

The Imperative Mood

(The imperative consists of the affirmative commands of **tú** and **vosotros.**)

cry	*drink*	*live*
llora (tú)	bebe	vive
llorad (vosotros)	bebed	vivid

Compound (Perfect) Tenses

(Compound or perfect tenses are formed by the auxiliary verb *haber* + a past participle.)

PERFECT INFINITIVE	PERFECT PARTICIPLE
to have cried, drunk, lived	*having cried, drunk, lived*
haber llorado, bebido, vivido	habiendo llorado, bebido, vivido

PRESENT PERFECT

I have cried	*I have drunk*	*I have lived*
he llorado	he bebido	he vivido
has llorado	has bebido	has vivido
ha llorado	ha bebido	ha vivido
hemos llorado	hemos bebido	hemos vivido
habéis llorado	habéis bebido	habéis vivido
han llorado	han bebido	han vivido

PLUPERFECT (PAST PERFECT)

I had cried	*I had drunk*	*I had lived*
había llorado	había bebido	había vivido
habías llorado	habías bebido	habías vivido
había llorado	había bebido	había vivido
habíamos llorado	habíamos bebido	habíamos vivido
habíais llorado	habíais bebido	habíais vivido
habían llorado	habían bebido	habían vivido

FUTURE PERFECT

I will (shall) have cried	*I will (shall) have drunk*	*I will (shall) have lived*
habré llorado	habré bebido	habré vivido
habrás llorado	habrás bebido	habrás vivido
habrá llorado	habrá bebido	habrá vivido
habremos llorado	habremos bebido	habremos vivido
habréis llorado	habréis bebido	habréis vivido
habrán llorado	habrán bebido	habrán vivido

CONDITIONAL PERFECT

I would have cried	*I would have drunk*	*I would have lived*
habría llorado	habría bebido	habría vivido
habrías llorado	habrías bebido	habrías vivido
habría llorado	habría bebido	habría vivido
habríamos llorado	habríamos bebido	habríamos vivido
habríais llorado	habríais bebido	habríais vivido
habrían llorado	habrían bebido	habrían vivido

PRESENT PERFECT SUBJUNCTIVE

(The subjunctive is not always translatable in English as indicated below.)

(*that*) *I* (*may*) *have cried*	(*that*) *I* (*may*) *have drunk*	(*that*) *I* (*may*) *have lived*
haya llorado	haya bebido	haya vivido
hayas llorado	hayas bebido	hayas vivido
haya llorado	haya bebido	haya vivido
hayamos llorado	hayamos bebido	hayamos vivido
hayáis llorado	hayáis bebido	hayáis vivido
hayan llorado	hayan bebido	hayan vivido

PLUPERFECT SUBJUNCTIVE

(*that*) *I had cried,* (*that*) *I might have cried*	(*that*) *I had drunk,*(*that*) *I might have drunk*	(*that*) *I had lived,* (*that*) *I might have lived*

-ra form

hubiera llorado	hubiera bebido	hubiera vivido
hubieras llorado	hubieras bebido	hubieras vivido
hubiera llorado	hubiera bebido	hubiera vivido
hubiéramos llorado	hubiéramos bebido	hubiéramos vivido
hubierais llorado	hubierais bebido	hubierais vivido
hubieran llorado	hubieran bebido	hubieran vivido

-se form

hubiese llorado	hubiese bebido	hubiese vivido
hubieses llorado	hubieses bebido	hubieses vivido
hubiese llorado	hubiese bebido	hubiese vivido
hubiésemos llorado	hubiésemos bebido	hubiésemos vivido
hubieseis llorado	hubieseis bebido	hubieseis vivido
hubiesen llorado	hubiesen bebido	hubiesen vivido

2. Radical (Stem) Changing Verbs

A radical change is a change in the root (stem) of a verb. In Spanish, this change occurs in the root *vowel* of certain verbs.

-ar *and* -er *Radical Changing Verbs*

Radical changing verbs that end in **-ar** or **-er** change the stressed **e** to **ie,** the stressed **o** to **ue.**

-ar and **-er** radical changing verbs change only in the present indicative and present subjunctive. All other tenses are conjugated regularly. (Just as in regular verbs, the imperative singular—the affirmative command for **tú**—is the same as the third person singular of the present indicative.)

PATTERN OF THE PRESENT INDICATIVE

———→	e > ie	o > ue
———→	e > ie	o > ue
———→	e > ie	o > ue
←———		
←———		
———→	e > ie	o > ue

despertar *to awaken*	**entender** *to understand*	**recordar** *to remember*	**volver** *to return*
desp*ie*rto	ent*ie*ndo	rec*ue*rdo	v*ue*lvo
desp*ie*rtas	ent*ie*ndes	rec*ue*rdas	v*ue*lves
desp*ie*rta	ent*ie*nde	rec*ue*rda	v*ue*lve
despertamos	entendemos	recordamos	volvemos
despertáis	entendéis	recordáis	volvéis
desp*ie*rtan	ent*ie*nden	rec*ue*rdan	v*ue*lven

The present subjunctive follows the same pattern, except that **-a** endings change to **-e, -e** endings to **-a**:

COMMON VERBS OF THIS TYPE USED IN THE TEXT

acordarse (de) *to remember*	jugar *to play*
acostarse *to go to bed*	llover *to rain*
atravesar *to cross*	mostrar *to show*
comenzar *to begin*	mover *to move*
contar *to count; to relate*	negar *to deny*
costar *to cost*	nevar *to snow*
devolver *to return, give back*	pensar *to think*
doler *to hurt*	perder *to lose*
empezar *to begin*	probar *to prove*
encender *to light*	sonar *to sound; to ring*
encontrar *to find; to meet*	sentarse *to sit down*

-ir *Radical Changing Verbs*

There are two types of radical changing verbs ending in **-ir.**

Type I: Those whose stressed **e** changes to **ie** in the present indicative and present subjunctive, and those whose stressed **o** changes to **ue.** Some common verbs of this type used in the text are:

advertir *to warn*	dormir *to sleep*
consentir *to consent*	mentir *to lie*

convertir *to convert, change*	morir *to die*
divertirse *to have a good time*	sentir *to feel; to regret*

Type II: Those whose stressed **e** changes to **i** in the present indicative and present subjunctive:

concebir *to conceive*	repetir *to repeat*
conseguir *to obtain; to achieve*	seguir *to follow; to continue*
impedir *to prevent*	servir *to serve*
pedir *to ask for, request*	vestir(se) *to dress*

A. The Present Indicative of **-ir** Radical Changing Verbs

The pattern is exactly the same as that of all other radical changing verbs:

Type I (**e** > **ie, o** > **ue**)		*Type II* (**e** > **i**)
mentir *to lie*	**morir** *to die*	**servir** *to serve*
m*ie*nto	m*ue*ro	s*i*rvo
m*ie*ntes	m*ue*res	s*i*rves
m*ie*nte	m*ue*re	s*i*rve
mentimos	morimos	servimos
mentís	morís	servís
m*ie*nten	m*ue*ren	s*i*rven

B. The Present Subjunctive of **-ir** Radical Changing Verbs

The general pattern of the present indicative is maintained, but a *second* radical change is added. The *unstressed* **e** of the first and second persons plural becomes **i**; the unstressed **o** becomes **u**:

m*ie*nta	m*ue*ra	s*i*rva
m*ie*ntas	m*ue*ras	s*i*rvas
m*ie*nta	m*ue*ra	s*i*rva
m*i*ntamos	m*u*ramos	s*i*rvamos
m*i*ntáis	m*u*ráis	s*i*rváis
m*ie*ntan	m*ue*ran	s*i*rvan

C. The Preterite of **-ir** Radical Changing Verbs

In the third person, singular and plural, the *unstressed* **e** becomes **i**; the **o** becomes **u**:

mentí	morí	serví
mentiste	moriste	serviste
m*i*ntió	m*u*rió	s*i*rvió
mentimos	morimos	servimos
mentisteis	moristeis	servisteis
m*i*ntieron	m*u*rieron	s*i*rvieron

Remember: The preterite of **-ar** and **-er** radical changing verbs undergoes no radical change.

D. The Imperfect Subjunctive of **-ir** Radical Changing Verbs

The **e** > **i, o** > **u** change appears throughout the entire imperfect subjunctive:

m*i*ntiera (mintiese)	m*u*riera (muriese)	s*i*rviera (sirviese)
m*i*ntieras	m*u*rieras	s*i*rvieras
m*i*ntiera	m*u*riera	s*i*rviera

m*i*ntiéramos	m*u*riéramos	s*i*rviéramos
m*i*ntierais	m*u*rierais	s*i*rvierais
m*i*ntieran	m*u*rieran	s*i*rvieran

Note: The imperfect subjunctive of **-ar** and **-er** radical changing verbs undergoes no radical change.

E. The present participle of **-ir** radical changing verbs changes the stem vowel **e** to **i,** **o** to **u:** **mintiendo, muriendo, sirviendo.**

3. Irregular Past Participles

A few regular, irregular, and radical changing verbs have irregular past participles. These include:

abrir	abierto	morir	muerto
cubrir	cubierto	poner	puesto
decir	dicho	resolver	resuelto
escribir	escrito	ver	visto
hacer	hecho	volver	vuelto

4. Spelling Changing Verbs

1. In order to keep the pronunciation of their final consonant the same as it is in the infinitive form, some verbs must change their spelling under certain conditions.

A. Verbs that end in **-ger** or **-gir** change **g** to **j** before an **o** or **a.** This keeps the final consonant soft:

coger *to catch*		**dirigir** *to direct*	
PRESENT INDICATIVE	PRESENT SUBJUNCTIVE	PRESENT INDICATIVE	PRESENT SUBJUNCTIVE
cojo	*coja*	*dirijo*	*dirija*
coges	*cojas*	diriges	*dirijas*
coge	*coja*	dirige	*dirija*
cogemos	*cojamos*	dirigimos	*dirijamos*
cogéis	*cojáis*	dirigís	*dirijáis*
cogen	*cojan*	dirigen	*dirijan*

B. Verbs that end in **-cer** or **-cir** preceded by a consonant change the **c** to **z** before an **o** or **a,** thus keeping the final consonant soft:

convencer *to convince*

PRESENT INDICATIVE	PRESENT SUBJUNCTIVE
convenzo	*convenza*
convences	*convenzas*
convence	*convenza*
convencemos	*convenzamos*
convencéis	*convenzáis*
convencen	*convenzan*

C. Verbs that end in **-gar** change **g** to **gu** before **e.** The **u** is not pronounced, but keeps the **g** hard:

apagar *to put out, extinguish*

PRETERITE	PRESENT SUBJUNCTIVE
apagué	*apague*
apagaste	*apagues*
apagó	*apague*
apagamos	*apaguemos*
apagasteis	*apaguéis*
apagaron	*apaguen*

D. Verbs that end in **-car** change **c** to **qu** before **e,** thus keeping the final consonant hard:

buscar *to look for*

PRETERITE	PRESENT SUBJUNCTIVE
busqué	*busque*
buscaste	*busques*
buscó	*busque*
buscamos	*busquemos*
buscasteis	*busquéis*
buscaron	*busquen*

E. Verbs ending in **-guir** drop the **u** before **o** or **a.**

(Since **g** is already hard before **o** or **a,** a **u** inserted between **g** and **o** or **a** would have to be pronounced.)

seguir *to follow; to continue*

(Notice that **seguir** is also radical changing.)

PRESENT INDICATIVE	PRESENT SUBJUNCTIVE
sigo	*siga*
sigues	*sigas*
sigue	*siga*
seguimos	*sigamos*
seguís	*sigáis*
siguen	*sigan*

F. Verbs ending in **-quir** change **qu** to **c** before **o** or **a.**

(The combination **quo,** rare in Spanish, would require the sounding of the **u.**)

relinquir *to relinquish*

PRESENT INDICATIVE	PRESENT SUBJUNCTIVE
relinco	*relinca*
relinques	*relincas*
relinque	*relinca*
relinquimos	*relincamos*

relinquís	*relincáis*
relinquen	*relincan*

G. Verbs ending in **-guar** change **gu** to **gü** before **e.**

(Since the **u** is pronounced in the infinitive form, it can be maintained before **e** only by placing the dieresis [¨] above it.)

apaciguar *to appease, pacify*

PRETERITE	PRESENT SUBJUNCTIVE
apacigüé	*apacigüe*
apaciguaste	*apacigües*
apaciguó	*apacigüe*
apaciguamos	*apacigüemos*
apaciguasteis	*apacigüéis*
apaciguaron	*apacigüen*

2. In order to conform to the rules of Spanish spelling, which try to keep the language as consistent phonetically as possible, other verbs also undergo spelling changes.

A. Verbs that end in **-zar** change **z** to **c** before **e** :

empezar *to begin*

(Notice that **empezar** is also radical changing.)

PRETERITE	PRESENT SUBJUNCTIVE
empecé	*empiece*
empezaste	*empieces*
empezó	*empiece*
empezamos	*empecemos*
empezasteis	*empecéis*
empezaron	*empiecen*

B. Verbs ending in **-eer** change the unstressed **i** to **y** between vowels.

(Spanish spelling does not permit an unstressed **i** between vowels because the actual pronunciation of such an **i** would be **y.** The spelling change thereby maintains phonetic consistency.)

creer *to believe, think*

PRETERITE	IMPERFECT SUBJUNCTIVE	PARTICIPLES
creí	*creyera* (creyese)	*creyendo*
creíste	*creyeras*	creído
creyó	*creyera*	
creímos	*creyéramos*	
creísteis	*creyerais*	
creyeron	*creyeran*	

C. Verbs ending in **-eír** are radical changing verbs (e > i).

For phonetic consistency, they drop one **i** in the third person of the preterite, the entire imperfect subjunctive, and the present participle:

reír *to laugh*

PRETERITE	IMPERFECT SUBJUNCTIVE	PRESENT PARTICIPLE
reí	*riera (riese)*	riendo
reíste	*rieras*	
rio	*riera*	
reímos	*riéramos*	
reísteis	*rierais*	
rieron	*rieran*	

D. Verbs whose stems end in **ll** or **ñ** drop the **i** of the following diphthong **ie** and **io.**

(The sounds **ll** and **ñ** include a palatal **i,** and so the addition of another **i** would be superfluous and phonetically inconsistent.)

bullir *to boil* — **teñir** *to dye* (radical changing)

PRETERITE	IMPERFECT SUBJUNCTIVE	PRETERITE	IMPERFECT SUBJUNCTIVE
bullí	*bullera (bullese)*	teñí	*tiñera (tiñese)*
bulliste	*bulleras*	teñiste	*tiñeras*
bulló	*bullera*	*tiñó*	*tiñera*
bullimos	*bulléramos*	teñimos	*tiñéramos*
bullisteis	*bullerais*	teñisteis	*tiñerais*
bulleron	*bulleran*	*tiñeron*	*tiñeran*

5. Verbs That Have Changes in Accentuation

1. Verbs ending in **-iar**

Some verbs ending in **-iar** bear a written accent on the **i** in all singular forms and in the third person plural of the present indicative and subjunctive, and on the imperative singular:

enviar *to send*

PRESENT INDICATIVE	PRESENT SUBJUNCTIVE	IMPERATIVE
envío	envíe	
envías	envíes	envía
envía	envíe	
enviamos	enviemos	
enviáis	enviéis	enviad
envían	envíen	

2. Verbs ending in **-uar**

Verbs ending in **-uar** (except those ending in **-guar**) bear a written accent on the **u** in the same forms listed above:

continuar *to continue*

PRESENT INDICATIVE	PRESENT SUBJUNCTIVE	IMPERATIVE
continúo	continúe	
continúas	continúes	continúa
continúa	continúe	
continuamos	continuemos	
continuáis	continuéis	continuad
continúan	continúen	

6. Irregular Verbs

Note: Only the tenses containing irregular forms are given. The conjugation of verbs ending in **-ducir** may be found under **conducir;** those ending in a vowel **+cer** or **+cir** are found under **conocer;** and those ending in **-uir** are under **huir:**

andar *to walk, go*

PRETERITE	anduve, anduviste, anduvo, anduvimos, anduvisteis, anduvieron
IMPERFECT SUBJUNCTIVE	(-ra) anduviera, anduvieras, anduviera, anduviéramos, anduvierais, anduvieran
	(-se) anduviese, anduvieses, anduviese, anduviésemos, anduvieseis, anduviesen

asir *to seize*

PRESENT INDICATIVE	asgo, ases, ase, asimos, asís, asen
PRESENT SUBJUNCTIVE	asga, asgas, asga, asgamos, asgáis, asgan

caber *to be contained in, fit within*

PRESENT INDICATIVE	quepo, cabes, cabe, cabemos, cabéis, caben
PRETERITE	cupe, cupiste, cupo, cupimos, cupisteis, cupieron
FUTURE	cabré, cabrás, cabrá, cabremos, cabréis, cabrán
CONDITIONAL	cabría, cabrías, cabría, cabríamos, cabríais, cabrían
PRESENT SUBJUNCTIVE	quepa, quepas, quepa, quepamos, quepáis, quepan
IMPERFECT SUBJUNCTIVE	(-ra) cupiera, cupieras, cupiera, cupiéramos, cupierais, cupieran
	(-se) cupiese, cupieses, cupiese, cupiésemos, cupieseis, cupiesen

caer *to fall*

PRESENT INDICATIVE	caigo, caes, cae, caemos, caéis, caen
PRETERITE	caí, caíste, cayó, caímos, caísteis, cayeron
PRESENT SUBJUNCTIVE	caiga, caigas, caiga, caigamos, caigáis, caigan
IMPERFECT SUBJUNCTIVE	(-ra) cayera, cayeras, cayera, cayéramos, cayerais, cayeran
	(-se) cayese, cayeses, cayese, cayésemos, cayeseis, cayesen
PRESENT PARTICIPLE	cayendo
PAST PARTICIPLE	caído

conducir *to conduct* (similarly, all verbs ending in **-ducir**)

PRESENT INDICATIVE	conduzco, conduces, conduce, conducimos, conducís, conducen
PRETERITE	conduje, condujiste, condujo, condujimos, condujisteis, condujeron

PRESENT SUBJUNCTIVE	conduzca, conduzcas, conduzca, conduzcamos, conduzcáis, conduzcan
IMPERFECT SUBJUNCTIVE	(-ra) condujera, condujeras, condujera, condujéramos, condujerais, condujeran (-se) condujese, condujeses, condujese, condujésemos, condujeseis, condujesen

conocer *to know* (similarly, all verbs ending in a vowel +**cer** or +**cir,** except **cocer, hacer, mecer,** and their compounds)

PRESENT INDICATIVE	conozco, conoces, conoce, etc.
PRESENT SUBJUNCTIVE	conozca, conozcas, conozca, conozcamos, conozcáis, conozcan

dar *to give*

PRESENT INDICATIVE	doy, das, da, damos, dais, dan
PRETERITE	di, diste, dio, dimos, disteis, dieron
PRESENT SUBJUNCTIVE	dé, des, dé, demos, deis, den
IMPERFECT SUBJUNCTIVE	(-ra) diera, dieras, diera, diéramos, dierais, dieran (-se) diese, dieses, diese, diésemos, dieseis, diesen

decir *to say, tell*

PRESENT INDICATIVE	digo, dices, dice, decimos, decís, dicen
PRETERITE	dije, dijiste, dijo, dijimos, dijisteis, dijeron
FUTURE	diré, dirás, dirá, diremos, diréis, dirán
CONDITIONAL	diría, dirías, diría, diríamos, diríais, dirían
PRESENT SUBJUNCTIVE	diga, digas, diga, digamos, digáis, digan
IMPERFECT SUBJUNCTIVE	(-ra) dijera, dijeras, dijera, dijéramos, dijerais, dijeran (-se) dijese, dijeses, dijese, dijésemos, dijeseis, dijesen
PRESENT PARTICIPLE	diciendo
PAST PARTICIPLE	dicho
IMPERATIVE	di, decid

errar *to err*

PRESENT INDICATIVE	yerro, yerras, yerra, erramos, erráis, yerran
PRESENT SUBJUNCTIVE	yerre, yerres, yerre, erremos, erréis, yerren
IMPERATIVE	yerra, errad

estar *to be*

PRESENT INDICATIVE	estoy, estás, está, estamos, estáis, están
PRETERITE	estuve, estuviste, estuvo, estuvimos, estuvisteis, estuvieron
PRESENT SUBJUNCTIVE	esté, estés, esté, estemos, estéis, estén
IMPERFECT SUBJUNCTIVE	(-ra) estuviera, estuvieras, estuviera, estuviéramos, estuvierais, estuvieran (-se) estuviese, estuvieses, estuviese, estuviésemos, estuvieseis, estuviesen
IMPERATIVE	está, estad

haber *to have*

PRESENT INDICATIVE	he, has, ha, hemos, habéis, han
PRETERITE	hube, hubiste, hubo, hubimos, hubisteis, hubieron
FUTURE	habré, habrás, habrá, habremos, habréis, habrán

CONDITIONAL	habría, habrías, habría, habríamos, habríais, habrían
PRESENT SUBJUNCTIVE	haya, hayas, haya, hayamos, hayáis, hayan
IMPERFECT SUBJUNCTIVE	(-ra) hubiera, hubieras, hubiera, hubiéramos, hubierais, hubieran
	(-se) hubiese, hubieses, hubiese, hubiésemos, hubieseis, hubiesen

hacer *to do, make*

PRESENT INDICATIVE	hago, haces, hace, hacemos, hacéis, hacen
PRETERITE	hice, hiciste, hizo, hicimos, hicisteis, hicieron
FUTURE	haré, harás, hará, haremos, haréis, harán
CONDITIONAL	haría, harías, haría, haríamos, haríais, harían
PRESENT SUBJUNCTIVE	haga, hagas, haga, hagamos, hagáis, hagan
IMPERFECT SUBJUNCTIVE	(-ra) hiciera, hicieras, hiciera, hiciéramos, hicierais, hicieran
	(-se) hiciese, hicieses, hiciese, hiciésemos, hicieseis, hiciesen
PAST PARTICIPLE	hecho
IMPERATIVE	haz, haced

huir *to flee* (similarly, all verbs ending in **-uir,** except those ending in **-guir** and **-quir**)

PRESENT INDICATIVE	huyo, huyes, huye, huimos, huís, huyen
PRETERITE	huí, huiste, huyó, huimos, huisteis, huyeron
PRESENT SUBJUNCTIVE	huya, huyas, huya, huyamos, huyáis, huyan
IMPERFECT SUBJUNCTIVE	(-ra) huyera, huyeras, huyera, huyéramos, huyerais, huyeran
	(-se) huyese, huyeses, huyese, huyésemos, huyeseis, huyesen
PRESENT PARTICIPLE	huyendo
IMPERATIVE	huye, huid

ir *to go*

PRESENT INDICATIVE	voy, vas, va, vamos, vais, van
IMPERFECT INDICATIVE	iba, ibas, iba, íbamos, ibais, iban
PRETERITE	fui, fuiste, fue, fuimos, fuisteis, fueron
PRESENT SUBJUNCTIVE	vaya, vayas, vaya, vayamos, vayáis, vayan
IMPERFECT SUBJUNCTIVE	(-ra) fuera, fueras, fuera, fuéramos, fuerais, fueran
	(-se) fuese, fueses, fuese, fuésemos, fueseis, fuesen
PRESENT PARTICIPLE	yendo
IMPERATIVE	ve, id

oír *to hear*

PRESENT INDICATIVE	oigo, oyes, oye, oímos, oís, oyen
PRETERITE	oí, oíste, oyó, oímos, oísteis, oyeron
PRESENT SUBJUNCTIVE	oiga, oigas, oiga, oigamos, oigáis, oigan
IMPERFECT SUBJUNCTIVE	(-ra) oyera, oyeras, oyera, oyéramos, oyerais, oyeran
	(-se) oyese, oyeses, oyese, oyésemos, oyeseis, oyesen
PRESENT PARTICIPLE	oyendo
PAST PARTICIPLE	oído
IMPERATIVE	oye, oíd

oler *to smell*

PRESENT INDICATIVE	huelo, hueles, huele, olemos, oléis, huelen

PRESENT SUBJUNCTIVE	huela, huelas, huela, olamos, oláis, huelan
IMPERATIVE	huele, oled

poder *to be able*

PRESENT INDICATIVE	puedo, puedes, puede, podemos, podéis, pueden
PRETERITE	pude, pudiste, pudo, pudimos, pudisteis, pudieron
FUTURE	podré, podrás, podrá, podremos, podréis, podrán
CONDITIONAL	podría, podrías, podría, podríamos, podríais, podrían
PRESENT SUBJUNCTIVE	pueda, puedas, pueda, podamos, podáis, puedan
IMPERFECT SUBJUNCTIVE	(-ra) pudiera, pudieras, pudiera, pudiéramos, pudierais, pudieran
	(-se) pudiese, pudieses, pudiese, pudiésemos, pudieseis, pudiesen
PRESENT PARTICIPLE	pudiendo

poner *to put, place*

PRESENT INDICATIVE	pongo, pones, pone, ponemos, ponéis, ponen
PRETERITE	puse, pusiste, puso, pusimos, pusisteis, pusieron
FUTURE	pondré, pondrás, pondrá, pondremos, pondréis, pondrán
CONDITIONAL	pondría, pondrías, pondría, pondríamos, pondríais, pondrían
IMPERFECT SUBJUNCTIVE	(-ra) pusiera, pusieras, pusiera, pusiéramos, pusierais, pusieran
	(-se) pusiese, pusieses, pusiese, pusiésemos, pusieseis, pusiesen
PAST PARTICIPLE	puesto
IMPERATIVE	pon, poned

querer *to wish*

PRESENT INDICATIVE	quiero, quieres, quiere, queremos, queréis, quieren
PRETERITE	quise, quisiste, quiso, quisimos, quisisteis, quisieron
FUTURE	querré, querrás, querrá, querremos, querréis, querrán
CONDITIONAL	querría, querrías, querría, querríamos, querríais, querrían
PRESENT SUBJUNCTIVE	quiera, quieras, quiera, queramos, queráis, quieran
IMPERFECT SUBJUNCTIVE	(-ra) quisiera, quisieras, quisiera, quisiéramos, quisierais, quisieran
	(-se) quisiese, quisieses, quisiese, quisiésemos, quisieseis, quisiesen

saber *to know*

PRESENT INDICATIVE	sé, sabes, sabe, sabemos, sabéis, saben
PRETERITE	supe, supiste, supo, supimos, supisteis, supieron
FUTURE	sabré, sabrás, sabrá, sabremos, sabréis, sabrán
CONDITIONAL	sabría, sabrías, sabría, sabríamos, sabríais, sabrían
PRESENT SUBJUNCTIVE	sepa, sepas, sepa, sepamos, sepáis, sepan
IMPERFECT SUBJUNCTIVE	(-ra) supiera, supieras, supiera, supiéramos, supierais, supieran
	(-se) supiese, supieses, supiese, supiésemos, supieseis, supiesen

salir *to go out, leave*

PRESENT INDICATIVE	salgo, sales, sale, salimos, salís, salen
FUTURE	saldré, saldrás, saldrá, saldremos, saldréis, saldrán
CONDITIONAL	saldría, saldrías, saldría, saldríamos, saldríais, saldrían
PRESENT SUBJUNCTIVE	salga, salgas, salga, salgamos, salgáis, salgan
IMPERATIVE	sal, salid

ser *to be*

PRESENT INDICATIVE	soy, eres, es, somos, sois, son

IMPERFECT INDICATIVE	era, eras, era, éramos, erais, eran
PRETERITE	fui, fuiste, fue, fuimos, fuisteis, fueron
PRESENT SUBJUNCTIVE	sea, seas, sea, seamos, seáis, sean
IMPERFECT SUBJUNCTIVE	(-ra) fuera, fueras, fuera, fuéramos, fuerais, fueran
	(-se) fuese, fueses, fuese, fuésemos, fueseis, fuesen
IMPERATIVE	sé, sed

tener *to have*

PRESENT INDICATIVE	tengo, tienes, tiene, tenemos, tenéis, tienen
PRETERITE	tuve, tuviste, tuvo, tuvimos, tuvisteis, tuvieron
FUTURE	tendré, tendrás, tendrá, tendremos, tendréis, tendrán
CONDITIONAL	tendría, tendrías, tendría, tendríamos, tendríais, tendrían
PRESENT SUBJUNCTIVE	tenga, tengas, tenga, tengamos, tengáis, tengan
IMPERFECT SUBJUNCTIVE	(-ra) tuviera, tuvieras, tuviera, tuviéramos, tuvierais, tuvieran
	(-se) tuviese, tuvieses, tuviese, tuviésemos, tuvieseis, tuviesen
IMPERATIVE	ten, tened

traer *to bring*

PRESENT INDICATIVE	traigo, traes, trae, traemos, traéis, traen
PRETERITE	traje, trajiste, trajo, trajimos, trajisteis, trajeron
PRESENT SUBJUNCTIVE	traiga, traigas, traiga, traigamos, traigáis, traigan
IMPERFECT SUBJUNCTIVE	(-ra) trajera, trajeras, trajera, trajéramos, trajerais, trajeran
	(-se) trajese, trajeses, trajese, trajésemos, trajeseis, trajesen
PRESENT PARTICIPLE	trayendo
PAST PARTICIPLE	traído

valer *to be worth*

PRESENT INDICATIVE	valgo, vales, vale, valemos, valéis, valen
FUTURE	valdré, valdrás, valdrá, valdremos, valdréis, valdrán
CONDITIONAL	valdría, valdrías, valdría, valdríamos, valdríais, valdrían
PRESENT SUBJUNCTIVE	valga, valgas, valga, valgamos, valgáis, valgan
IMPERATIVE	val(e), valed

venir *to come*

PRESENT INDICATIVE	vengo, vienes, viene, venimos, venís, vienen
PRETERITE	vine, viniste, vino, vinimos, vinisteis, vinieron
FUTURE	vendré, vendrás, vendrá, vendremos, vendréis, vendrán
CONDITIONAL	vendría, vendrías, vendría, vendríamos, vendríais, vendrían
PRESENT SUBJUNCTIVE	venga, vengas, venga, vengamos, vengáis, vengan
IMPERFECT SUBJUNCTIVE	(-ra) viniera, vinieras, viniera, viniéramos, vinierais, vinieran
	(-se) viniese, vinieses, viniese, viniésemos, vinieseis, viniesen
PRESENT PARTICIPLE	viniendo
IMPERATIVE	ven, venid

ver *to see*

PRESENT INDICATIVE	veo, ves, ve, vemos, veis, ven
IMPERFECT INDICATIVE	veía, veías, veía, veíamos, veíais, veían
PRESENT SUBJUNCTIVE	vea, veas, vea, veamos, veáis, vean
PAST PARTICIPLE	visto

VIII. COMMON FIRST NAMES

MASCULINE

Adalberto, Alberto	*Albert*
Agustín	*August*
Alejandro	*Alexander*
Alfonso, Alonso	*Alphonse*
Alfredo	*Alfred*
Álvaro	
Amado	
Andrés	*Andrew*
Ángel	
Antonio (Toñuelo)	*Anthony (Tony)*
Arturo	*Arthur*
Benito	
Carlos (Carlitos)	*Charles (Charlie)*
Diego	*James, Jim*
Domingo	*Dominic*
Eduardo	*Edward*
Enrique	*Henry*
Esteban	*Steven*
Eugenio	*Eugene*
Fausto, Faustino	
Federico	*Frederick*
Felipe	*Philip*
Fernando	*Ferdinand*
Francisco (Paco, Pancho)	*Francis (Frank)*
Gerardo	*Gerard*
Germán	*Herman*
Guillermo	*William*
Gustavo	*Gustave*
Héctor	*Hector*
Heriberto, Herberto	*Herbert*
Horacio	*Horace*
Isidro, Isidoro	*Isidore*
Jaime	*James*
Javier	*Xavier*
Jesús	
Joaquín	*Jack, Joachim*
Jorge	*George*
José (Pepe)	*Joseph (Joe)*
Juan	*John*
Luis	*Louis*
Manuel	*Manual, Emmanual*
Mariano	*Marion*
Miguel (Miguelito)	*Michael (Mike)*

FEMININE

Adela	*Adele*
Aida	*Ada, Aida*
Alicia	*Alice*
Amada	*Amy*
Ana, Anita	*Anna, Ann, Anita*
Antonia	*Antoinette*
Bárbara	*Barbara*
Benina	
Blanca	*Blanche*
Carlota	*Charlotte*
Carmen	*Carmen*
Carolina	*Caroline*
Catalina	*Catherine*
Clara	*Claire*
Concha	
Consuelo	*Consuelo*
Constanza	*Constance*
Cristina	*Christine*
Dolores	*Dolores*
Dorotea	*Dorothy*
Elena	*Ellen, Helen*
Eloísa	*Eloise*
Elvira	*Elvira*
Enriqueta	*Henrietta*
Esperanza	*Hope*
Felicidad	
Felipa	*Phyllis*
Francisca (Paquita)	*Frances*
Gertrudis	*Gertrude*
Gloria	*Gloria*
Gracia	*Grace*
Inés	*Inez*
Irene	*Irene*
Isabel	*Elizabeth*
Isabelina	*Elizabeth*
Josefa	*Josephine*
Juana, Juanita	*Joan, Jane*
Leonor	*Eleanor, Lenore*
Lucía	*Lucy*
Luisa	*Louise*
Magdalena	*Madeline*
Manuela	
Margarita	*Margaret*

Pablo	*Paul*
Pedro	*Peter*
Ramón	*Raymond*
Raúl	*Ralph*
Ricardo	*Richard*
Roberto	*Robert*
Rodrigo	
Rufino	
Salvador	*Salvatore*
Samuel	*Samuel*
Segismundo	*Sigmund*
Teodoro	*Theodore*
Tomás	*Thomas*
Vicente	*Vincent*
Víctor	*Victor*

María	*Mary*
Mariana, Marianela, Marisela	*Marian*
Marta	*Martha*
Nilda	*Nancy*
Pepita	*Josie*
Raquel	*Rachel*
Rosa	*Rose*
Rosario	
Rosalía	*Rosalie*
Rosalinda	*Rosalind*
Rufina	
Sara	*Sarah*
Sofía	*Sophie*
Susana	*Susan*
Teresa	*Theresa*

In addition, there are many names based on religious terms or events. For example: *Asunción, Concepción, Resurrección, Penitencia, Jesús.*

It is interesting to note that *María* is frequently used as a male *middle* name: *José María.* As a first name, it is used for women only.

VOCABULARIES

The gender of all nouns, except masculine nouns ending in **-o** and feminine nouns ending in **-a,** or nouns that refer to a masculine or feminine person, is indicated by *m.* or *f.* Parts of speech are abbreviated as follows: *n.,* noun; *v.,* verb; *adj.,* adjective; *adv.,* adverb; *conj.,* conjunction; *prep.,* preposition; *pron.,* pronoun; *refl.,* reflexive; *part.,* participle; *rel.,* relative; *dem.,* demonstrative. Radical changing verbs are followed by the change that the stem vowel undergoes in the present indicative. The change is placed in parentheses. Thus: **entender (ie), contar (ue), pedir (i).** Irregular verbs that appear in full in the verb appendix are marked with an asterisk. So also are verbs derived from these. Thus: **poner*, tener*, deponer*, contener*.** The conjugation of verbs ending in **-ducir** may be found under **conducir.** Verbs of the type of **huir** and of **conocer** and those that require a written accent are followed by the ending of the first person singular of the present indicative placed in parentheses. Thus: **construir (uyo), parecer (zco), enviar (ío).** Spelling changing verbs are indicated by italicizing the affected consonant: **co*g*er, sa*c*ar.** Verbs ending in **-eer** may be found under **creer.**

The Spanish-English vocabulary includes all verbs and idioms that appear in the reading passages and exercises, except for exact or very close cognates. The English-Spanish vocabulary includes all words and idioms that are used in the exercises.

ENGLISH-SPANISH VOCABULARY

A

a un, una
able capaz; **to be — to** ser capaz de; poder*
about de, sobre, acerca de (*concerning*); a eso de, unos . . . (*approximately + a number*)
above sobre; por encima de
absolutely absolutamente
accept aceptar
accident accidente *m.*
accompany acompañar
according to según
account *n.* cuenta

accuse acusar
actually en realidad
address *n.* dirección *f.*
adjust ajustar(se)
admit admitir
adore adorar
advantage ventaja; **to take — of** aprovechar (se de)
affected afectado
affection cariño
afraid: to be temer; tener* miedo de (*or* a)
after *prep.* después de; tras; *conj.* después de que; *adv.* después (*afterwards, later*); **hour— hour** hora tras hora
afternoon tarde *f.; **Good —** Buenas tardes; **in the —** por la tarde; **yesterday —** ayer por la tarde
again otra vez; una vez más
against contra
ago hace (+ *period of time*)
agreeable agradable
aid *v.* ayudar
air *n.* aire *m.*
airport aeropuerto
all *n.* todo (*everything*); *adj.* todo el . . . , toda la . . . , todos los . . . , todas las . . . ; **— day** todo el día; **— right** muy bien, está bien; **(not) at —** nada
almost casi
alone solo
aloud en voz alta
already ya
also también
although aunque
always siempre
ambition ambición *f.*
American (norte)americano
among entre
amulet amuleto
ancestor antecesor(a)
anguish angustia
animal animal *m.*
announce anunciar
another otro
answer *v.* responder, contestar; *n.* respuesta
anyone cualquier persona; alguien (*someone*); **not . . . —** nadie
anything cualquier cosa; algo (*something*); **not . . . —** nada
apartment apartamento; **— house** casa de apartamentos
apologize disculparse
apparatus aparato
applause aplausos *m. pl.*
appointment cita
approach *v.* acer*c*arse a
April abril
architect arquitecto
argue argüir (uyo)
arm *n.* brazo
around alrededor de
arrive lle*g*ar
article artículo
as como, mientras (que) (*while*); **— . . . —** tan . . . como; **— much (many) . . . —** tanto(s) . . . como
ask preguntar (*a question*); pedir (i) (*request*); **to — for** pedir (i)
asleep dormido
aspect aspecto
aspirin aspirina
at a (*time*); en (*a place*); **— the table** a la mesa
athlete atleta
atmospheric atmosférico
attend asistir a
attention atención *f.*; **to pay —** prestar atención (*concentrate on*); hacer caso a (*or* de) (*heed*)
awaken despertar(se) (ie)
awning toldo

B

back *adj.* trasero; **to be —** estar* de vuelta
bad mal(o); **from — to worse** de mal en peor
barbershop peluquería
bargain ganga
bath baño
bathroom (cuarto de) baño
be ser* (Cf. Less. II); estar* (Cf. Less. IV); **to — sunny, windy, hot out, etc.** hacer* sol, viento, calor, etc.; **to — (*feel*) hot, cold, thirsty, hungry, afraid, sleepy, etc.** tener* calor, frío, sed, hambre, miedo, sueño, etc.; **to — right** tener razón; **to — (supposed *or* expected) to** haber* de

beach playa
beat *v.* batir (*heart, etc.*); pegar, golpear (*hit*)
beautiful hermoso; lindo; bello
because porque
become hacerse*; llegar a ser; ponerse* (+ *adj.*); **to — low** bajar
bed cama
bedroom alcoba
before *prep.* antes de; *conj.* antes de que; — **(hand)** *adv.* antes
beg rogar (ue)
begin empe*z*ar (ie) a, comen*z*ar (ie) a; ponerse* a
beginning *n.* principio
being *n.* ser *m.*
believe creer*
belong (to) pertenecer (zco) a; ser* de
beloved amado
berry baya
best mejor(es)
bet *n.* apuesta
better mejor(es)
between entre
big grande, gran
bill cuenta; billete *m.* (*money*)
bird pájaro
blame culpa; **to be to —** tener* la culpa
blind ciego
blond rubio
blood sangre *f.*
blue azul
boast (about) alabarse de; jactarse de
bone hueso
book libro
boring *adj.* aburrido
born nacido; **to be —** nacer (zco)
bother molestar; **— with** (*colloq.*) tratar
bottle botella; frasco (*for pills, etc.*)
box caja
boxing *n.* boxeo; **— match** lucha de boxeo
boy niño; hijo (*son*)
boyfriend novio
bread pan *m.*
breakfast *n.* desayuno
bridge puente *m.*
bring traer*; llevar a (*a person*)
broken roto
brooch broche *m.*
brother hermano
brown pardo
brunette moreno, trigueño
build construir (uyo)
bull toro; **— fight** corrida de toros
bulletin boletín *m.*
busy ocupado
but pero; sino
butter mantequilla
buy *v.* comprar
by (by way of *or* **by means of)** por; **(by a certain date or time)** para; **— the way** a propósito

C

cage jaula
cake torta; **fruit —** torta de frutas
call *v.* llamar
camera cámara
camp campamento
can *v.* poder*; *n.* lata
capital capital *f.* (*city*); *m.* (*money*)
captivity cautiverio
car coche *m.*, auto(móvil) *m.*; carro; **by —** en coche
care *n.* cuidado; *v.* **to — for** cuidar de; **to — about** importar; **I don't —.** No me importa.
careful: to be tener* cuidado; cuidar
carefully con cuidado
carry llevar
case caso; **in —** *conj.* en caso de que
cat gato
catch *v.* coger
caught cogido, atrapado
center *n.* centro
certain cierto; **a —** cierto
chair silla; sillón *m.*
champagne champaña *m.*
chance oportunidad *f.*; **to take a —** arriesgarse
change *v.* cambiar
charming encantador
chicken pollo
child niño, niña
childhood niñez *f.*
children niños
choose escoger
cigarette cigarrillo

circle *v.* girar; *n.* círculo
city ciudad *f.*
civilized civilizado
class clase *f.*
clean *v.* limpiar; *adj.* limpio
clear claro; despejado (*sky*)
climb subir
close *v.* cerrar (ie)
clothes ropa(s), vestidos
coat abrigo
coffee café *m.*
cold *adj.* frío; *n.* frío; catarro (*illness*); **to be** (*feel*) — tener* frío; **to be** — (*out*) hacer* frío
collector cobrador
college *n.* universidad *f.*; *adj.* universitario, de universidad
collide cho*c*ar
color *n.* color *m.*
comb *v.* peinar; *n.* peine *m.*
combat *v.* combatir
come venir*; — **on!** ¡Vamos!
comfort comodidad *f.*
common común
company compañía
complain (about) quejarse (de)
complete *v.* completar; *adj.* completo
completely completamente, totalmente
composition composición *f.*
condition condición *f.* (*generally pl.*)
confidence confianza
conscience conciencia
consider considerar
contain contener*
continue se*gu*ir (i); continuar (úo)
control *v.* dominar
conversation conversación *f.*
cool fresco
copy *v.* copiar; *n.* copia; ejemplar (*book*)
correctly correctamente
cotton algodón *m.*
count *v.* contar (ue); **to — on** contar con
country campo (*opposite of city*); país *m.* (*nation*)
course curso; **of —** por supuesto, desde luego, claro está; ¡Cómo no!
cousin primo
cow vaca
cowboy vaquero
crash (into) cho*c*ar (con)
create crear
crime crimen *m.*
criticism crítica
cross *v.* cru*z*ar, atravesar (ie); *n.* cruz *f.*
cruel cruel
cry *v.* llorar; **to — out** gritar
culprit culpable
culture cultura
cup taza
curtain cortina

D

dad(dy) papá, papacito
damage daño
dance *v.* bailar; *n.* baile *m.*
dancer bailarín, bailarina
danger peligro
dangerous peligroso
darling amor mío, corazón, mi cielo
data datos *m. pl.*
daughter hija
dawn *n.* amanecer *m.*
day día *m.*
deal: a great mucho
dear querido
death muerte *f.*
decide decidir
decision decisión *f.*
declare declarar
deer ciervo
defend defender (ie)
defense defensa
delicious delicioso
democracy democracia
dentist dentista
deny ne*g*ar i(e)
depend (on) depender (de)
description descripción *f.*
desire *v.* desear, anhelar; *n.* deseo
desk mesa, escritorio
desperate desesperado
dessert postre *m.*
destroy destruir (uyo)
detail detalle *m.*
develop desarrollar(se)
diamond diamante *m.*
die morir (ue) (*past part.* muerto)

difference diferencia
different diferente, distinto
difficult difícil
dining room comedor *m.*
dinner comida, cena
discipline disciplina
discussion discusión *f.*
distance distancia; **in the —** en la distancia, a lo lejos
distinguish distin*gu*ir
do hacer*
doctor médico; doctor (*title*)
dog perro
dollar dólar *m.*
dominate dominar
door puerta; **revolving —** puerta giratoria
doubt *v.* dudar; *n.* duda
down (hacia) abajo; **to go —** bajar
downtown *adj.* del centro
dream (of) *v.* soñar (ue) (con); *n.* sueño
dress *v.* vestir(se) (i); *n.* vestido, ropa
drink *v.* beber; *n.* bebida
drive *v.* manejar, conducir*
driver chófer; **taxi —** chófer de taxi
drop *v.* dejar caer
duck *n.* pato
duty deber *m.*

E

each cada
early temprano
earn ganar
earthquake temblor *m.* de tierra, terremoto
easy fácil
eat comer
economically económicamente
economy economía
educate edu*c*ar
education educación *f.*
educational educativo
egg huevo
eighteen diez y ocho, dieciocho
eighth octavo
either o
elect ele*g*ir (i)
elegant elegante
elementary elemental
elevation elevación *f.*
elevator ascensor *m.*
eleven once
embarrassment mortificación *f.*
emergency emergencia
emphatically enfáticamente
enchanted encantado
English inglés
enjoy go*z*ar (de), disfrutar (de)
enormous enorme
enough bastante; **That's —.** Basta.; **to be —** bastar
enter entrar (en)
entirely enteramente
epoch época
Europe Europa
even *adv.* hasta, aun; **not —** ni siquiera; **— though** aunque
evening noche *f.*; **Good —.** Buenas noches.
ever alguna vez; jamás (*negative implied*); **not —** nunca, jamás; **more than —** más que nunca
every cada, todo; todos los . . . , todas las . . .
everything todo
everywhere en (*or* por) todas partes
evil mal *m.*
exactly exactamente
exam examen *m.*
example ejemplo; **for —** por ejemplo
excellent excelente
except *conj.* excepto; *prep.* menos, sino
exclusively exclusivamente
excuse *v.* perdonar
exercise *n.* ejercicio
exhausted agotado
exist existir
expect esperar
expensive caro, costoso
experience experiencia
explain expli*c*ar
explosion explosión *f.*
express *v.* expresar
expression expresión *f.*
extent punto; **to what —** hasta qué punto
extraordinary extraordinario
eye *n.* ojo
eyeglasses gafas, lentes *m. pl.*

F

face *n.* cara; *v.* dar* a
faced with ante
fact hecho; **in —** en efecto, en realidad
fail faltar; fracasar (*not succeed*); **to — in** (*be remiss*) faltar a
fair *adj.* justo
fall *v.* caer*; **to — asleep** dormirse (ue); **to — in love** enamorarse
family familia
famous famoso
farmer granjero
fast rápidamente
fat gordo
fatal fatal
father padre
fear *v.* temer, tener* miedo; *n.,* temor *m.,* miedo
fed alimentado
feed dar* de comer; alimentar
feel *v.* sentir(se) (ie)
fellow muchacho; fulano; **—man** prójimo
few pocos; **a —** unos, unos pocos, unos cuantos
fewer menos
fiancé(e) novio, novia
fifteen quince
fifth quinto
fifty cincuenta
fight *v.* luchar; pelear; *n.* lucha; pelea; **bull —** corrida de toros
figurine figurilla
film *n.* película
finally por fin, al fin
find *v.* hallar, encontrar (ue); **to — out** enterarse (de), saber*
fine (*health*) *adv.* (muy) bien; *adj.* excelente; bien
finish *v.* terminar, acabar
fireman bombero
first primer(o); **at —** al principio
fish *v.* pes*c*ar; *n.* pez *m.* (*alive*); pescado (*fished*)
five cinco
floor suelo; piso (*story*); **ground —** planta baja
flower *n.* flor *f.*
fly *v.* volar (ue); *n.* mosca
follow se*gu*ir (i)
foot *n.* pie *m.*; **on —** a pie
for para (*purpose, destination, objective: intended for, to be used for, by or for a certain point in time, etc.*); por (*for a period of time, for the sake of, out of, on account of, in exchange for, etc.*) (Cf. Less. XX) **—ever** para siempre
forget olvidar
forgive perdonar
fork tenedor *m.*
forty cuarenta
founder *n.* fundador
fountain fuente *f.*
fourth cuarto
Frank(ie) Paco, Paquito
frankly francamente
free *adj.* libre
freedom libertad *f.*
friend amigo, amiga
from de; desde
front *n.* frente *m.*; **in — of** delante de; ante
frozen helado; congelado (*food*)
fruit fruta (*edible*)
future futuro, porvenir *m.*

G

gasoline gasolina
genius genio
geography gegorafía
George Jorge
get obtener*; **to — angry** enojarse; **to — dressed** vestirse (i); **to — to** (*reach*) llegar a; **to — lost** perderse (ie); **to — married** casarse; **to — (something) out of** sa*c*ar; **to — up** levantarse
gift regalo
girl niña; muchacha
girlfriend novia
give dar*
glad contento, alegre; **I'd be — to.** Con mucho gusto.
glass vaso (*drinking*); vidrio (*substance*)
glory gloria
glove guante *m.*
go ir*; **to — away** irse; **to — down** bajar; **to — to bed** acostarse (ue); **to — toward** dirigirse a; **to — out** salir*; marcharse; **to — up** subir

God Dios
gold oro
golden dorado
good buen(o)
good-bye adiós
government gobierno
grade grado; nota (*school*)
graduate *v.* graduar(se de) (úo); *n.* graduado
grandchild nieto
grandparent(s) abuelo(s)
grass hierba, yerba
great gran(de); magnífico
green verde
ground *n.* tierra
guard *v.* guardar

H

hair pelo
hairpin horquilla
half *n.* mitad *f.*; *adj.* and *adv.* medio
hand mano *f.*
handkerchief pañuelo
handsome guapo; buen mozo
happen ocurrir, pasar, suceder
happiness felicidad *f.*
happy feliz; contento; alegre (*gay*); **to be — about** (*or* **that**) alegrarse de (que)
hard difícil; duro (*opposite of soft*)
hardly apenas
hat sombrero
have tener*; haber* (*only as auxiliary in compound tenses*); **to — just** acabar de (+ *infin.*); **to — left** (*or remaining*) quedarle a uno; **to — to** tener que (+ *infin.*); **to — to do with** tener que ver con
he él
head *n.* cabeza
headache jaqueca, dolor *m.* de cabeza
health salud *f.*
hear oír*; escuchar (*listen to*)
heart corazón *m.*
heat *n.* calor *m.*
Helen Elena
hello hola (*See also p.* 178)
help *v.* ayudar; *n.* ayuda
Henry Enrique
her *poss. adj.* su(s); . . . de ella; *direct obj.* la; *indirect obj.* le
here aquí; **right —** aquí mismo
hers suyo (a, os, as); . . . de ella
him *direct obj.* le, lo; *indirect obj.* le
his *adj.* su(s); *pron.* suyo (a, os, as); . . . de él
history historia
hit *v.* pegar; golpear
hoarse ronco
home casa; hogar *m.* (*fig.*); **to go —** ir* *or* volver (ue) a casa; **at —** en casa
homeland patria
homely feo
honest honrado
hope *v.* esperar; *n.* esperanza
horse caballo; **— race** carrera de caballos
hour hora
house casa
how como
how? ¿cómo?; ¿qué tal? (*opinion*); **— old are you?** ¿Cuántos años tiene Ud.?
how . . . ! ¡qué (+ *adj. or adv.*); **— much** ¡cuánto(a); **— many** ¡cuántos(as); **— happy I am!** ¡Cuánto me alegro! ¡Qué contento estoy!
human humano
humanitarian humanitario
hundred cien(to)
hunger hambre *f.*
hungry: to be tener* hambre
hurt *v.* hacer* daño
husband marido, esposo

I

I yo
idea idea
ideal *n.* ideal *m.*
identical idéntico
identify identifi*c*ar
if si
illustrious ilustre
imagine imaginar(se)
implication connotación *f.*
important importante
impossible imposible
improve mejorar
in en
incredible increíble
independent independiente
indicate indi*c*ar

industry industria
influence influencia
insert *v.* insertar
insist insistir (en)
instead of en vez de
instruction instrucción *f.*
intellectual intelectual
intelligence inteligencia
intelligent inteligente
intention intención *f.*
interest interés *m.*
interested interesado; **to be — in** interesarse en (*or* por)
interesting interesante
interrupt interrumpir
interval intervalo
into en
introduce presentar (*a person*); introducir* (*bring in*)
invite invitar
iron *v.* planchar; *n.* hierro

J

jacket chaqueta; saco (*of a suit*)
jail *n.* cárcel *f.*
job trabajo, empleo
John(ny) Juan(ito)
joy placer *m.*; gozo; alegría
jump *v.* saltar
June junio
just: to have acabar de (+ infin.)
justice justicia
justification justificación *f.*

K

keep guardar; conservar; **to — (on) doing something** se*gu*ir (i) (+ *present part.*)
kill matar
kind *n.* tipo, clase *f.*; *adj.* bondadoso; **I'm not that —.** No soy así.
kiss *v.* besar; *n.* beso
kitchen cocina
knife cuchillo
know saber* (*a fact, how to, etc.*); conocer* (*a person, place, etc.*)

L

ladder escalerilla de mano
lamp lámpara
large grande
last *adj.* último; pasado; **— night** anoche; **— Friday** el viernes pasado
later más tarde
latest último
laugh reír(se)*; **to — at** reírse de
launching *n.* lanzamiento
lawyer abogado
lead *v.* llevar; guiar (ío); conducir*
leaf hoja
leaning inclinado
learn aprender
least menos; **at —** al menos, a lo menos
leave *v.* salir*, irse*, marcharse (*depart*); dejar (*leave behind*)
leg pierna
lens lente *m.*
less menos
lesson lección *f.*
let *v.* dejar, permitir
let's . . . vamos a (+ *infin.*); **— go!** ¡Vamos! ¡Vámonos!
letter carta; letra (*of the alphabet*)
liar mentiroso
liberty libertad *f.*
lie *v.* mentir (ie); **to — down** acostarse (ue); echarse
life vida; **— preserver** salvavidas *m.*
lighter *n.* encendedor *m.*
like *v.* gustarle a uno; querer a (*a person*); *adv.* como; **to look —** parecerse (zco) a; **What is he —?** ¿Cómo es?; **— this, — that** así
little *adj.* pequeño (*size*); poco (*amount*); *n.* **a —** un poco
live *v.* vivir
living room sala, salón *m.*
long *adj.* largo; **How — have you been living here?** ¿Cuánto tiempo hace que vive Ud. aquí?
look *v.* parecer (zco); estar* (*happen to be*); **to — at** mirar; **to — for** bus*c*ar; **to — like** parecerse (a)
lose perder (ie)
lost perdido; **to get —** perderse (ie)
loud alto
love *v.* amar, querer*; *n.* amor *m.*
luck suerte *f.*; **to be in —** tener* (mucha) suerte

lucky afortunado
lunch *v.* almorzar (ue); *n.* almuerzo
luxury *n.* lujo; *adj.* de lujo

M

machine máquina
mad *adj.* loco
madman loco
magazine revista
magnificent magnífico
maid criada
man hombre
many muchos(as); **so —** tantos(as)
March marzo
marry casarse con
marvelous maravilloso
Mary María
master amo, dueño
match *n.* fósforo; **boxing —** lucha (*or* encuentro) de boxeo
matter *n.* asunto; *v.* importar; **It doesn't —.** No importa.; **What's the matter?** ¿Qué (le) pasa? ¿Qué tiene(s)?
maybe quizá(s), tal vez
me me
meal comida
measure *v.* medir (i)
meat carne *f.*
mecca meca
meet *v.* encontrar (ue); conocer* (*for the first time*)
member miembro
memorize aprender de memoria
message mensaje *m.*
mile milla
milk leche *f.*
millionaire millonario
mine *adj. and pron.* mío(a, os, as)
mink visón *m.*
minute *n.* minuto; **just a —** un momentito
mirror espejo
miss *v.* perder (ie) (*a train, etc.*); echar de menos a (*a person*)
mister señor
moderation moderación *f.*
modern moderno
moment momento
money dinero
month mes *m.*
moon luna
moral *adj.* moral
more más
morning mañana
mother madre
motto lema *m.*
mountain montaña
movies cine *m.*
Mr. Sr.
much mucho; **too —** demasiado; **as — as, so — as** tanto . . . como
mud lodo
muddy: to be — out haber* lodo
muscle músculo
must tener* que (*have to*); deber (de) (*or future of probability—conjecture*); **one —** hay que
my mi(s)
mystery misterio

N

nail uña (*finger*); **— polish** laca para las uñas
name *n.* nombre *m.*; **What is your —?** ¿Cómo se llama Ud.?
nation nación *f.*
national nacional
nature naturaleza
near *prep.* cerca de; *adv.* cerca
nearby cerca
need *v.* necesitar; hacerle falta a uno; *n.* necesidad *f.*
needle aguja
neighbor vecino
neither ni; ni . . . tampoco; **— . . . nor** ni . . . ni
never nunca, jamás
nevertheless sin embargo
new nuevo
news noticia(s)
nice bueno, simpático, amable
night noche *f.*; **last —** anoche; **Good—.** Buenas noches.
ninety noventa
nostalgically con nostalgia
not no
notebook cuaderno
nothing nada
notice *v.* notar; *n.* aviso

novel *n.* novela
now ahora; **from — on** de aquí en adelante
nowadays hoy (en) día
number *n.* número; **telephone —** número de teléfono

O

object *n.* objeto
obligation obligación *f.*
of de
offer *v.* ofrecer (zco)
office oficina
often a menudo; muchas veces, frecuentemente
old viejo; antiguo (*former*)
old-fashioned anticuado, pasado de moda
on en, sobre (*upon*); sobre, de, acerca de (*about, concerning*)
once una vez; **at —** en seguida
one uno, un, una; **the — who** el que, la que
only sólo
open *v.* abrir (*past part.* abierto); *adj.* abierto
opportunity oportunidad *f.*
or o
orbit órbita
order *v.* mandar; *n.* orden *f.* (*command*) *and m.* (*position, orderliness, etc.*); *prep.* **in — to** para; *conj.* **in — that** para que
origin origen *m.*
other otro; **each —** (*reflexive pron.* +) uno a otro
ought deber
our nuestro(a, os, as)
out fuera; **Get — of here!** ¡Fuera!
outcome resultado
over *prep.* sobre, por encima de

P

pale pálido
paper papel *m.*
parachute paracaídas *m.*
parents padres *m. pl.*
park parque *m.*
part *n.* parte *f.*
party fiesta; partido (*political*)
pass *v.* pasar
passenger pasajero
past pasado
patient *n.* paciente
patiently con paciencia
Paul Pablo
pay *v.* pagar; **to — attention to** hacer* caso a (*or* de)
pen pluma
pencil lápiz *m.*
penknife cortaplumas *m.*
people gente *f. sing.*; personas *f. pl.*; **a —** un pueblo; **the —** el pueblo, el público
pepper pimienta
per por; el, la
perfect perfecto
perhaps quizá(s), tal vez
permanent permanente
person persona (*always f.*)
personal personal
personality personalidad *f.*
Peruvian peruano
philanthropist filantropista
philosopher filósofo
photographer fotógrafo
piano piano
pick *v.* escoger; **to — up** coger
picture *n.* foto *f.*; cuadro (*art, etc.*)
piece *n.* pedazo
pillow almohada; **—case** funda
pilot piloto
pin *n.* alfiler *m.*
pity lástima
plain *adj.* llano
plane (*airplane*) avión *m.*
plate plato
platform plataforma
play *v.* jugar (ue) (*a game*); tocar (*an instrument*); *n.* comedia, drama *m.*
pleasant agradable; amable
please por favor; Haga Ud. el favor de (+ *infin.*)
pleased contento; **to be — to** alegrarse de
pleasure placer *m.*
pocket bolsillo
pocketbook bolsa
point punto
police policía
political político
poor pobre
popular popular
porch azotea

position posición *f.*
possibility posibilidad *f.*
possible posible
post office (casa de) correos
pot olla
pound *n.* libra
practice *v.* practi*c*ar
praise *v.* alabar
precious precioso
prefer preferir (ie)
prepare preparar
presence presencia
present *v.* presentar; *n.* regalo
preserve *v.* conservar
president presidente
prestige prestigio
pretty bonito
prevent impedir (i)
price *n.* precio
pride orgullo
primitive primitivo
principal principal
prison cárcel *f.*; prisión *f.*
problem problema *m.*
profession profesión *f.*
professional profesional
program programa *m.*
progress progreso
prohibit prohibir
promise *v.* prometer; *n.* promesa
promote ascender (ie)
pronounce pronunciar
property propiedad(es) *f.* (*pl.*)
prosperity prosperidad *f.*
Protestant protestante
psychiatrist psiquiatra
psychology (p)sicología
publish publi*c*ar
pure puro
purpose propósito
purse bolsa
push empujar
put poner*; colo*c*ar; meter; **to — to bed** acostar (ue); **to — on** poner(se)

Q

qualifications c(u)alificaciones *f. pl.*
quartet cuarteto
question *n.* pregunta
quickly rápidamente

R

rabbit conejo
race raza (*of people*); carrera
rain *v.* llover (ue); *n.* lluvia
raise *v.* levantar; criar (ío) (*children, etc.*)
rapidly rápidamente
rather mejor dicho; bastante (+ *adj. or adv.*)
rationalize racionali*z*ar
reach *v.* lle*g*ar a; alcan*z*ar
read *v.* leer
ready listo
real verdadero
reality realidad *f.*
realize darse* cuenta de; reali*z*ar (*to make real, put into effect*)
really en realidad, en verdad, de verdad, de veras
reason razón *f.*
receive recibir
recognize reconocer (zco)
red rojo
reduced reducido
refresh refres*c*ar
refuse ne*g*arse (a); rehusar; no querer* (*preterite*)
regards recuerdos
regret *v.* sentir (ie)
reject recha*z*ar
relationship relación *f.*
relative pariente, parienta
religion religión *f.*
religious religioso
remain quedar(se)
remember recordar (ue), acordarse (ue) de
remind (of) recordar (ue) (*no preposition needed*)
rent *n.* alquiler *m.*
repeat repetir (i)
reservation reservación *f.*
resolve *v.* resolver (ue) (*past part.* resuelto)
respect *v.* respetar; *n.* respeto (*deference*); respecto (*aspect*)
responsibility responsabilidad *f.*
responsible responsable

rest *v.* descansar; *n.* descanso; **the —** los demás (*the others*); el resto (*the remainder*)
restaurant restaurante *m.*, restorán *m.*
return *v.* volver (ue) (*past part.* vuelto); **to — (something)** devolver (ue); *n.* vuelta
reveal revelar
review *n.* repaso
rich rico
Richard Ricardo
right *n.* bien *m.* (*opposite of wrong*); derecho (*privilege*); *adj.* derecho; **on the —** a la derecha; **to be —** tener* razón; **all —** está bien; bueno; muy bien; **— here** aquí mismo; **— now** ahora mismo
ring *v.* sonar (ue)
river río
rocket cohete *m.*
roll *n.* rollo
romantic romántico
room *n.* habitación *f.*, cuarto; **living—** sala
round *adj.* redondo; **to turn — and —** dar* vueltas
rug alfombra
run *v.* correr

S

sacred sagrado
sacrifice sacrificio
saint santo
salad ensalada
salary sueldo
saleslady dependienta
salt sal *f.*
same mismo; **the —** lo mismo
satellite satélite *m.*
satisfied (with) satisfecho (de)
save salvar; ahorrar (*money, etc.*)
say decir*; **You don't —!** ¡No me diga!
scene escena
school *n.* escuela; **elementary —** la escuela elemental; **high —** la escuela superior; *adj.* escolar
science ciencia
scold *v.* reñir (i)
sea mar *m.*
seat asiento
seated sentado
second *adj.* segundo
see *v.* ver*
sell vender
semester semestre *m.*
send mandar, enviar (ío)
series serie *f.*
serious serio
servant criado, criada
serve servir (i)
set up *v.* establecer (zco)
seventh séptimo
several algunos
shake sacudir; **to — hands** apretar(se) (ie) la mano, dar(se)* la mano
share (*of stock*) acción *f.*
sheet sábana
shelf estante *m.*
ship vapor *m.*, barco
shirt camisa
shoe zapato
shoemaker zapatero
short corto (*length*); bajo (*height*); **in —** en fin; **in a — time** en poco tiempo; **—ly thereafter** a poco, poco después
should deber (*ought to*)
shout *v.* gritar; *n.* grito, voz *f.*
show *v.* mostrar (ue)
shower *n.* aguacero (*weather*)
shrewdness astucia
signal *n.* señal *f.*
silk *n.* seda; *adj.* de seda
silver plata
similar semejante
simple sencillo
since *prep.* desde; *conj.* desde que (*time*); ya que, puesto que (*because*)
sincerely sinceramente
sing cantar
singer cantante *m.* and *f.*; cantatriz *f.*
single solo (*sole*)
sir señor
sister hermana
sit (down) sentarse (ie)
six seis
sixth sexto
sixty sesenta
skinny enjuto, flaco
sleep *v.* dormir (ue)
sleepy: to be tener* sueño
slow lento, despacio(so)

slowly lentamente, despacio
small pequeño; chico
smart *adj.* listo, inteligente
smile *v.* sonreír*; *n.* sonrisa
snow *v.* nevar (ie); *n.* nieve *f.*
so *adv.* tan (+ *adj.* or *adv.*); así (*so, thus, in this way*); *conj.* de modo que (+ *clause*); **— that** para que; de modo que
soap jabón *m.*
social social
society sociedad *f.*
solve solucionar, resolver (ue) (*past part.* resuelto)
some unos, unas; algunos, algunas
someone alguien
something algo
son hijo
song canción *f.*
soon pronto; **as — as** así que, luego que, tan pronto como, en cuanto
sorry: to be sentir (ie)
soul alma
soup sopa
Spain España
Spanish español
Spanish American hispanoamericano
speak hablar
special especial
spectacle espectáculo
spectator espectador
spend pasar (*time*); gastar (*money, etc.*)
spirit espíritu *m.*
spoon cuchara
sport deporte *m.*
sportsman deportista
square *n.* plaza
stable *adj.* estable
staff *n.* sostén *m.*
stairs escalera
standard criterio, norma
standing *adj.* parado; de pie
star *n.* estrella
state *n.* estado
stateroom camarote *m.*
statistic estadística
stay *v.* quedarse
steal *v.* robar
still *adv.* todavía
store *n.* tienda; **department —** almacén *m.*, bazar *m.*
story piso (*floor*); cuento, historia (*tale*)
strategy estrategia, estratagema *m.*
street calle *f.*
strictness rigidez *f.*
string *n.* tira
strong fuerte
structure estructura
student estudiante
study *v.* estudiar
style estilo; moda
success éxito
such (a) tal; *pl.* tales
suddenly súbitamente, de repente
suffering *n.* sufrimiento
suggest sugerir (ie)
suicide suicidio; **to commit —** suicidarse
summary resumen *m.*
summer verano
sun sol *m.*; **in the —** al sol
superstition superstición *f.*
superstitious supersticioso
suppose su*poner**
sure seguro
surprise *v.* sorprender
surprised sorprendido; **to be —** sorprenderse (de)
surround (with) rodear (de)
sweet dulce
swim nadar
swimmer nadador
swimming natación *f.*
Sylvia Silvia
system sistema *m.*

T

table mesa
tailor costurero
take tomar; coger (*pick up*); llevar (*a person*); **to — away** (*from someone*) quitar; **to — away** (*with one*) llevarse; **to — a walk** dar* un paseo; **to — a trip** hacer* un viaje; **to — out** sa*c*ar; **to — sick** ponerse* enfermo
talk *v.* hablar
tall alto
taste *v.* probar (ue)
tax *n.* impuesto

tea té *m.*
teach enseñar (a)
teacher maestro, maestra
teacup taza para té
team *n.* equipo
teaspoon cucharita
telephone *v.* telefonear; llamar por teléfono; *n.* teléfono
television televisión *f.*; — **set** televisor *m.*, televisión *f.*
tell decir*; contar (ue)
ten diez
terrible terrible, horrible
than que; de (*before a number*)
thanks, thank you gracias
that *dem. adj.* ese, esa (*near you*); aquel, aquella (*over there*); *neuter pron.* eso; aquello; — **one** ése, ésa; aquél, aquélla; *conj.* que
the el, la, los, las
theater teatro
their su(s)
theirs suyo(a, os, as); . . . de ellos, de ellas
them *direct obj.* los, las (les); *indirect obj.* les
there allí; ahí (*near you*); allá (*yonder*); — **is,** — **are** hay
these *adj.* estos, estas; *pron.* éstos, éstas
thief ladrón, bribón
thing cosa; **How are things?** ¿Qué tal? ¿Cómo le va?
think creer*; pensar (ie); **to — about** pensar en
third tercer(o)
thirst sed *f.*
thirsty: to be tener* sed
thirty treinta
this *dem. adj.* este, esta; *neuter pron.* esto; — **one** éste, ésta
those *adj.* esos, esas (*near you*); aquellos, aquellas (*over there*); *pron.* ésos, ésas, aquéllos, aquéllas
thought pensamiento
thousand mil
thread hilo
three tres
through por
throw *v.* echar, lan*z*ar
ticket boleto; — **seller** boletero
tie *v.* atar; *n.* corbata
tiger tigre
time tiempo; hora (*of day*); vez *f.* (*occasion*); **from — to —** de vez en cuando; **at the same —** al mismo tiempo, a la vez; **on —** a tiempo; a plazos (installments); **at times, sometimes** a veces; **three times** tres veces
tin lata (*can*); estaño (*element*)
tired cansado
to a
today hoy
tomorrow mañana
tone tono
tonight esta noche
too demasiado (+ *adj. or adv.*); también (*also*)
touch *v.* to*c*ar
tourist turista
toward(s) hacia
town pueblo
toy juguete *m.*
trade *n.* oficio (*occupation*); comercio
tradition tradición *f.*
train *n.* tren *m.*
transmit transmitir
travel *v.* viajar
traveler viajero
treat tratar
tree árbol *m.*
tremendous tremendo
true verdadero; **it is —** es verdad; **to come —** hacerse* verdad, reali*z*arse
truly de veras
truth verdad *f.*
turn *v.* volver(se) (ue); **to — on** (*radio, etc.*) poner*; encender (ie) (*light*); **to — round and round** dar* vueltas
turtle tortuga
two dos
type *n.* tipo, clase *f.*
typewriter máquina de escribir

U

ugly feo
uncle tío
uncorrupted incorrupto
under debajo de; por debajo de; bajo
understand comprender
unfair injusto
unforgettable inolvidable

unless a menos que
unpleasant desagradable
until *prep.* hasta; *conj.* hasta que
upon en; sobre; — (*doing something*) al (+ *infin.*); — **entering** al entrar
uranium uranio
urgent urgente
use *v.* usar; *n.* uso
useless inútil

V

vacation vacaciones (*generally f. pl.*)
vegetable legumbre *f.*
Venezuelan venezolano
verb verbo
very muy
veteran veterano
victim víctima (*always f.*)
victory victoria
visit *v.* visitar; *n.* visita
voice voz *f.*
volume tomo, volumen *m.*
volunteer *n.* voluntario
vote *v.* votar; *n.* voto

W

wait esperar; — **a minute** un momentito
walk *v.* caminar
wall pared *f.*
wallet cartera
want *v.* querer*; desear; *n.* deseo
warm caliente; caluroso; **to be — out** hacer* calor; **to be** (*feel*) — tener* calor
wash *v.* lavar(se)
watch *v.* mirar; *n.* reloj *m.;* **Watch out!** ¡Cuidado! ¡Ojo!
water agua
way modo, manera (*means*); camino (*direction*); **in this** — así, de esta manera; **by the** — a propósito; **to lose one's** — perder (ie) el camino; — **of life** manera de vivir
wealth riqueza
wear llevar
weather tiempo; clima *m.*
Wednesday miércoles
week semana; **last** — la semana pasada
weekend fin *m.* de semana
weekly semanal
well bien; pues bien, bueno
what *rel. pron.* lo que
what? *pron.* ¿qué? ¿cuál? (*selection*); *adj.* ¿qué?; — **did you say?** ¿Cómo?; **What's the matter?** ¿Qué (le) pasa?
when cuando
where? ¿dónde?; ¿adónde? ¿a dónde? (*in what direction?*)
whether si
which? *pron.* ¿cuál? ¿cuáles? *adj.* ¿qué . . .?
which *rel. pron.* que; lo que, lo cual
while *conj.* mientras (que); *n.* **a little** — un rato
white blanco
who *rel. pron.* que; quien; el que, la que, los que, las que; el cual, la cual, los cuales, las cuales
who? ¿quién? ¿quiénes?
whole *adj.* entero; todo el . . . , toda la . . .; *n.* todo
whom quien
why? ¿por qué?
wife esposa, mujer
win ganar
wind *n.* viento; **to be windy** hacer* viento
window ventana
wine vino
winter invierno; **in mid**— en pleno invierno
with con; — **me** conmigo; — **you** (*fam. sing.*) contigo
within *adv.* dentro; *prep.* dentro de
without *prep.* sin; *conj.* sin que
woman mujer, señora
wonder *v.r.* preguntarse; *also future of probability* (*see* #92); *n.* maravilla
wonderful maravilloso, magnífico
wood madera
woods monte *m.*, bosque *m.*
word palabra
work *v.* trabajar; funcionar (*a mechanism*); *n.* trabajo; obra (*of art, etc.*)
world mundo
worried *adj.* preocupado
worry *v.* preocupar(se); **Don't —.** No tenga cuidado. No se preocupe.
worse peor(es)
worst peor(es)
worth: to be valer*

write escribir (*past part.* escrito)

writer escritor(a)

wrong *adj.* incorrecto; *n.* mal; **to be —** no tener* razón, equivo*c*arse; **to do —** hacer* mal

Y

yacht yate *m.* "goleta" también

year año

yellow amarillo

yes sí

yesterday ayer

yet ya (*already*); todavía (*with negative*); **not —** todavía no

you *subj. pron.* tú (*fam. sing.*); vosotros (*fam. pl.*); Ud. (*pol. sing.*); Uds. (*pol. pl.*); *obj. pron.* te; os; lo, le, la (*direct* Ud.); le (*indirect* Ud.); los, las, les (*direct* Uds.); les (*indirect* Uds.)

young joven

younger menor; más joven

your tu(s); vuestro (a, os, as); su(s)

yours tuyo (a, os, as); vuestro (a, os, as); suyo (a, os, as); . . . de Ud., de Uds.

Z

zero cero

SPANISH-ENGLISH VOCABULARY

A

a to; toward; at; personal **a** before a direct object that is a person

abandonar to abandon

abertura opening

abierto open

ablandar to soften

abofetear to hit

abogado lawyer

abolir to abolish

abono fertilizer

abra*z*ar to embrace, hug

abrigo coat

abrir(se) (*past part.* **abierto**) to open

absolver (ue) (*past part.* **absuelto**) to absolve, acquit

abuela grandmother

abuelo grandfather

abundar to abound

aburrido bored

acabar to finish; **— de** to have just (*present and imperfect*)

acaso maybe, perhaps

acción *f.* action; share (*of stock*)

aceite *m.* oil

aceituna olive

acerca de about, concerning

acercamiento drawing together

acer*c*ar to bring near(er); **—se a** to approach, go up to

aco*g*er to receive (*well*)

acomodado comfortable, well-to-do

acompañar to accompany

acosar to beset, trouble

acostar (ue) to put to bed; **—se** to go to bed

acostumbrar to accustom

acreedor creditor

actitud *f.* attitude

actriz actress

actuar (úo) to act

acudir to hurry to, rush toward

acumular to accumulate

acusar to accuse

adelante ahead; forward; **en —** thenceforth

además besides; **— de** aside from

adentro inside

adhesión *f.* loyalty, adherence

adiós good-bye

admirar to admire

¿adónde? ¿a dónde? (to) where?

adquirir (ie) to acquire

aéreo *adj.* air; **vía aérea** airmail

aeropuerto airport

afán *m.* strong desire

afectado affected
afeitar(se) to shave
afligido afflicted, stricken
aflojar to weaken, loosen
afortunado lucky
afuera outside; **hacia —** facing out
agarrar to grasp, clutch
agarro *n.* grip
agencia agency
agotado exhausted
agotar to exhaust, use up
agradable pleasant
agradecer (zco) to thank for
agravio wrongdoing, offense
agrícola agricultural
agua water
aguacero shower (*weather*)
aguafuerte *m.* etching
aguja needle
agujero hole
ahí there (*near you*); **— no más** right there; **de — en adelante** from then on
ahogar(se) to choke; drown
ahora now; **— bien** now then, well then; **— mismo** right now
aire *m.* air; **al — libre** in the open air
ajetreo hustle-bustle
ajustar(se) to adjust
al (+ *infin.*) upon (*doing something*)
ala wing; **sombrero de —** broad-brimmed hat
alabar to praise
alambre *m.* wire
alboroto commotion
alcalde mayor
alcanzar to reach; attain, achieve
alcoba bedroom
alegrarse de (que) to be happy (that)
alegre gay, happy
alegría gaiety
alejarse de to leave, move away from
alemán German
alfombra rug
algo something
algodón *m.* cotton
alguien somebody, someone
alguno, algún, alguna, algunos, etc. some, any; **alguna vez** ever, at some time
aliado ally
alimentar to feed, nourish
alistarse to enlist
allá there; yonder; **más — de** beyond
allí there
alma soul
almacén *m.* (*department*) store; warehouse
almidonado starched
almorzar (ue) to lunch
almuerzo lunch
alojar(se) to lodge, stay (at a hotel, etc.)
alquilar to hire, rent
alquiler *m.* rent
alrededor de around (*position*)
altibajo vicissitude, up and down
altivo haughty, arrogant
alto tall; loud (*voice, etc.*)
altura height
aluminio aluminum
alumno pupil
alzar to raise
amable pleasant, amiable
amanecer *m.* dawn; *v.* to dawn
amante lover
amar to love
amargo bitter
amargura bitterness
amarillo yellow
ambos both
amenaza threat
amenazar to threaten
amigo friend
amistad *f.* friendship
amo *n.* master
amor *m.* love
amuleto amulet
anales *m. pl.* annals
analizar to analyze
ancho wide
andar* to walk; run (*a car, etc.*)
angustiado anguished, upset
anhelar to desire, long to
anillo ring
aniquilar to annihilate
anónimo anonymous
ante faced with; before; in front of
anteayer *m.* the day before yesterday
antecesor ancestor
antepasado ancestor
anterior previous, prior

antes *adv.* before, earlier; — **de** *prep.* before; — **de que** *conj.* before; **lo — posible** as soon as possible
anticuado antiquated
antiguo old, former; ancient
antipático nasty, disagreeable
antónimo antonym
antropólogo anthropologist
anunciar to announce
anuncio *n.* announcement, advertisement
añadir to add
año year
apacible willing
aparato appliance; mechanism; set; apparatus (*generally pl.*)
aparecer (zco) to appear; turn up
aparición *f.* emergence
apartado removed; separated
apasionado impassioned
apellido last name
apla*c*ar to placate
aplastado crushed
aplaudir to applaud
aplauso (*generally pl.*) applause
apli*c*ar(se) to apply
apoderarse de to take over
apodo nickname
apogeo apogee, height
apoyar to support
aprender (a) to learn (*how to*); — **de memoria** to memorize
apretar (ie) to press, squeeze
aprobar (ue) to approve, pass (a course)
aprovechar(se de) to take advantage of
aproximarse to become close
apuesta bet
aquí here; — **mismo** right here; **de — en adelante** from now on
arábigo Arabic
araña spider; chandelier
árbol *m.* tree
arder to burn (*up*), be burning
arete *m.* earring
argüir (uyo) to argue
armario closet
arquitectónico architectural
arquitectura architecture
arraigar to root; **—se** to take root
arrepentirse (ie) to repent
arriba up; **¡arriba!** hooray! up with . . .!
arries*g*ar(se) (to risk oneself)
arrojar to throw
arruinar to ruin
arte *usually m.* art
artesano artisan
artículo article
asaltar to assault, attack
ascendencia ancestry
ascender (ie) to ascend; promote
ascenso ascent
ascensor *m.* elevator
asegurar to assure; make sure
asesinar to assassinate
asesino assassin, murderer
asfixiante asphyxiating
así so, thus; in this way; like this or that; **así, así** so-so
asidero handle
asiento seat
asimilar(se) to assimilate
asistir a to attend
asociar(se) to associate
asombroso amazing
astucia astuteness, shrewdness
astuto smart, shrewd
ata*c*ar to attack
ataque *m.* attack; — **al corazón** heart attack
atar to tie
atraer* to attract
atrapado trapped
atrás behind
atrasado backward; behind
atravesar (ie) to cross
atreverse a to dare to
auditorio audience
aumentar(se) to increase
aun *adv.* even
aún *adv.* still
aunque although, even though
ausente absent
autógrafo autograph
automovilístico *adj.* automobile
autor(a) author(ess)
auxilio aid
avance *m.* advance
avan*z*ar to advance
avenida avenue

avión *m.* airplane
aviso notice
ayer yesterday
ayuda help, aid
ayudar to help
azotea porch, terrace
azul blue

B

bailar to dance
bajar to go down
bajo *adj.* low; lower (*class*); short (*in height*); *adv.* low; deep (*voice, etc.*); *prep.* under
balcón *m.* balcony
baluarte *m.* bulwark, stronghold
bancarrota bankruptcy
banco bank
bandera banner, flag
baño bath; bathroom
barato cheap
barba beard
barbarie *f.* barbarism
bárbaro barbarian
barco ship
barro clay
barroco baroque
base *f.* base; basis
bastante enough; quite, rather
bastar to be enough, suffice
bauti*z*ar to baptize
baya berry
beber to drink
bebida drink
béisbol *m.* baseball
Bélgica Belgium
belleza beauty
bello beautiful
bendecir* to bless
beneficio benefit
beneficioso beneficial
besar to kiss
beso kiss
Biblia Bible
biblioteca library
bien *adv.* well; **está —** very well; all right; *n.* good
bienestar *m.* welfare
billete *m.* bill (*money*); ticket
bisabuelo great-grandfather; ancestor
blanco white
blusa blouse
boca mouth
boga vogue
bola ball
boletería ticket window
boletero ticket seller
boletín *m.* bulletin
boleto ticket
bolsa purse, pocketbook; **la B—** stock market
bombardeo bombardment
bombero fireman
bombilla (*light*) bulb
bondad *f.* goodness, kindness
bondadoso kindly
bonito pretty
bosque *m.* woods; forest
boste*z*ar to yawn
bote *m.* (*small*) boat
botella bottle
botón *m.* button
boxeador boxer
brazo arm
brillante brilliant
broma joke
bronce *m.* bronze
brotar to spring forth
bueno good; **¡bueno!** all right; well, . . .; **Buenos días.** Good morning; **Buenas tardes.** Good afternoon; **Buenas noches.** Good evening, Good night
burguesía bourgeoisie, middle class
burlador scoffer, mocker
bus*c*ar to look for; seek

C

caballeresco chivalric
caballería chivalry
caballero gentleman
caballo horse
caber* to fit
cabeza head
cabildo elective town council in colonial Spanish America
cada each; every
caer* to fall; **dejar —** to drop

caída fall
caja box
cajón *m.* drawer
calamidad *f.* calamity
cálculo(s) calculation(s)
calentar (ie) to heat
caliente warm
calificado qualified
calmarse to calm down
calor *m.* heat; warmth; **tener*** — to be (*feel*) warm *or* hot; **hacer*** — to be hot (*out*)
callar to keep quiet
calle *f.* street
cámara camera; chamber
camarote *m.* cabin, stateroom
cambiar to change; exchange
cambio change; exchange; **en** — on the other hand
caminar to walk
camino road; way; — **a** on the way to
camisa shirt
campamento camp
campaña campaign
campeón *m.* champion
campesino country fellow
campo country (*opposite of city*); field
canción *f.* song
cansado tired
cansar(se) to tire, get tired
cantante *m. and f.* singer
cantar to sing
cantidad *f.* quantity
canturrear to hum (*a song*)
capaz (*pl.* capaces) capable
capital *f.* capital city; *m.* capital (*money*)
capítulo chapter
capricho caprice, whim
captar capture
cara face
carácter *m.* character
caracterizar to characterize
cárcel *f.* jail
carcomido rotted, rotten
cargar to load
cargo post, job, office
cariño affection
cariñosamente affectionately
carnaval *m.* carnival
carne *f.* meat; flesh
carrera career; race
carretera highway
carro cart; car
carruaje *m.* carriage
carta letter
cartaginés Carthaginian
cartera wallet
cartero mailman
cartón *m.* cardboard
casa house
casarse (con) to marry, get married
casi almost
caso case; matter; **hacer*** — **a** *or* **de** to pay attention to
castigar to punish
castillo castle
casualidad *f.* coincidence
catarro *n.* cold (*illness*)
catecismo catechism
categoría category; rank
catorce fourteen
cautiverio captivity
caza hunting; **ir* de** — to go hunting
cazar to hunt
celda cell
celebrarse to take place
celoso jealous; zealous
celta *n.* Celta; *adj.* Celtic
cementerio cemetery
cena dinner
cenar to have dinner
centenares hundreds
centro center; downtown area
cerámica ceramics
cerca *adv.* near(by); — **de** *prep.* near
cerco siege; **poner*** — to lay siege
cerebro brain
cero zero
cerrar (ie) to close
cesta basket
ciego *n.* blind man; *adj.* blind
cielo sky
ciencia science
científico *n.* scientist; *adj.* scientific
ciento, cien one hundred; **por** — percent
cierto (a) certain
ciervo deer
cifra number, cipher
cigarrillo cigarette

cima summit, height
cinco five
cincuenta fifty
cine *m.* the movies
cinematográfico *adj.* movie
cinta ribbon; tape
circo circus
circunstancia circumstance
cirujano surgeon
cisne *m.* swan
cita appointment; date
ciudad *f.* city
ciudadanía citizenship
claro clear; — **está** of course
clase *f.* class; classroom; kind, type
clavar to affix; stick into, nail
clavo nail (*carpentry*)
clérigo clergyman
clero clergy
cliente client; customer
clima *m.* climate
cobardía cowardice
cobrador collector
cobrar to charge; collect
cobre *m.* copper
cocido cooked
cocina kitchen
coche *m.* car
cofre *m.* coffer
co*g*er to catch; seize
cohete *m.* rocket
coincidir to coincide
cola tail
coleccionista collector
colo*c*ar to put, place
colono colonist
columna column
combatir to combat
combustible *m.* fuel
comedia play; comedy
comediante comedian; actor
comedor *m.* dining room
comen*z*ar (ie) (a) to begin (to)
comer to eat
comerciante businessman; merchant
comerciar to do business
comestible *m.* (*generally pl.*) food(*stuff*)
cometer to commit
comida food; meal; dinner
comisaría police station
como as; like
¿cómo? how? what (*did you say*)?; **¿C— le va?** How goes it?; **¡— no!** of course!
comodidad *f.* comfort
cómodo comfortable
compadre countryman
compañero companion
compañía company
complejo *n. and adj.* complex
completar to complete
compli*c*ar to complicate
compositor(a) composer
comprar to buy
comprender to understand
comprensión *f.* understanding
comprensivo comprehensive; understanding
compromiso appointment; engagement
común common
comuni*c*ar to communicate; connect (*telephone*)
con with; **—migo** with me; **—tigo** with you
concebir (i) to conceive
concejo council
conciencia conscience; consciousness
concierto concert
concilio council
concluir (uyo) to conclude
concurso contest
conde count (*title*)
condenar to condemn; convict
conducir* to lead; conduct
conejo rabbit
conferencia conference; lecture
confesar (ie) to confess
confianza confidence
confundir to confuse; **—se** to become confused
congelado frozen (*as food*)
conocer* (zco) to know (*a person or place*), be familiar with; (*preterite*) to meet for the first time
conocido *n.* acquaintance
conocimiento (*generally pl.*) knowledge
conquistador conqueror
conquistar to conquer
consecuencia consequence; **por —** consequently, thus

consejero adviser
consejo advice
conservador conservative
conservar to keep
considerar to consider
consistir en to consist of or in
conspiración *f.* conspiracy
construir* **(uyo)** to build
consultorio doctor's office
consumar to consummate
contagiar (de) to infect (with)
contar (ue) to count; relate, narrate; — **con** to count on
contemporáneo contemporary
contener* to contain
contentar to please; —**se** to be satisfied
contento (de) pleased (with)
contestación *f.* answer
contestar to answer
continuar (úo) to continue
continuo continuous
contra against
contrabando contraband; smuggling
Contrarreforma Counterreformation
contribuir (uyo) to contribute
conven*c*er to convince
convenir* to be advisable
convertir (ie) to convert; —**se en** to become
convidado guest
convidar to invite
convo*c*ar to convoke
copa glass (usually footed)
copia copy
corazón *m.* heart
corbata tie
cordero lamb
cordillera mountain range
corona crown
corre*g*ir (i) to correct
correo mail; **casa del —, correos** post office
correr to run
corrida de toros bullfight
corriente *f.* current; *adj.* current
cortar to cut off; cut short
corte *f.* court
cortesano *n.* courtier; *adj.* courtly
cortina curtain; — **de Hierro** Iron curtain
coser to sew
costa coast
costado side
costar (ue) to coast; — **trabajo** to be difficult
costarricense Costa Rican
costumbre *f.* custom; **de** — (as) usual
costurero couturier, tailor
creador *n.* creator; *adj.* creative
crear to create
crecer (zco) to grow
crecimiento growth
creer* to believe, think
criado servant
criar (ío) to raise, rear
criatura creature; baby
crimen *m.* crime
criterio criterion, standard
crítica criticism
criti*c*ar to criticize
cruce *m.* crossing; — **de caminos** crossroads
crudo raw
crueldad *f.* cruelty
cruz *f.* cross
cru*z*ar to cross
cuaderno notebook
cuadra (*city*) block
cuadro painting; picture
¿cuál? which (*one*)?; what; **¿cuáles?** (*pl.*) which? what?
cualidad *f.* quality (*trait*)
cualquier any (*at all*); **a — parte, en — parte** anywhere
cuando when
cuanto *rel. pron.* all that; **en** — *conj.* as soon as; **en — a** *prep.* as for
¿Cuánto? How much? *pl.* How many?
cuarto *n.* room; quarter; *adj.* fourth
cuatro four
cubierta cover; deck (*ship*)
cubrir (*past part.* **cubierto**) to cover
cucaracha cockroach
cuchara spoon
cucharadita spoonful
cuello neck
cuenta bill; account; **darse*** — **de** to realize
cuento story

cuerda cord
cuerno horn
cuero leather
cuerpo body
cuesta slope
cuestión *f.* question (*matter, issue*)
cuidado care, caution; **¡—!** watch out!; **No tenga —.** Don't worry; **con —** carefully
culpa blame; fault; **tener* la culpa** to be at fault
culpable *adj.* guilt; *n.* culprit
cultivo cultivation
culto *n.* cult; *adj.* cultured
cumbre *f.* top, summit
cumpleaños *m. sing.* birthday
cumplir to complete
curar to cure
curso course
cutis *m.* skin
cuyo *rel. adj.* whose

CH

champaña *m.* champagne
chaqueta jacket
charla talk, speech
cheque *m.* check
chico *n.* boy; *adj.* small
chino Chinese
cho*c*ar to collide; crash; shock
chófer driver
choque *m.* collision

D

dama lady
dañar to damage
daño harm; injury; damage; **hacer(se)* —** to hurt (*oneself*)
dar* to give; **— a** to face (*location*); **— de comer** to feed; **— miedo** to frighten; **—se cuenta de** to realize
dato fact; *pl.* data
de of; from; about; also states possession
debajo de *prep.* under; **por —** under(neath)
deber *v.* to be obliged to; should, ought to; *n.* duty
debido due
débil weak
debilidad *f.* weakness
debilitar to weaken
decaer* to diminish, decrease
decepcionado disappointed, deceived
decidir to decide
decir* to say; tell; **es —** that is (to say)
declarar to declare
decrecer (zco) to decrease
dedi*c*ar to dedicate
dedo finger; toe
defectuoso defective
defraudado cheated
dejar let, allow; leave (*behind*); **— caer** to drop; **— de** to stop (*doing something*); to fail to
deleite *m.* delight
delgado slim, thin
demás others, (*the*) rest
demasiado *adj.* too much; *pl.* too many; *adv.* too much; too (+ *adj. or adv.*)
demora delay
dentro *adv.* inside; **— de** *prep.* inside of, within; **por —** on the inside
depender (de) to depend (on)
dependienta saleslady
dependiente clerk; salesclerk
deporte *m.* sport
deportista sportsman, sportswoman
derecho *n.* right, privilege; duty (*tax*); *adj.* right (*location*); **a la derecha** on the right
derramar to spill
derribar to knock over or down; overthrow
derrota defeat
derrotar to defeat
desafío challenge
desagradable unpleasant
desangrar to bleed (*dry*)
desaparecer (zco) to disappear
desarrollar(se) to develop
desarrollo development
desastre *m.* disaster
desayunar(se) to have breakfast
desayuno breakfast
descansar to rest
descar*g*ar to unload
desconocido unknown
describir (*past part.* **descrito**) to describe
descubrimiento discovery
descubrir (*past part.* **descubierto**) to discover
descuidar to neglect; ignore

descuido neglect
desde *prep.* from; since; — **que** *conj.* since (*a point in time*); — **luego** of course
desear to desire, wish, want
desechar to reject; ignore
desembar*car*(se) to disembark
deseo *n.* desire
desesperado desperate
desgraciadamente unfortunately
des*hacer** to undo
desierto desert
desigual unequal
desinflado flat tire
desnudo naked, bare
despachar to send (*out*)
despejado clear (*weather*)
despertar(se) (ie) to awaken
despreciar to scorn
después *adv.* later, after(wards); — **de** *prep.* after; — **de que** *conj.* after (+ *a clause*)
desterrar (ie) to exile
destierro exile
destino destiny
destruir (uyo) to destroy
desuso disuse
detalle *m.* detail
determinar to determine
detrás de *prep.* behind
deuda debt
devolver (ue) (*past part.* **devuelto**) to return, give back
día *m.* day; **Buenos días.** Good morning.
diablo devil
diálogo dialogue
diamante *m.* diamond
diario daily
dictar to dictate
diente *m.* tooth
diez ten
difícil difficult
dificultad *f.* difficulty
difunto dead
digerir (ie) to digest
dignidad *f.* dignity
digno worthy
dinámico dynamic
dinero money
dios god
Dios God; **¡—mío!** For Heaven's sake!
dirección *f.* address; direction
dirigir to direct, lead; **—se a** to approach; address
disculparse to apologize
discutir to discuss
diseminar to disseminate, spread
disfrutar (de) to enjoy
disgustado displeased
dispuesto willing, ready
distancia distance
distinto different; distinct
dis*traer*(se)* to amuse (oneself)
diversidad *f.* diversity
divertido funny
divertirse (ie) to enjoy oneself, have a good time
dividido divided
divisar to divise, see
divorcio divorce
doble double
doce twelve
docena dozen
dócil docile
dólar *m.* dollar
doler (ue) to hurt, be painful
dolor *m.* pain
dominar to dominate; control
dominio rule, domination
donde where
¿Dónde? where?
dorado golden
dormido asleep, sleeping
dormir (ue) to sleep; — **se** to fall asleep
dos two
drama *m.* drama, play
dramaturgo dramatist
duda doubt
dudar to doubt
dueño owner, proprietor
dulce sweet
duplicado duplicate; duplication
durante during
durar to last

E

e and (*before a word beginning with* i *or* hi)
echar to throw; — **a perder** to waste; — **se** to lie down

edad *f.* age; **E — Media** Middle Ages
edificio building
educado educated
educativo educational
efecto effect; **en —** in fact
efectuar (úo) to effect, bring about
ejecución *f.* execution
ejecutar to execute
ejemplo example; **por —** for example
ejer*c*er to exercise; practice (*a profession*)
ejercicio exercise
ejército army
él he; him (*after a prep.*)
elegancia elegance
ele*g*ir (i) to elect
elemental elementary
elevar to raise
eliminar to eliminate
ella she; her (*after a prep.*)
ellas they (*f.*)
ello it (*neuter subj. pron. or obj. of prep.*)
ellos they
embajador ambassador
embargo: sin — nevertheless
emboscada ambush
emergencia emergency
emigrado emigré
emirato emirate
empe*z*ar (ie) (a) to begin
empleado *n.* employee
emplear to use; employ
empleo *n.* job
empobrecido impoverished
emprender to undertake
empujar to push
en in; on; at
enamorado (de) in love (with)
enamorarse (de) to fall in love (with)
encabe*z*ar to head
encantado delighted
encantamiento enchantment
encarcelamiento imprisonment
encarcelar to jail
encar*g*arse to take charge
encariñarse con to take a liking to
encendedor *m.* lighter
encima above, on top; **por —** on the top; **(por) — de** *prep.* on top of
encontrar (ue) to find; meet
enchufar to plug in
enchufe *m.* plug; socket
enemigo enemy
enfermo sick
enfo*c*ar to aim, focus
enfrente in front, opposite
enfurecido infuriated
engañar to deceive
engaño deceit, fraud, treachery
enhorabuena congratulations
enjuto skinny
enorme enormous
enredar to entangle
enronquecer (zco) to get hoarse
ensayar to try out; rehearse
ensayo essay
enseñanza teaching; education
enseñar (a) to teach (*how to*)
ensordecedor deafening
ensuciar to dirty
entender (ie) to understand
enteramente entirely
enterar to inform; **—se de** to find out
entero whole, entire
entonces then
entrada entrance; entry
entrañas *f. pl.* entrails, insides
entrar (en) to enter
entre between, among
entre*g*ar to hand over
entretanto meanwhile
entretenimiento entertainment
entusiasmado enthusiastic
entusiasmarse to become enthusiastic
envase *m.* wrapper, case
enviar (ío) to send
envidiar *n.* envy
envío shipment
epidemia epidemic
epopeya epic
equipo team
equis *f.* x
equivo*c*arse to make a mistake
erudito scholar
escalera stairs, stairway; **— movediza** escalator
escalerilla de mano stepladder
escaparate *m.* (*store*) window
escapar(se) to escape

escape *m.* escape
escaso scant
escena scene; stage
esclavitud *f.* enslavement
esclavo slave
esco*g*er to choose, pick out
escolar *adj.* school; academic
esconder(se) to hide
escribir to write; — **a máquina** to type (write)
escrito written
escritor(a) writer
escritorio desk
escritura writing
escuchar to listen (to)
escudero squire
escuela school; — **elemental** elementary school; — **superior** high school
escultura sculpture
ese; esa *adj.* that (*near you*); **esos, esas** those; **ése,** etc. *pron.* that one, etc.
esencia essence
esfor*z*arse (ue) (por) to make an effort (to)
esfuerzo *n.* effort; attempt
eslabón *m.* link
eso *neuter* that
espada sword
español Spanish; Spaniard
específico specific
espectador spectator
espejo mirror
esperar to wait (for); hope; expect
espíritu *m.* spirit
esposa wife
esposo husband
establecer (zco) to establish
estación *f.* station; season (*of year*)
estadio stadium
estadística statistic
estado state; — **civil** marital status
estallar to break out, erupt
estancamiento stagnation
estar* to be (*located, or in a certain position, condition, or state*); — **de acuerdo** to agree; **¿está bien?** all right?
estatua statue
este *m.* east
este, esta *adj.* this; **estos, estas** these; **éste,** etc. *pron.* this one, etc.
estiércol *m.* dung
estimulante *m.* stimulant
estimular to stimulate
estirar to stretch
esto *neuter* this
estómago stomach
estornudo *n.* sneeze
estratagema *m.* stratagem
estrecho *adj.* narrow; tight
estrella star
estrenar to debut (*do for the first time*)
estricto strict
estudiante *m. and f.* student
estudiantil *adj.* student
estudiar to study
estudio study; studio
estupendo marvelous(ly), stupendous(ly)
etapa period, stage
eternidad *f.* eternity
eterno eternal
europeo European
evitar to avoid
evo*c*ar to evoke
examen *m.* exam(ination)
exceptuando except for
exclamar to exclaim
excomul*g*ar to excommunicate
excursión *f.* short trip; **hacer* una** — to take a trip
exhalación *f.* exhaling
exhalar to exhale
exi*g*ir to demand, require
existir to exist
éxito success; **tener*** — to be successful
experimentado experienced
explicación *f.* explanation
expli*c*ar to explain
explotador exploiter
ex*poner** to expose
expulsar to expel
exterior *adj.* foreign, external; **el** — abroad
externo external
extranjero foreign; **el** — abroad
extraño strange

F

fábrica factory
fábula fable

fácil easy
facultad *f.* faculty; ability
faja strip
falda skirt; lap
faldero (*of a*) skirt; **perro —** lap dog
falta lack; mistake; **hacer* —** to be lacking
faltar to be lacking, needed; to miss; to be absent; **— a** to fail (*in*); be remiss
familia family
familiar *n.* relative; *adj.* familiar
famoso famous
fatiga fatigue
favorecer (zco) to favor
fe *f.* faith
fealdad *f.* ugliness
fecundo fertile
fecha date (*of the year*)
felicidad *f.* happiness
felicitar to congratulate
feliz (*pl.* **felices**) happy
fenicio Phoenician
feo ugly, homely
feroz fierce, ferocious
fertilidad *f.* fertility
fetiche *m.* fetish
ficticio fictitious
fiel faithful
fiesta party
figurilla figurine
filtro filter
fin *m.* end; **al —, por —** finally; **en —** in short; **— de semana** weekend; **a fines de** toward the end of
finca farmlands; small estate
firmar to sign
físico physical
fisiológico physiological
flamenco Flamencan
flor *f.* flower
florecimiento flowering
florero flowerpot, vase
fluidez *f.* fluidity
flujo *n.* flow
fomentar to foment, stimulate
fondo background; depth
formular to formulate
fortificar to fortify
fortuna fortune; luck
for*z*ar (ue) to force
forzosamente necessarily
fósforo match
foto *f.* photo(graph)
fracasar to fail
fraile friar, monk
francés *adj.* French; *n.* French (*language*); Frenchman
franqueza frankness
frasco small bottle
frecuencia frequency
frecuente frequent
frenético frenzied
frente *n.* front; **— a** *prep.* against; opposite; with respect to
fresco fresh, cool
frito fried
frontera frontier
fruta fruit
fuego fire; **poner* —** to set fire
fuente *f.* fountain; source
fuera *adv.* outside; **— de** *prep.* outside of; **— de sí** beside oneself; **por —** *or* **desde —** on the outside
fuerte *adj.* strong; hard; *m.* stronghold
fuerza force; power; strength
fuga escape, flight
función *f.* function; performance
funcionar to work (*a mechanism*)
funda pillowcase
fundador founder
fundar to found
fútbol *m.* soccer

G

gana *n.* desire; **darle* la — a uno** to feel like, get the desire to; **tener* —(s) de** to feel like, be in the mood for
ganadería stock raising
ganar to win; earn
ganga bargain
garanti*z*ar to guarantee
gastado worn out
gastar to spend (*money*)
gasto expense
gato cat
gaucho cowboy of the Argentine pampas
género literary genre

genial brilliant
genio genius
gente *f. sing.* people, persons
gerente manager
gesto gesture
girar to spin
gitano gypsy
gobernador governor
gobierno government
godo Goth
golosina delicacy, treat
golpe blow; — **de estado** coup d'etat
golpear hit, strike
gordo fat
gótico Gothic
gozar de to enjoy
gracias thank you
graduado graduate
graduar(se) (úo) to graduate
gran(de) *adj.* large; great; *n.* grandee
grandeza greatness
granizo *n.* hail
granja farm
griego Greek
gris gray
gritar to shout, cry out
grito *n.* shout, cry
guante *m.* glove
guapo handsome
guardar keep
guarnición *f.* garrison
guerra war
guerrero *n.* warrior; *adj.* warlike
guerrillero guerrilla (*fighter*)
guiar (ío) to guide
guiñar to wink
gustar to be pleasing; — **le a uno** to like; **Me gusta.** I like it.
gusto pleasure; taste; **con mucho** — gladly

H

habilidad *f.* ability
habitación *f.* room
habitante inhabitant
hablar to speak
hace (+ *period of time after v. in the past*) ago; **hace . . . que** (+ *v. in the present*) for (*a still continuing period of time*)
hacer* to make; to do; — **mal tiempo** to be bad weather; — **frío, calor, viento** to be cold, warm, windy; — **una pregunta** to ask a question; — **un viaje** to take a trip; —**se** to become
hacia toward(s)
hallar to find; —**se** to be found, to be (*located*)
hambre *f.* hunger; **tener*** — to be hungry
harto sated
hasta *prep.* until; *adv.* even
hasta que *conj.* until
hay there is, there are; — **que** one must; **No — de qué.** You're welcome.
hazaña great deed
hebreo Hebrew
hecho *n.* fact; *past part.* done, made; **Dicho y —.** No sooner said than done.
helado *adj.* frozen; *n.* ice cream (*generally pl.*)
heredar to inherit
heredero heir
herejía heresy
herida *n.* wound
hermana sister
hermano brother
hermoso beautiful
hermosura beauty
héroe hero
herradura (horse)shoe
hierba grass
hierro iron
hija daughter
hijo son
hilo thread
himno hymn
hipocondriaco hypochondriac
histérico hysterical
historiador historian
hoja leaf
hola hello
hombre man; — **de negocios** businessman
hombro shoulder
homicidio murder
hondo deep
honradez *f.* honesty
honrado honest
hora hour; time (*of day*), **¿Qué — es?** What time is it?
horizonte *m.* horizon

hormiga ant
hospedar to lodge
hoy today; — **(en) día** nowadays
hueco hollow
hueso bone; **carne y hueso** flesh and bone
huevo egg
humanidad *f.* humanity
humanitario humanitarian
humedad *f.* humidity
humildad *f.* humility
humilde humble
humo hume; smoke
hundir(se) to sink
huracán *m.* hurricane

I

ibero Iberian
identidad *f.* identity
identifi*c*ar identify
idilio idyll
idioma *m.* language
iglesia church
igual equal; the same
igualdad *f.* equality
ileso uninjured
ilustre illustrious
imaginar(se) to imagine
impaciente impatient
impedir (i) to prevent
imperio empire
imponente imposing
imponer* to impose
importancia importance
importar to matter
imprenta printing; press
impresionar to impress
impuesto *n.* tax
impulsar to impel
inalcanzable unattainable
incaico Incan
incapaz (*pl.* **incapaces**) incapable
incendio fire
incluir (uyo) to include
incluso including
inconsciente unconscious, unaware
incorporar to incorporate
incorrupto uncorrupted
increíble unbelievable
incursión *f.* foray
indi*c*ar to indicate
índice *m.* index
indio Indian
individuo *n.* individual
inesperado unexpected
infame infamous
infante (crown) prince
infiel *m.* infidel; *adj.* unfaithful
infierno Hell
influir (uyo) (en) to influence
ingeniero engineer
ingeniería engineering
inglés *adj.* English; *n.* English (language); Englishman
iniciar to initiate, begin
inmediatamente immediately
inmenso immense
inmoral immoral
inmóvil still, motionless
inolvidable unforgettable
inseguro insecure; unsure
insertar to insert
insoportable unbearable
instalado installed
instantáneamente instantly
instintivamente instinctively
instinto instinct
instituir (uyo) to institute
integrante integral
intento attempt; effort
intercambio interchange
interés *m.* interest
interesado interested
interesante interesting
interesar to interest; **—se por** *or* **en** to be interested in
interno internal
intérprete interpreter
interrumpir to interrupt
intervenir* to intervene, interfere
intimidad *f.* intimacy
íntimo intimate
introducir* to introduce, bring in
inútil useless
invasor *n.* invader; *adj.* invading
inventar to invent
invierno winter
ir* to go; **—se** to go away

irreal unreal
irrealizado unrealized
irresuelto unresolved
irrumpir to break out
Isabel Elizabeth
isla island
islámico Islamic (*Moslem*)
izquierdo *adj.* left; **a la izquierda** on the left
izquierdista leftist

J

jabón *m.* soap
japonés Japanese
jaqueca headache
jaula cage
jefe chief; boss; leader
Jorge George
jorobado hunchbacked
joven *adj.* young; *n.* young man
judío *n.* Jew; *adj.* Jewish
juego game; gambling
jueves *m.* Thursday
juez judge
jugar* play
juglar wandering minstrel
juguete *m.* toy
jungla jungle
junto *adj.* (*generally pl.*) together; **— a** *prep.* near, close to, next to
jurado *n.* jury
juramento oath
justicia justice
justificar to justify
juventud *f.* youth
juzgar to judge

L

labrar to work (*land, metal, etc.*)
lado side
ladrillo(s) brick(s)
ladrón thief
lago lake
lágrima *n.* tear
lamentar to regret
lamer to lick
lámpara lamp
lana wool
lancha boat, launch
lanzamiento launching
lanzar to hurl; to launch
lápiz *m.* (*pl.* **lápices**) pencil
largo long
lástima pity
lata tin; can
latón *m.* tin
lavar(se) to wash (oneself)
leal loyal
lección *f.* lesson
leche *f.* milk
leer* to read
legalizar to legalize
legumbre *f.* vegetable
lema *m.* motto
lengua language; tongue
lente *m.* lens
lento slow
león lion
letra handwriting; letter (*of alphabet*)
levantar to lift, raise; **—se** to get up, rise
ley *f.* law
leyenda legend
libertad *f.* liberty, freedom
libra *n.* pound
libre free
libro book
licor *m.* liquor; liqueur
liderato leadership
lienzo canvas
ligero swift; light; slight
limpiar to clean
limpio *adj.* clean
lindo beautiful
liquidar to liquidate, sell out
Lisboa Lisbon
lisonjero flattering
listo ready; alert, bright
loco mad, crazy
locutor *m.* announcer
lograr to achieve; succeed in
Londres London
lotería lottery
lucha *n.* fight; wrestling
luchar to fight
luego then; **hasta —** so-long; **desde —** of course

lugar *m.* place; **dar*** **—(a)** to give rise (to); **tener*** **—** to take place
lujo luxury
luna moon
lunar *m.* birthmark; polka dot
luz *f.* light

LL

llama *n.* flame
llamar to call; **—se** to be named
llano *adj.* plain; *n.* (*generally pl.*) plain(s), flatland(s)
llanta tire (automobile, etc.)
llave *f.* key
llegada arrival
llegar (a) to arrive (at); reach; **— a ser** to become
llenar(se) to fill (up)
lleno (de) full (of), filled (with)
llevar to wear; to carry; to bring; to take (*a person*); **— a cabo** to bring about, realize
llorar to cry
lluvia rain

M

madera wood
madre mother
madurez *f.* maturity
maestro, maestra *n.* teacher; *adj.* master
magasín *m.* magazine (*of a camera or gun*)
maíz *m.* corn
mal *adj., m.* bad; *adv.* badly; *n.* evil; **— de ojo** evil eye; **de — en peor** from bad to worse
maleta suitcase
malo bad; (*with* **estar**) sick
manco one-armed; maimed
mandar to send; order
mandato command
manejar to drive; to manage, handle
manera way; manner; **de otra —** in another way
manicomio insane asylum
manifestar (ie) to show, manifest
mano *f.* hand
mantener* to maintain; support (*a family, etc.*)
mantequilla butter
manuscrito manuscript
mañana tomorrow; morning
mapa *m.* map
máquina machine; **— de escribir** typewriter; **— de lavar** washing machine
mar *m.* sea
maravilla wonder
maravilloso marvelous, wonderful
marca brand
marcharse to go out or away
marfil *m.* ivory
marido husband
marina navy
Marruecos Morocco
martes *m.* Tuesday
más more; most; **— que . . .** more than . . .; **— de** more than (*before a number*); **a — no poder** uncontrollably; **— bien** rather; **no — que** only; **los —** most, the majority
matanza slaughter
matar to kill
materia matter; subject (matter); material
matiz *m.* hue
matricular(se) to matriculate, register
matrimonio marriage; married couple
mayor older; larger; principal; oldest; largest, etc.; **al por —** wholesale; **la — parte** the majority
mayoría majority
máximo best, top, greatest
mayúscula capital (*letter*)
meca mecca
mediados: a — de about the middle of
mediano average
medianoche *f.* midnight
médico doctor
medida measure; **a — que** *conj.* as
medio *n.* means; middle; average; one half; **en — de** in the middle of; **por — de** by means of; *adj. and adv.* half; **a las siete y media** at 7:30
mediodía *m.* noon
medir (i) to measure
mejor better; best; **— dicho** rather
mencionar to mention
menor younger; smaller; lesser; minor; youngest; smallest; least; **al por —** retail
menos less; minus; except; **al —, a lo menos** at least; **a — que** *conj.* unless; **ni mucho —** not in the least

mensaje *m.* message
mensajero messenger
mentira lie
mentir (ie) to lie
mentiroso liar
menudo: a — often
meñique small (*toe*)
mercado market
mercancía merchandise
merecer (zco) to deserve; merit; earn
mes *m.* month
mesa table; mesa
meseta plateau
meta goal
metido engaged, involved
método method
metrópoli *f.* mother country
mezclar(se) to mix
mi(s) my
mí me (*obj. of prep.*)
miedo fear; **tener* —** to be afraid
miembro member
mientras (que) *conj.* while; **— tanto** meanwhile
mil a thousand
milla mile
millón *m.* million
millonario millionaire
mínimo minimal; least
minoría minority (*numbers*)
minoridad minority (*age*)
mío mine
mirar to look at; watch
misionero missionary
mismo same; very (*emphatic*); **ahora —** right now
misterio mystery
mitad *f.* half
moda fashion; **estar* de —** to be in fashion
molino mill
monarca monarch
moneda coin; change (*money*)
monja nun
mono monkey
monstruo monster; prodigy
montañoso mountainous
monte *m.* woods
morado purple
moralidad *f.* morality
mordaz (*pl.* mordaces) mordant, biting
moreno brunette; dark-complexioned
moribundo *adj.* dying
morir (ue) (*past part.* **muerto**) to die
morisco *n.* a Moslem converted to Christianity; *adj.* Moorish
mortificante embarrassing
mostrar (ue) to show
motín *m.* riot
mover(se) (ue) to move
mozo young man; waiter
muchacha girl
muchacho boy
muchedumbre *f.* crowd
mucho much, a great deal; *pl.* many
mudéjar *n.* Moslem living in Christian territory in medieval Spain
muebles *m. pl.* furniture
muela tooth; **dolor de —s** toothache
muerte *f.* death
muerto dead; killed
mujer woman; wife
multa fine; (*traffic*) ticket
multiplicar(se) to multiply
multitud *f.* crowd, multitude
mundial (*of the*) world
mundo world; **todo el —** everybody
municipio municipality
muñeca doll
muro wall
músculo muscle
museo museum
música music
musulmán Moslem
mutuo mutual
muy very; **Muy señor(es) mío(s)** Dear Sir(s)

N

nacer (zco) to be born
nacimiento birth
nada nothing; **De —** You're welcome; **—más** that's all
nadador swimmer
nadar to swim
nadie nobody, no one
nalgada spanking
naranja orange
nariz *f.* nose

narrador narrator
natación *f.* swimming
naturaleza nature
navegable navigable
navegante navigator
Navidad *f.* Christmas
neblina fog
necesario necessary
necesitar to need
negar (ie) to deny; — **se (a)** to refuse (to)
negocio(s) business
negro black; Negro
nervioso nervous
nevar (ie) to snow
ni neither; **ni . . . ni** neither . . . nor
nieto grandchild
nieve *f.* snow
ningún, ninguno (a, os, as) no, none, not . . . any
niña girl
niñez *f.* childhood
niño child, boy
nivel *m.* level
nobleza nobility
noche *f.* night; evening; **de** — at night
nombrar to name, appoint, nominate
nombre *m.* name; — **de pila** given name
nordeste *m.* northeast
norma norm, standard
norte *m.* north
nosotros, nosotras we; us (*after a prep.*)
nota note; grade (*school*)
noticia piece of news; *pl.* news
nublado cloudy
núcleo nucleus
nuestro our; ours
nueve nine
nuevo new; **de** — again
número number; **sin** — endless
nunca never

O

o or
obedecer (zco) to obey
objeto object
obligar to oblige, compel
obra work (*of art, etc.*)
obrar to work (*creatively*)
ob*tener** to obtain, get
occidental western
ocultar to hide
oculto hidden
ocupado busy
ocupar to occupy
ocho eight
ocurrir to occur, take place
odiar to hate
odioso hateful
oeste *m.* west
ofender to offend
oficial *n.* officer
oficina office
oficio trade
ofrecer (zco) to offer
ofrenda offering
oído ear; **al** — into one's ear
oír* to hear; — **decir (a alguien)** to hear (*someone*) say
¡ojalá! if only!, how I hope! etc.
ojo eye; **¡ojo!** watch out!
ola wave
olivo olive tree
olor *m.* odor
olvidar to forget
olvido oblivion
olla pot
once eleven
oportunidad *f.* opportunity
oprimir to oppress
oración *f.* sentence; speech; prayer
orador speaker
órbita orbit
orden *f.* order, command; *m.* order, stability; order, position
orgullo pride
orgulloso proud
origen *m.* origin
oro gold
orquesta orchestra
oscilar to oscillate, swing
oscuridad *f.* obscurity; darkness
oscuro dark
oso bear
otoño autumn
otro another; **el** — the other
oyente listener

P

pacificar pacify
pactar to make a pact
padre father; *pl.* parents
pagar to pay (for)
página page
país *m.* country (*nation*)
paisaje *m.* countryside; landscape
paisano countryman
pájaro bird
palabra word
palanca lever
pan *m.* bread
pantalones *m. pl.* trousers
pantalla screen; lampshade
pañuelo handkerchief
papa pope
papel *m.* paper; role; **hacer* un —** to play a role
paquete *m.* package
par *m.* pair
para for; (*in order*) to; by (*a certain date or time*); considering, with relation to; **— que** *conj.* in order that, so that; **estar* —** to be about to
paracaídas *m.* parachute
parado *adj.* standing
paradoja paradox
paraguas *m.* umbrella
pardo brown
parecer (zco) to seem, look, appear
pared *f.* wall
pareja couple
parienta, pariente relative
parque *m.* park
parte *f.* part; **de — de** on the part of; **¿De — de quién?** Who's calling?; **la mayor —** the majority, most; **por** *or* **en todas —s** everywhere
participar to participate
partidario partisan
partido game (*ballgame, etc.*); (*political*) party
partir to leave; **a — de** from . . . on
pasado past; last; **— mañana** the day after tomorrow; **la semana pasada** last week
pasajero *n.* passenger; *adj.* passing
pasar to pass; happen; spend (*time*)
pasatiempo pastime
Pascuas *f. pl.* Easter
paseo stroll, walk
paso step; passing; **dar* un —** to take a step
pastoril pastoral
pata paw
patria homeland, fatherland
patrocinar to sponsor, subsidize
pauta path, example
paz *f.* peace
peatón pedestrian; **soldado —** foot soldier
pecado sin
pecho chest
pedazo piece
pedir (i) to ask for, request
pegar to hit; stick on, affix
peine *m.* comb
película film
pelea fight
peligro danger
peligroso dangerous
pelo hair
pelota ball; **jugar(ue) a la —** to play ball
peluquería barbershop
peluquero barber
pena trouble
péndulo pendulum
penetrar to penetrate
pensador thinker
pensamiento thought
pensar (ie) to think; — (+ *infin.*) to intend to; **— en** to think about or of; **— de** to think of (*have an opinion of*)
peor worse; worst
pequeño small, little
perder (ie) to lose; **— tiempo** to waste time
perdonar to excuse, pardon
perecer (zco) to perish
peregrino pilgrim
pereza laziness
perfeccionar to perfect
periódico *n.* newspaper
permiso permission; **con —** excuse me
permitir to permit, allow, let
perro dog; **— faldero** lap dog
persecución *f.* persecution
persona (*always f.*) person; *pl.* people
pertenecer (zco) to belong

pesar *n.* grief; spite; **a — de** in spite of; *v.* to weigh
pescado fish (*caught*)
pes*c*ar to fish
peso weight; **peso** peso (*monetary unit*)
pestaña eyelash
petrolífero *adj.* oil
pez *m.* fish (*alive*)
pie *m.* foot; **a —** on foot
piedra stone
piel *f.* skin
pierna leg
píldora pill
pinchazo flat tire
pintar to paint
pintor painter
piscina swimming pool
piso floor, story
pitazo whistle blast
pito whistle
pizarra blackboard
placer *m.* pleasure
planeta *m.* planet
planta plant; floor, story; **— baja** ground floor
plantear to set; pose (*a problem*)
plata silver
plato dish
playa beach
plaza town square
plazo period of time; **a plazos** on installments
plebeyez *f.* ordinariness
pleno full
pluma pen
población *f.* population; town
poblar to populate
pobre poor
poco little (*in amount*); **a —** shortly thereafter; **— a —** little by little, gradually; *pl.* few; **los —s** the few
poder* *v.* to be able; can; *n.* power
poesía poetry; poem
poeta *m.* poet
poetisa poetess
policía *f.* police (*force*); *m.* policeman
poliglota polyglot (in several languages)
política politics, policy
político *m.* politician; *adj.* political
póliza policy; **— de seguros** insurance policy
polvo dust; (*generally pl.*) powder
poner* to put; to turn on (*radio, etc.*); give (*a name*); **—se** to put on; to become (+ *adj.*); to set (*the sun*); **—se a** to begin to
populacho populace
por by; along; through; by means of; for (*a period of time*); during; (*in exchange*) for; instead of; for (*the sake of*); out of, because of; on account of; **— favor** please; **— la mañana** in (*during*) the morning; **mañana — la mañana** tomorrow morning
¿por qué? why?
porque because
portal *m.* doorway
poseer* to possess
posterior later
postre *m.* dessert
potencia power
práctica practice
practi*c*ar to practice
precio price
precioso precious; adorable, cute
precisamente precisely
predominar to predominate
preferir (ie) to prefer
pregunta question
preguntar to ask (*a question*)
premio prize
preocupación *f.* concern, worry
preocupado worried
preocupar(se de *or* **por)** to worry (about)
preparar to prepare
preparativo (*generally pl.*) preparation(s)
presentar to present; introduce; **—se** to appear
prestar to lend
presunción *f.* presumptuousness
primavera spring
primer(o) first
primo cousin
príncipe prince
principio beginning; **al —** at the beginning
prisa hurry, haste; **tener* —** to be in a hurry; **darse* —** to hurry up
prisionero prisoner
proa prow

probar (ue) to taste; prove; try on
problema *m.* problem
proceso process; trial (*law*)
producir* to produce
profesor(a) teacher; professor
programa *m.* program
prohibir to prohibit; forbid
prójimo fellowman
promulgar to promulgate (*a law, etc.*)
pronombre *m.* pronoun
pronosticar to predict
pronto soon
propiedad *f.* property
propio *adj.* own
proponer* to propose
propósito purpose; **a —** by the way; **de —** on purpose
prosecución *f.* pursuit
proseguir (i) to pursue, continue
prosista prose writer
prosperar to prosper
prosperidad *f.* prosperity
proteger to protect
provechoso profitable
proveer (*past part.* **provisto**) to provide
provenir* to come (from)
próximo next
proyectar to project
proyecto project
psiquiatra psychiatrist
publicar to publish
pueblo town; people (*race*); people (*public*)
puente *m.* bridge
puerta door; **— giratoria** revolving door
pues . . . well . . .
puesto post, position
pulgada inch
pulmón *m.* lung
pulsera bracelet
punto point; **a — de** about to; **en punto** exactly (*time*)
puñal *m.* dagger
pupila pupil (*of eye*)
pupitre *m.* (*school*) desk

Q

que who; that; which
¿Qué? *pron.* What?; *adj.* What; Which; **¿— tal?** How are things?; **¿— hay?**; What's new? What's up?; **¡Qué!** (+ *adj. or adv.*) How . . .!
quebrantar to break
quedar(se) to remain; stay; **— le a alguien** (like) **gustar** to have . . . left or remaining
quejarse (de) to complain (about)
quemar to burn
querer* to want; like (*a person*)
quien(es) *rel. pron.* who; he who, the one who, those who, etc.; whom
¿Quién(es)? Who? (*after a prep.*) Whom?
químico chemical
quince fifteen
quinto fifth
quitar to take away; **—se** to take off (*apparel, etc.*)

R

racionalizar to rationalize
radicarse to take root; be rooted
radio *f.* and *m.* radio
raíz *f.* root
rango rank
rapidez *f.* speed; rapidity
rato short while
ratón *m.* mouse
rayo ray
raza race
razón *f.* reason; **tener* —** to be right; **no tener* —** to be wrong
reaccionar to react; recover
real *n.* military camp; *adj.* real; royal
realidad *f.* reality; **en —** in fact, actually
realista realistic; royalist
realizar to realize, bring about
rebelarse to rebel
recibir to receive
recalcar (en) to emphasize
rechazar to reject
recién, reciente recent; recently
recoger to pick up; retrieve
recompensa compensation
reconocer (zco) to recognize
reconocimiento recognition
recordar (ue) to remember
rectificar to rectify
recuerdos regards

recurso resource
red *f.* net
redondo round
reducido reduced, lowered
reducir* to reduce
reemplazar to replace
reemplazo replacement
referirse (ie) (a) to refer (to)
reflejar to reflect
reflejo reflection
reforma reform; **la R—** Reformation
refrán *m.* proverb
refrigerador *m.* refrigerator
regalar to give as a gift
regalo gift
regencia regency
regla rule
reglamento rule, law
rehusar to refuse
reina queen
reinado reign, period of rule
reinar to reign
reino kingdom
reír (se) (río) to laugh; **— se de** to laugh at
reja grille
relacionado (con) related (to or with)
relato story, tale, account
religiosidad *f.* piety
reloj *m.* clock; watch
reluciente shiny
remitente sender
renacimiento Renaissance
rendirse (i) to surrender
reñir (i) to scold; quarrel
renovar (ue) to renew, reconstruct
renunciar (a) to renounce, give up
repasar to review
repaso review
repente: de — suddenly
repentino sudden
repercutir to resound
repetir (i) to repeat
representante *n.* representative
representar to represent
rescatar to ransom
resolver (ue) (*past part.* **resuelto**) to resolve
resonar (ue) to resound
respecto respect, aspect; **— a** with respect to, concerning
respetar to respect
respeto respect, deference
respirar to breathe
responder to answer
responsabilidad *f.* responsibility
respuesta answer
restaurar to restore
restituir (uyo) to reinstitute, restore
resto rest, remainder; *pl.* remains
restorán *m.* restaurant
resucitar to revive, resuscitate
resuelto resolved
resultado result
resultar to turn out
resumen *m.* summary
retirar(se) to withdraw
retrato portrait
retroceso retrogression
reunión *f.* meeting
reunir (úno) to gather; **—se** to meet, gather together
revelado developing (*of film*)
revelar to reveal; develop (*film*)
revista magazine
revuelta revolt
revuelto mixed-up; scrambled
rey king
rico rich
ridículo *n.* ridicule; *adj.* ridiculous
riel *m.* rail
rienda rein
riesgo risk; danger
rifa raffle
rigidez *f.* rigidity; strictness
rígido rigid; strict
río river
riqueza riches, wealth
robar to steal
rococó rococo
rodear (de) to surround (with)
rogar (ue) to beg; pray
rojo red
rollo roll
romance *m.* ballad; *adj.* popular romance (*derived from Roman Latin*)
romper (*past part.* **roto**) to break
ronco hoarse
ropa dress; *pl.* clothes
rosado pink

roto broken
rubio blond
rueda wheel
ruido noise
ruleta roulette
rumbo direction; — **a** on the way to
ruptura rupture; breaking (off)

S

sábado Saturday
sábana (*bed*) sheet
saber* to know (*a fact, how to, etc.*)
sabiduría wisdom
sabio wise
sacar to take out; — **buenas notas** to get good marks; — **un premio** to win a prize; — **una foto** take a picture
sacerdote priest (*often pagan*)
sacrificar to sacrifice
sacrificio sacrifice
sacudir to shake
sagrado sacred
sal *f.* salt
sala living room; — **de clase** classroom
salir* to go out; leave (*a place*); come out of; rise (*the sun*); turn out, work out
saltar to jump
salto jump
salud *f.* health
salvar to save
salvavidas *m.* life jacket
sangre *f.* blood
sangriento bloody
santo saint
sartén *m. and f.* frying pan
satélite *m.* satellite
sátira satire
satisfecho (de) satisfied (with)
sazón *f.* season; **a la** — at the time
secar to dry
sed *f.* thirst; **tener*** — to be thirsty
seda silk
seducir* to seduce
seguida: en — at once, immediately
seguir (i) to follow; continue, keep on
según according to
segundo second
seguridad *f.* security; safety
seguro sure
seis six
selva woods; jungle
sello stamp
semana week
semanal weekly
sembrar (ie) to sow
semejante similar
semestre *m.* semester
senador senator
sencillez *f.* simplicity
sencillo simple
sentar (ie) to seat; to fit; —**se** to sit (down)
sentido sense; **sin** — senseless
sentir (ie) to feel; regret; —**se** to feel (+ *adj.*)
señal *f.* signal; sign
señalar to point out
señor mister; gentleman; Mr.
señora madam; lady; Mrs.
señorita Miss; young lady
separado separated
sepulcro grave
ser* to be (*something, etc.*); to be from, for, made of; to belong to; (*with adj.*) to be essentially characterized by; *m.* being
serie *f.* series
serio serious; **en** — seriously
sermonear to sermonize
servir (i) to serve; to be used or good for; — **de** to serve as
sesenta sixty
si if; whether
siempre always; **para** — forever
siesta nap
siete seven
siglo century
siguiente following; next
silla chair
sillón *m.* armchair
símbolo symbol
simiente *f.* seed
simpático nice
sino but (*on the contrary, used after a negative*)
sinónimo synonym
síntoma *m.* symptom
sistema *m.* system
situado situated
sobre on, upon; above; on, about, concerning; — **todo** especially

sobre*salir** to excel, stand out
sobre*venir** to befall
sobrevivir to survive
sobrina niece
sobrino nephew
sociedad *f.* society
sofo*c*ar to suffocate; quell
sol *m.* sun; **al** — in the sun; **hacer* sol** to be sunny
soledad *f.* solitude, loneliness
soler (ue) to be accustomed to
solo alone
sólo only
soltera unmarried woman
soltero bachelor
solucionar to solve
sombra shadow
sombrero hat
someter to subject
son *m.* sound
sonar (ue) to sound; ring (*a telephone, etc.*)
soñar (ue) (con) to dream (of)
sonido sound
son*reír** to smile
sopa soup
soportar to support (*physically*); endure
sóquer *m.* soccer
sorprendente surprising
sorprender to surprise
sótano cellar
su(s) his, her, your (**Ud. Uds.**), their
subconsciente subconscious
subir to go up; climb
súbitamente suddenly
subjuntivo subjunctive
sublevación *f.* revolt, uprising
sublevarse to revolt
subyu*g*ar to subjugate
suceder to happen; succeed (*in order*), follow
sucesor successor
sucio dirty
sueldo salary, wages
sueño dream; sleepiness; **tener*** — to be sleepy
suerte *f.* luck; chance
suéter, swéter *m.* sweater
sufrir to suffer
sugerir (ie) to suggest
suicidarse to commit suicide
sujetar to tie down
sujeto subject
sumadora adding machine
sumo great, extreme
suntuoso sumptuous
suprimir to suppress
supuesto: por — of course
sur *m.* south
sur*g*ir to arise, come forth
suroeste *m.* southwest
suspender to fail (*someone in a course*)
sustancia substance
sustantivo noun
sustituir (uyo) to substitute
susto fright
susurrar to whisper
suyo his, hers, yours (**Ud., Uds.**), theirs

T

tacón *m.* heel (*of shoe*)
tal such a; — **vez** perhaps
también also, too
tampoco neither, not . . . either
tan *adv.* so; as; — **temprano** so early; — (+ *adj.*) **como** as . . . as
tanto so much, as much; *pl.* so many, as many
tapar to cover
tardar to delay; to take (*a certain amount of*) time; **sin más** — without further delay
tarde afternoon; *adv.* late; **buenas** — **s** good afternoon
tarea chore; homework
taza cup
teatro theater
técnica technique
tecnología technology
tejedor weaver
tejido woven fabric
tela cloth; — **estampada** print(ed) cloth
televisor *m.* television set
temblar (ie) to tremble
temblor *m.* tremor
temer to fear, be afraid
templado temperate
temporalmente temporarily
temprano early
tender (ie) to spread out; make (a bed)

tener* to have; — **que** (+ *infin.*) to have to; must; — **frío, calor, miedo,** etc. to be cold, warm, afraid, etc.; — **razón** to be right — . . . **años de edad** to be . . . years old; — **lugar** to take place; — **que ver con** to have to do with; — . . . **pies de alto (largo,** etc.) to be . . . feet long (tall, etc.)
teniente lieutenant
tenis *m.* tennis
tentación *f.* temptation
tenue slight; dim
teoría theory
tercer(o) third
terciopelo velvet
terminación *f.* ending
terminar to end, finish
ternura tenderness
terremoto earthquake
terrenal earthly
tesis *f.* thesis
tesoro treasure
testarudo stubborn
testigo witness
tía aunt
tiempo time; weather; **a** — on time; **de** — **en** — from time to time
tienda store
tierno tender
tierra land; earth
tiniebla shadow
tío uncle
típico typical
tipo type, kind
tira string
tirar to draw, pull; shoot; throw
títere *m.* puppet
titularse to be entitled
título title
to*c*ar to play (*an instrument*); touch
todavía still; (*negative*) yet; — **no** not yet
todo all; whole; every; —**s los días** every day
toldo canopy
tomar to take; eat or drink (*food*)
tomo volume, tome
tono tone
tor*c*er (ue) to twist
torero bullfighter
tormenta storm
tornillo screw
toro bull
torpe stupid, dull
torre *f.* tower
torta cake
tortuga turtle
tostar (ue) to toast; tan
trabajar to work
trabajo work
traducir* to translate
traer* to bring
traidor *m.* traitor; *adj.* treacherous
traje *m.* suit; dress; outfit
trampa trap; trick
transmisor *m.* transmitter
transmitir to transmit
transporte *m.* transportation
tras after; **hora** — **hora** hour after hour
trasero *adj.* back
trasladar(se) to move, transfer
traslucir (zco) to show through
trasnochar to stay up late
tratamiento treatment
tratar to treat; — **de** to try to; deal with
travesura prank, mischief
trece thirteen
treinta thirty
tremendo tremendous
tren *m.* train
tres three
tribu *f.* tribe
tristeza sadness
triunfar to triumph
trono throne
tú you (*fam. sing.*)
tu(s) your (*fam. sing.*)
tumba tomb
turco Turk
tuyo yours (*fam. sing.*)

U

u or (*before a word beginning with* o *or* ho)
último last; latest
un, una a, an; *pl.* some; about, approximately
uña fingernail
único *adj.* only, sole
unidad *f.* unity

unido united
unificar to unify
universidad *f.* university, college
uno one
uranio uranium
usar to use
usted (Ud.) you; **ustedes (Uds.)** you (*pl.*)

V

vaca cow
vacaciones *f. pl.* vacation
vaciar (ío) to empty
vacío empty
valer* to be worth; — **la pena** to be worth while
validez *f.* validity
valiente brave, valiant
valioso valuable
¡Vamos! Let's go!; — **a . . .** Let's . . .
vanidad *f.* vanity
vapor *m.* steamship; steam
vaquero cowboy
variado varied
variar (ío) to vary
varón male
vaso glass
vasto vast
vecino neighbor
veinte twenty
vela candle
velocidad *f.* speed
vencedor winner
vencer to conquer; win
vender to sell
vengarse to take revenge
venir* to come
ventana window
ver* to see; **a ver** let's see
verano summer
veras: de — truly, really
verdad *f.* truth; **¿ — ?** Is it true? . . . do you? is he? etc.; **de —, en** — truly, really; to tell the truth
verdadero real; true
verde green
vergüenza shame
vestido *n.* dress; *pl.* clothes; *adj.* dressed
vestir(se) (i) to dress; get dressed
vez *f.* time, occasion, instance; **alguna** — ever, at any time; **a su** — in his (or its) turn; **de — en cuando** from time to time; **en — de** instead of; **una —, dos veces** once, twice; **otra** — again; **a veces** at times
viajar to travel
viaje *m.* trip; **hacer* un** — to take a trip
viajero traveler
víctima (*always f.*) victim
vid *f.* (*grape*) vine
vidrio glass
viejo old
viento wind; **hacer*** — to be windy
viernes Friday
vigor: en — in force, in effect
vínculo bond; link
vino wine
virrey viceroy
virtud *f.* virtue; power
visitar to visit
visón *m.* mink
vista sight; view
viuda widow
viudo widower
vivir to live
vivo living, alive
vocación *f.* calling
volar (ue) to fly
vólibol *m.* volleyball
voluntad *f.* will
voluntariamente voluntarily
voluntario *n.* volunteer; *adj.* voluntary
volver (ue) (*past part.* **vuelto**) to return, come back, go back; — **a** to (*do something*) again
vosotros, vosotras you (*fam. pl.*)
votación *f.* vote
votar to vote
voz *f.* voice; shout
vuelta turn; return; **dar* —s** to turn round and round; **estar* de** — to be back
vuestro your (*fam. pl.*); yours

Y

y and
ya already; — **no** no longer, not any more; **¡ya!** there we are! — **que** *conj.* now that, since

yacer (zco) to lie, recline (*as dead*)
yate *m.* yacht
yerba grass
yo I

Z

zapatero shoemaker
zapato shoe

VOCABULARIES FOR REVIEW LESSONS I–V (LABORATORY)

These are the new or difficult words and expressions in the order that they appear in the dictation and comprehension exercises given on tape for Review Lessons I–V (Tapes 8, 14, 20, 26, 32).

Repaso I. Tema: *¿Qué Es un Español?*

¿cómo se diferencia . . . ? how does he differ . . . ?
un alma que nace . . . suya a soul that is born . . . his
cambiar to change
según according to
se despierta he wakes up
se acuesta he goes to bed
contemporáneo contemporary
condecorado loaded with decorations
todo el mundo everybody
metódico methodical
cerveza beer
hecho por sí mismo self-made
mascar goma to chew gum
perder tiempo to waste time
seguir to follow; to continue, keep on
hablando talking (*pres. part.*)
la política politics
los deportes sports
las nuevas del día the news of the day
la corrida de toros the bullfight
hispano Hispanic, Spanish
las oficinas y tiendas se cierran the offices and stores close
almorzar to have lunch
se abren open, are opened
se quedan abiertas stay open
cenar to have dinner
dar un paseo to take a stroll
la calle the street
tertulia social gathering
arroz con pollo chicken with rice
paella a Valencian dish consisting of saffron rice with chicken, sausage, and seafood
gazpacho a type of cold soup made of cucumbers, tomatoes, oil, spices, and other vegetables
que varían that vary
tortillas de maíz corn cakes
frijoles beans
carne de res beef
contentarse to be satisfied
aunque se muestre a veces algo anticlerical although at times he may appear somewhat anticlerical
santo saint
celebrar to celebrate
el cumpleaños birthday
fiesta holiday
la Semana Santa Holy Week
penitentes penitents
un espectáculo que hace revivir las antiguas ceremonias medievales a spectacle that brings back to life the ancient medieval ceremonies
celosamente jealously
dueña chaperone
es decir that is to say
ni hablar a solas nor speak alone
sin embargo nevertheless
ir de compras to go shopping
los paquetes the packages
no vacila en echarle piropos he doesn't hesitate to make flattering remarks to her

dominada dominated
anarquismo anarchism
conservador conservative
vestidos clothing
sobre todo especially, above all
la vida se parece cada vez más a la de cualquier otra gran ciudad europea life resembles more and more that of any other great European city
así thus, so
creador e hijo creator and child
desarrolla he develops
ciertas certain
por debajo de underneath

Repaso II. Tema: *La Navidad en España e Hispanoamérica*

paz peace
distinta different
toda una manera de vivir a whole way of life
trae consigo brings with it
un despertar perpetuo a perpetual awakening
nacimiento birth; Nativity scene
esperanza hope
temporada season
respira breathes
religiosidad religiousness
frenesí frenzy
regalos gifts
conocidos de negocios business acquaintances
solemne solemn
no ponen árboles de Navidad they don't put up Christmas trees
tarjetas de felicitación greeting cards
donde se siente más where there is most felt
víspera eve
la Nochebuena Christmas eve
misa mass
villancicos Christmas carols
canciones navideñas Christmas songs
no es San Nicolás quien se los trae It isn't St. Nick who brings them to them
los Reyes Magos the Wise Men
la estrella de Belén the star of Bethlehem
el balcón the balcony
a veces los llena de paja sometimes they fill them with straw
camellos camels
posada inn; resting place, stop; lodging
figuritas figurines
de puerta en puerta from door to door
alojamiento lodging
la novena the ninth
establo stable
colocan they place
los niños juegan a romper la piñata the children play at breaking the piñata
olla de barro large earthenware pot
adornada con papeles y cintas adorned with papers and ribbons
llena de dulces filled with sweets
juguetes toys
se cuelga la piñata the piñata is hung
debajo de under
con los ojos vendados with their eyes blindfolded
palo stick
recoger to pick up
suelo ground; floor
sobreviven ciertas costumbres there survive certain customs
ritos paganos pagan rites
un ser medio Dios a being half-God
quiere sentirlo y se emociona he wants to feel Him and he is moved with emotion
sigue resonando continues resounding
charla talk

Repaso III. Tema: *La Música Hispana*

hecho fact
prosa prose
el baile dancing
por medio de by means of

que domina that he commands
y se hace entender and he makes himself understood
el primer periodo cristiano the early Christian period
Concilio Council (of the church)
condenó condemned
poco devotos unholy
reliquia relic
sigue desarrollándose la música religiosa religious music keeps on developing
además del canto eugeniano aside from the Eugenian chant
canto gregoriano Gregorian chant
la mujer idealizada the idealized woman
nobles feudales feudal nobles
cantares de gesta songs of derring-do, epic poetry
juglares minstrels
hazañas deeds of valor
no se diferencia mucho de la de doesn't differ much from that of
trobadores troubadours
reinos kingdoms
se escribían were written
lengua gallego-portuguesa Galician-Portuguese language
desde hacía 400 años for 400 years
musulmán Moslem
la habían asimilado had assimilated it
reflejar los ritmos y cadencias del este to reflect the rhythms and cadences of the East
se multiplican there multiply
los largos poemas épicos quedan fragmentados en innumerables romances the long epic poems are broken up into innumerable ballads
se cantan nuevos romances new ballads are sung
romances fronterizos ballads about the frontier (between Christians and Moors)
lírico lyrical
valenciano Valencian
compositores composers
músico musicians
acompañamiento accompaniment
llamada fiesta de ópera so-called opera fiesta
alcanza attains
zarzuela musical comedy or play
género genre
goza de enjoys
todavía se conservan there still remain
descendientes descendants
desempeña un papel plays a part
incorporan incorporate
indígenas native, indigenous
pasado past
responde answers
la llamada de su sangre the call of his blood

Repaso IV. Tema: *La Corrida de Toros—Razón y Sinrazón*

razón y sinrazón right and wrong
el hombre se distingue de man differs from
conciencia consciousness, awareness
la teme he fears it
aun le quita even takes away
busca el peligro he seeks danger
se pone en competencia he puts himself in competition
lo curioso es the curious part is
los idolatra he idolizes them
ha habido there have been
león lion
tigre tiger
vaca cow
culebras snakes
cocodrilo crocodile
al desafiar a la muerte in defying death
destino destiny
doble double
iberos Iberians
lo cazaban they hunted it
su descendiente hispano their Spanish descendant
torneos en los cuales luchaban con toros bravos tournaments in which they fought wild bulls
para demostrar su valor to demonstrate their bravery
habilidad a caballo horsemanship
castillo feudal feudal castle

donde el pueblo pudo verlo where the public could see it
dejó de ser stopped being
nobleza nobility
se formaron las cuadrillas profesionales the professional troupes were formed
consiste en consists of
después del desfile after the procession
acompañado de una música emocionante accompanied by stirring music
el de los picadores that of the picadors
suena un clarín a trumpet sounds
montados a caballo mounted on horse-back
incitan al toro con una larga pica stir up the bull with a long pointed goad
hiriéndole en los músculos de la nuca injuring his neck muscles
banderilla a short steel-pointed stick
banderillero man who puts the banderillas in the bull's neck
a pie on foot
clava dos palos con puntas de acero puts two steel-pointed sticks
sangrefría coolness, calm when faced with danger
inmóvil ante los embistes motionless before the attacks
saca su estoque y lo hunde takes out his sword and plunges it
ha triunfado has triumphed
¿ha asistido Ud. alguna vez . . .? have you ever attended . . .?
supongo que le gustará I suppose that you probably like it
exaltación emocional excitement
en cierto sentido in a certain sense
es más bien it is rather
los toreros tienen que ejecutar ciertos pases the bullfighters have to make certain passes
para ver matar a un toro to see a bull get killed
destreza skill
¿no le preocupa la posibilidad de que el toro mate al torero? doesn't the possibility of the bull's killing the bullfighter worry you?
quedar herido get hurt
lo que a mí me repugna what *I* find awful
lo de los picadores the part of the picadors
que apenas se pueden mover that can hardly move
imagínense Uds. cómo debe asustarlos todo ese ruido imagine how all that noise must frighten them
enfurecido infuriated
embiste con los cuernos attacks with his horns
fuera de eso aside from that
no lo tome mal don't take it wrong
que me gustaría ver morir a nadie that I would like to see anyone die
crueldad cruelty
boxeador boxer
cuadrilátero ring (boxing)
boxeo boxing
si no me equivoco if I'm not mistaken

Repaso V. Tema: *Juan Manso*

manso meek
un cuento sencillo a simple story
con éxito successfully
era un mosquita muerta he was (as innocuous as) a dead fly
un corderito a little lamb
confidente confidante
su máxima suprema era no comprometerse nunca his guiding maxim was never take a stand on anything
arrimarse al sol que más calienta stick with the one who can do most for you
todo lo que pudiera whatever might disturb
nunca llevaba la contraria a nadie he never took issue with anybody
yo no soy ni fu ni fa I'm not Republican or Democrat (this or that)
a lo alto at the upper regions
una larga cola de gente cerca de las puertas del Paraíso a long line of people along the gates of Paradise

se colocó a la cola de la cola he placed himself at the end of the line
a poco in a little while
un humilde fraile franciscano a humble Franciscan monk
le cedió su lugar gave him his place
pensando para sí thinking to himself
ya no se lo pedían they no longer asked him for it
ni un paso not one step
un santo obispo a holy bishop
que resultó ser tataranieto who turned out to be a great, great grandson
prometió interceder por él ante Dios promised to intercede for him with God
por lo cual for which
perdió la esperanza gave up hope
eres gris ya hasta los tuétanos you're already gray right down to the marrow
temo meterte en nuestra lejía, porque seguramente te derrites I'm afraid to put you in our lye, because you'll surely melt
desesperado del todo absolutely desperate
todavía me queda una chispita de conciencia I still have a little spark of conscience left
comenzó a recorrer began to travel back and forth over
de ultratumba of the other world
como tapón de corcho like a bottle cork
las tapias the walls
que tomaba el fresco who was taking the cool air
se puso de rodillas got on his knees
le suplicó begged him
¿no prometiste a los mansos vuestro reino? didn't you promise your kingdom to the meek?
a los que embisten to those who attack (who act)
no a los embolados not to those who just sit back
empezó a embestir a diestra y siniestra began to attack right and left
la segunda vez the second time
la atropelló de un empujón knocked it down with one shove
se coló de rondón landed smack!
no cesa de repetir he doesn't stop repeating
milicia militance

INDEXES

INDEX OF NAMES

The following is a list of proper names mentioned significantly in the cultural readings.

INDEX OF GRAMMAR POINTS

References are to sections, except where page numbers (p.) are indicated.